LIEFDESSPEL

Van Barbara Taylor Bradford zijn verschenen:

De macht van een vrouw ❦
Erfenis van een vrouw*
De stem van het hart*
Koester mijn droom*
De erfgename*
De vrouwen van Maxim*
Afscheid van het verleden*
Engel*
De kracht van een vrouw*
Een gevaarlijke man*
Een nieuw geluk*
Sleutel van het hart*
Een geheime liefde*
Een sterke vrouw*
Een succesvolle vrouw*
Een vrouw uit duizenden*
De wereld aan haar voeten*
Drie weken in Parijs*
Het geheim van een vrouw*
Onverwacht geluk*
De beloning
De Ravenscar Dynastie
Erfgenamen van Ravenscar
Ik, Elizabeth – De toekomst van Ravenscar
Een eigenzinnige vrouw ❦
Liefdesspel ❦

*In POEMA POCKET verschenen
❦ Ook als e-book verkrijgbaar

BARBARA TAYLOR BRADFORD

LIEFDESSPEL

SIJTHOFF

Uitgeverij Sijthoff en Drukkerij Koninklijke Wöhrmann BV vinden het belangrijk om op milieuvriendelijke en duurzame wijze met natuurlijke bronnen om te gaan.

Oorspronkelijke titel: *Playing the Game*
Vertaling: Jet Matla
Omslagontwerp: DPS / Davy van der Elsken
Omslagfotografie: Alamy Limited / Andre Koening

ISBN 978 90 218 0402 6
ISBN e-book 978 90 218 0403 3
NUR 343

www.boekenwereld.com
www.uitgeverijsijthoff.nl
www.watleesjij.nu

Voor Bob,
met veel liefs

Inhoud

PROLOOG
Londen
Maart 2007   9

DEEL EEN
Een opmerkelijke vrouw   17

DEEL TWEE
De sterjournalist   101

DEEL DRIE
Een gevaarlijke ontmoeting   137

DEEL VIER
Een onverwachte informante   327

EPILOOG
Londen
December 2007   393

Opmerking van de schrijfster   398

Bibliografie   399

PROLOOG

Londen
Maart 2007

Annette Remmington zat achter haar bureau en staarde naar een schilderij, of eigenlijk naar een enorme foto ervan. Hij stond aan de andere kant van de kamer op een laag dressoir en leunde tegen de muur; het spotje aan het plafond was er zo op gericht dat alles scherp te zien was.

Haar fantastische schilderij. Haar meesterwerk. Haar Rembrandt. Nou ja, niet echt meer van haar, want het was nu van iemand anders, namelijk van de anonieme koper die een telefonisch bod had gedaan en die het verworven had voor de schokkende prijs van twintig miljoen pond. De hoogste prijs ooit betaald voor een werk van de beroemde Hollandse schilder.

Wat zou hij ervan gevonden hebben als hij nog leefde? Zou hij net zo'n golf van opwinding hebben gevoeld als zij bij de veiling, terwijl de prijs met sprongen steeg tot dat laatste ongelooflijke bedrag? Rembrandt was een soort kluizenaar geworden nadat hij dit werk in 1657 had voltooid, maar juist in die periode had hij enkele van zijn grootste meesterwerken gemaakt, al was zijn werk toen niet meer in trek.

Ze glimlachte flauwtjes. Dat hij nu wel in trek was, was nog zwakjes uitgedrukt.

Maar het schilderij was verdwenen, het hing ergens aan iemands muur en het enige wat ze ervan over had was de vergroting op fotopapier. Alhoewel, het was natuurlijk nooit echt van haar geweest. Ze was hoogstens even de beheerder geweest.

Aan de andere kant had ze het wel weer tot leven gewekt – zij had het tenslotte laten schoonmaken en restaureren. En door het aan te prijzen, door de lof van het doek te bezingen voor de hele wereld. Ze dacht tenminste dat zij dat had gedaan. Anderen hadden kwaadaardig beweerd dat ze het door die hype regelrecht zijn graf in geprezen had.

Annette lachte hardop bij de gedachte alleen al. Nee, niet het graf ín. Ze had het juist laten opstaan uit het graf en het een tweede leven geschonken. De Rembrandt was in geen vijftig jaar in het openbaar te zien geweest; het schilderij had liggen verstoffen in een vergeten kunstverzameling van een man die er waarschijnlijk op uitgekeken was. En zij had het weer op de kaart gezet door het te verkopen voor een onvoorstelbare prijs, en dat in een periode waarin de prijzen voor kunst alleen maar daalden.

Ze stond op, liep de kamer door en bleef even vol bewondering voor de vergroting staan. Het portret was zo levensecht, dat Annette het gevoel had dat haar vingers geen doek, maar huid zouden aanraken als ze haar hand uitstak naar die van de vrouw. Dat was een van de dingen die Rembrandt tot zo'n geniaal kunstenaar maakten.

Toen Annette weer achter haar bureau zat, schoot haar ineens te binnen wat haar zuster een paar dagen geleden had gezegd. Laurie noemde de Rembrandt het schilderij dat haar leven had veranderd, en er zat inderdaad een kern van waarheid in die bewering, in zoverre dat ze plotseling de nieuwe ster in de kunstwereld was geworden. Zolang het duurde natuurlijk.

Er was echt uitzonderlijk veel publiciteit geweest over de veiling van de Rembrandt. Zelfs haar man Marius was een beetje van zijn stuk gebracht door al die opschudding: er werd zoveel aandacht aan haar besteed. Hij, de ouwe rot in het vak, die beschouwd werd als een van de grote kunstkenners en -handelaars, was verbluft geweest door alle bijval die zij opeens kreeg.

Marius had een uitstekende reputatie, net als zoveel andere handelaars. Maar toch was Christopher Delaware naar háár toe gekomen, omdat hij zich haar herinnerde van een of ander groot diner van minstens een jaar geleden. Ze hadden het over kunst gehad en het hele gesprek draaide voornamelijk om haar specialisaties: het impressionisme, of postimpressionisme, met aan de andere kant van het kunstspectrum de oude meesters uit de Gouden Eeuw. Hij had gefascineerd naar haar geluisterd en had die avond heel wat van haar opgestoken.

En zo was hij maanden geleden naar haar kantoor gekomen om haar hulp in te roepen. Hij had haar verteld van zijn hoogbejaarde oom, een vrijgezel, die onlangs was gestorven en hem al zijn bezittingen had nagelaten, waaronder een kunstverzameling met een Rembrandt. Kon of wilde zij hem als cliënt aannemen? En óf ze dat wilde, en de rest was geschiedenis. De veiling had een paar avonden geleden plaatsgevonden en de hele kunstwereld had zijn adem ingehouden toen de hamer neerkwam bij het laatste bod van twintig miljoen pond. Het publiek was totaal overrompeld. Net als zij. Haar zusje had een lievelingsgezegde – 'God beschermt je' – en natuurlijk had Laurie zich niet in kunnen houden toen ze hoorde van Christopher Delawares bezoek aan haar kantoor in Bond Street.

Nu ze zich dit herinnerde, moest Annette weer glimlachen. Wat haar betrof was het Marius die haar had beschermd. Hoewel, 'die haar had begeleid' drukte het beter uit. Weer glimlachte ze even. Er waren genoeg mensen die fluisterden dat hij haar in zijn macht had, want dat dachten ze nu eenmaal.

Annette opende de map die voor haar lag en bekeek de tafelindeling voor het feest van vanavond. Haar man vierde zijn zestigste verjaardag en ze was maanden bezig geweest met de voorbereidingen; alleen de tafelindeling van de gasten had haar al weken gekost, door te bedenken bij wie ieder van hen graag zou willen zitten en aan welke tafel. Marius had het een waar kunstwerk genoemd, toen hij het voor de laatste keer met haar doornam en op de valreep nog een paar veranderingen had aangebracht.

Het feest betekende bijzonder veel voor hem en ze had er alles aan gedaan om er zeker van te zijn dat het echt iets speciaals zou worden. Hij had haar geleerd nooit iets aan het toeval over te laten, wat ze ook regelde of van plan was. Ze had altijd naar hem geluisterd en ze had ervan geleerd, dus ze had ook deze keer alles zo zorgvuldig mogelijk gepland. Het feest werd gehouden in de balzaal van het Dorchester Hotel aan Park Lane, en iedereen die wat voorstelde was uitgenodigd, of hij of zij nu uit de kunstwereld kwam, uit de beau monde of uit de showbusiness. Het was een internationaal gezelschap.

Omdat haar Rembrandt-veiling zo'n overweldigend succes was geweest, had Marius erop gestaan dat het feest een 'dubbel evenement' moest worden, zoals hij het noemde. Niet alleen zijn verjaardag zou worden gevierd, maar ook haar grote succes op haar veiling. Aanpassingen waren niet nodig geweest. Het algemene plan bleef onveranderd, tot Annettes grote opluchting. Behalve dat hij op zou staan om een toost op haar uit te brengen om iedereen te laten weten hoe briljant ze was.

Haar plotselinge sprong van betrekkelijke onbekendheid naar het niveau van de bobo's in de wereld van de kunsthandel was dan ook wonderbaarlijk te noemen, en niemand die er meer van opkeek dan zijzelf. Marius daarentegen leek absoluut niet verrast en toen ze na de veiling vertelde dat ze compleet van de kaart was door haar succes, riep hij uit: 'Nou, ik niet. Ik wist gewoon dat je ooit iets uitzonderlijks zou doen.' En toen was hij meteen met het plan gekomen om een andere draai aan het feest te geven...

Haar privételefoon ging over en ze pakte de rode hoorn op.

'Hallo?'

'Annette. Met Malcolm. Heb je even?'

'Natuurlijk. Alles goed met je?'

'Kan niet beter. Ik vroeg me af wat je vindt van het toespraakje voor Marius dat ik vanavond wil houden. Als je even kunt luisteren zou ik er vanaf zijn.'

'Geen probleem, al weet ik nu al dat wat je ook gaat zeggen een schot in de roos is.' Ze lachte. 'Je bent natuurlijk wel een van de favoriete beschermelingen, en je beheert zijn geliefde Remmington Gallery. Niemand kent hem beter dan jij.'

'Op jou na dan,' antwoordde Malcolm Stevens meteen, en grinnikend vervolgde hij: 'Daar gaat-ie dan.' Hij las de tekst op die hij geschreven had voor de man die hij boven iedereen bewonderde en zelfs vereerde. De lofbetuigingen had hij tot een minimum beperkt, want hij wist maar al te goed dat Marius zou gaan kreunen als hij vond dat al die eer overdreven was, maar hij had er wel een paar hilarische anekdotes en een paar plaagstootjes in verwerkt, die zo grappig waren dat Annette het uitschaterde.

Toen hij klaar was zei hij: 'Dat was het zo'n beetje, tenzij ik er op het laatste moment nog iets toepasselijks aan toe kan voegen.'

'Wat een geweldige toost zal dat worden, Malcolm! Ik weet zeker dat hij erom moet grinniken en zich in elk geval erg zal amuseren. Dit past helemaal bij zijn gevoel voor humor.'

'Als jij het goedvindt, dan hou ik het zo. Ik stop hem in mijn zak tot vanavond. Trouwens, even wat anders. Ik kreeg een nogal vreemd telefoontje een paar uur geleden.' Malcolm schraapte zijn keel. 'Van een privédetective die op zoek was naar een vrouw met de naam Hilda Crump, die volgens hem een tijdje bij de Remmington Gallery had gewerkt. Zo'n twintig jaar geleden. Hij vroeg of we een adres van haar hadden. Kennelijk had hij een cliënt die met haar in contact wil komen. Herinner jij je misschien ene Hilda Crump?'

'Nee, nooit van gehoord,' antwoordde Annette en ze klemde de hoorn krampachtig vast.

'Maar als ik het me goed herinner, heb jij daar vroeger toch een tijdje gewerkt? Toen Marius de Remmington Gallery opende?'

'Ja, dat klopt. Maar toen werkte er geen Hilda Crump. Trouwens, ik weet vrij zeker dat toen Marius jou tien jaar geleden de galerie verkocht, hij alle archieven in de computer had ingevoerd.'

'Ja, dat is zo, maar er is geen Crump in te vinden. Maar deze man was zo... zeker van zijn zaak, ik moest het je gewoon even vragen.'

'Sorry, Malcolm, ik kan je niet helpen.'

'Dat is dan duidelijk. Maakt niet uit. Bedankt dat je naar mijn toespraak wilde luisteren, en ik zie je vanavond. In vol ornaat. Ik weet zeker dat we een grandioze avond zullen hebben.'

'Dat denk ik ook, Malcolm,' antwoordde ze en ze hing op.

Even liet Annette fronsend haar hand op de hoorn van de rode telefoon liggen. Ze stond voor een raadsel. Wie was er op zoek naar Hilda? En waarom? Wat wilden ze van haar? Die vragen kon ze allemaal niet beantwoorden, maar één ding was zeker. Ze zou Hilda nooit verraden. Jaren geleden had ze gezworen haar verblijfplaats aan niemand bekend te maken, en zíj hield zich altijd aan haar beloften.

Annette leunde naar achteren in haar stoel en sloot haar ogen. Ze liet zich terugvoeren naar het verleden, denkend aan haar jonge jaren en aan al die vreselijke dingen die ze verdrongen had omdat ze er niet meer aan wilde denken. Ze huiverde en ze kreeg kippenvel op haar armen. De angst sloeg haar om het hart. Zoveel geheimen, zoveel te verbergen...

DEEL EEN

Een opmerkelijke vrouw

'Er was die levenswet, zo wreed en tegelijkertijd zo redelijk, dat je moest groeien of meer moest betalen om niet te veranderen.'
Norman Mailer, *The Deer Park*

Heel wat later die dag stond Annette Remmington voor de manshoge deur in haar kleedkamer die geheel met een spiegel was bedekt. Ze staarde naar haar spiegelbeeld, maar ze zag zichzelf niet. Op dat moment concentreerde ze zich niet op haar uiterlijk, maar op die knoop van angst die in haar maag zat sinds ze was thuisgekomen. Ze kon hem zich precies voorstellen: zo groot als een erwt, maar loodzwaar. Opeens duizelde het haar en ze strekte een hand uit naar de kaptafel om niet om te vallen. Nadat ze een paar maal diep ademgehaald had, lukte het haar om dat onverwachte draaierige gevoel onder controle te krijgen. Nu richtte ze een objectieve blik naar haar spiegelbeeld, knikte goedkeurend naar wat ze zag, en gaf zichzelf op haar kop omdat ze zich zo aanstelde.

De naam Hilda Crump had haar eerder die dag al van streek gemaakt, en dat telefoongesprek met Malcolm had ze de rest van die middag niet meer uit haar hoofd kunnen zetten. Maar het ging om gebeurtenissen van lang geleden – Hilda was verdergegaan en uit Annettes leven verdwenen. Voorbij was voorbij en ze mocht niet toestaan dat het verleden haar op zo'n belachelijke manier achtervolgde.

Ik moet haar uit mijn gedachten zetten. En uit mijn verleden. Het is voorbij. Ik moet me richten op het hier en nu. Het heden. En de toekomst. Ik heb dingen altijd in hokjes gestopt en opgeborgen en dat moet ik nu weer doen. Onmiddellijk. Hilda moet in haar hokje gezet worden en daar blijven. Ze maakt niet langer deel uit van mijn leven en daarom is ze onbelangrijk. Ze kan me geen kwaad doen. Niemand kan me kwaad doen. En ik kan me echt niet permitteren om hieraan zoveel tijd te verspillen, aan dat piekeren over het verleden, een verleden dat ik niet meer kan veranderen.

Ik ben in een nieuwe fase van mijn leven beland met het succes van de veiling. Het is me gelukt en het zal me nog een keer lukken. Christopher Delaware heeft dan wel geen Rembrandt meer, maar hij heeft nog heel wat prachtige schilderijen die ik op dezelfde manier kan veilen. Marius zei dat je

*zo hoog kunt gaan als je wilt, en hij heeft gelijk, maar zal hij
me zo hoog laten gaan? Hij wil overal controle over houden.
Ook over mij. Ik weet wel hoe ik met hem moet omgaan na
al die jaren, dus ik zal het wel klaarspelen. Ik speel het altijd wel klaar. Ik denk dat ik mijn volgende veiling in New
York hou. Dat kan heel lucratief worden. Ik heb daar prima klanten en–*

'Ben je er klaar voor, schat?'

Ze draaide zich bliksemsnel om. 'Ja, hoor,' zei ze meteen, en
ze dwong zich te glimlachen naar de man die de kleedkamer
kwam binnenlopen. Ze wierp een steelse blik op de klok boven de kaptafel. Het was pas halfzes, maar natuurlijk was
hij weer precies op tijd, punctueel als altijd.

'Je bent van slag,' zei Marius toen hij voor haar kwam staan
en haar gezicht bestudeerde.

'Nee, hoor, helemaal niet, echt niet,' antwoordde ze en ze
wenste meteen dat ze dat niet zo defensief had gezegd.

'Jawel, Annette, dat ben je wel,' zei hij op zijn gebruikelijke
resolute manier. 'Kijk maar eens goed in de spiegel. Je hebt
maar één oorbel in.'

Geschrokken draaide ze zich naar de spiegel. Verrast zag ze
het ook. God, hij had gelijk. Zoals gewoonlijk. Waar was
die andere? Ze zag hem op de kaptafel liggen, griste hem weg
en deed hem snel in. 'Ik wilde mijn trouwring van het nachtkastje pakken, waar ik hem had laten liggen. Ik was een beetje afgeleid, dat is alles.' Opeens voelde ze zich zenuwachtig
worden. Hij nam haar aandachtig op en ze werd nerveus van
zijn doordringende blik. Verdorie, dacht ze, hij gaat me zeker de hele avond zitten bekritiseren, maar ze vermande zich
en weigerde zich bang te laten maken.

Annette keek hem met een warme glimlach aan. 'Je ziet er
erg aantrekkelijk uit vanavond, Marius; die nieuwe smoking
staat je fantastisch.' Ze kwam dichterbij, ging op haar tenen
staan en kuste hem op de wang. 'Nogmaals gefeliciteerd met
je verjaardag, lieverd, en ik hoop dat je een geweldig feest
krijgt.'

Hij ontspande en zijn stugge uitdrukking verdween. Hij glimlachte naar haar en zei op luchtiger toon: 'Ik weet het wel
zeker, en laten we niet vergeten dat het ook jouw feestje
wordt, schat. We vieren tenslotte ook jouw verbijsterende

prestatie.' Zijn zwarte ogen schitterden van waardering toen hij haar aankeek.

Annette lachte.

Hij nam haar bezitterig bij de arm, trok haar zacht naar zich toe en omhelsde haar. 'Ik hou zoveel van je, dat weet je toch, hè,' zei hij voor hij haar losliet. Hij hield haar nog even op armlengte vast, liet zijn ogen over haar gestalte gaan en voegde eraan toe: 'En je ziet er oogverblindend uit.'

'Nou, dank je, maar ik heb er echt wel eens beter uitgezien,' mompelde ze, en dat meende ze.

Hij schudde zijn hoofd met een zwak glimlachje en leidde haar de gang in, terwijl hij zich afvroeg waarom ze het altijd zo moeilijk vond om een complimentje waardig te accepteren. Hij zei: 'Laten we maar gaan, ik wil niet dat er gasten binnenkomen voordat wij aanwezig zijn. We mogen niet te laat komen.'

Rustig blijven, zei ze tegen zichzelf. En hou het hoofd koel.

'Wauw!' riep Malcolm Stevens uit, terwijl hij Annette letterlijk aangaapte. Een mengeling van verbazing en bewondering trok over zijn gezicht. 'O, wauw!' zei hij nogmaals, met meer nadruk en oprecht ontzag. 'Je ziet er bloedmooi uit, absoluut bloedmooi!' Het was duidelijk dat hij elk woord ervan meende.

Annette zag er met haar sprankelende, lachende blauwe ogen blij uit door Malcolms amusante reactie op haar verschijning.

Ze stond met Marius in de lange ontvangstkamer die grensde aan de balzaal van het Dorchester Hotel, en ze boog zich voorover om Malcolm een kus op de wang te geven.

Toen ze een stap terug deed, gleed zijn blik nogmaals over haar heen, om de verbluffende ijsblauwe strapless avondjapon in zich op te nemen, waarop ze een bijpassende satijnen stola droeg, die gevoerd was met robijnrode zijde. Dat was het verrassende element, dat stralende rood tegen dat koele blauw, in combinatie met de grote, in cabochon geslepen robijnen die aan haar oren bungelden, als een echo van de levendige kleur van de zijde.

Annette Remmington was de elegantie in eigen persoon: haar blonde haar, dat ze meestal los droeg, was nu vanaf haar gezicht naar achteren geborsteld, waar het in een chignon was vastgezet. Malcolm vond dat haar ogen er vanavond nog blauwer uitzagen dan anders; misschien lag het aan de japon die de kleur nog versterkte.

Terwijl hij Marius' uitgestrekte hand aannam, ging Malcolm verder: 'En jij mag er ook wezen! Eigenlijk zijn jullie met zijn tweeën zo betoverend dat jullie alle gasten in de schaduw zullen stellen.'

Marius grinnikte. 'Ik ben bang dat je dan nog niets gezien hebt. Wacht maar tot de filmsterren straks binnenkomen, daar verbleekt onze glamour bij. Maar bedankt voor de complimentjes, Malcolm. En welkom trouwens. We zijn erg blij dat je er bent.'

Marius wendde zich hoofdschuddend tot zijn vrouw en zei berispend: 'Ik zei toch dat je er prachtig uitziet, maar je geloofde me niet. Nu je hoort dat Malcolm compleet overdonderd is, moet je toch toegeven dat ik gelijk had.'

'Ik geloofde je best,' protesteerde ze en ze stak haar arm door de zijne, terwijl ze tegen hem aan leunde. 'Je hebt toch altijd gelijk.'

Malcolm kuchte even en kwam tussenbeide. 'Het is geweldig hier, en bedankt dat jullie me hebben uitgenodigd, maar ik denk dat ik me maar even van jullie losmaak, zodat jullie de andere gasten kunnen begroeten. Ik zie jullie later nog wel!'

Marius draaide zich meteen om naar de stroom gasten en stak zijn handen uit om enkele vrienden en bekenden te verwelkomen.

Malcolm glipte weg.

Hij liep de kamer door, nam een glas champagne van een passerende ober aan en wandelde rond, terwijl hij zich onder de rest van het gezelschap mengde. Hij sprak wat met mensen die hij kende en stelde zich toen bij een pilaar op, waar hij tegenaan leunde om te zien hoe de show begon.

Want een show was het. Zijn oog viel op twee stralende filmsterren met hun partners, in hun mooiste jurken en van top tot teen flonkerend van de juwelen; een beroemde, onlangs met prijzen overladen literaire schrijver; een geruchtmakende politicus met zijn flink bedeelde echtgenote, een gravin die bekendstond om haar voorkeur voor jonge minnaars; en een heel stel oude vrienden en kennissen, onder wie uiteraard een aantal collega-kunsthandelaars.

Het hele wereldje, dacht hij. Iedereen is er. En waarom ook niet? Als Marius een feest van deze orde van grootte geeft, trekt hij meestal alle registers open. Daarom werd er gevochten om uitnodigingen.

Eigenlijk was het vanavond Annettes feestje. Ze was zo lang in de weer geweest met Marius' zestigste verjaardag, en ze had er veel moeite en tijd in gestoken. Precies zoals Marius het haar geleerd had. Zo was hij nu eenmaal. Altijd al een soort leraar geweest.

Net zoals hij Malcolms leraar, mentor, vriend en collega was geweest. Hun samenwerking dateerde al van jaren terug en toch zag Marius er geen dag ouder uit dan toen hij hem vijftien jaar geleden ontmoette. Hij liet zijn blik door de kamer gaan tot hij Marius in het oog kreeg, en hij moest toegeven dat hij er vanavond wel opvallend goed uitzag. Lang, slank, nog onberispelijker gekleed dan gewoonlijk, met een perfect gesneden smoking, ongetwijfeld van zijn favoriete kleermaker uit Savile Row. Zijn weelderige zilveren haardos bekroonde zijn enigszins gebruinde gelaat; Marius zocht regelmatig de zon op en die kleur leek hem nog jonger te maken. Maar het was het haar waarom Malcolm hem benijdde, en dat haar had hem dan ook zijn bijnaam opgeleverd: de Zilvervos. Al wisten hij en enkele anderen dat die naam ook op Marius' karakter sloeg. Hij werd door sommigen als zeer sluw beschouwd.

Vijftien jaar geleden was Malcolm bij Marius in dienst getreden. Als zevenentwintigjarige was hij in de wolken dat hij als een van het team in de Remmington Gallery in St. James Street een baantje kreeg. Toen Marius tien jaar geleden besloot de galerie van de hand te doen, had hij geld van zijn vader geleend om de zaak over te nemen. Hij wist de uitstekende reputatie te behouden en had vele nieuwe klanten weten te verwerven. Marius was beslist trots op hem en prees hem dan ook altijd omdat hij de tradities van de befaamde galerie hoog had weten te houden.

Omdat hij een minder hectisch leven ambieerde, had Marius zijn kantoor in Mayfair geopend, waar hij adviseur en persoonlijker in- en verkoper van kunst voor enkele zeer welgestelde klanten werd. Ze waren elkaar echter niet uit het oog verloren en Malcolm bewonderde de oudere man nog altijd zeer.

Dat deed echter niet iedereen. Er was een aantal personen dat Marius Remmington in een kwaad daglicht stelde. Ze vonden hem arrogant, geslepen, onberekenbaar, dwangmatig en manipulatief. Maar er waren nu eenmaal zoveel mensen die altijd wat op een ander aan te merken hadden. Daar was Malcolm zich terdege van bewust.

Zolang hij zich kon herinneren, hadden de Remmingtons roddel en achterklap opgewekt. Volgens hem omdat ze altijd de aandacht trokken, wat rancune en jaloezie opleverde. Ze waren getalenteerd, pasten in de juiste kringen, stegen onophoudelijk op de maatschappelijke ladder en waren extreem succesvol, dus al met al een opmerkelijk stel. Dat was reden genoeg om de tongen in beroering te brengen. En dat gebeurde dus ook.

Bovendien was er dat leeftijdsverschil, want Marius was zo'n twintig jaar ouder dan Annette. Hij was zestig, zij negenendertig. Maar in juni zou ze veertig worden, en de kloof van twintig jaar leek dan minder opzienbarend. Een tijd geleden was het dat wel geweest, toen zij achttien en hij achtendertig was bijvoorbeeld, en hij in stad en land bekendstond als een rokkenjager. 'De ouwe bok met zijn groene blaadje' werden ze genoemd, en erger.

Annettes achtergrond was in raadselen gehuld. Niemand wist eigenlijk waar ze vandaan kwam. Op de leden van de Marius Maffia na dan, die altijd zeiden dat ze alles wisten. Zijn 'maffia' was een kring van jongemannen die onophoudelijk om hem heen hingen en die hij zijn beschermelingen noemde, en dat waren ze dan ook. Jongemannen die hij had uitgezocht om hun talent; die een tijd voor Marius hadden gewerkt, of nog steeds deden; ze waren loyaal, toegewijd en stonden altijd voor hem klaar. Ze genoten ervan in zijn nabijheid te zijn omdat er altijd wel wat gebeurde. Malcolm had vaak het idee dat Marius zich in een showwereld bevond: bekende mensen, mensen die goed op de hoogte waren, altijd in het nieuws waren – allemaal cirkelden ze graag om Marius heen. Dat was een kenmerkend punt van zijn succes als kunsthandelaar: dat charisma van hem, die enorme charme die hij in de strijd gooide om iedereen binnen zijn invloedssfeer te krijgen en te houden.

Malcolm was een van Marius' favorieten die al vanaf het begin een voorkeursbehandeling had genoten. De Marius Maffia had hem alles over Annette verteld.

Ze scheen vanuit een of ander stadje uit het noorden naar Londen te zijn gekomen om beeldende kunst te studeren. Maar ze bezat niet genoeg talent om opgenomen te worden in de wereld van geniale kunstenaars, waardoor ze eventueel beroemd had kunnen worden. Ze zag er goed uit, maar haar uiterlijk viel niet op door haar aarzelende manier van doen, vertelden sommigen van de maffia hem. Ze had een schromelijk gebrek aan zelfvertrouwen, zeiden ze. Blond, blauwe ogen, slank als een den, en uitzonderlijk pienter. Maar gewoontjes. Zo hadden ze haar beschreven. Hijzelf kende haar in die tijd nog niet.

Gewoontjes kon je haar niet meer noemen, peinsde Malcolm, terwijl hij haar van een afstandje bekeek. Ze had stijl en was een en al gratie zoals ze daar stond. Niet de mooiste vrouw van de wereld, maar beslist knap, smaakvol gekleed, voor welke gelegenheid dan ook, en ze was de huidige snel stijgende ster in de kunstwereld. De verkoop van de Rembrandt had haar van een plaatsje op de eerste rij verzekerd, en had haar bedrijfje in kunstadvies een flinke zet omhoog gegeven.

'Wat sta je hier helemaal in je eentje te doen, Malcolm?' riep een bekende stem uit.

Malcolm draaide zich direct grijnzend om. 'O, ik kijk naar de show met een glaasje bubbels. En jij dan, David? Waar is Meg gebleven?'

Zijn oude vriend David Oldfield schudde het hoofd. 'Zit nog in New York. Zakenreis. Vanavond ben ik solo.' Hij stopte zijn hand in een zak en trok er een klein envelopje uit, keek erin en zei: 'Ik zit aan tafel tien. En jij?'

'Ik ook. Ik heb zo'n idee dat het Marius' tafel is. Kom op, laten we de bar maar eens opzoeken. Ik kan wel een wodka gebruiken.'

'Mijn idee,' antwoordde David en samen baanden ze zich een weg door de menigte. Toen ze allebei hun Grey Goose in de hand hadden, zochten ze een rustig hoekje op. Ze toostten en David vroeg: 'Is het waar dat Christopher Delaware een zeer interessante kunstcollectie van zijn oom heeft geërfd? En dat Annette hem vertegenwoordigt?'

Malcolm zei op neutrale toon: 'Ik heb niets gehoord over de kwaliteit van de stukken, maar ik weet wel dat hij Annettes cliënt is. Hé, kijk, daar is Johnny Davenport. Hij weet er vast alles van. Laten we hem maar eens aan de tand voelen.'

'Malcolm! Malcolm!' riep een vrouwenstem. Ze probeerde duidelijk boven het geroezemoes uit te komen. Hij keek achterom en ontdekte haar meteen. Het was zijn oude vriendin Margaret Mellor, de eindredacteur van het beste kunsttijdschrift van Europa dat heel simpel *art* heette. Ze wuifde naar hem.

Hij greep Davids arm vast en zei: 'Hé, sorry, maar Margaret wil me even spreken. Ga maar vooruit, klets wat met Johnny. Ik kom zo bij jullie.'

'Geen probleem.' David drong zich naar voren, behendig tussen mensen door laverend, recht op zijn doel af.

Malcolm werkte zich de andere kant op naar zijn vriendin. Toen hij haar eindelijk had bereikt, zei hij met een grijns: 'Je kwam maar nauwelijks boven de drukte uit.'

'Het is een gekkenhuis. Ik sprak Annette net en ze wil dat we naar de balzaal gaan kijken voor hij vol staat met gasten. Ze zegt dat hij er zo mooi uitziet.'

'Laten we dan maar meteen gaan, voor we deze hoek niet meer uit kunnen komen. Het stroomt opeens vol met oude vrienden en bekenden. En hordes fotografen, zie ik.' Hij fronste zijn wenkbrauwen.

'Dat is nog zwak uitgedrukt. Het wemelt hier van de pers!'

Malcolm zuchtte. 'Echt iets voor Marius. Hij houdt niet van half werk en hij is gek op de media. Hoe meer hoe beter, wat hem betreft.'

'Hij beult nu eenmaal graag mensen af, vooral zichzelf.' Ze klonk ironisch.

Malcolm lachte. Echt Margaret. Altijd raak, die opmerkingen van haar. Hij legde zijn arm over haar schouders en loodste haar door de aanzwellende massa. Achter hen werd al geflitst en het leek wel of de menigte met de seconde groeide. Hoeveel mensen hadden ze in hemelsnaam uitgenodigd?

Iedereen die ertoe deed, besloot hij en hoopte maar dat al die drommen mensen het feest niet zouden bederven. Waar maak ik me eigenlijk druk om? Zíj weet immers wel wat ze doet, zelfs als hij soms niet weet waaraan hij begint. Marius – de man bleef een raadsel.

Eindelijk duwde Malcolm de deur van de balzaal open. Direct kwam er een ober op hen af. 'Het spijt me vreselijk, maar ik ben bang dat u niet naar binnen kunt. Mevrouw Remmington wil niet dat iemand het komende halfuur naar binnen gaat. Ze was daar erg strikt over,' zei hij beleefd maar vastberaden.

'Ja, dat weten we. Mevrouw Remmington stuurde ons juist hierheen om de balzaal te zien voor hij volstroomt. Ik ben Margaret Mellor van het kunsttijdschrift *art* en dit is meneer Stevens, een collega en vriend van mevrouw Remmington.'

De ober boog zijn hoofd even, maar deed geen stap opzij. Hij bleef volhardend zijn plicht vervullen en was niet van plan iemand binnen te laten.

'Mijn hoofd fotografie Josh Brady was hier zonet,' voegde Margaret eraan toe. 'Hij nam foto's voor mijn tijdschrift. U moet Frank Lancel zijn. Mevrouw Remmington zei dat ik met u moest spreken.' Haar wapens – charme en een warme glimlach – werden in de strijd geworpen.

'Ja, ik ben Frank,' antwoordde de ober, en hij ontdooide een klein beetje. 'En ik heb de heer Brady inderdaad geholpen toen hij fotografeerde. Goed, komt u dan maar binnen en kijkt u maar even rond. Ik moet hier bij de deur blijven. Ik sta op wacht. Op bevel van mevrouw Remmington.'

Het klonk erg koddig.

'Dat heeft ze verteld,' antwoordde Margaret. Ze nam Malcolm bij de hand en leidde hem naar binnen. En zo stonden ze dan eindelijk aan de rand van de balzaal bij het podium voor het orkest, en ze lieten hun ogen vol verwachting door de zaal gaan.

Ze waren allebei stil van de unieke schoonheid van het betoverende decor dat Annette had ontworpen. De zaal was een bleekgroene zee, met dat typische groen met een tikkeltje grijs dat je zo vaak aantreft in de interieurs van Franse kastelen en dat een mistige sfeer creëert. Dit bleke groen golfde zacht langs de muren van het plafond tot de vloer en werd voortgezet in de tafelkleden, servetten en bekleding van de stoelen.

Maar wat het ontwerp zo uniek en wonderlijk mooi maakte, was de massa zachtgroene *Dendrobium*-orchideeën met hun roze hartjes. Er stonden bakken vol voor de spiegelende kamerschermen en op met spiegels bedekte consoles, die op zijn Venetiaans tegen de groene wanden waren gezet. Letterlijk honderden orchideeplanten stonden in zacht grijsgroene potten, en de orchideeën voor de spiegelende kamerschermen werden nog eens verdubbeld door hun reflectie. Als middenstuk waren op de tafels kristallen schalen gezet, gevuld met groene orchideeën met votieflichtjes eromheen. Hoge kristallen kandelaars met lange witte kaarsen erin stonden links en rechts van de schaal met bloemen. Alles fonkelde en glinsterde in het kaarslicht: de kristallen wijnglazen, het tafelzilver en de zilveren onderborden.

Ze bleven nog een paar minuten staan, terwijl ze trachtten alles in zich op te nemen. Toen zei Margaret langzaam: 'Het is bijna hemels, zo dromerig. Wat een magnifiek effect heeft Annette voor elkaar gekregen... het is een tuin... een orchideeëntuin. Wat een geweldig idee.'

Malcolm wendde zich tot haar en zei: 'Ja, je hebt gelijk. En één ding geef ik je op een briefje: ze zullen steil achteroverslaan als ze binnenkomen.'

2

Marius was gelukkig.

Annette zag het aan de uitdrukking op zijn gezicht. Hij straalde en leunde ontspannen achterover in zijn stoel aan het hoofd van de tafel. Ze zaten recht tegenover elkaar en konden op zijn minst visueel contact met elkaar hebben wanneer ze maar wilden.

Het feest was een daverend succes. Ze wist het al voor ze halverwege waren. Sinds het begin van de avond had er een opgewonden stemming geheerst. Tijdens het cocktailuurtje speelde een trio zachte achtergrondmuziek, champagne en wijn vloeiden rijkelijk, er was een open bar voor andere drankjes en ijverige obers brachten non-stop een keur aan verrukkelijke canapés rond.

Nu, in de balzaal, voelde ze enorme vlagen energie en levendigheid tussen de gasten over en weer gaan. Ze stonden op om te dansen op de populaire muziek en terwijl ze om zich heen keek, merkte ze de vrolijkheid op, hoorde ze gelach en het onophoudelijke kabbelen van conversaties. Ze had het idee dat ze het allemaal naar hun zin hadden, zich kostelijk amuseerden.

Marius ving haar blik en stond op. Hij liep naar haar toe en troonde haar mee naar de dansvloer.

Hij nam haar in zijn armen, glimlachte en keek haar aan met een warme, liefdevolle blik in zijn zwarte ogen. 'Je hebt het weer voor elkaar gekregen,' zei hij zacht. 'Het is een fabelachtig feest. Iedereen geniet enorm. Jij ook?'

Ze begonnen hun dans aan de zijkant van de dansvloer. Ze hield haar hoofd een beetje opzij en keek naar hem op, met een geamuseerd lachje in haar ogen. 'Je hebt me altijd voorgehouden dat een gastvrouw die van haar eigen partijtje geniet geen goede gastvrouw is.'

Marius barstte in lachen uit. 'Touché, mevrouw Remmington. Maar ik had het eigenlijk over partijtjes bij iemand thuis. Niet over feesten in een openbare gelegenheid. Dus, geniet jij ook?'

'Eerlijk gezegd: ja. Ik was eerst een beetje gespannen, toen we de balzaal binnenkwamen, maar toen zag ik dat iedereen vrijwel meteen zijn plaats vond en op z'n gemak rondkeek. En ze hadden het ook naar hun zin gehad tijdens de borrel dus waren ze in een goede stemming voor dit diner.'

'Je hebt helemaal gelijk. Het liep gesmeerd. Ik heb niet één humeurige uitdrukking gezien. Maar ik zag wel een hoop stomverbaasde gezichten toen ze beseften dat ze midden in een orchideeëntuin stonden.' Hij gaf een kneepje in haar hand. 'De hele inrichting is fantastisch, lieverd, je bent briljant.'

'Blij dat je het mooi vindt,' was alles wat ze zei. Ze drukte zich dichter tegen hem aan en volgde hem terwijl hij haar van de zijkant wegleidde, over de vloer naar het midden van de zaal. Hij kon goed dansen, hij was gemakkelijk te volgen en ze raakte steeds meer ontspannen terwijl ze genoot van de dans. Na enige tijd merkte ze dat alle ogen op hen waren gericht en ze werd warm vanbinnen. Ze was trots op Marius, trots op hun huwelijk, en ook, diep in haar hart, trots op zichzelf, trots op haar grote succes op haar veiling. De Rembrandt had inderdaad haar leven veranderd. En daar was ze blij om.

Het volgende halfuur bleef ze dansen. Toen ze weer aan tafel zat, kwam Malcolm bij haar en nam haar mee, toen David Oldfield, gevolgd door Johnny Davenport. Het waren allemaal oude vrienden die bij Marius in dienst waren geweest en tot de Marius Maffia behoorden. En toen klopte heel onverwacht Christopher Delaware op Johnny's schouder en nam haar over. Dit verraste haar wel, want Chris was nogal verlegen en gereserveerd en allesbehalve vrijpostig van aard.

Even gleden ze zwijgend over de dansvloer, tot hij zei: 'De zaal ziet er verbazingwekkend mooi uit, het doet me denken aan *Een Midzomernachtsdroom*, of eigenlijk een scène uit dat toneelstuk. Dat komt door al dat groengrijs, denk ik, de nevelige sfeer die daardoor ontstaat, en dan die orchideeën... een woud van orchideeën... het heeft iets magisch, je hebt een uniek decor tevoorschijn getoverd. O, en dan die hoge spiegelende kamerschermen! Hoe ben je daar opgekomen?'

'Ik dacht opeens aan de Spiegelzaal in Versailles. Dank je voor je complimentjes. Maar vertel eens, als we hier in een toneelstuk staan, waar zijn Oberon en Titania dan, de koning en koningin van de elfjes? En Puck en Spoel, de minnaar met de ezelskop? Als dit werkelijk de Midzomernachtsdroom is, dan zouden ze hier beslist te vinden zijn.'

Hij lachte. 'Ze zijn hier wel, alleen heb ik ze nog niet gezien. Maar Lysander, Hermia en Demetrius zie ik wel en–' Hij zweeg abrupt en ging niet verder.

Annette keek hem licht fronsend aan en keek over zijn schouder de verte in, terwijl ze zich afvroeg wie hij bedoelde, al had ze een vaag idee.

Handig en snel veranderde Christopher van onderwerp. 'Je komt toch zaterdag wel naar Kent, Annette? Om de definitieve selectie voor de volgende veiling vast te stellen?'

'Natuurlijk kom ik, anders had ik het allang gezegd. Ik denk overigens dat we de veiling in New York houden. Ik weet zeker dat een aantal belangrijke verzamelaars in enkele impressionisten geïnteresseerd zijn – om over de grote musea maar te zwijgen. Misschien komt het Metropolitan wel.'

'New York! Daar ben ik nog nooit geweest!' riep hij uit. Plotseling sloeg de opwinding toe. 'Ik hoop maar dat je me wat van de stad kunt laten zien als we er zijn. Wanneer had je gedacht hem te houden? De veiling, bedoel ik? Wanneer gaan we erheen?'

'Dat hangt gedeeltelijk van jou af, Chris. Ik denk dat we zaterdag alles maar eens goed op een rijtje moeten zetten. Ten eerste moet je beslissen welke schilderijen je wilt laten veilen. Dan moeten we de staat waarin ze verkeren bekijken, om te bepalen of we ze moeten laten schoonmaken of restaureren, of opnieuw moeten laten inlijsten, dat soort zaken. Verder moet ik eens goed uitzoeken wat er op dit moment in New York gaande is: andere kunstveilingen, tentoonstellingen in galeries, je weet wel. Want ik wil dat dit een grote gebeurtenis wordt. Eigenlijk nog groter dan de Rembrandtveiling.'

'O wauw, dat klinkt geweldig.' Na een korte pauze vroeg hij: 'Gaat Marius eigenlijk met ons mee naar New York?'

Ze keek hem nog eens goed aan. Heel goed. Ze antwoordde neutraal: 'Dat weet ik nog niet. Hij heeft zijn eigen zaken, en ik de mijne. We hebben gescheiden bedrijven. Maar hij zou er natuurlijk kunnen zijn in verband met zijn werk.' Ze haalde haar schouders op. 'Ik weet niet of hij dan in New York is of niet. Hoezo?'

'O, ik vroeg het me gewoon af,' mompelde Christopher en hield haar nog iets steviger vast, wat haar niet echt verraste. Ze had het vermoeden dat hij al een tijdje verliefd op haar was. Daar maakte ze zich niet druk over omdat ze hem toch maar zelden zag, en bovendien kon ze het wel aan. Hij was jong, nog maar drieëntwintig. Maar dat hij de driehoeksverhouding tussen Lysander, Hermia en Demetrius uit Shakespeares komedie ter sprake had gebracht, was wel opvallend. Toch vond ze het best vermakelijk. 'We zien het wel. Als Marius daar toevallig ook is, kan dat best handig zijn.'

'Ja, ja, ik begrijp het,' zei hij snel, want hij scheen iets opgevangen te hebben. Ze wist niet precies wat, misschien de toon waarop ze sprak.

Nu was het haar beurt om van onderwerp te veranderen. 'Hoe laat zullen we afspreken zaterdag?'

'Zeg jij het maar, Annette. Tien, elf uur? Hoe laat je ook komt, mij maakt het niet uit. Maar ik zou het leuk vinden als je kunt blijven lunchen.' Een blonde wenkbrauw werd opgetrokken.

Ze glimlachte naar hem. 'Lunch lijkt me heerlijk, zeker omdat ik ervan uitga dat ik de hele dag blijf. We hebben ontzaglijk veel te doen.'

Zijn gezicht klaarde onmiddellijk op. Hij keek haar diep in de ogen. 'O goed, prima, dan zal ik zo behulpzaam mogelijk zijn met de verzameling, beslist.'

Ze glimlachte alleen en gaf verder geen commentaar.

Annette was net weer op haar plaats aan tafel gaan zitten toen Marius haar aandacht trok. Hij wierp een blik in de richting van het podium en knikte.

Ze begreep meteen wat hij bedoelde. Hij zou er over een paar minuten naartoe gaan, om wat aardige dingen over haar te zeggen en haar te feliciteren. Zodra hij klaar was, zou zij hem bedanken en Malcolm vragen zich bij hen te voegen, zodat ze een toost op Marius' verjaardag konden uitbrengen. Daarna zou de verjaardagstaart binnengereden worden, het orkestje zou 'Happy birthday' spelen en Marius zou de taart aansnijden. Dat hadden ze gisteren zo besproken. Al met al een degelijk, rechtlijnig plan.

Ze was dus even van haar stuk gebracht toen Marius direct opstond en op de musici afliep. Tegelijkertijd verscheen Malcolm aan haar ene kant en David aan haar andere kant, waarop ze gedrieën achter Marius aan liepen en vlak bij de band naast hem gingen staan.

Toen het laatste nummer afgelopen was, klonk er luid tromgeroffel, en iedereen verliet de dansvloer om z'n plaats aan tafel weer in te nemen. Het geroffel stierf weg toen David op het podium klom en de microfoon uit de standaard nam. 'Goedenavond allemaal, en hartelijk welkom. Maakt u zich niet ongerust. Niemand is van plan het komende uur met speeches te vullen. Dat is niet de bedoeling, en noch Annette, noch Marius zou er blij mee zijn. Toch wil Marius even iets zeggen voor hij zijn verjaardagstaart aansnijdt.'

Iedereen applaudisseerde toen Marius naar voren stapte. Hij ging naast David op het podium staan, die hem de microfoon overhandigde.

'Ik bedank jullie allemaal hartelijk voor jullie komst,' begon Marius. 'Ik ben ontroerd en voel me gevleid dat ik jullie allemaal hier op mijn zestigste verjaardag zie... al die goede vrienden en collega's. We vieren vanavond echter niet alleen mijn verjaardag, maar ook het succes van Annette. Een tijdje geleden besloot ik dat het een dubbel feest moest worden; ik vond dat ik het moest delen met mijn vrouw. Omdat ik vind dat ze het verdient om een eerbetoon te krijgen voor een van de grootste kunstveilingen die ooit is gehouden. Haar verkoop van de verloren Rembrandt was uitzonderlijk, want zíj is uitzonderlijk. Op welke manier dan ook: ze is een buitengewoon getalenteerde schilder, een kunstadviseur met enorme expertise, een uitmuntend handelaar en was vele jaren lang mijn rechterhand toen ik de Remmington Gallery nog bezat. Kortom, ze is een vrouw uit duizenden.'

Marius zweeg even en keek Annette aan. 'Kom bij me staan, liever.'

Toen ze dat deed, sloeg hij een arm om haar heen en zei: 'Gefeliciteerd, Annette, je hebt een grote klapper gemaakt, en bent daarmee toegetreden tot het verbond van grote kunstdealers.' Hij lachte. 'Je bent nu een van mijn concurrenten, zou ik kunnen zeggen. Maar wat maakt het ook uit? Ik vind het geweldig en ik vind jou geweldig.'

Een ober kwam erbij met glazen champagne. 'Op jou, mevrouw Remmington,' zei Marius en hij hief zijn glas.

Het applaus barstte weer los en Annette gaf hem een zoen op zijn wang en bleef toen glimlachend staan met haar glas in haar hand, genietend van haar paar tellen exclusieve aandacht. Maar toen voelde ze onverwacht weer die loodzware angstknoop in haar maag. Stijfjes bleef ze glimlachen terwijl ze de gasten bedankte en Marius bedankte voor zijn lieve woorden, en Malcolm voorstelde aan het publiek.

Ze nam Marius bij de hand en nam hem mee naar de zijkant, zodat Malcolm het over kon nemen. Zijn speech was afwisselend grappig, ad rem, vol inzicht, serieus en brutaal.

Binnen enkele seconden kreeg hij de lachers op zijn hand, terwijl hij een mondeling portret schilderde van de man die hij overduidelijk bewonderde en om wie hij gaf, en die hij waarlijk begreep, want die man zou zich niet storen aan een paar minder respectvolle woorden.

De toeschouwers waren dol op Malcolm en zijn toespraak; er werd gelachen, geapplaudisseerd, en af en toe werd er gefloten, boe geroepen en gejoeld. Maar de vrolijke stemming had de overhand, zoals Malcolms bedoeling was geweest.

Marius genoot net zo van Malcolms speech als ieder ander, en hij en Annette gingen weer naast hem staan, terwijl een ober een kleine tafel binnenrolde. In het midden stond een reusachtige verjaardagstaart en de zestig vlammetjes erbovenop flakkerden, terwijl de ober het tafeltje door de balzaal duwde.

Marius stapte van het podium, pakte de taartschep, keek rond naar zijn gasten met grote lachrimpels op zijn gezicht. Toen blies hij de kaarsjes uit en zette het mes in de taart.

Op dat moment begon de band weer te spelen en iedereen in de zaal begon 'Happy birthday' te zingen. En iedereen hief het glas naar hem.

Toen Annette dat deed, kreeg ze het plotseling benauwd. De gedachte aan dat telefoontje over Hilda Crump liet haar niet los. Waar zou het over gaan? Die naam uit haar jeugd was verbonden met allerlei problemen en ze huiverde terwijl haar verleden weer opdoemde. Je verleden bleef je altijd achtervolgen, zo was het toch? Onvermijdelijk doemde het af en toe op om rond te spoken in het heden. En het verleden zou nooit meer veranderen.

3

Vrijdagochtend zocht Annette haar zus op. Meestal zagen ze elkaar elke zaterdag, maar aangezien ze deze keer naar Kent zou gaan om de veiling met Christopher Delaware te bespreken, was ze een dagje eerder gekomen.

Laurie popelde om haar te zien en zat haar breed glimlachend op te wachten. Zoals gewoonlijk verwelkomde ze haar zus liefdevol en met open armen, en haar gezicht straalde van plezier bij het idee een paar uur met haar te kunnen doorbrengen. Laurie. De schoonheid van de familie met haar groene ogen en roodgouden haar. Die van jongs af aan actrice had willen worden, maar de kans niet had gekregen.

Ze zaten vlak bij de open haard in Lauries appartement op Chesham Place, om de hoek van Annettes huis op Eaton Square. Het gaf Laurie een veilig gevoel dat haar zus en Marius zo vlakbij woonden; dat gold ook voor Annette. Als Laurie haar dringend moest spreken of in een noodgeval hulp nodig had, was ze in een paar minuten bij haar.

Annette begon meteen over het telefoongesprek met Malcolm Stevens van eerder die week, waarin hij haar had gevraagd naar Hilda Crump.

Laurie luisterde aandachtig en de uitdrukking in haar intelligente ogen veranderde nauwelijks toen Annette haar verhaal beëindigde.

Het bleef even stil, maar Annette wist dat Laurie alles in gedachten even logisch op een rijtje zette. Toen zei Laurie zacht: 'Ik hoop niet dat je je er zorgen om maakt.'

'Heb ik wel gedaan. Nou ja, een beetje. Het was ook zo'n schok, totaal onverwacht, en ik bleef maar piekeren wie er in hemelsnaam op zoek kon zijn naar Hilda.'

'Ja. Wie? Daar gaat het om – wie? En waarom? Maar luister nu eens, het doet er niet toe. Hilda is jaren geleden verdwenen. Ze kan nooit gevonden worden, tenzij je de belofte breekt. En dat was je toch niet van plan, hè?'

'Nee, natuurlijk niet.'

'Ten eerste zullen wij nooit te weten komen wie naar haar op zoek is, tenzij de privédetective het tegen Malcolm zegt, die het dan weer aan ons doorvertelt. Maar wie het is maakt eigenlijk niet uit. Hilda is niet beschikbaar en wij kunnen niemand erover inlichten.'

'Maar we hoorden bij elkaar, en we waren bij zoveel betrokken.'

'Dat weten alleen jij en ik, en het is allemaal al zo lang geleden. Meer dan twintig jaar, Annette. Geloof me nu maar, het doet er niet toe.'

Annette leunde naar achter en keek haar jongere zusje aan.

'Als je het zo ziet, oké dan.'

'Ik twijfel er niet aan. Hou maar op met je zorgen te maken, want als je dat niet doet ga ik me zorgen maken over jou.' Laurie lachte. 'Zo, en vertel me nu maar eens alles over het feest. Toen je me belde was je vrij oppervlakkig. Ik wil het allemaal precies horen.' Haar ogen schitterden enthousiast.

'Ik wou dat je erbij was geweest, samen met ons, Laurie,' begon Annette. 'Ik begrijp er nog steeds geen snars van dat je zo halsstarrig weigerde te komen. Marius ook niet. Hij wilde net zo graag als ik dat je erbij was.'

'Hierin? In deze rolstoel? Doe niet zo raar, ik zou een blok aan je been zijn geweest. Een onhandig obstakel.'

'Hou op! Dat ben je nooit. We hoopten echt dat je van gedachte zou veranderen en toch zou komen, en je weet dat ik nooit tegen je lieg.'

'Sorry, word nu niet boos. Ik weet heus wel dat je het echt meende. Maar ik zie de dingen nu eenmaal een beetje anders dan jij, Annette. Ik wilde je niet tot last zijn. En ik wilde al helemaal niet dat je later van die vragen zou krijgen. Over mij. Hoe ik in die rolstoel terecht was gekomen, enzovoort, enzovoort. Al die onzin. Ik heb je al eerder gezegd, je hebt het veel te druk om ook nog een invalide aan je hoofd te hebben.'

'Hou op! Je weet heel goed hoe erg ik het vind dat je zulke dingen zegt!' riep Annette uit, en haar stem sloeg bijna over. 'Maar ik bén invalide, hoe je het ook wendt of keert. Ik heb een groot auto-ongeluk gehad en nu ben ik verlamd.'

'Je kunt je benen niet meer gebruiken, dat klopt, maar je hebt het overleefd. De anderen niet en je bent nog steeds een beeldschone vrouw. Intelligent, charmant en slim, en je brengt me niet in verlegenheid, nooit. En Marius ook niet. Trouwens, je bent zo vaak met ons naar vrienden geweest en–'

'Dat waren heel goede vrienden,' viel Laurie haar in de rede. Annette vervolgde: 'Daar had je nooit problemen mee.'

'Helemaal waar. Maar dit verjaarsfeest was wel even wat anders. Je had tweehonderd gasten uitgenodigd en ze kwamen allemaal. Het leek me zonder mij al zwaar genoeg voor je.'

'Ik zou je aan mijn tafel hebben gezet, of bij Marius, en je kent al zoveel vrienden van ons, zoals Malcolm, David, Johnny Davenport. Je zou in prima gezelschap zijn geweest.'

Laurie lachte. 'Weet ik. Houd er nu maar over op. Alsjeblieft. Ik wilde liever niet komen.' Ze trok een moeilijk gezicht. 'Het zou echt een heel gedoe voor me zijn geweest, weet je.'

'Is alles in orde? Je bent toch niet ziek?'

'Welnee. Kijk, het stond me gewoon een beetje tegen, dat is alles – die massa, al die mensen die ik niet ken.' Ze glimlachte vol liefde naar haar zus en wierp haar een geruststellende blik toe. Laurie was niet gekomen omdat ze op deze speciale dag in Annettes leven geen spelbreker wilde zijn door haar te herinneren aan kwade tijden. En nu was dat toch gebeurd door een naam uit het verleden. Pech. Ze haalde diep adem en zei: 'En vertel me nu eens alles over het feest. En waag het niet ook maar een enkel detail over te slaan.'

Het was niet druk op straat toen Annette naast Laurie in de elektrisch aangedreven rolstoel Eaton Square overstak, op weg naar hun appartement op de hoek. Het was dan ook vrij koud en winderig, een typische dag in begin maart, met een lichte dreiging van regen in de lucht. Mensen bleven liever thuis op zo'n dag.

Met flinke vaart bewogen ze zich voort, aangezien ze snel naar binnen wilden, waar het warm was. Annette keek even naar boven en verbaasd merkte ze dat de hemel tijdens het laatste uur in haar zusters huis van kleur veranderd was. Hij was dieper, feller blauw geworden.

'We hebben opeens een hemel van Renoir gekregen,' riep ze uit en keek opzij naar haar zusje. 'Hij was een uur geleden nog bleekblauw, bijna grijs.'

Laurie sloeg haar ogen op en knikte. 'Ja, het is precies dat prachtige blauw dat hij voor zijn eigen luchten en wateroppervlakken gebruikte, en regelmatig voor de jurken van zijn onvergelijkbare vrouwen.' Ze draaide haar hoofd weer naar Annette en glimlachte. 'Alleen jij zou het meteen een Renoirhemel noemen.'

'Vast. Maar hij is dan ook mijn favoriete impressionist.'

'Van mij ook. En natuurlijk is Rembrandt ook een favoriet van jou! Want je moet toegeven, hij is wel de schilder die je geluk heeft gebracht. Heeft Christopher er niet nog een paar in zijn huis verstopt?'

'Was het maar waar.' Annette lachte.

'Misschien vindt hij toch nog wel een topstuk dat ergens ver-borgen ligt,' opperde Laurie. 'Verzamelaars zoals die excen-trieke oom van hem kochten vaak schilderijen die ze ergens verstopten, wegborgen. Omdat ze niet wilden dat anderen ernaar keken.'

'Dat gebeurde soms, ook tegenwoordig nog wel. Maar ik ga ervan uit dat Christopher dat hele huis nu wel van onder tot boven heeft uitgekamd.'

'Dat zit er dik in.' Laurie huiverde even, zette de kraag van haar jas op, en sloeg friemelend met haar kasjmieren hand-schoenen haar sjaal over haar kin.

Annette, die elk detail zag wanneer het om haar zusters wel-zijn ging, vroeg: 'Is het te koud voor je?'

'Nee, het valt wel mee. En ik ben blij even buiten met je te zijn. Bedankt dat je vrij hebt genomen om vandaag samen te zijn.'

'Ik vind het alleen maar leuk bij jou. Een hele dag samen is een van mijn verwennerijtjes.'

Haar zusje glimlachte bij dat compliment, kroop diep weg in haar jas en liet haar blik over Eaton Square dwalen. 'Wat staan de bomen er vandaag droevig bij – doods en treurig. Takken in de wind. Het is zo'n prachtig plein, maar ik moet zeggen dat ik er 's zomers meer van geniet, als het park een bladerdak heeft. Dan vormen die bomen zo'n fijne koele tent om onder te picknicken.' Laurie slaakte een diepe zucht. 'Ik zal blij zijn als het echt lente is; het is zo'n lange, sombere winter geweest.'

'Binnenkort gaan we ergens heen waar het warm is. In de lente. We moeten maar eens plannen maken,' stelde Annet-te voor, en de liefde voor haar enige familielid sprak uit haar stem. Nou ja, ze hadden ook nog een broer, Anthony, maar hij speelde geen rol meer in hun leven. Joost mocht weten waar hij uithing, en hun ouders waren gestorven. Ze hadden alleen elkaar. En dat is genoeg, dacht Annette. Ze heeft zo'n groot hart en zoveel te geven. Ze is sterk en vastberaden en denkt altijd aan anderen; nog afgezien van haar moed en lef en onbaatzuchtigheid. Ja, ze is meer dan genoeg. Ze mag dan tenger en klein zijn, maar ze kan een hele hoop aan. En Lau-rie was haar welkome rechterhand, die uitstekend researchwerk voor haar verrichtte en een wezenlijk deel van haar kunstadviesbureau uitmaakte.

'Daar zijn we dan,' zei Annette even later.

Ze stond stil voor een donkergroene voordeur, draaide de rolstoel om en trok hem de twee treden op. Daar drukte ze op de intercombel waarnaast het koperen naamplaatje met de naam REMMINGTON hing.

'Wij zijn het,' antwoordde ze toen Marius' stem door de luidspreker kraakte.

Er klonk een luid gezoem en een klik; Annette duwde de deur open en Laurie stuurde haar rolstoel de hal van het gebouw in. Ze reed meteen op de lift af. Een paar tellen later stonden ze op de overloop, waar Marius in de deuropening van hun appartement stond.

Stralend keek hij naar Laurie en hij boog voorover om haar een zoen te geven. 'Hallo, liefje,' zei hij hartelijk. 'Laten we je maar snel voor het haardvuur zetten. Je ziet er verkleumd uit.'

'Fijn je te zien, Marius,' antwoordde Laurie en ze ontdeed zich van haar handschoenen en sjaal en wurmde zich uit haar jas. Na de jas vanonder haar zuster getrokken te hebben, ging Annette naar de kapstok om hem op te hangen.

Marius riep: 'We zijn in de woonkamer, schat.'

'Prima. Ben zo bij jullie.'

Laurie genoot van de grote kamer met fraaie verhoudingen die uitzag op Eaton Square, met zijn hoge ramen en een witmarmeren schouw aan het eind. Het kleurenschema bestond uit diverse tinten geel, waardoor je een zonnig gevoel kreeg hoe somber het buiten ook was, met accenten van blauw en wit. In de haard brandde een heerlijk vuur en het geurde sterk naar bloemen. Verspreid door de kamer stonden vazen vol. Maar Laurie wist dat Annette bovendien Ken Turners geurkaarsen gebruikte, zodat het effect overal in het huis op zijn best was.

Toen ze zichzelf vlak bij het vuur had opgesteld, liep Marius naar de dranktafel ernaast en nam een fles Dom Pérignon uit de zilveren wijnkoeler. Toen hij de kurk eraf trok, keek hij naar Laurie en hij zei: 'Je bent een heel stout meisje, weet je dat? Zomaar wegblijven op mijn zestigste verjaardag. Ik was diep teleurgesteld.'

Voor ze antwoord kon geven, stoof Annette de kamer al in met een bord hapjes. 'Marius, geef haar nu niet op haar kop! Dat heb ik al gedaan!'

'Ik had niet anders verwacht,' zei Marius met een vrolijke lach en vroeg: 'Wie wil er een glaasje bubbels? Jullie allebei, mag ik hopen. Ik in elk geval wel.'

'Ik kan niet wachten,' zei Laurie, die al flink begon te ontdooien voor het laaiende vuur. Ze voelde zich altijd zo gelukkig bij die twee; ze verafgoodde Annette en was dol op Marius, die al vanaf het begin vreselijk aardig voor haar was geweest.

'Ik wil ook wel een glaasje,' zei Annette, en ze ging op de bank zitten. Terwijl Marius de champagne inschonk, vroeg ze: 'Hoe laat gaat je vlucht vanmiddag?'

Hij wierp haar een snelle blik toe terwijl hij verder schonk. 'Ik had nogal geluk vorige week. Jimmy Musgrave heeft me zijn privévliegtuig aangeboden.'

'Wie is Jimmy Musgrave?' vroeg Annette en trok een wenkbrauw op. 'Ken ik die?'

'Nee, die heb je nooit ontmoet omdat hij in Los Angeles zat. Het is een nieuwe klant van me, via een van mijn Hollywoodcontacten. Hij belde me dat hij vanmiddag naar Barcelona moest en dus volgende week niet bij me langs kon komen. Ik zei, dat is toevallig, ik moet er ook heen! En hij bood me meteen aan om met hem mee te vliegen. Hij zei dat hij blij was dat ik hem gezelschap hield, dan konden we lekker "over kunst babbelen", zoals hij het noemde. Maar om op je vraag terug te komen: ik moet om vijf uur op het vliegveld zijn.'

'Dat is boffen,' zei Annette glimlachend toen ze de flûte met champagne van hem aannam. 'En je boft toch al dat je dit weekend in Barcelona bent; even een beetje zon op je gezicht.'

Marius liep naar Laurie die hij ook een glas overhandigde en ging op de bank naast haar zitten. 'Dat betwijfel ik,' mompelde hij. 'Het gaat me vooral om een goed gesprek met de directie van het Picasso-museum. En ik wil dat museum nog eens heel goed bekijken, om mijn geheugen op te frissen.'

'Hoe gaat het met je boek?' vroeg Laurie. Ze bedoelde het boek over Picasso dat Marius aan het schrijven was.

'Beter dan ik had verwacht. Het is vreemd, Laurie, maar het

gaat pas de afgelopen zes maanden echt lekker. Ik heb in die tijd meer gedaan dan in het hele voorgaande jaar. Ik denk dat Picasso eindelijk een beetje tot leven gaat komen door wat ik schrijf. Overigens, dames, heb ik besloten dat ik dit boek opdraag aan jullie twee – mijn zeer bijzondere muzen.'

'Wat leuk!' riep Laurie uit en hief haar glas. 'Op je nieuwe boek, Marius, en dank je voor de opdracht.'

Annette voegde eraan toe: 'Wat lief van je, schat. En ja, ontzettend bedankt.'

Even was het stil in de kamer. Ze nipten ontspannen van hun champagne en genoten ervan op deze kille dag in deze prachtige kamer voor de brandende haard te zitten.

Marius verbrak de stilte met de vraag: 'Ben je nog steeds van plan om morgen naar Kent te gaan? Voor een overzicht van Christophers schilderijen?'

'Ja, ik moet maar eens wat knopen doorhakken. Hij trouwens ook. Het wordt tijd dat ik mijn volgende veiling opstart.'

'Je hebt me nooit precies verteld wat er verder in die verzameling van wijlen zijn oom zit.' Marius keek haar doordringend aan. 'En of er iets uitzonderlijks tussen zit of dat het allemaal middelmatig spul is. Kom op, lieverd, gooi het er eens uit.'

Annette schudde haar hoofd. 'Nee hoor, ik heb heus geen geheimen voor je, als je dat soms bedoelt,' was haar weerwoord, terwijl ze haar voorhoofd fronste. 'Bovendien heb ik je wel degelijk verteld dat er een paar impressionisten tussen zitten, en ook een belangrijke sculptuur. Wat de schilderijen betreft, er is een Cassatt en een Degas. Dat heb ik je allang laten weten.'

Toen hij de geïrriteerde ondertoon in haar stem opving, antwoordde hij sussend: 'Nu ik erover nadenk, herinner ik het me weer. Ik was het even vergeten. Zei je niet dat er een sculptuur van Giacometti bij was?'

'Jazeker, en die zal heel wat opbrengen. O, en er is een Cézanne bij. Ik ben een fan van zijn werk. Maar die is jammer genoeg nogal smerig, dus die moet eerst schoongemaakt worden. Ik krijg eerlijk gezegd geen hoogte van die oom van Christopher. Een onverschillig man, denk ik zo, tenminste wat de zorg voor zijn kunstwerken betrof. Wie verwaarloost nu een

Rembrandt of een Cézanne? Hij had niet eens een catalogus van zijn verzameling, voor zover ik weet. Christopher weet niet veel meer dan ik. Blijkbaar was hij niet erg verknocht aan die oom, hij kende hem nauwelijks, maar aangezien er geen andere erfgenaam was, erfde hij de hele collectie.'

'En de rest ook,' zei Laurie zacht. 'Het stond in de krant. Er schijnt een intrieste gebeurtenis te hebben plaatsgevonden, waarna hij een soort kluizenaar is geworden; hij werd nog excentrieker dan hij al was – die oom bedoel ik.'

Peinzend zei Marius: 'Ik dacht dat het een verbroken verloving of een scheiding was; iets met een vrouw als ik me goed herinner. Blijkbaar lezen jij en ik dezelfde stukken in de krant, Laurie.' Hij keek naar zijn vrouw. 'Maar jij weet helemaal niets van zijn achtergrond?'

'Niet echt. Christopher heeft me in elk geval niets over hem verteld. Maar hij is ook nogal verlegen.'

'Ho, ho, dat is hoe jij het ziet! Nou, hij is bepaald niet te verlegen om met je te flirten! Hij kan zijn ogen niet van je afhouden, Annette.' Marius lachte. Het klonk een beetje hol.

'Dat lieg je. En hij is nog maar drieëntwintig, hou eens op!'

'Wat heeft leeftijd daar nu mee te maken? Leeftijd is maar een getal. Dat is alles. En hij heeft een oogje op je. Ik zag het toch zelf op ons feest. Geef nou maar toe.'

'O pff,' riep Annette zuchtend uit en ze wuifde het weg, omdat ze niet wilde erkennen dat er waarheid in Marius' woorden school. Dat zou hem alleen maar meer munitie verschaffen voor een nieuwe aanval plagerijtjes of spottende opmerkingen, waarvan hij een handje had. Het was een van de manieren om haar onder de duim te houden.

Laurie keek en luisterde, maar waagde het niet mee te doen met dit gesprek. Het was slimmer om nu haar mond te houden. Ze wist maar al te goed dat Marius altijd bijzonder bezitterig was geweest wat Annette betrof, op het jaloerse af. Er waren tijden geweest dat Laurie gezien had hoe hij haar zus als een havik in de gaten hield, zijn gezicht vertrokken van ergernis wanneer een andere man interesse in haar toonde. Als ze Annette wel eens aansprak over die ziekelijke bezitsdrang, had Annette dat altijd driftig weggewuifd. Maar hoe Annette er zelf ook over dacht, er zat hier iets niet helemaal goed.

Marius stond op, pakte de fles champagne nog maar eens, schonk hun glazen bij en zette hem terug in de zilveren koeler. Daar bleef hij even staan, met zijn hand op de fles, met een blik van zijn vrouw naar zijn schoonzuster. Even later zei hij: 'Luister eens, jullie tweetjes. Ik krijg opeens een geweldig idee. Ik vind dat jullie morgen allebei maar naar Kent moeten gaan, naar die berg kunst van Christophers oom. Dat zou toch een leuk uitje voor je zijn, Laurie? En dan heb jij wat gezelschap in de auto, Annette. Weet je wat, ik bel Paddy wel even op weg naar het vliegveld. Hij wil jullie vast dolgraag naar Kent brengen, en weer terug ook. Nou, wat vinden jullie daarvan?'

Laurie klemde haar lippen op elkaar, te bang om te praten. Annette keek naar haar zuster en glimlachte. Ze zei met haar liefste stem: 'Dit is echt een briljant idee van Marius, Laurie, want ik zou het geweldig vinden als je met me meeging. Ik wilde dat ik het zelf had bedacht.'

'O, maar, ik weet het niet, hoor,' antwoordde Laurie snel en keek Annette strak aan. 'Kijk, ik wil jullie niet in de weg lopen, je gaat er tenslotte voor je werk heen.' Ze beet op haar lip. 'Het is alleen maar lastig als ik erbij ben.'

'Nee helemaal niet, ik zou het ontzettend gezellig vinden als je meeging, net als Marius zei. Toe, alsjeblieft, zeg dat je meegaat...' Annette leunde weer glimlachend naar achteren, want ze wilde echt dat haar zus meeging. Ze voelde zich schuldig omdat ze hun vaste zaterdagse afspraak had moeten afzeggen, maar het was nooit bij haar opgekomen Laurie te vragen mee te gaan naar Christophers huis. Nu Marius het idee had geopperd, vond ze het een geweldig plan. Ze lachte stilletjes in zichzelf. Je bent niet de enige die dit spelletje speelt. Je denkt dat je me zand in de ogen kunt strooien, maar dat zal je niet lukken. Ik ben bijna eenentwintig jaar met je getrouwd en ik ken je beter dan wie dan ook.

Zacht zei Laurie: 'Als je echt wilt dat ik meega, dan doe ik dat. Dat spreekt vanzelf.' Er gleed een glimlach om haar lieve, volle mond. 'Het zou een feestje voor me zijn...'

'Dat is dan geregeld!' verklaarde Marius tevreden. Hij keek over zijn schouder toen hun huishoudster in de deuropening verscheen. 'Kijk, daar hebben we Elaine. Je hebt de lunch zeker klaarstaan?'

'Ja meneer. Kaassoufflé. Of u nu wilt komen. Anders zakt hij in.'
'Bevel is bevel,' bromde hij.
En dat geldt ook voor mij, dacht Annette. Ze haalde diep adem want ze voelde een lichte ergernis opkomen. Hij kon soms zo manipulatief zijn.

4

Het huis heette Knowle Court en het lag niet ver van Aldington in Kent. Een lange oprit van gravel, met aan beide zijden rijen statige populieren, leidde naar het huis, en juist die slanke bomen gaven het landgoed een waardig aanzien. Ze herinnerden Annette aan Frankrijk, waar zoveel oprijlanen zoals deze waren, met bomen die als wachters voor een chic château stonden.
Alsof ze gedachten kon lezen, keek Laurie naar haar en zei: 'Zijn we zonder dat ik het merkte het Kanaal overgestoken en in Frankrijk beland? Zo met die bomen ziet het er oer-Frans uit.'
'Ik snap wat je bedoelt, maar nee, we zijn nog steeds in het land waar hop wordt verbouwd, niet ver van Noel Cowards oude huis. Al ben ik bang dat Knowle Court niet zo charmant is als Goldenhurst. Helaas.'
'Jammer zeg, ik ben zo gek op dat oude elizabethaanse huis. Wat heeft Christopher dan precies van zijn oom geërfd?'
'Een jakobijnse steenhoop, met wat torentjes en een gracht, dat dan weer wel. Het heeft eigenlijk meer weg van een lomp kasteeltje. Mijn smaak is het niet. Ik ben hier van de zomer een paar keer geweest en zelfs op een zonnige dag vond ik het altijd een beetje... griezelig. O kijk, Laurie, daar is het!'
Ze leunde voorover naar Paddy en zei: 'Er is daar een kleine rotonde en meneer Delaware zei dat je bij de ophaalbrug naast de poort kunt parkeren.'
'Oké, mevrouw.'
'Hij zei overigens ook dat je gerust mee mag komen om in de achterkamer een beetje te rusten of televisie te kijken. De

huishoudster zou je daar dan een lunch kunnen geven. Maar je moet het zelf weten.'

'Bedankt, mevrouw R., maar ik wil hier het liefst eerst een beetje rondrijden, een kijkje in de buurt nemen, dan kom ik later wel een hapje eten. Meneer Remmington zei dat u hier de hele dag blijft werken.'

'Dat klopt. Ik hoop dat we om een uur of vier, vijf wel klaar zijn, zeker niet later. Nou, doe wat je wilt, ons maakt het niet uit. Meneer Delaware zei dat je maar moest doen of je thuis bent, mocht je toch binnenkomen.'

Paddy knikte. 'Da's heel vriendelijk van 'm.' Hij stopte de auto, zette hem op de handrem en voegde eraan toe: 'Daar zijn we dan, dames.' Hij sprong uit de wagen en stak zijn hoofd door hun open raam naar binnen. 'Ik pak effe de rolstoel, juffrouw Laurie, en dan til ik u eruit. Ogenblikje.'

Op dat moment ging de enorme, met ijzer beslagen eikenhouten deur open en Christopher verscheen op de ophaalbrug met een andere jongeman. Annette herkende hem: het was James, oftewel Jim Pollard, een goede vriend van Christopher. Voor ze het portier open kon doen, trok Christopher een sprintje naar voren en hielp haar uitstappen terwijl hij tegelijkertijd Paddy begroette.

Toen ze naast de auto stond, riep hij grijnzend: 'Nou, jullie zijn mooi op tijd! Welkom in de oude hofstee!' Zachter vervolgde hij: 'Als je het zo kunt noemen. Het lijkt meer op een fort.'

Hij keek de auto in en zei: 'Hé Laurie, ik heb mijn vriend Jim gevraagd hier het weekend door te brengen. Kan hij je mooi gezelschap houden terwijl wij aan het werk zijn. Je kent hem toch nog wel van de veiling?'

'Jazeker, en dat is erg aardig van je, Christopher.' Ze glimlachte breeduit naar hem en wendde zich tot Paddy, die aan de zijkant van de wagen verscheen.

De chauffeur werkte al achttien jaar voor Marius, waardoor hij haar uitstekend kende, en hij tilde haar dan ook uiterst voorzichtig van de achterbank voor hij haar naar de rolstoel droeg. En zoals gewoonlijk schoot door hem heen wat er altijd door hem heen schoot als hij haar teder, als een baby, in zijn armen droeg: *wat een bloedmooie meid, wat zonde.* Op zijn manier hield hij van haar, maar dat deed vrijwel iedereen. Je kon het niet helpen. Ze had zo'n lief karakter en hij had nog nooit één klacht over haar lippen horen komen. Zonde. Verdomd zonde.

'Bedankt, Paddy,' zei Laurie en keek op naar de grote, goedmoedige man met ondeugende obsidiaanzwarte ogen en een dikke bos, donker golvend haar. Als iemand er als een echte, donkere Ier uitzag dan was het Paddy wel. Hij stamde duidelijk af van Spaanse zeelieden die op de Ierse kust waren aangespoeld toen de Spaanse Armada tot zinken was gebracht.

'Graag gedaan,' mompelde hij. Hij zette haar in de rolstoel en ze reed de ophaalbrug over.

'Ik heb nooit van mijn leven zo'n huis gezien, u wel, juffrouw Laurie?' vroeg hij, naast de rolstoel lopend.

Hij zei het zo grappig dat ze onwillekeurig moest lachen. 'Nee, ik ook niet.' Terwijl ze dat zei nam ze het ontzagwekkende gebouw met een zucht op. Er ging een siddering door haar heen. Annette had niet het juiste woord gebruikt. Het was niet griezelig, het was onheilspellend. En haar adem stokte even in haar keel toen ze een akelig voorgevoel kreeg.

Jim Pollard kwam op hen af gehold en begroette haar hartelijk. 'Wat leuk je weer te zien, Laurie. Tof van Chris om me uit te nodigen voor het weekend, en toen ik hoorde dat jij zou komen lunchen, stond ik helemaal te springen. We laten die twee werken en wij gaan gezellig kletsen, net als op de veiling. Ik heb niet meer zo gelachen sinds die dag.'

'Ik ook niet,' antwoordde ze en ze besefte toen pas hoe blij ze was dat Jim hier ook was. Ze zou het heel vervelend hebben gevonden om in haar eentje op Annette te zitten wachten in dit mistroostige gebouw. Het was zo donker en dreigend.

Christopher was meteen druk in de weer terwijl hij iedereen binnenliet. Hij stond erop Paddy de achterkamer te laten zien, waar hij hem voorstelde aan mevrouw Joules, zijn huishoudster, die direct de aangrenzende keuken uit kwam lopen. Ze nam Paddy meteen onder haar hoede. Christopher vroeg aan Jim of hij Laurie de blauwe zitkamer wilde laten zien, terwijl hij zijn arm door die van Annette stak en haar via de gewelfde gang naar de bibliotheek bracht.

Annette herinnerde zich deze kamer maar al te goed. Het was

een gigantische ruimte, met licht eikenhouten lambriseringen en een grote open haard aan de ene lange wand, en torenhoge ramen met lange raamstijlen aan de andere. En hoewel hij van top tot teen met boeken was gevuld, waren er naast de schoorsteenmantel twee plekken vrijgelaten waarop uitzonderlijk mooie paardenschilderijen van George Stubbs hingen. Ze wist vrijwel zeker dat ze rond 1769 waren geschilderd. Ze was dol op de formele compositie, de glanzende vacht van de paarden, hun elegante pose, het traditionele landschapspark op de achtergrond: Engelser kon het haast niet. Ze waren onvergelijkelijk. En dan waren ze nog in perfecte staat ook. Sir Alec Delaware, Christophers oom, had bijzonder goed op deze twee juweeltjes gepast. Dat deed haar genoegen. Als Christopher ze wilde verkopen, zou ze een uitstekende prijs voor het stel kunnen krijgen.

'Vorig jaar zomer heb je net zo lang en geconcentreerd naar die paardenprentjes staan kijken als vandaag,' merkte Chris op en kwam bij haar staan. 'Je zei dat ze behoorlijk waardevol waren.'

'Dat zijn ze ook. Schilderijen van Stubbs zijn zeldzaam. Ik heb ze tenminste in geen jaren te koop aangeboden gezien. Maar ze brengen natuurlijk nooit zoveel op als je Rembrandt heeft opgebracht, al zouden we er een goede prijs voor kunnen vragen als je ze zou willen laten veilen.'

'Ik wil ze houden. Ze zijn prachtig en passen perfect in deze ruimte. Ze horen hier gewoon en ze verhogen de sfeer.'

'Ik denk dat je oom ze speciaal voor de bibliotheek heeft gekocht.'

'Toch is dat niet zo. Mijn moeder vertelde me ooit dat hij de paardenschilderijen heeft geërfd van mijn grootvader, Percy Delaware, en dat hij ze weer van zíjn vader had geërfd. Ze zijn dus al heel lang in bezit van de familie.'

'En hoe lang bezit je familie dit huis al?'

'Honderden jaren, sinds de Stuarts, rond 1660 dus, en het is onvervreemdbaar erfgoed, weet je, het kan niet worden verkocht. Het moet altijd overgaan op een directe afstammeling.'

Annette knikte. 'Maar je familie bezit toch geen titel?'

'Nee. Oom Alec is geridderd vanwege zijn verdiensten voor de Britse zakenwereld, dus zijn titel verdween toen hij stierf.

Zo is hij zo rijk geworden, door grote transacties, bedoel ik.'
'Ja, dat weet ik. Ik heb het een en ander uitgezocht.'
Hij glimlachte flauwtjes en ging haar voor naar de leren chesterfield bij de koffietafel. 'Wat dacht je van een kop koffie voor we aan het werk gaan?'
'Graag, Christopher,' zei Annette. 'Daar heb ik wel trek in.'
Ze ging op de bank zitten en nam het kopje aan dat hij haar aanreikte. Dat kon ze wel gebruiken na die lange rit vanuit Londen, hoewel ze stond te popelen aan het werk te gaan. Dat wordt een korte koffiepauze, dacht ze.
Christopher bleef met zijn rug naar de haard staan en nipte van zijn koffie. Plotseling merkte hij op: 'Ik heb dit hele huis uitgekamd, echt ondersteboven gekeerd, en ik heb dan ook een paar interessante dingetjes gevonden.'
Aandachtig keek ze naar hem op. 'Dat klinkt veelbelovend. Wat heb je gevonden?'
'Een aantekenboekje van mijn oom, onder andere. Het zat in een oude aktetas, en ik moet je wat vertellen. Zijn vader heeft die Rembrandt ergens in de jaren dertig gekocht. Dat staat daar ergens. Dus de eigendomspapieren zijn niet helemaal juist, omdat ze op naam van zijn moeder staan.'
'Ja, typisch, maar het maakt niet uit. Het belandde rond die tijd in de familie, dus de herkomst klopt wel. Maar mag ik het eens zien?'
'Zeker.' Christopher liep naar het bureau, pakte een zwart notitieboekje en gaf het aan haar.
Annette zag dat het een versleten boekje was, met kale hoeken, dus er was kennelijk veel in gebladerd. 'Wat staat erin? Toch geen catalogus?' Ze trok hoopvol een blonde wenkbrauw op en keek hem strak aan. 'Want dat zou wel geweldig zijn!'
'Het is niet echt een catalogus, maar het zijn opmerkingen bij een aantal schilderijen en een lijst.'
Ze bladerde het boekje snel door, las vluchtig een paar regels, maar ze vond het kleine, precieze handschrift wat moeilijk te lezen en ze gaf het hem terug. 'Jij weet waar de interessante stukken staan, dus zoek ze maar op. Dat werkt veel sneller, ik zou in het wilde weg zitten zoeken.'
Hij nam het boekje weer aan en vond een van de pagina's die hij zocht. 'Moet je horen wat hier staat... *"In jouw ar-*

men lag ik warm en zacht, stil als een lege straat in de nacht;
en mijn gedachten, ik weet het nog goed, waren groene blaad-
jes in een duistere gloed, of donkere wolken in de maanloze
lucht."' Hij zweeg en prevelde toen: 'Mooi, toch?'
'Ja, heel mooi. Het is een stukje uit een gedicht van Rupert
Brooke, dat "Terugblik" heet. Maar het verwijst niet naar
een schilderij.'
'Toch wel. Onder deze regels schreef hij: "... *O mijn arme*
Cézanne. Verloren ben je. Die verrukkelijke duistere gloed.
Verwoest. Voor eeuwig verdwenen. Dat vermaledijde roet.
Ik had de schoorstenen moeten laten schoonmaken..." Zou
het roet op die Cézanne kunnen zijn, Annette?'
'Dat is heel goed mogelijk.' Ze ging rechtop zitten. 'Weet je,
ik dacht dat het gewoon vuil was, van jaren geleden, maar
dan zal het wel roet zijn.' Haar gezicht betrok. 'Ik hoop maar
dat het eraf gehaald kan worden...' Haar stem stierf weg; ze
keek zorgelijk uit haar blauwe ogen.
'Anders ik wel. We kunnen er even naar kijken. Hij staat in
een van de salons die ik leeggeruimd heb en als opslagplaats
gebruik.'
'Wanneer heb je dat boekje gevonden, Christopher?'
'Een week of twee geleden. Hoezo?'
Hij had het haar meteen moeten vertellen. Slordig van hem.
Konden die kunstwerken hem dan helemaal niets schelen?
Ze schraapte haar keel en schouderophalend zei ze: 'Ik vroeg
het me alleen af. Dat is alles. Ik wil die Cézanne nu graag
nog eens zien, en ook dat je hem begin volgende week naar
Londen brengt. Ik bel je maandag met het adres van de res-
taurateur die hem schoon kan maken. Ik hoop dat hij tijd
heeft, hij is de beste die ik ken. Hij heet Carlton Fraser.'
'Afgesproken. Annette?'
'Ja?'
'Ben je een beetje van streek?'
'Nee, waarom vraag je dat?'
'Je kijkt opeens zo vreemd.'
'O ja?' Annette haalde haar schouders weer op. 'Ik dacht aan
je oom, en hoe fraai hij de Cézanne beschreef, op de manier
waarop hij hem zag... Al die donkergroene tinten die de schil-
der zo graag gebruikte. Zo toepasselijk.'
'Hij was een boeiende man. Hier is nog iets wat hij schreef.'

Christopher bladerde het boekje weer door en zei: 'Het zijn maar een paar woorden, waarvan ik even in de war raakte. Luister maar eens. "*Mijn arm klein meisje, je hebt me verlaten. Het mooie kind zal niet mooi meer zijn. Ik moet haar begraven.*" Dat is het. Maar ik heb haar gevonden, hoor.'

'O mijn god! Heeft hij het over een echt kind?' Ze sloeg haar hand voor haar mond. 'Heeft hij een kind begraven?' Ze huiverde van afschuw.

'Nee, welnee. Kijk maar niet zo geschrokken. Het is geen echt kind. Het is een beeldje, maar het ziet er niet uit. Wil je het zien?'

'Meteen.' Ze stond op, zo wit als een doek.

'Het spijt me dat ik je zo aan het schrikken heb gemaakt,' zei hij verontschuldigend en hij raakte haar arm zacht aan. Nee, jij was het niet, dacht ze. Er hangt een sfeer in dit huis waarvan ik de rillingen krijg; ik weet niet wat het is.

Annette haalde diep adem en zei: 'Nee, het gaat al, ik was even bang dat hij... je vertelde het op een manier dat ik... nou ja, ik dacht dat hij een dood kind begraven had.'

Annette volgde Christopher door de enorme hal met zijn hoog oprijzende, gewelfde plafond, geboende eiken vloer en reusachtige kroonluchter. Ze keek vluchtig om zich heen en huiverde weer. Er was beslist iets zeer griezeligs aan dit huis. Waarom had ze dat vorig jaar niet gemerkt? Het was zomer geweest, met zonnig weer was het anders. Maar op deze kille dag in maart kwamen de naargeestige kanten van het huis sterker naar voren.

Ze was blij dat ze haar grijsflanellen broekpak met een trui van kasjmier had aangedaan en dat ze Laurie had aangeraden zich ook warm aan te kleden. Hoewel Knowle Court centrale verwarming had en er in vrijwel elke ruimte een open haard brandde, scheen het hele gebouw toch doordrongen te zijn van een vochtige kilte.

Terwijl ze naar de salon liepen waar hij de kunstwerken had opgeslagen, vroeg Annette: 'Hoe heb je dat beeld eigenlijk gevonden?'

'Op zolder staan een hele hoop hutkoffers en dozen opgeslagen en die heb ik allemaal onderzocht. Gelukkig had mijn oom *mijn mooie meisje* op de zijkant van een grote karton-

50

nen doos geschreven, en toen ik die openmaakte bleek het beeldje erin te liggen.'

'Dan heb je echt geluk gehad. Staat de doos nu in dezelfde ruimte waar je de Cézanne hebt neergezet?'

Hij knikte. 'Ik heb er ook wat andere kunstwerken neergezet, want je zei dat we een selectie moesten maken voor de volgende veiling.'

'Ja, dat klopt.'

'We zijn er.' Christopher deed een deur open en liet Annette binnen. 'Wil je eerst een blik op de Cézanne werpen? Hij ligt daar op de schragentafel.'

Snel liep ze ernaartoe, want ze wilde het schilderij dolgraag weer zien, al maakte ze zich erg ongerust over de schade die het roet aan het doek kon hebben toegebracht.

Christopher liep voor haar uit, haalde het laken van de schragentafel af en wachtte bij het schilderij, dat nu open en bloot lag.

Toen ze naar de Cézanne keek, zag ze meteen dat het schilderij donkerder van tint was dan ze afgelopen augustus had opgemerkt. Maar toen was het zonniger in de kamer geweest. Misschien lag het ook aan het sombere licht vandaag. Roet liep in elk geval niet uit. Het bestond uit fijn koolstof dat ontstond door steenkool te branden. En ze was ervan overtuigd dat het zeer moeilijk te verwijderen was, waar het ook terechtgekomen was.

O god, dacht ze, en ze tuurde van dichtbij naar het doek. Hoe moet Carlton dit weer tot leven wekken? Maar als iemand het schoon kon maken, was hij het wel.

Christopher boog zich opeens wat nerveus vlak naast haar over het schilderij. 'Je ziet er bezorgd uit.'

'Dat ben ik ook,' antwoordde Annette. 'Hoewel Carlton Fraser echt wonderen kan verrichten en ik niet iemand ben die al meteen gaat wanhopen. Er zit echt van dat schitterende donkere groen in waar Cézanne zo dol op was. En daarom ziet het er misschien erger uit dan het is. Zo, en waar is het beeld?'

'Hierzo.' Christopher trok een grote kartonnen doos naar hen toe en sloeg de flappen open.

Annette keek erin. Haar adem stokte, ze deinsde even terug en knielde ademloos neer om de flappen nog verder open te slaan. Sprakeloos staarde ze lang naar het voorwerp dat op de bodem van de doos lag en ze leek nauwelijks te kunnen geloven wat ze zag. Een bruisend gevoel van opwinding maakte zich van haar meester en ze hoopte vurig dat ze gelijk had wat het beeld betrof. Ze stak haar hand in de doos, betastte het en sloot haar ogen.

Pas toen keek ze Christopher aan. 'Weet je wel wat dit is?'

'Nee. Geen idee.'

'Je hebt het al uit de doos gehaald, hè?'

'Ja, maar ik was er niet zo van onder de indruk, dus ik heb het weer teruggelegd.'

'Wil je het er nog een keer uit halen, zodat ik het goed kan zien?'

'Ja, natuurlijk.' Hij deed wat ze vroeg. 'Waar zal ik haar neerzetten?'

'Daar maar, op de ronde tafel bij het raam, graag.' En dan te bedenken dat ze dit al twee weken eerder had kunnen zien, als hij maar de moeite genomen had om haar te bellen. Ze begon ernstig aan hem te twijfelen.

Toen het beeldje op tafel stond, liep Annette er in een kring omheen om het van alle kanten te bekijken. Haar hart bonsde in haar keel. Van opwinding had ze zichzelf nauwelijks in de hand. En plotseling ervoer ze een jubelend gevoel van vreugde, dat ze altijd had bij het zien van een impressionistisch meesterwerk, vooral bij een Renoir. Het was een kort moment van extase, een sensatie.

Hij zei: 'Het ziet er zo armoedig en smerig uit. Het is zeker niet zoveel waard? Waarom interesseert het je zo?'

Even kon ze het niet opbrengen hem te antwoorden, en ze wilde hem al helemaal niet aankijken. Ze was bang dat de ergernis op haar gezicht duidelijk te lezen was.

Uiteindelijk zei ze: 'De laatste keer dat ik iets soortgelijks op een veiling heb gezien, werd het afgehamerd op elf miljoen dollar. En dat was een jaar of tien geleden.'

5

'Als ik me niet vergis, en daar ben ik vrij zeker van, dan is dit *Het veertienjarige danseresje* van Degas,' zei Annette, terwijl ze zich omdraaide. Ze merkte dat Christopher geen woord kon uitbrengen en ze begreep wel waarom. De gedachte aan een tweede meevaller van enkele miljoenen zou iedereen met stomheid geslagen hebben. Ook zijzelf was nogal verbluft door deze vondst, die zo onverwacht was opgedoken.

'Een Degas! Niet te geloven. Ik dacht dat het niets bijzonders was. Oom Alec dankte haar immers af, stopte haar in een doos en verbande haar naar de zolder. Waarom zou hij dat hebben gedaan? Omdat ze er zo groezelig uitziet? Denk je dat hij dat daarom heeft gedaan?' vroeg Christopher.

'Ik zou het niet weten. Maar dit danseresje is niet iets wat je zomaar afdankt. Het zou eerder gekoesterd moeten worden. Het is totaal onbelangrijk dat het gaas van de tutu versleten en vies is. Het is een Degas! En volgens mij is dit er een uit een bijzondere, ongenummerde serie van vijfentwintig afgietsels die rond 1920 gemaakt zijn. Ik ben er helemaal ondersteboven van, Christopher.'

'Je zei dat er tien jaar geleden een verkocht is voor elf miljoen dollar. Zou de koper mijn oom geweest zijn? Is het dít beeld?'

'Nee, je begrijpt me verkeerd. Ik zei dat het om een beeldje ging dat vergelijkbaar was met dit beeld, een ander danseresje van Degas. Het werd in 1997 geveild door Sotheby's in New York.'

'Hoe kan een kopie dan zoveel opleveren?'

'Het is geen kopie, niet zoals jij het bedoelt,' zei Annette. 'Ik zal proberen het uit te leggen. Na Degas' dood werd er door de Hébrard-gieterij in Parijs een tweede generatie afgietsels gemaakt van het originele wassen beeldje dat Degas had gemaakt. Het werd gegoten door een van de beste bronsgieters ter wereld, Albino Palazzolo, en de supervisie was in handen van de beeldhouwer Albert Bartholomé, die een goede vriend van Degas was geweest. Ik vermoed dat ik het bij het rechte eind heb en dat dit een van die vijfentwintig oorspronkelijke afgietsels is die in de jaren twintig van de vorige eeuw werden gemaakt van het origineel.' Annette voegde eraan toe: 'Laurie weet alles van Degas, ze is een expert, ik laat haar altijd de research doen. Ze weet vreselijk veel. Wil je haar vragen hier te komen om het te bekijken?'

'Ik ben al weg!' riep hij uit en hij holde de salon uit.

Zodra ze alleen was, keerde Annette zich weer om naar het bronzen danseresje. Ze was er absoluut van overtuigd dat dit een echte Degas was, en net zo'n zeldzame vondst in Knowle Court als de Rembrandt.

Ze deed nog een stap naar het danseresje, en raakte het hoofd aan, streelde het en voelde toen voorzichtig aan de gescheurde, vuile tutu, die waarschijnlijk al bijna een eeuw oud was. Opeens welden er tranen in haar ogen op, zo ontroerd was ze. Dit danseresje was altijd al een lievelingskunstwerk van haar geweest, en elke keer dat ze in Parijs was, zocht ze het beeldje op dat in het Louvre tentoongesteld werd.

Stel je voor, wie had ooit kunnen denken dat ik dit eens ter veiling zou brengen? Straks is het van mij. Heel even. Ik zal haar conservator zijn. Spannender bestaat niet. Plotseling dacht ze aan Alec Delaware, en ze vroeg zich weer af waarom hij haar zou hebben afgedankt. Ze zou het nooit te weten komen... Niemand zou het ooit te weten komen. Wanneer had hij het danseresje gekocht en waar? Ik moet achter de herkomst komen. O mijn god, wat is de herkomst ervan? Zonder dat kon het niet geveild worden. Ze kreeg het benauwd en ze werd plotseling vreselijk ongerust. Er waren niet veel documenten hier. Hoe kon een man als Alec Delaware, een succesvol topzakenman, zo achteloos met papieren zijn geweest? Christopher scheen maar weinig van zijn ooms zaken af te weten, en in dit huis stonden maar een paar metalen ladekastjes met een handvol documenten die iets met kunst van doen hadden.

Op dat moment reed Laurie met een vaart de salon in, op de voet gevolgd door Jim Pollard. Haar gezicht begon te stralen toen ze de danseres op tafel zag staan.

'O, Annette wat geweldig! *Het veertienjarige danseresje*, het beroemde brons van Degas. O god, ik móét het even aanra-

54

ken.' Terwijl ze dat zei, stopte Laurie vlak bij de tafel en reikte naar het beeld om het te strelen. Ze richtte zich tot Christopher. 'Je moet wel de gelukkigste man op aarde zijn! Dit is een wereldberoemd meesterwerk. Elke serieuze verzamelaar zou er een moord voor doen.'

'Weet je zeker dat dit is wat we denken dat het is?' viel Annette haar in de rede.

'Ja, ik weet het zeker,' zei Laurie.

Annettes stem was zo ernstig als haar gezicht toen ze Christopher vroeg: 'Ik heb de herkomst nodig, een bewijs van wie het beeld eerder bezat. Heb je dat hier ergens?'

'Niet dat ik weet.'

Annette keek naar de kartonnen doos. 'Lag er soms nog iets in de doos toen je hem openmaakte? Een envelop of zo?'

'Nee, hij lag vol proppen papier. Mijn oom had de bodem en zijkant van de doos bedekt met krantenproppen en vloeipapier. Dat was een soort kussen voor het beeld. Erbovenop lag nog veel meer papier, ze werd helemaal bedekt.'

Annette staarde hem aan. 'En waar is al dat papier nu?' Ze was als de dood dat hij het had weggegooid.

'Ik heb het in een plastic zak gedaan die ik op zolder heb gezet. Ik weet wat je denkt, Annette... Dat de herkomst tussen die papieren zit.'

'Precies.'

'Ik ga die zak meteen halen,' zei Christopher en verliet de kamer.

Jim Pollard keek hem na en schudde het hoofd. Hij keek naar Annette. 'Ik kende sir Alec vaag, maar niet via Christopher. Hij was een kennis van mijn vader, hij deed zaken met hem. Hij heeft me eens voorgesteld. Het schijnt dat hij nogal excentriek was, zoiets als de spreekwoordelijke verstrooide professor. En toch was hij zeer gehaaid, een geweldig zakenman. Vreemd contrast eigenlijk. Kijk, ik denk niet dat hij achteloos met de documentatie van zijn kunst omging. Hij was een serieus verzamelaar, zoals je wel weet, en gezien de collectie die je nu wat beter leert kennen.'

'Dus je denkt dat er ergens in huis een soort kunstarchief moet zijn?' vroeg ze.

'Ja, dat denk ik wel. Maar niet zomaar open en bloot. Weet je, sir Alec veranderde erg toen zijn verloofde stierf... Hij

55

werd eigenaardig, gesloten, lastig om mee om te gaan. Daardoor veranderde hij steeds meer in een soort kluizenaar.'
'Hoe lang is dat geleden?'
'Ongeveer vijftien jaar. Het zal de schok wel geweest zijn, denk ik. Hoe hij haar vond.'
'Wat bedoel je?' vroeg Laurie, die hem doordringend aankeek, want ze hoorde een vreemde klank in zijn stem.
Jim keek van Laurie naar Annette en zei zacht: 'Wisten jullie niet dat ze zelfmoord heeft gepleegd?'
Beide vrouwen schudden het hoofd en Annette vroeg: 'Hoe heeft ze...?' Ze kon de vraag niet afmaken en er trilde iets in haar stem.
'Ze heeft zichzelf verhangen,' mompelde Jim. 'In hun slaapkamer. Hier. Een paar dagen voor de bruiloft.' Hij aarzelde en voegde er zacht aan toe: 'In haar trouwjurk.'
'O mijn god!' Laurie staarde Jim vol afschuw aan.
Annette schudde sprakeloos het hoofd alsof ze het wilde ontkennen. 'Dat moet inderdaad een gigantische schok voor hem zijn geweest. Wat afschuwelijk om mee verder te leven.'
'Mijn vader dacht dat haar zelfmoord hem tot waanzin heeft gedreven, en misschien was dat wel zo. Ik denk dat sir Alec ze niet meer op een rijtje had sinds de dag dat Clarissa zichzelf ophing.'
'Heette ze zo?' vroeg Laurie.
'Ja, Clarissa Normandy. Ze schilderde.'
'Ik ken haar werk, maar verder wist ik niets van haar,' merkte Annette op, die zich een kunstbeurs van zo'n twintig jaar geleden herinnerde.
Christopher kwam met een plastic zak binnen en schudde er meteen een hoop krantenproppen uit. Jim hielp hem ze open te vouwen en na een paar seconden riep hij: 'Eureka!' terwijl hij een verfrommelde envelop de lucht in stak. Hij gaf hem aan Annette met een grijns op zijn gezicht.
'Het zijn de herkomstpapieren, godzijdank,' riep ze opgelucht uit, nadat ze een aantal velletjes papier uit de envelop gelezen had. 'We hebben verdomd veel geluk dat we dit gevonden hebben,' zei ze blij.

Het werd de ochtendkamer genoemd, en wat Annette betrof was het de gezelligste en vriendelijkste plek in dit enorme mausoleum. De achthoekige ruimte was niet te groot en door de drie boogramen had je uitzicht op het park achter Knowle Court. Er was een cassetteplafond en een open haard met een eiken schoorsteenmantel met houtsnijwerk.

'We hebben hier een plekje voor je vrijgelaten,' zei Christopher en hij wees aan waar Lauries rolstoel prettig onder de tafel kon staan.

'Dank je,' zei ze en ze rolde zich naar de open plek toe, terwijl ze bedacht hoe knus deze kamer was, met zijn roze zijden lampenkappen en het vuur dat vlamde in de haard.

Terwijl ze om zich heen keek en alles in zich opnam, drong het opeens tot Laurie door dat er helemaal geen schilderijen in deze kamer hingen. Dat was eigenaardig. Terwijl ze het zich gemakkelijk maakte, kreeg ze het akelige idee dat Christopher eigenlijk geen zier om kunst gaf. Dat het hem alleen om het geld te doen was. Had Annette daarom zo geïrriteerd geleken? Want dat had zij vast ook al opgemerkt. Misschien vorige zomer al?

Jim trok een stoel voor Annette vanonder de tafel vandaan, ging aan de ronde tafel tussen Annette en Laurie zitten en zei, van de een naar de ander kijkend: 'Mevrouw Joules kan geweldig koken. Ik verheug me op de lunch. Het zal een culinair hoogstandje worden.'

Alsof hij het wachtwoord had gezegd ging de deur open en mevrouw Joules kwam binnen met een dienblad, beladen met kommen dampende soep. Een jong dienstmeisje liep in haar voetsporen. Nadat ze het blad op een zijtafel had geplaatst, zetten zij en het meisje voor ieder een kom neer. Mevrouw Joules zei: 'Ik hoop dat het u allen mag smaken... mijn eigen doperwtensoep met kokos.'

Ze bedankten haar en toen zij en de meid vertrokken waren, kondigde Christopher aan: 'Dat wordt genieten. Dit is de lekkerste soep die ik ooit gegeten heb.'

Annette werd aangenaam verrast toen ze de soep proefde. Behalve kokos proefde ze een snufje munt en hij was inderdaad heel bijzonder.

Haar gedachten zweefden weg van het gesprek tussen Christopher en Jim over een paard dat Jim onlangs had gekocht. Ze dacht na over de kunstwerken in dit huis en welke ervan Christopher voor de veiling zou voordragen. Waarschijnlijk uiteindelijk de hele collectie, maar nu deed hij het even wat kalmer aan. Toch wilde hij er nu vijf verkopen, en na de lunch zou hij vertellen welke.

Ze twijfelde er niet aan dat hij een aardige jongeman was, vriendelijk, wat verlegen en terughoudend, al was hij vandaag niet zo gesloten of afstandelijk als anders. Maar toch had ze zich net echt een beetje aan hem geërgerd, en ze wist ook waarom. Ze had respect voor kunst en kunstenaars en het irriteerde haar dat hij zo achteloos deed. Het bronzen danseresje interesseerde hem niet om haar schoonheid, noch deed het hem iets dat het beeld was gemaakt door een meester als Degas. Dat het een vermaard kunstwerk was, kon hem ook al niet boeien. Zijn enige zorg was hoeveel hij ervoor zou kunnen vangen.

Annette zuchtte onopvallend. Misschien was dat wel normaal. Hij had haar de eerste keer dat hij haar opzocht tenslotte al verteld dat hij niets van kunst af wist. Later had hij zelfs bekend dat hij op Jim Pollards oordeel vertrouwde bij het besluiten wat hij wel en niet zou verkopen. Dat was waarschijnlijk de ware reden waarom Jim hier het weekend logeerde, en niet om Laurie gezelschap te houden. Maar dat maakte niet uit; ze kon het goed vinden met Jim en hij leek integer en oprecht. En dat niet alleen, hij wist het een en ander van kunst, en het leek wel of hij vandaag ook niet zoveel geduld met Christopher had als anders.

Annette ontspande weer en mengde zich in het gesprek van de anderen over een nieuw toneelstuk in West End, omdat ze niet bot wilde lijken. Maar ze bleef toch afwezig.

Haar gedachten gingen weer uit naar Hilda Crump en de vreselijke dingen die waren gebeurd. Stel dat iemand erachter kwam? Als alles uitkwam waarin zij vroeger verwikkeld was geweest, zou haar hele wereld als een kaartenhuis instorten. En Lauries wereld dus ook. Bij die laatste gedachte sloeg de schrik haar om het hart. Want wie zou er voor haar zuster zorgen als zij in de gevangenis zat?

De lunch vorderde gestaag. Na de soep zette mevrouw Joules lamskoteletjes, nieuwe aardappels en worteltjes op tafel, en daarna een perzikentaart als dessert. Terwijl ze de punten serveerde, vertelde de huishoudster dat er koffie op hen wachtte in de bibliotheek wanneer ze klaar waren.

Opgelucht dat de lunch eindelijk voorbij was, liet Annette er geen gras over groeien. Toen ze nippend van hun koffie in de bibliotheek zaten, ging ze direct aan de slag.

Ze haalde een kaart uit haar tas en wendde zich tot Christopher. 'Ik weet dat je die sculptuur van Giacometti wilt verkopen, dat heb je me al verteld, maar wat moet er met het danseresje gebeuren? Wil je de Degas houden of moet ik het laten veilen?'

'Verkoop hem maar, en dat paardenschilderij van Degas erbij... Verder wil ik dat schilderij van moeder en kind van Mary Cassatt kwijt, en de Cézanne, als die weer in oude glorie kan worden hersteld.'

'Laten we hopen dat Carlton nog wonderen kan verrichten,' sprak ze vlak. 'Kortom, het worden dus drie schilderijen en twee beeldhouwwerken.' Annette boog zich naar voren en stak hem de kaart toe. 'Kijk, ik had de werken die je volgens mij wilde verkopen hierop geschreven. Het bronzen beeld ontbreekt, want ik wist niet dat je dat had.'

Een brede glimlach gleed over Christophers gezicht. 'Je had me dus helemaal door.'

'Wat ben ik blij dat we het beeld met ons mee hebben genomen,' zei Laurie. 'Het is hier veilig, en misschien kunnen we Carlton overhalen langs te komen om het te bekijken.'

'Dat doet hij heus wel,' zei Annette, achterovergeleund op de bank in de gele zitkamer van haar appartement. 'Al heeft hij het nog zo druk, hij zal zijn nieuwsgierigheid niet kunnen bedwingen. Wie zou het beroemdste beeld van Degas nou niet willen zien?' Ze boog iets naar voren om het danseresje beter te kunnen bekijken, vooral de tutu. 'Het gaas is vreselijk vuil en versleten, hè?' Ze keek even naar Laurie en trok een spijtig gezicht. 'Maar dat maakt het juist misschien weer wel zo aantrekkelijk.'

'Je wilt Carlton toch niet vragen om er iets aan te doen?' vroeg Laurie en haar stem klonk opeens veel hoger.

Annette schudde haar hoofd. 'Nee, nee, natuurlijk niet. Al is het maar omdat de tutu dan uit elkaar zou kunnen vallen. Bovendien dragen de ouderdom en de groezeligheid ervan bij aan de waarde.'

'Het danseresje was het enige van zijn beelden dat Degas tentoonstelde, zoals ik in mijn onderzoek schreef. Hij deed dat in 1881 op de grote Impressionistische Tentoonstelling in Parijs. Dit beeld is niet dát beeld, maar een van die vijfentwintig die in de jaren twintig zijn gegoten.'

'Al bijna honderd jaar geleden.' Annette schudde haar hoofd. 'Ongelooflijk.'

Laurie keek haar zus eens goed aan en veranderde van onderwerp. 'Je mag die Christopher Delaware niet meer zo, hè?'

'Nou, zo erg is het niet, ik mag hem best nog wel, Laurie. Maar ik geef toe dat hij me gisteren in Knowle Court een beetje op mijn zenuwen werkte. Hij gaat zo nonchalant om met al die kunst in zijn huis, en je ziet dat hij staat te springen om het geld in ontvangst te nemen, hij kan niet wachten het te verkopen.'

'Dat is wel duidelijk, ja,' beaamde Laurie en ze moest lachen. 'Maar daar mogen we eigenlijk niet over klagen, want jij zal de veiling regelen. En daar zal je alleen maar wel bij varen, want je verdient een hoop geld en je reputatie zal alleen maar stijgen. Wanneer wilde je de veiling houden?'

'Weet ik nog niet. Ik moet eerst weten wat Carlton denkt over het schoonmaken van de Cézanne.'

'Maar Annette, dat wordt een gigantische klus, denk je niet?'

'Jazeker. Misschien moet ik eerst een veiling van de twee beelden en de twee andere schilderijen houden, en de Cézanne een halfjaar later of zo.' Annette stond op en liep de zitkamer door en terwijl ze nog een blok hout op het vuur legde, vervolgde ze: 'Om even terug te komen op Christopher, ik mag hem wel, Laurie, maar ik ken hem natuurlijk ook nog niet zo goed. En trouwens, wie ben ik dat ik hem kan veroordelen? Hij is immers niet van jongs af aan opgegroeid met kunst, zoals wij, en de collectie van zijn oom is nu eenmaal van hem; hij kan ermee doen wat hij wil. Maar ik ben blij dat hij mij als dealer heeft gevraagd.'

'Hij is alleen zo... onverschillig. Hij doet er zo laconiek over. Zelfs Jim merkte daar iets over op... Hij is overigens behoorlijk slim.'

'Ik vind Jim een leuke man,' zei Annette en ze ging terug naar de bank. 'Heb je trouwens trek, Laurie? Zal ik iets voor de lunch maken?'

'Wacht maar even, ik denk niet dat ik nu nog een hap...'

Laurie maakte haar zin niet af omdat ze opeens een onbedaarlijke lachbui kreeg.

'Wat is er zo grappig? Vertel eens?' Annette trok niet-begrijpend een wenkbrauw op.

'Christopher is stapelverliefd op je, weet je dat niet? Marius had helemaal gelijk.'

'Doe niet zo raar!' riep Annette uit. 'Jij en Marius hebben veel te veel fantasie en–' het gerinkel van de telefoon onderbrak haar en ze stond op om op te nemen. Het was Malcolm Stevens, die belde om hen uit te nodigen voor een etentje.

6

Diep in de krochten van haar geest, in die kleine, goed verborgen plaatsen, leefden oude herinneringen sluimerend voort. Tot een ervan onverwacht besloot te ontsnappen en springlevend haar hele bewustzijn doordrong.

Dat gebeurde op zondagnacht. Klaarwakker lag Annette in bed, nadat ze uren vruchteloos had geprobeerd in te slapen. Toen gebeurde het plotseling... Ze werd overvallen door een herinnering van lang geleden, een herinnering uit een verleden dat ze tijden geleden begraven had. Helder, met alle details intact.

Daar was het dan, de flashback. Nauwkeurig. Verontrustend. En het doemde weer voor haar op... Het grimmige, afschrikwekkende huis, stil en duister, waar het kwaad in alle hoeken en gaten op de loer lag, en waar kleine meisjes – jong, onschuldig en mooi – door de lege kamers dwaalden en slechts vreugde konden beleven aan elkaar.

Ze hoorde iemand zingen... de hoge, ijle stem van een kind... het kabbelde over haar heen, stelde haar gerust, en ze deed haar best het beter te horen, dicht bij haar te zijn, dicht bij dat meisje met de gouden krullen...

'Marie Antoinette is mijn naam, ik ben Frankrijks koningin.
Kom dans met mij, of heb je geen zin? Ik ben Frankrijks koningin. Kom binnen en wals door het paleis, rond en rond, op

de allermooiste wijs. Goud is mijn baljurk, met juwelen ver-
sierd; daarin heb ik vaak zo heerlijk gezwierd. Is het niet prach-
tig, is het niet fijn? Kom binnen en dans, want hier wil je zijn.
Marie Antoinette is mijn naam, ik ben Frankrijks koningin.'
De meisjes lachten en dansten hand in hand door de kamer,
blij dat ze samen waren. Hun ogen twinkelden, het getik van
hun kleine schoentjes echode op de kale houten vloer.
Nu kwam een ander stemmetje, zangerig zoet, door de ruim-
te aangezweefd. 'Josephine is mijn naam, ik ben Frankrijks
keizerin. Mijn echtgenoot is Bonaparte, ik hou van hem met
heel mijn hart. Hij is een generaal, sterk en vol moed; be-
roemd zijn wij, en kennen geen tegenspoed. Ik draag een
schitterende kroon, en ik zit meestal op mijn troon. Ik ben
getrouwd met Napoleon; over ons rijk schijnt altijd de zon.
En wij dansen de hele nacht door, totdat in de tuinen de och-
tend gloort. Kom toch, dans en dans en dans, met de kei-
zerin van La belle France.'
Snelle voetstappen kwamen de trap op gerend en een vrolij-
ke stem riep: 'Meisjes, meisjes, kom toch mee. Buiten kun-
nen we veel meer plezier hebben!' En toen stond ze in de ka-
mer, lang en slank, hun lieve aanbeden nicht, die voor hen
zorgde en ze beschermde. Ze holden naar haar toe en samen
gingen ze naar beneden om het gouden zonlicht van de zo-
merdag tegemoet te rennen.
Ze renden door weilanden vol wilde bloemen, en het hoge
gras golfde op de lichte bries van de heuvels rondom. Hun
lange haar zweefde achter hen aan en hun zomerjurkjes bol-
den op rond hun benen. Het was een heldere, warme zo-
mermiddag en ze holden lachend verder, hand in hand... die
gouden meisjes op die gouden dag...

De herinnering hield net zo onverwacht op als hij verschenen was. Annette ging rechtop zitten, stapte uit bed en ging
de badkamer in. Toen ze het licht aanknipte, zag ze dat haar
gezicht nat van tranen was, en ze werd vervuld van een hevig verlangen, een hunkering eigenlijk, naar die lange, ten-
gere meid die zoveel van hen had gehouden en op wie zij allebei zo dol waren. Zal dat verlangen naar haar dan nooit
verdwijnen? vroeg ze zich af, en toen plensde ze wat koud
water in haar gezicht, waarna ze het droog depte. Toen ze

een paar minuten later weer in bed lag, buitelden er allerlei droevige gedachten door haar hoofd, en terwijl ze ze op een rijtje probeerde te zetten, viel ze in een diepe, droomloze slaap.

Hoewel Marius haar dit weekend tweemaal had gebeld, had Annette hem niets verteld over de uitzonderlijke vondst in Knowle Court. Het was niet makkelijk geweest haar mond te houden en haar enthousiasme over de ontdekking van het bronzen beeld niet met hem te delen, maar ze had zo'n zin om hem te verrassen dat het haar toch was gelukt. Zo zou ze getuige zijn van de uitdrukking op zijn gezicht wanneer hij het beroemde beeldhouwwerk van Degas op de glazen koffietafel in de woonkamer van Eaton Square zou zien.

Zodra ze maandagochtend achter haar bureau van haar kantoor in Bond Street zat, begon ze plannen te maken voor haar volgende grote veiling, die ze beslist in New York wilde houden. Ze had haar zinnen op het hoogst mogelijke gezet, maar zo was ze nu eenmaal.

Door haar brede kennis van kunst begreep ze dat de Cézanne niet zo snel gereinigd zou kunnen worden als ze wel wilde. Ze wist ook dat die klus niet door de eerste de beste restaurateur kon worden gedaan. Het moest de allerbeste zijn en dat was Carlton Fraser. Hij had de Rembrandt niet voor haar kunnen schoonmaken omdat hij destijds in het buitenland was, maar hopelijk zou hij beschikbaar zijn voor het herstel van de Cézanne.

Pragmatisch en efficiënt als ze was, nam ze altijd snelle beslissingen en verspilde ze nooit tijd. Ze belde Carltons atelier in Hampstead.

Zijn telefoon ging eindeloos over en de voicemail stond blijkbaar niet aan. Met groeiend ongeduld wilde ze net ophangen, toen hij eindelijk opnam met een zwak: 'Hallo?' dat van ver weg leek te komen.

'Carlton, met Annette Remmington. Gaat het wel goed met je?'

'Hallo lieve schat!' riep hij uit. En zijn stem klonk meteen een stuk duidelijker en levendiger. 'Wat leuk van je te horen! En met mij is het prima, kan niet beter. Al spijt het me dat ik die fantastische grote slag van je heb gemist. Het was een sensatie, hoorde ik. Ik kon helaas niet komen omdat ik in Rome zat. Maar dat wist je al.'

'Een opdracht van het Vaticaan zeker.'

Hij grinnikte. 'Nog steeds zo bijdehand, hoor ik. Ja, dat klopt.'

'Gefeliciteerd dan. Maar luister, Carlton, ik heb een klusje voor je, restauratie en vooral een schoonmaakbeurt van een schilderij, en ik hoop dat je tijd hebt om dat voor me te doen. Of op zijn minst om een beginnetje te maken. Want volgens mij ben jij echt de enige die het weer tot leven kan wekken.'

'Dank voor het compliment. Ik kan alleen maar zeggen dat ik mijn best zal doen, maar ik ben in elk geval vrij. Dat nieuwe baantje voor het Vaticaan staat pas komende herfst in de planning; dan ben ik een maand in Rome. Reiniging van stokoude fresco's. Maar wat is dat voor schilderij dat je voor me hebt?'

'Het gaat om een Cézanne, en volgens mij is hij bedekt geraakt met roet toen hij van een schoorsteen viel. Bovendien schijnt iemand geprobeerd te hebben hem schoon te maken, door hem af te stoffen waarschijnlijk.'

'Goeie god, nee toch!' Hij kreunde luid en vloekte.

'Ik ben bang van wel,' reageerde Annette, een beetje geschrokken van zijn uitbarsting. Die bevestigde het vermoeden over het schilderij dat ze al vanaf het begin had gehad. Het was een ramp, en er zou lang en uiterst nauwkeurig aan gewerkt moeten worden.

Het was even stil en toen mompelde Carlton: 'Dat zou me wel eens maanden kunnen kosten. Roet – erger bestaat niet.'

'Weet ik. Maar kan je het toch aannemen? Nu meteen? Of heb je nog andere verplichtingen?'

'Ik ben bezig met een oude meester voor een klant van me, maar het zijn de laatste loodjes. Ik zou komend weekend met dat van jou kunnen beginnen, als je dat uitkomt.'

'Of het uitkomt? Het is fantastisch! Ik ben zó opgelucht. Ik zou het aan niemand anders dan jou kunnen toevertrouwen. Ik zal zorgen dat de eigenaar het morgen bij je thuisbezorgt. Kun je het dan aannemen?'

'Ik ben thuis, maar zo niet, Marguerite is er altijd. Wie is die eigenaar?'

'Christopher Delaware, mijn Rembrandt-cliënt. Zijn oom heeft hem een aanzienlijke collectie nagelaten, een stel eersteklas schilderijen en een paar geweldige sculpturen. Een Giacometti en een Degas! Van brons... een kleine danseres...'
'De mazzelaar! En als ik me goed herinner uit de enorme publiciteitscampagne die je zo slim had opgezet, was die oom sir Alec Delaware.'
'Ja, dat klopt. Kende je hem?'
'Dat niet, maar ik herinner me vaag dat hij verloofd was met een kunstenares die ik wel eens ontmoet had, heel lang geleden. Ik kende haar toen ze nog studeerde aan het Royal College of Art... wacht eens even... hoe heette ze nou? O, ja, ik weet het weer: Clarissa Normandy. Ik geloof dat er iets heel vreemds met die verloving aan de hand was. Of was het iets met een huwelijk?'
'Zover kwam het niet.' Annette schraapte haar keel en waagde de sprong. 'Ze heeft zelfmoord gepleegd. Een paar dagen voor ze zouden trouwen. Ze had er zelfs haar trouwjurk voor aangetrokken. Moet je eens voorstellen. Afschuwelijk om haar zo aan te treffen, denk je ook niet?'
'O god ja! Ik heb van die geruchten gehoord... Maar ze zeiden destijds dat er ook iets met die relatie aan de hand was, een of ander schandaal of zo. Maar ik kan er nu even niet opkomen. Het zal de leeftijd wel zijn.'
'Het enige wat ik een paar dagen geleden hoorde was van die zelfmoord,' zei Annette. 'Verder niets.'
'Mm. Maar ik weet vrij zeker dat er nog iets vreemds mee was. Iets wat niet in orde was, of, zoals mijn lieve vrouw het zou zeggen, het was niet koosjer. Had het nu iets te maken met gestolen schilderijen... of schilderijen die verdwenen waren... Marguerite zei dat trouwens al toen Clarissa nog leefde... Die meid is niet koosjer, zei ze. En dan was er dus iets met een dreigend schandaal of zo.'
Zoals altijd had Annette haar reactie klaar. 'Bedoel je nu dat Clarissa door haar zelfmoord een schandaal probeerde te voorkomen?'
'Ik denk dat "vermijden" een beter woord is.'
'O, juist. Nou, ik heb haar nooit gekend, en het maakt nu ook niet meer zoveel uit. Maar je hebt mijn nieuwsgierigheid wel gewekt en ik zou er dolgraag meer over te weten komen,

gewoon uit interesse. Misschien kan Marguerite zich nog wat herinneren.'

'Dat hoop ik ook.' Hij zweeg even, voor hij eraan toevoegde: 'Ik weet nog wel dat die Clarissa nogal tegendraads was en een talent bezat om in de problemen te komen.'

Na opgehangen te hebben, bleef Annette een paar minuten peinzend aan haar bureau zitten. Ze dacht na over Clarissa Normandy. Er stond haar bij dat ze lang geleden iets over haar had gehoord... ze was een veelbelovend kunstschilder geweest, een van die vele jonge kunstenaars van wie iedereen voorspelde dat ze beroemd zouden worden, maar het nooit werden. Er was niets bijzonders voorgevallen in Clarissa's carrière, en uiteindelijk hoorde je niets meer van haar. Maar na dat gesprek met Carlton dacht ze ook geruchten te hebben opgevangen over een schandaal. Wat voor schandaal kon ze zich niet meer herinneren. Even flakkerde er een gedachte op, maar die was meteen weer verdwenen. Ze realiseerde zich dat ze door het hele gesprek vergeten was Carlton uit te nodigen om het danseresje te bekijken.

Ze zuchtte even en in gedachten liep Annette naar de op karton geplakte vergroting van de Rembrandt, pakte hem op en zette hem op de grond.

Vanavond zou ze een foto van de Degas maken, die ze zou laten vergroten. Dan zou er over een paar dagen een nieuw kunstwerk tegen de wand tegenover haar bureau geleund staan.

Een grote, magnifieke campagne, fluisterde ze, en haar ogen fonkelden. Ze stond op het punt *Het veertienjarige danseresje* te promoten en binnen enkele dagen zou de hele wereld weer weten wie ze was.

Ze keek op haar horloge. Het was pas tien uur; te vroeg om haar kantoor in New York te bellen, maar ze zou later die ochtend haar ideeën over de aanstaande veiling met hen delen. Groter en beter. Ik moet het groter en beter maken. En ze twijfelde er niet aan dat ze daarin zou slagen. Ze staarde voor zich uit, haar gedachten buitelden over elkaar en na enige tijd begon ze de ideeën op papier te zetten die vrijelijk in haar hoofd opkwamen. De gedachte aan de veiling, gehouden bij Sotheby's in New York, wond haar op en de adrenaline joeg door haar heen. Want naast het bronzen beeld van Degas, en zijn paardenschilderij, had ze bovendien een Giacometti en het schilderij van moeder en kind van Mary Cassatt. Het was prachtig, maar Annette had meteen gezien dat Christopher dit snel op de veiling zou aanbieden. Het deed hem niets, en hij begreep ook absoluut niet waarom Mary Cassatt zo'n belangrijke impressionist was geweest. Ze was echter vanaf het begin bij de oorspronkelijke groep betrokken die rond 1800 zoveel ophef in Parijs veroorzaakte. Ze was een goede vriendin van Degas, maar ook zijn collega, concurrente en geldschieter.

Na een uur stond Annette op, rekte zich uit en slenterde door haar kantoor. Haar ogen bleven rusten op de foto van de Rembrandt. Ze pakte hem op en bracht hem naar achteren, naar de grote kast waar ze dit soort zaken in opborg. Ze sloot de kastdeur, draaide zich om en liet haar ogen door de kamer dwalen, tevreden met wat ze zag: een ruime kamer met twee hoge ramen, roomkleurige muren, een donkerblauw tapijt en spaarzaam meubilair. De enige meubels waren haar bureau; een antiek Frans *bureau plat*, dat op een grote tafel met laden leek; twee stoelen, een aan elke kant ervan, en het lage dressoir tegenover het bureau.

Ze glimlachte in zichzelf toen ze weer ging zitten en dacht aan de cliënten die hier de eerste keer binnenkwamen, rondkeken en vroegen waar de kunst was. Ze antwoordde altijd hetzelfde: 'Daar wacht ik op,' zei ze dan. 'Op de kunst die u wilt verkopen. Of kopen.'

Er werd op haar deur geklopt en Esther Oliver, haar assistente, kwam binnen met een map. 'Je vroeg hier laatst naar, Annette,' zei ze en ze gaf haar de map. 'Aanvragen voor interviews van alle kranten en tijdschriften die je je maar kunt indenken.' Ze lachte naar Annette en ging zitten op de stoel tegenover het bureau. 'Je bent er maanden zoet mee als je overal op ingaat.'

'Marius zei dat hij ze met me zou doornemen als hij van de week terugkomt uit Barcelona. Ik denk dat hij er wel een paar belangrijke uit kan pikken. Ik kan ze moeilijk allemaal aannemen.'

'Er zitten een paar topjournalisten tussen die je graag willen ontmoeten,' merkte Esther op.

'Marius zal de beslissing wel nemen,' mompelde Annette.

Zoals bij alles, dacht Esther, maar ze zei: 'Even wat anders, je bent je afspraak met mevrouw Clarke-Collingwood toch niet vergeten? Om twaalf uur. Over haar twee Landseers.'

'O, verdorie, dat is waar ook.' Ze keek op haar horloge. 'Maar dat komt wel goed, ik heb nog een halfuur.' Ze schudde haar hoofd en legde uit: 'Ik werd helemaal in beslag genomen door de planning van de nieuwe veiling.'

'Het is ook reuzespannend. Daar kun je beslist een hoop publiciteit voor gebruiken, de komende maanden. Waar ga je hem houden? Sotheby's of Christie's?'

'Sotheby's. In New York.'

Esther keek haar sprakeloos aan. 'Fantastisch,' antwoordde ze uiteindelijk, maar vroeg zich af wat de allesbepalende Marius Remmington daarover te zeggen zou hebben.

7

Het bronzen beeldje van Degas stond nog precies waar ze hem die morgen had achtergelaten: op de glazen koffietafel in de woonkamer van hun appartement op Eaton Square.

Bewonderend nam ze het in zich op en ze verslond het bijna met haar ogen voor ze naar de bergruimte ging om twee fotolampen en een stel camera's te pakken.

Ze sleepte het materiaal naar de kamer, stelde alles snel op, en fotografeerde het beeld vanuit alle denkbare hoeken. Ze was een uitstekend fotografe, vooral wanneer het levenloze voorwerpen betrof, en na een uur of twee was ze tevreden met een serie indrukwekkende foto's. Daartussen zou net die ene zitten waarvan een perfecte vergroting gemaakt kon worden.

Ze liet alles staan waar het stond, voor het geval ze morgen bij daglicht nog een aantal foto's wilde schieten, en liep de keuken in. Ze vond een briefje van Elaine, met de mededeling dat er een ovenschotel in de koelkast stond die alleen maar opgewarmd hoefde te worden. Maar ze had niet zo'n trek, schonk een glas mineraalwater in en nam het mee naar haar werkkamer achter in het appartement. Ze ging op het bankje zitten en belde haar zuster.

'Met mij, lieverd,' zei ze, toen er werd opgenomen.

'Hoi!' zei Laurie vrolijk. 'Hoe ging het vandaag?'

'Eigenlijk best goed,' antwoordde Annette en ze legde uit: 'Ik heb diverse gesprekken met mijn kantoor in New York gevoerd. En Penelope en Brian stonden meteen in de startblokken.'

'Dat kan ik me voorstellen. Komt door je enthousiasme. Iedereen wordt erdoor aangestoken.'

Annette lachte. 'Dat hoop ik wel. Hoe dan ook, ze staan voor tweehonderd procent achter mij en mijn plan om de veiling in New York te houden. Ze liepen over van de ideetjes, maakten direct lijsten van cliënten die mogelijk in aankoop geïnteresseerd zouden kunnen zijn, stelden geschikte data voor en waren al aan het kibbelen over het ontwerp van de uitnodigingen.'

'Wanneer zouden zij de veiling willen houden?'

'September. Na het weekend van Labor Day uiteraard en we hebben uiteindelijk een dag halverwege de maand geprikt. Dinsdag achttien september. Of woensdag, maar niet later in de week. Ik denk dat ik het op dinsdag hou, aangezien zij die dag het beste vonden. Dat moeten ze eerst nog met Sotheby's uitzoeken, want het is niet zeker of die dag nog wel beschikbaar is.'

'En hoe zagen ze de uitnodiging voor zich?' vroeg Laurie nieuwsgierig, omdat ze zelf de hele dag bezig was geweest met ideeën voor de uitnodiging en een thema voor de veiling.

'Eerlijk gezegd hadden ze niets bijzonders, niets specifieks in elk geval. Ik was nogal verbaasd dat ze er nu al over na wilden denken. Ze hadden pas net gehoord welke kunstwerken geveild zouden worden. Maar ik wilde ze niet ontmoedigen.'

'Ik heb wel een paar opzetjes,' zei Laurie, 'maar eigenlijk is er maar eentje goed.'

'En dat is?' vroeg Annette gretig, die maar al te goed wist dat haar zus helemaal opging in Degas en zijn werk, maar ook veel wist over Mary Cassatt en haar leven in Parijs. Als er iemand een thema kon verzinnen waarin deze kunstenaars een rol speelden, was het Laurie wel. 'Kom op nou, zeg het nu maar.'

69

'Ik zocht mijn onderzoek over Degas weer eens op, gewoon om mijn geheugen wat op te frissen en ik zocht op wat ik over Cassatt had. Zoals je weet waren het goede vrienden, maar niet in romantische zin. Ze ruzieden wat af. Hij was een moeilijk man, had de kwalijke gewoonte om geweld te gebruiken, vooral tegen kunstenaars zoals hijzelf. Maar zij stond haar mannetje en liet zich niet imponeren. Dat had ze geleerd toen ze nog bij haar even driftige vader leefde – ze had praktijkervaring dus. Bovendien was ze buitengewoon onafhankelijk. Maar goed, waar ik naartoe wil: je hebt nu twee werken van Degas, het grote schilderij van het open rijtuig bij de paardenrennen en de bronzen danseres. Maar je hebt maar één Cassatt. Als je er nog een had, zou dat perfect zijn. Dan zouden we als thema Degas en Cassatt kunnen nemen: vrienden, rivalen en bewonderaars van elkaars werk. Of meester en leerling, aangezien Cassatt zoveel van hem opstak.'

'Ik had er ook al even aan gedacht ze met elkaar te verbinden, maar je hebt gelijk, dan moeten we beslist nog een Cassatt hebben. Tussen twee haakjes, wat moeten we dan met die Giacometti? Hij was surrealist, de sculptuur die we hebben stamt uit de jaren zestig van de vorige eeuw.'

'Ik snap wel dat je die niet opzij wilt zetten voor een latere veiling, maar het lijkt me toch het slimste.'

'O,' zei Annette en ze verviel in gepeins.

Laurie wachtte even voor ze vroeg: 'Gaat het, Annette? Liet ik je een beetje schrikken?'

'Ja, maar het gaat er niet om wat ik ervan vind. Christopher Delaware heeft het laatste woord.'

'Dat is waar,' zei haar zus instemmend. 'Maar hij zal jouw advies altijd opvolgen. Ik bedoel, daar heeft hij je tenslotte voor ingehuurd. Om hem te adviseren.' Toen Annette geen antwoord gaf, besloot Laurie de druk nog wat op te voeren en ze zei rustig: 'Luister, wat jij er ook van vindt, die man heeft een oogje op je, en hij zal alles doen om jou ter wille te zijn. Om het geld hoeft hij het niet meer te doen. Hij hoeft die Giacometti niet meteen te verkopen, hij kan nog wel even vooruit met die twintig miljoen pond die je hem met de verkoop van de Rembrandt hebt bezorgd.'

'Ja, je hebt helemaal gelijk.'

'Dus je geeft ook toe dat hij een oogje op je heeft?'

Annette zuchtte. 'Dat is een groot woord, en ik ben vrij koeltjes tegen hem geweest, ik heb niet gehapt, heb er nooit toespelingen op gemaakt. Ik heb het gewoon genegeerd, en overigens knijpt hij dat oogje al een beetje toe, als je het zo kunt zeggen. Ik weet hoe ik me onaangedaan moet gedragen, hoe ik een gebrek aan interesse kan laten zien zonder iemand te kwetsen.'

'Ik weet dat maar al te goed. Maar weet Marius het wel?'

'Laurie, doe niet zo mal!' Annette werd even van haar stuk gebracht door die vraag, maar voegde er vastberaden aan toe: 'Marius plaagde me laatst alleen maar een beetje, dat snap je toch wel? Misschien heeft Christopher wat met me geflirt op het feest, maar hij is verschrikkelijk jong en ik weet pertinent zeker dat hij de boodschap begrepen heeft!'

'Als jij het zegt,' mompelde Laurie en ging snel verder. 'Waarom kies je niet een ander impressionistisch schilderij uit zijn verzameling uit? Ik heb geloof ik een Morisot gezien. Misschien gaat Christopher ermee akkoord dat te verkopen.'

'Maar Berthe Morisot werd beïnvloed door Manet, en later Renoir, niet door Degas.'

'Weet ik, maar vergeet niet dat zij een vriendin was van Mary Cassatt en dat zij soms samen schilderden. En een ander punt: zij waren de twee belangrijkste vrouwen van de impressionistische beweging rond 1800.'

'Hemel, je hebt gelijk! Hoe kon ik dat nou vergeten?' De gedachten vlogen door Annettes hoofd. 'Dat zou het rondmaken, niet? Als we die drie met elkaar kunnen verbinden, in plaats van alleen Degas en Cassatt. Ik bel Christopher morgen meteen op.'

'Ik weet zeker dat hij akkoord gaat.' Laurie had er duidelijk alle vertrouwen in. Dat kwam omdat Jim Pollard zaterdag onbedoeld iets had laten doorschemeren: Christopher Delaware was niet van plan ook maar één kunstwerk te houden van alles wat zijn oom had nagelaten. De reden was simpel: kunst interesseerde hem geen bal. Maar hij moest het kalm aan doen in verband met de belastingen. Laurie haalde diep adem en vertrouwde dit toe aan Annette, net als andere opmerkingen die Jim in haar bijzijn had gemaakt.

'Dit is heel verhelderend,' antwoordde Annette, voor ze ophingen.

Het was moeilijk de slaap te vatten. Annette begon steeds in te dommelen tot iets haar plotseling wakker deed schrikken. Het tikken van de klok, het gespetter van regen tegen het raam, het geruis van de slaapkamergordijnen als er een windvlaag langsgleed. Ze was altijd al een lichte slaper geweest en vannacht leek het niet te gaan lukken. Ze draaide zich op haar zij, sloot haar ogen en probeerde zich het schilderij van Morisot in Knowle Court voor te stellen. Het was een van haar vroege werken, en niet het beste. Aan de andere kant had Morisots werk de laatste jaren aardig wat verzamelaars aangetrokken. Het schilderij dat op de overloop in Knowle Court hing, was een afbeelding van een vrouw die voor een spiegel haar kapsel in model bracht. De eerste keer dat Annette het zag, was ze er al gecharmeerd van geweest, en nu, nadat Laurie haar idee ontvouwd had, vermoedde ze dat het heel goed met de Cassatt samen zou gaan. Het was het proberen waard, dus het was het ook waard om Christopher te polsen of hij het op de komende veiling aan zou willen bieden. Ze zou hem morgen bellen.

Annette gooide het dek van zich af en liep naar de keuken om een glas melk in te schenken. Toen liep ze snel de gang door naar haar werkkamer. Ze klikte het licht aan, ging aan haar bureau zitten en noteerde alles wat met de veiling te maken had. Marius had haar jarenlang geplaagd door haar een workaholic te noemen, wat beslist klopte, maar ze kon er weinig aan doen. Zo zat ze nu eenmaal in elkaar. Het was haar aard. Ze genoot van werken, had haar zaken goed op orde, en ze had de discipline om uren achtereen achter haar bureau te blijven zitten.

Na een halfuur legde ze haar pen neer en leunde achterover in haar stoel. Ze dacht aan haar jongere zus, die nu zesendertig was.

Vanwege het gruwelijke auto-ongeluk was het haar niet gegund haar droomwens – actrice worden – te vervullen. Of misschien was ze de wens en de zin om ervoor te vechten wel kwijtgeraakt. Maar aangemoedigd door haar en Marius was Laurie kunstgeschiedenis gaan studeren en was ze kunstkenner geworden, met als specialisme een aantal impressionisten, vooral Degas en Cassatt. Laurie werkte nu al een paar jaar als researchmedewerkster voor hen, en daar was ze fantastisch in. Toen Marius eenmaal had toegegeven dat Annette eraan toe was haar eigen adviesbureau te starten, 'Annette Remmington Fine Art', had ze Laurie tot enige andere directeur van haar zaak en haar enige erfgenaam benoemd, waarmee ze haar zusters toekomst veiligstelde en haar zekerheid gaf.

Het deed Annette groot genoegen dat Laurie evenveel van kunst hield als zij en dat ze een baan had waar ze dol op was, en die haar leven structuur gaf. Bovendien was ze trots op haar kleine zusje, dat moedig en vastberaden carrière had gemaakt. Ik neem haar mee naar New York, besloot ze plotseling. Ik neem haar mee naar de veiling. We nemen de boot, voor de verandering, het zou net een kleine vakantie zijn. Wanneer ze naar het vasteland gingen gebruikten ze altijd een privévliegtuig, zodat het vliegen geen gedoe was, maar ze was er niet zeker van of Marius haar een vliegtuig zou laten boeken zodat Laurie mee kon naar de States. Zevenenhalf uur vliegen was zeer vermoeiend voor haar zus. Nee, de zeereis zou haar goeddoen.

Het besluit om Laurie mee te nemen bracht een glimlach rond haar lippen en ze voelde zich gelukkig. Annette stond op van haar bureau en ging terug naar bed, in de wetenschap dat ze nu snel in slaap zou vallen. Maar dat gebeurde niet... het verleden doemde weer op. Een andere herinnering kroop uit zijn duistere schuilplaats en ze hoorde ze weer, die onschuldige meisjes, hoorde weer hun stemmetjes in haar hoofd...

'Marie Antoinette is mijn naam, ik ben Frankrijks koningin. Kom binnen, kom dans met mij, of heb je geen zin?' Een tweede zangerige stem weerklonk. 'Ik ben keizerin Josephine, lieveling van het rijk; daar is mijn man Napoleon, op die troon daar, kijk... Ik ben Frankrijks keizerin. Kom, dans met mij, of heb je geen zin?'
Hun stemmetjes vielen weg, al weerklonk de echo, en het licht verdween in het kille en stille huis waar gevaar in elke schaduw loerde... en als de avond viel, lagen de meisjes bevend in hun bedjes, want de angst kwam weer terug, wanneer hij was weergekeerd. Het monster, noemden ze hem.

'Hij komt eraan,' fluisterde Josephine, met trillende stem. 'Ik hoor hem op de gang.'

'Wees stil, beweeg je niet,' fluisterde Marie Antoinette terug. 'Kruip naar beneden in je bed, trek de dekens over je hoofd en geef geen kik.'

De deur ging open. Hij sloop naar binnen en knielde neer bij Marie Antoinettes bed. Hij gleed met zijn hand onder het beddengoed, raakte haar benen aan, tilde haar nachthemd op en duwde zijn vingers bij haar naar binnen, harder en harder, dieper en dieper, en een steek van pijn schoot door haar heen. Hij boog zijn gezicht naar haar mond. Ze rook verschaald bier, draaide haar hoofd weg en begon onbeheerst te sidderen. 'Alsjeblieft, alsjeblieft, hou nou op,' smeekte ze. Maar hij stopte niet, hij duwde juist harder. Ze schreeuwde het uit van pijn. Hij legde zijn hoofd naast het hare op het kussen. Schor zei hij spottend: 'Waag het niet nog eens geluid te maken, want dan maak ik haar dood. Begrepen?' Doodsbang haalde ze zacht en snel adem en smekend zei ze: 'Doe haar geen pijn. Alsjeblieft, doe haar geen pijn!' Hij gaf geen antwoord. Hij reageerde door de dekens van haar af te rukken, zijn broek los te maken en boven op haar te gaan liggen. Hij was die avond te dronken om te doen wat hij gewoonlijk deed. Hij liet zich hijgend met zijn volle gewicht boven op haar vallen. Ze probeerde hem uit alle macht van zich af te duwen, probeerde onder hem vandaan te komen, stelde vast dat het haar niet lukte. Plotseling werd de deur opengegooid en het felle licht van de gang stroomde naar binnen. Alison stormde de kamer in en begon woedend te schreeuwen. Hun nicht trok haar ladderzatte broer van Marie Antoinette af en sleepte hem de kamer uit. Hij was zo slap als een dweil, maar op de overloop kwam hij plotseling tot leven. Hij kwam overeind en duwde Alison weg, maar ze probeerde hem weer te grijpen, worstelde om hem vast te houden, vocht om hem niet te laten gaan. Ze was lang, sterk en nuchter. Banger dan ooit sloop Marie Antoinette uit bed en gluurde om een hoek van de deur. Daar verscheen haar grootvader, hij kwam haastig zijn kamer uit en schreeuwde naar Gregory, die Alison nu aan het slaan was. Vechtend kwamen ze de overloop over en verwikkeld in hun worsteling waren ze bij de trap beland. Het gebeurde in een flits.

Marie Antoinette sloeg een hand voor haar mond om de kreet
te smoren toen ze allebei de trap af rolden. Boven op elkaar
kwamen ze beneden aan. Ze lagen doodstil, geen van beiden
bewoog.
Een kakofonie van geluiden ontstond: grootvader schreeuw-
de, Gregory schreeuwde terug. Maar Alison hoorde ze niet.
Ze ging terug naar Josephine, kroop bij haar in bed, sloeg
haar armen om haar heen en hield haar stevig vast... be-
schermend, koesterend. Het meisje van zes snikte; ze deed
haar best om haar te troosten door haar roodgouden haar
te strelen, haar tegen zich aan te drukken en haar te beloven
altijd voor haar te zorgen. En ze hield woord.
Hierna werden ze weggestuurd uit dat gevaarlijke huis... die
lieve onschuldige meisjes... Ze moesten bij hun moeder gaan
wonen, waardoor alles alleen maar erger werd...

Het beeld was zo levendig, zo echt, dat Annette snikkend
haar gezicht in haar kussen drukte, vervuld van pijn om die
tere kleine meisjes. Ze huilde zichzelf in slaap. En de herinneringen aan die noodlottige nacht van lang geleden bleven
nog dagen in haar gedachten.

'En toen kreeg ik een grandioos idee. Ik neem jou met me
mee naar New York in september. We varen erheen met de
Queen Elisabeth en je gaat mee naar de veiling en we gaan
zoveel lol hebben! Je wilt toch wel mee?'
Laurie kon het haast niet geloven. Annette nodigde haar uit
om mee te gaan naar New York, waar ze nog nooit was geweest, voor de veiling! Ze werd er opgewonden van. 'Natuurlijk wil ik mee! Het lijkt me geweldig daar, zeker met
jou!'
'Dat is dan afgesproken, lieverd.'
'Fantastisch! O, ik vind het zo spannend.' Na een kleine aarzeling vroeg Laurie enigszins hakkelend: 'Maar Marius dan?
Vindt hij dat wel goed?'
'Daar heeft hij toch helemaal niets mee te maken?' antwoordde Annette snel, bijna scherp. 'Trouwens, hij vindt het
best leuk, dat weet ik zeker. Hij vindt het altijd goed om jou
bij zaken te betrekken. En hoogstwaarschijnlijk is hij er zelf
ook bij.'

'Wat heerlijk allemaal! Ik kan niet wachten tot het september is.' Met een brede glimlach zei Laurie haar zuster gedag en legde de hoorn weer neer.

Dolgelukkig zat ze aan haar bureau in haar huis. De reis zou een bijzondere ervaring worden en de gedachten eraan schoten door haar hoofd. Ze ging langzaam weer aan het werk, maar na een paar minuten was ze haar concentratie weer kwijt; ze rolde haar rolstoel terug, reed haar werkkamer uit, door de eetkamer de keuken in. Angie, haar hulp en huisgenote, was in gesprek met mevrouw Groome, die elke dag kwam om het huis schoon te maken en te koken.

Ze keken om en zagen Laurie in de deuropening. Ze had een kleur en haar gezicht weerspiegelde haar blijdschap.

'Annette neemt me naar New York mee in september!' riep ze uit. 'Naar de volgende veiling!'

'O, wat fijn voor je!' riep Angie uit en ze lachte haar toe.

Mevrouw Groome keek verbaasd, maar zo te horen deed het haar ook genoegen. 'Dat wordt een heel bijzondere reis, zo met je zuster. Is het geen lieverd? Ze denkt altijd aan je, zorgt altijd voor je... het is een engel!'

'Je hebt gelijk, en er is niemand die ook maar een beetje in de buurt komt,' stemde Laurie in. 'Maar ik moest maar weer eens aan het werk gaan, ik wilde alleen dat jullie dit opwindende nieuws zouden horen.' De twee vrouwen glimlachten naar haar terwijl ze terugreed naar haar werkkamer.

Laurie had een paar minuten nodig om tot bedaren te komen, maar toen ging ze naar haar bureau om eindelijk de laatste drie pagina's te schrijven. Ze was bezig met de afronding van een diepgaand onderzoek naar Manet voor Malcolm Stevens, die de studie later die middag zou komen ophalen. Malcolm was een schat van een man, en was in zekere zin een lid van de 'familie' geworden. Laurie wist dat hij een van de bewonderaars van haar zuster was, in platonische zin dan, en een goede vriend die iedereen er steeds aan herinnerde dat hij altijd goed op Annette zou letten.

Plotseling gleed er een rilling over Lauries rug en ze liet zich tegen de leuning van haar rolstoel zakken. Zonder iets te zien staarde ze naar buiten door het raam voor haar bureau. Ze dacht aan het telefoongesprek van Annette met Malcolm, die haar zuster had laten weten dat er iemand op zoek was naar

Hilda Crump en vragen over haar had gesteld. Annette was daar danig van geschrokken en Laurie snapte natuurlijk wel waarom. Het laatste waaraan de zusjes behoefte hadden was iemand die in hun verleden zou komen wroeten. Een opgerakeld verleden betekende problemen voor hen allebei.

Laurie sloot haar ogen en dacht aan haar zuster. Zij was alles voor haar geweest. Moeder, vader, beschermer, redder en engelbewaarder. En na het auto-ongeluk ook nog haar voornaamste verzorgster. Haar zus had haar door haar toewijding en onvoorwaardelijke liefde een nieuw leven geschonken, een leven dat doordrongen was van veiligheid. En tot slot had ze haar geholpen carrière in de kunstwereld te maken, een carrière waar ze dol op was.

Opnieuw ging er een rilling door Laurie heen en ze voelde haar nekhaartjes overeind komen. *'Ik wil dat je carrière maakt in kunst.'* Die woorden van tante Sylvia schoten haar vaak door het hoofd. En de belofte die daarop volgde: *'En ik zal zorgen dat je die krijgt.'*

Sylvia, de oudere zus van hun moeder, had hen liefdevol opgenomen toen het water hen naar de lippen was gestegen. Nadat ze verdreven waren uit het donkere, stille huis en het stadje Ilkley voor altijd de rug hadden toegekeerd, waren ze bij hun moeder ingetrokken, die in Londen samenwoonde met een acteur op zijn krakkemikkige verdieping in Islington. Timothy Findas was een mislukkeling, een acteur van niks, en verslaafd aan drank en drugs, waarin hij hun moeder had meegesleept. Ze was een actrice die de bloemetjes buitenzette nadat hun vader was overleden. Hun leven met hun moeder en Findas was vol verwaarlozing, leed en pijn. Hij sloeg hun moeder, en hij sloeg hen, vooral Annette. Er was nooit eten of liefde in dat huis. Contact met hun moeder was nauwelijks mogelijk, aangezien ze altijd high of stomdronken was. Het was Annette geweest die Laurie bij de hand had genomen, de sieraden van haar moeder die ze onder de planken van hun kamer had verborgen in haar zak had gedaan en haar had meegenomen, de stad uit. Samen waren ze weggelopen naar het huis van tante Sylvia in Twickenham. Het was een hartelijk mens en ze had ze in al haar goedheid binnengelaten. Als weduwe had ze net genoeg inkomen om hen goed te verzorgen.

Godzijdank heeft Annette me gered, godzijdank liet tante Sylvia hen zonder ook maar even te aarzelen blijven en stuurde ze mijn zus naar de kunstacademie, waar ze thuishoorde. Laurie slikte met enige moeite de eerste onverwachte tranen in.

Ze waren nooit teruggegaan naar hun grootvaders huis in Ilkley, noch hadden ze die man die zo ongeschikt was als opvoeder teruggezien. Eenzaam was hij in dat stille halfduistere huis gestorven.

Laurie schoot overeind in haar rolstoel en dacht terug aan Knowle Court en hun bezoek van afgelopen zaterdag. Ze had meteen een hekel aan dat huis gehad en nu wist ze hoe dat kwam. Het deed haar denken aan Craggs End, waar hun grootouders hun hele leven gewoond hadden, waar hun moeder hen had achtergelaten na de dood van hun vader.

Wat architectuur betrof waren het heel verschillende gebouwen – Craggs End was veel kleiner en het had niets weg van een kasteel. En toch was de sfeer in beide huizen volkomen gelijk. De ijzige kilte en het onheilspellende gevoel benamen je meteen de adem.

Ze verdrong de gedachten aan dat duistere, doodstille huis in het noorden van Engeland weer en richtte zich op de schilderijen van Manet, een van de grondleggers van de impressionistische school. En het lukte haar om zich opnieuw te verliezen in zijn talent en de immense schoonheid van wat hij had geschilderd.

8

Het wachten was de moeite waard geweest: die verbijsterde blik van Marius, die in een fractie van een seconde van totaal ongeloof in pure vreugde omsloeg. Zoals hij daar staarde naar *Het veertienjarige danseresje* was het Annette meteen duidelijk dat hij compleet verrast was, door het beeldje… en door haar. Dat laatste was overigens iets nieuws, want gewoonlijk kon hij altijd voorspellen wat ze deed.

Toen hij uiteindelijk naar haar opkeek, een zilveren wenkbrauw optrok en vroeg: 'Waar ter wereld heb je dit pracht-meisje vandaan gehaald?' glimlachte ze mysterieus ten antwoord.

Ze ging tegenover hem staan, met de glazen koffietafel en het beeld tussen hen in, en zei: 'Drie keer raden.'

Hij fronste zijn voorhoofd, dacht er even over na, en antwoordde toen weifelend: 'Toch zeker niet uit sir Alec Delawares kunstcollectie?'

'Wat slim van je! Hoe wist je dat zo snel, schat?'

'Omdat ik een echte bloedhond ben, en zoals je weet ruik ik kunst in de verre omtrek. Ik heb bovendien geen recente geruchten gehoord over een danseresje van Degas. En aangezien jij onder andere Christopher Delawares adviseur bent, nam ik dat maar aan. Maar hoe komt het dat je er niet eerder van wist?'

'Zelfs híj wist niet dat hij het had, omdat het niet in het huis was neergezet. Maar een paar weken geleden begon hij op zolder in kartonnen dozen te snuffelen. Toen ontdekte hij haar, maar hij dacht dat het niets belangrijks was. Hij vertelde het zaterdag tussen neus en lippen door, toen we voor de lunch in Knowle Court waren. En zelfs toen wuifde hij het weg als onbelangrijk. Hij dacht dat het niets waard kon zijn, omdat het er zo armoedig en smerig uitzag... Zo drukte hij het uit.'

'Wat een dwaas, maar, zoals mijn moeder altijd zei, het is maar goed dat niet iedereen hetzelfde is.' Marius beende naar haar toe en omhelsde haar. Maar vrijwel meteen hield hij haar weer van zich af om zijn ogen over haar gezicht te laten glijden. Er verscheen een bewonderende blik in zijn ogen en hij zei zacht: 'Je ziet er verrukkelijk uit vanavond, lieveling. Adembenemend.'

'Jij ziet er ook niet slecht uit, hoor,' antwoordde ze en ze bekeek hem eens goed. Hij was de zon in Barcelona niet uit de weg gegaan, want hij was nog een tikkeltje bruiner geworden dan hij al was, wat goed stond bij zijn zilvergrijze haar. Hij scheen ook iets slanker te zijn. 'Ben je afgevallen? Je bent echt in vorm, vind ik,' zei ze goedkeurend.

'Een beetje maar, en dat zou jij ook zijn, als je in dat Picasso-museum had rondgedraafd, trappetje op, trappetje af van de ene grote expositiezaal naar de andere.' Hij liet haar schouders los en vertrouwde haar toe: 'Maar ik ben blij dat ik ben gegaan, omdat ik al het vroege werk van Picasso dat daar permanent hangt nu weer helemaal in mijn geheugen heb. En ik zal je nog eens wat zeggen. Ik vond het heel nuttig om door de steegjes te dwalen van de stad waar hij zo lang heeft gewoond en waar zijn familie bleef wonen toen hij naar Parijs vertrok. Je voelt gewoon wat die stad voor hem betekende. Het was al met al een zinvolle reis en absoluut noodzakelijk voor het boek.'

'Dus nu kun je zeker weer op volle kracht vooruit?'

Marius knikte, en met een blik vol warmte bleef hij haar aankijken.

'Nou, vertel eens verder over Christophers ontdekking.'

'Je weet alles al. Zoveel valt er niet te vertellen. Behalve dat ik naar de herkomst vroeg en daar wist hij niets van. Gelukkig vonden we de papieren in de kartonnen doos waarin het brons was opgeslagen.'

'Mooi natuurlijk, al zou er weinig twijfel aan zijn geweest dat het een authentieke Degas is. Dit beeld is te beroemd. Ik neem aan dat Laurie het onderzocht heeft?'

'Zeker, en zij zegt dat het een echte is.'

'Dus dit meisje wordt straks een topstuk van je veiling, nietwaar?' veronderstelde hij, want zijn nieuwsgierigheid was gewekt.

Annette knikte, liep naar het dranktafeltje en schonk twee glazen champagne in uit de fles die ze kort daarvoor geopend had. Ze liep terug en reikte hem een glas aan.

Marius tikte met zijn glas tegen dat van haar en zei: 'Gefeliciteerd, lieverd. Op jou.'

Ze schonk hem een liefdevolle glimlach. 'En op jou, Marius, omdat je me alles leerde wat ik weet.'

Hij lachte enigszins afwijzend. 'Nou, niet helemaal, laten we zeggen: bíjna alles.' Terwijl hij dit zei, ging hij op de bank zitten en hij richtte zijn blik weer op het beeldje. 'Wat een verbazingwekkend leven heeft dit danseresje gehad... Laten we hopen dat je haar kunt verkopen aan een verzamelaar die haar zal houden en koesteren.' Hij zweeg even en vroeg toen: 'Wanneer was je van plan de veiling te houden?'

'Dat vertel ik je wel tijdens het diner, Marius,' antwoordde Annette en vervolgde snel: 'Ik heb een tafel in Mark's Club geboekt, omdat het er rustig genoeg is om te praten. Ik weet dat je liever een drukker en levendiger restaurant hebt, maar ik heb zoveel te bespreken.'

'Ik vind Mark's best gezellig en een goede keuze voor vanavond. Overigens, ik zag een map met aanvragen voor interviews met jou in het werkkamertje. Je hebt wel voor behoorlijk wat opschudding gezorgd, hè?' Hij grijnsde naar haar, schudde zijn hoofd, en uit alles sprak dat hij genoot van haar plotselinge roem. 'Meer dan honderdvijftig verzoeken! Het lijkt wel of de beroemdste filmster ter wereld even in de stad is...' Hij grinnikte.

'Ik neem aan dat sommige mensen het vleiend vinden. Maar ik niet. Ik maak me zorgen. Al zou ik er maar een paar toezeggen, dan nog kost het me veel te veel van mijn kostbare tijd. Ik heb het ontzettend druk momenteel. En trouwens, je weet dat ik er niet van hou om over mezelf te praten. Ik ben maar een saai persoontje.'

'Kom, kom, Annette, niet zo bescheiden!' riep hij uit, zijn wenkbrauwen optrekkend. 'Jij bent niet saai... Je bent een vrouw met talent, je hebt een gave zogezegd, en je staat op gelijke hoogte met iedereen, zowel zakelijk als sociaal, en in elk gesprek.'

'Zolang het maar over kunst gaat,' vulde ze zacht aan.

'Nee, nee, dat is niet zo. Je kunt over heel veel dingen meepraten. Boeken, theater, muziek, politiek... Dus doe niet zo raar en doe niet zo geringschattend over jezelf. Er staan genoeg mensen klaar die dat voor je willen doen.'

'Ik wil niet met de pers over mezelf praten, Marius, echt niet; het maakt me doodsbang.'

Hij boog zich dichter naar haar toe en terwijl hij zijn hypnotiserende blik op haar richtte zei hij op gebiedende toon: 'Er is geen enkele reden om er bang voor te zijn. Het verleden is het verleden, Annette, en niemand zal daarover beginnen, of ernaar gaan graven. Degene die je tegenwoordig bent, die je geworden bent – dat is waar het om draait.'

Ze keek hem recht in de ogen en vertrouwde zoals altijd op zijn oordeel, maar toch dacht ze aan het telefoongesprek dat Malcolm had gevoerd met iemand die informeerde naar Hilda Crump. Marius wist niets van dat gesprek af, of van het feit dat Hilda's naam na al die tijd weer was opgedoken.

Moest ze het hem vertellen? Nee, het was niet belangrijk. Echt niet. Daar moest ze zelf ook in geloven.

Langzaam zei ze: 'Ik denk dat het beter is dat ik iedereen afwijs. Er was zoveel publiciteit toen ik de Rembrandt verkocht. Dus wat maakt een of ander interview nu nog uit?'

'Een of ander interview doet er niet toe. Een echt belangwekkend interview in een grote, internationale krant is echter wel degelijk nuttig. De Rembrandt-veiling was niet alles, je bent zelfs met een nieuwe veiling bezig, die nu wel erg veel nieuwswaarde heeft door je ontdekking van *Het veertienjarige danseresje*. Je moet het zo zien, schat: jij doet de verkoop, niet de aankoop. Je zult altijd een groot, opvallend artikel over jou en je werk nodig hebben; elke kunsthandelaar doet dat, wat je er ook van denkt. Weet je wat, zoals beloofd lopen we morgen de aanvragen even door, en ik selecteer een paar journalisten samen met jou. Dan steek ik mijn licht op over degenen die we hebben uitgekozen, zodat we weten wat voor vlees we in de kuip hebben. Wat denk je ervan?'

'Oké,' zei ze, maar het klonk niet echt van harte.

Marius veranderde van onderwerp en vroeg: 'Je vertelde dat je de Cézanne naar Carlton Fraser had gestuurd. Hoe is het daarmee?'

'Geen goed nieuws. Carlton zit ermee in zijn maag. Hij weet niet zeker of hij het roet van sommige delen van het doek kan halen.' Ze stopte even en klonk zorgelijk toen ze zei: 'Hij zei iets heel raars...' Maar ze maakte haar zin niet af, schudde haar hoofd en ze keek nu bijna ontsteld.

'Wat zei hij?' vroeg Marius. 'Kom op, zeg het me, Annette.'

'Dat vallend roet uit de schoorsteen in de lucht terecht zou komen en zo best bij een schilderij ergens in de kamer zou kunnen belanden. Hij zweeg even en mompelde toen iets over "opzettelijk beschadigd", en dat het net was alsof iemand *opzettelijk* roet op sommige delen van het doek had gewreven.'

'Goeie god! Wie zou zoiets gruwelijks in zijn hoofd halen? Dat zou misdadig zijn! Om een schilderij van de grote Cézanne, of welke andere kunstenaar dan ook, te bevuilen is puur slecht.' Marius klonk kwaad en er lag een gepijnigde blik in zijn ogen. Verstijfd zat hij op de bank en hij keek haar aan.

Annette herkende zijn woede meteen. Hij kon het niet verdragen dat iets van grote schoonheid werd geschonden, net als zij. In een poging zijn kwaadheid te sussen zei ze: 'Ik weet natuurlijk niet of Carlton het bij het rechte eind heeft over die beschadigde delen. Ikzelf had het idee dat iemand had geprobeerd een deel van het schilderij schoon te maken, geen expert maar een amateur, en dat die er een zootje van had gemaakt. Per ongeluk.'

Marius zakte weg op de bank en sloot zijn ogen. Even later sloeg hij ze met een ruk open en riep uit: 'Wie zoiets doet is zwaar gestoord! Hij zou tegen de muur gezet moeten worden voor een vuurpeloton!'

9

Het was stil in Mark's Club in Charles Street, Mayfair, maar dat was het meestal op vrijdag. Veel clubleden waren dan al naar hun buitenhuis vertrokken voor het weekend. Ondanks zijn voorkeur voor levendiger eetgelegenheden, was Marius toch blij dat Annette hier een tafeltje voor hen had gereserveerd. Hij had een hectische week in Barcelona gehad en Mark's was zoals altijd een oase van rust.

Ze liepen de trap naar de bar op, die jaren geleden door de eigenaar van de club, Mark Birley, was ingericht als de woonkamer van een Engels landhuis. In de open haard brandde een heerlijk vuurtje en aangezien de kamer maar deels door andere dinergasten werd bezet, konden ze kiezen uit vele comfortabele leunstoelen en banken om plaats te nemen.

'Ik ben gek op vuur, dat weet je,' zei Marius, toen ze de kamer binnenkwamen. Hij leidde haar naar de bank bij de haard. Daar bestelde hij meteen twee glazen champagne terwijl ze gemakkelijk gingen zitten.

Na een korte stilte zei Annette: 'Om terug te komen op Cézanne en ons gesprek van vanmiddag: al krijgt Carlton het voor elkaar het te restaureren en schoon te maken, dan nog zit ik met het probleem van de ontbrekende herkomst.'

Hij kneep zijn ogen samen en klemde zijn lippen op elkaar. 'Het is toch niet te geloven dat een man als Alec Delaware, die zo'n fortuin met zaken heeft verdiend, zijn investeringen in kunst zo kon verwaarlozen.' Marius schudde het hoofd en staarde in de verte, terwijl hij razendsnel nadacht. Toen hij zijn indringende blik weer op zijn vrouw richtte, vroeg hij zacht: 'Hoe staat het eigenlijk met de herkomst van het danseresje van Degas?'

'Goed, perfect zelfs. Een directe lijn van eigenaar naar eigenaar. Het was er een van die groep bronzen, gegoten bij Hébrard. Het werd door de Hébrard Galerie verkocht aan een Franse kunsthandelaar, die het op een veiling verkocht aan een rijke verzamelaar in Parijs. Daarna ging het beeld van hand tot hand – via kunsthandelaars, verzamelaars in New York en Beverly Hills – tot het uiteindelijk in 1989 op een veiling in New York door Delaware werd gekocht. Het was overigens niet het exemplaar dat in 1997 door Sotheby's in New York werd geveild. De papieren liggen thuis en je kunt ze straks inzien, maar je zult merken dat de herkomst perfect te herleiden is.'

'Het klinkt goed. En heeft het beeld zelf nog merktekens die bij die herkomst passen?'

'Ja, Laurie heeft het minutieus onderzocht, en het is gemerkt met een "G". De beelden die rond 1920 werden gegoten waren gemerkt met letters van A tot T, en die waren bedoeld voor de verkoop. Een aantal werd gereserveerd voor de familie van Degas en voor Hébrard, maar die waren anders gemerkt.'

Hij glimlachte breeduit. 'Jullie tweetjes zijn weergaloos,' zei hij met een grijns. Toen vroeg hij: 'Hoe zit het met de andere kunstwerken van de Delaware-verzameling? Zijn die ook zo goed gedocumenteerd?'

'Ja, wat herkomst betreft wel, gelukkig.'

'Dus wat breng je onder de hamer, Annette? Behalve dat beeld van Degas?'

'Een schilderij van Degas. Het stelt een rijtuig met passagiers voor, dat stilstaat bij de paardenrennen. Er is ook een Mary Cassatt van moeder en kind, en bovendien een Morisot, van

84

een vrouw voor de spiegel. Laurie dacht dat deze drie impressionistische schilderijen goed bij elkaar pasten; de kunstenaars waren tijdgenoten en vrienden. Dat vormt een thema.'
Marius knikte en leunde peinzend achterover. Na een korte stilte zei hij: 'Misschien kan Laurie helpen met de herkomst van de Cézanne. Het is een pittige klus, maar ze heeft het talent en het geduld om de geschiedenis ervan terug te vinden in oude boeken, oude catalogi, archieven, rekeningen, als die er zijn. Wat denk je?'
'Ze kan het natuurlijk altijd proberen, misschien vindt ze het een leuke uitdaging,' antwoordde Annette en ze vroeg zich af of dat waar was. Ze vroeg zich ook af of het de moeite waard zou zijn. Carlton Fraser had bijzonder somber geklonken wat de reiniging van het schilderij betrof. Maar dat zei ze maar niet tegen Marius. Ze had al jaren geleden geleerd om alles wat ze zei in een bepaalde vorm te gieten en sommige onderwerpen niet aan te roeren. Hij had een bijzonder kort lontje en was snel geïrriteerd en verstoord. Daarom had ze hem ook niet lastiggevallen met het telefoontje over Hilda Crump. Het was beter dat hij daar niet van wist. Ook Malcolm zou het er nooit over hebben. Hij kende haar man bijna net zo goed als zij. Marius had het niet zo op triviale zaken, voor hem telde alleen het grote geheel.

Het restaurantgedeelte van Mark's Club stond Annette vooral aan vanwege de kunst die aan de muren hing. Op alle schilderijen stonden een of meerdere honden en ze waren eind negentiende of begin twintigste eeuw geschilderd. Ze waren fraai ingelijst en Mark Birley zelf had ze lang geleden op een aantrekkelijke manier opgehangen.
Ze zaten op een bankje tegenover de lange muur; het was Annettes favoriete tafel in de hele ruimte. Van daaruit hadden ze het best zicht op de olieverfschilderijtjes, die ze mooi, charmant, grappig en vaak ontroerend vond; elke keer dat ze ze zag, kon ze een glimlach niet onderdrukken, zo raakten ze haar.
'Ha, mooi, ze hebben vanavond worstjes en aardappelpuree,' zei Marius enthousiast terwijl hij het menu doornam.
'Nou, dat wordt het kindermenu voor mij: worstjes en pie-

pers. Doet me denken aan mijn jonge jaren. Wat neem jij, Annette?'

'Zoals je weet kies ik altijd een garnalenpotje als ik hier ben, want het zijn de beste van heel Londen. Daarna neem ik denk ik de gegrilde tong.'

'O, een diner met een luchtje eraan, schat?' plaagde hij haar.

'Dan bestel ik er een goede Pouilly-Fuissé bij. Wat dacht je daarvan?'

'Heerlijk, Marius, en wat wordt jouw voorgerecht?'

'Ik neem ook maar zo'n garnalenpotje.' Hij gebaarde naar de maître d'hôtel die bij de deuropening stond en direct met een notitieblokje in de hand glimlachend naar hen toe kwam. Toen ze hun bestelling opgegeven hadden, draaide Annette zich een stukje naar Marius toe en legde haar hand op zijn arm. Om niet te dramatisch over te komen, zei ze op luchtige toon: 'Ik heb echt geen zin in die interviews. Ook niet in eentje. Kan ik er niet onderuit?'

Marius keek haar ernstig in de ogen en nam haar hand in de zijne. Na een korte stilte zei hij zacht: 'Nee, je kunt er echt niet onderuit, Annette. Er zijn verschillende redenen, maar eerst wil ik je wat anders zeggen. Ik doe de godganse dag interviews, en de media zijn de laatste tijd erg in kunst geïnteresseerd, alleen in kunst. Hoeveel is dat schilderij waard? Hoeveel denkt u ervoor te krijgen? Van wie was het oorspronkelijk? Kunst staat tegenwoordig gelijk aan geld, aan veel geld, en daar schrijven ze vandaag de dag het liefste over. Geld, herkomst, en wie neemt het tegen wie op wat betreft dit nieuwste en belangrijkste symbool van macht en rijkdom. Geloof me alsjeblieft, ik weet wat het is. Daarnaast is er die onverwachte ontdekking van het jonge danseresje. Jouw nieuwe klapper. Het is van levensbelang dat iedereen erover praat, en hoe zet je de tongen beter in beroering dan met een belangwekkend interview?'

Een zucht ontsnapte haar en aarzelend zei ze: 'Als jij het zegt...' Ze haalde haar schouders op en keek hem recht in de ogen. 'Maar begrijp je dan niet dat alleen al de gedachte aan één interview, van welke journalist dan ook, me zo vreselijk tegenstaat?' zei ze op nadrukkelijke toon.

'Dat begrijp ik best. Maar luister nu eens: je moet er ten minste eentje doen. En dan maar meteen een uitgebreid interview. Kunst is nu eenmaal een genadeloos vak en iedereen probeert de top te bereiken. Plotseling, en geheel onverwacht, werd je in één keer een ster. Voor een groot deel omdat Christopher Delaware zich herinnerde dat je zo leuk met hem had gebabbeld tijdens een dinertje en hij ook nog eens een Rembrandt je kantoor binnenbracht, niet zomaar wat. Het was gewoon puur geluk, lieverd! Maar nu moet je je naam wel hoog zien te houden. Je kunt je niet zomaar omdraaien en hopen dat je zo beroemd blijft zonder een beetje reclame voor jezelf te maken.'

Hij zweeg even, proefde de wijn die de sommelier hem ter keuring had ingeschonken en knikte. 'Uitstekend. Goed op smaak en lekker koel. Dank u.'

Hij glimlachte minzaam naar de kelner en wendde zich weer tot zijn vrouw. 'Het gaat goed met Annette Remmington Fine Art vanwege de weg die je hebt bewandeld, door je eerst als kunstadviseur en -expert te vestigen in plaats van een galerie te openen. Je weet maar al te goed wat dat kost. Maar jouw overheadkosten zitten in de middenmoot omdat je een klein kantoor runt met een minimum aan personeel. Dat werkt allemaal in jouw voordeel. Je zult echter grote klappers moeten blijven maken, megadeals, en publiciteit is daarvoor onontbeerlijk. Je klanten, de goede klanten voor jou, móéten tot de allerrijksten ter wereld behoren. De oliemagnaten. De giganten uit de internationale zakenwereld, topadvocaten, bankiers, miljardairs die zich de mooiste schilderijen en beeldhouwwerken van de beroemdste kunstenaars kunnen veroorloven. Omdat kostbare kunst hét statussymbool van de huidige tijd is.'

Zwijgend dronk ze haar wijn. Vanbinnen stond ze stijf van de spanning.

Op resolute toon ging hij verder. 'Je moet het uiteindelijke doel goed voor ogen houden. Oké? Concentratie. Vastberadenheid. Motivatie. Ambitie. Smaak. Kennis van kunst. Dat zijn jouw sterke punten en je moet ze niet uit het oog verliezen. En dan nog iets. Laten we vooral niet vergeten dat ik een stuk ouder ben dan jij. Ik wil dat je aan de top blijft; je mag nu niet meer inzakken. Je moet een ster in de kunstwereld blijven. En dat kan je. Als je je carrière maar zorgvuldig stuurt en beheert. Daar kom je niet onderuit.'

87

'Je hebt helemaal gelijk,' gaf ze toe, want ze wist dat dat waar was. 'Oké dan, ik doe het,' zei ze en ze legde zich erbij neer. 'Maar op één voorwaarde.'

'En welke mag dat dan wel zijn?' vroeg hij en hij trok een wenkbrauw op, zich afvragend wat ze zou zeggen.

'Dat je ophoudt me te vertellen dat je ouder bent dan ik, waarmee je suggereert dat je me over een tijdje niet meer kunt beschermen zoals je vroeger hebt gedaan.'

'Ja, inderdaad, dat deed ik. Omdat ik van je hou. En ik beschermde Laurie natuurlijk ook.'

'Ja, schat, en ik ben je er nog steeds dankbaar voor. Denk alsjeblieft niet dat ik niet weet dat je het beste met me voorhebt, want dat weet ik beter dan wie dan ook.' Ze dwong zich te lachen. 'Ik stel me zeker weer een beetje aan over vroeger, hè?'

'Absoluut. Het kan toch niemand wat schelen wat je gedaan hebt toen je achttien was.'

Ik wou dat dat waar was, dacht ze. Ik zou wel willen dat de rechterlijke macht er ook zo over dacht. Ze glimlachte en het leek haar verstandiger te zwijgen. Ze begon haar garnalenpotje leeg te eten, dat net voor haar was neergezet. Na enkele hapjes merkte ze losjes op: 'Ik denk dat ik het liefst een interview voor een van de zondagskranten zou doen, en dan kun jij uitzoeken welke jou het beste lijkt.'

'Brave meid,' antwoordde hij en hij nam een flinke teug wijn, blij dat ze overstag was gegaan en de zaken zag zoals hij. Hij was ervan overtuigd dat hij wist wat het beste was, maar hij was zich ervan bewust dat ze het soms nodig had een beetje tegen hem in te gaan.

Gedurende het diner praatten ze over allerlei andere onderwerpen, maar toen ze klaar waren met hun hoofdmaaltijd vroeg Marius plotseling: 'Je hebt me trouwens niet eens verteld wanneer je je volgende veiling wilt houden. Heb je daar al over nagedacht?'

'Natuurlijk heb ik dat gedaan! Ik heb alles al helemaal uitgedacht,' riep ze uit met enthousiasme in haar stem. 'Ik wil hem houden in september. In New York. Ons kantoor daar heeft me al klantenlijsten gestuurd en ook zij barsten van de ideeën, en Laurie is er ook al mee bezig–' Ze stopte abrupt toen ze de uitdrukking op Marius' gezicht zag. Het was een mengeling van verbazing en boosheid. Ze bleef doodstil zitten en wachtte op de uitbarsting.

'New Yórk!' Zijn stem klonk zacht en fel tegelijk. 'Waarom nou weer dáár, wat is er mis met Londen? En waarom heb je dat al bijna helemaal geregeld zonder eerst met mij te overleggen?'

Ze haalde diep adem en antwoordde zo rustig mogelijk. 'Omdat ik deze beslissingen gewoonlijk zelf neem. Ik heb Londen voor de Rembrandt-veiling gekozen omdat het goed voelde om het hier te doen. Ik had nu echter het gevoel dat de balletdanseres en de rest van de impressionisten het beter in New York zouden doen. Bij Sotheby's.'

'Ik denk helemaal niet dat deze veiling het beter doet in de States! Je kunt het veel beter onderbrengen bij Sotheby's hier,' zei hij.

Ze merkte dat hij zijn driftbui inhield en zich dwong tot een luchtiger toon, waardoor de kwaadheid minder merkbaar was. Ze wist dat hij nooit in het openbaar ruzie met haar wilde maken, en ook omdat hij net een week was weggeweest. Ze wist niet wat hij deed op die vele zakenreisjes die hij maakte, en ze had er ook nooit naar gevraagd. Maar hij gedroeg zich altijd een beetje anders wanneer hij terugkwam: aardiger, minder bazig, minder dominant.

Diep in haar hart wist ze echter dat hij haar vanavond zou gaan bewerken, zoals hij zo vaak deed. Het moest gaan zoals hij wilde. Hij moest winnen. Ze speelde met de gedachte om hem te vertellen over haar plan Laurie mee te nemen naar New York, maar zag ervan af. Wat had het voor zin? Alsof het hem iets zou uitmaken. Hij had zijn eigen redenen om die veiling in Londen te houden, en wat zij ervan dacht deed er niet toe. Daar had hij zich nooit iets van aangetrokken. Zo was het nu eenmaal en zo zou het ook altijd blijven.

Annette verzonk in gedachten, vervuld van teleurstelling, ergernis en een vreemde droefheid. Hij had haar een bepaalde mate van onafhankelijkheid gegeven toen hij erin toestemde dat zij haar eigen bedrijf zou openen, maar hij was en bleef de baas. Voor zover hij het zag. Ga er niet tegenin, zei ze tegen zichzelf, laat het nou maar. En dat deed ze.

De ongemakkelijke stilte tussen hen bleef lang hangen. Annette was vastbesloten niet de eerste te zijn die weer sprak, en ze kon erg koppig zijn als ze wilde.

Uiteindelijk moest Marius wel wat zeggen. 'En welk toetje wil je hebben, schatje?' vroeg hij op milde toon.

'Ik hoef geen toetje, dank je,' zei ze snel en ze voegde eraan toe: 'Kamillethee is genoeg.'

'Geen trek meer?' vroeg hij en hij nam haar hand in de zijne. 'Je weet toch hoe lekker de desserts hier altijd zijn...'

'Vanavond niet. Ik heb echt geen trek meer.'

'Wees niet zo boos op me, lieverd. Ik doe het alleen voor je eigen bestwil. Ik weet gewoon dat je je moet concentreren op de belangrijke dingen in Londen. Hier woon je, hier is je basis, hier heb je je carrière. Hier had je je eerste veiling, hier had je groot succes. Ik heb echt het idee dat niemand in New York daar een boodschap aan heeft. Net zomin als in Parijs.'

'Als jij het zegt. Je speelt dit spelletje nu eenmaal veel langer dan ik. Ik heb sowieso vertrouwen in je oordeel.' Ze begon te glimlachen, maar dat hield geen stand. 'Londen, Parijs en New York, de grootste steden in de kunstwereld. Laten we Londen dan maar een tweede keer kiezen, waarom ook niet? Je hebt er goede redenen voor genoemd.'

Opluchting maakte zich van hem meester en hij voelde zich weer ontspannen. Hij maakte niet graag ruzie met haar, wat ook maar zelden nodig was omdat ze meestal erg toegeeflijk was. Maar hij had wel gemerkt dat haar aangeboren onafhankelijkheid tegenwoordig wat sterker werd en af en toe zat hem dat wel dwars. Ze moest hem blijven volgen, mocht zijn besluiten niet in twijfel trekken. Gelukkig had ze er ook deze keer weer mee ingestemd.

Hij keek haar aan en zei zacht: 'Ik beloof je dat dit een veiling zal worden die Londen in geen tien jaar heeft gezien. Hij zal nog veel belangrijker zijn dan je Rembrandt-verkoop.'

'En beslist grootser dan hij in New York zou worden? Bedoel je dat?'

'Ja, als je het zo wilt stellen. Londen is dé plaats in dit geval.'

'Oké, dan blaas ik al mijn plannen af en dan zal ik me erop concentreren om er hier een succes van te maken.'

Het viel hem nu pas echt op hoe prachtig ze er vanavond uitzag. Ze droeg een ridderspoorblauw zijden pakje en oorbellen van aquamarijn, en die twee tinten blauw benadrukten de kleur van haar ogen. Haar blonde haar was goed geknipt en in model gebracht, het blonk in het kaarslicht en alles in haar verschijning straalde talent, succes en stijl uit.

In een flits dacht hij terug aan dat uitgehongerde meisje van achttien met wie hij kennismaakte; ze was broodmager en er overduidelijk beroerd aan toe. Op zoek naar een baantje had ze aangebeld bij de Remmington Gallery toen die nog in Cork Street was gevestigd; hij had haar uit medelijden aangenomen voor weekendklusjes.

Ze was netjes en schoon en sprak beschaafd, en ze ging hem aan het hart. En ze bleek intelligent, zo talentvol als een student aan de Royal Academy of Art moest zijn. Haar gevoel voor kleur, perspectief en compositie was uitzonderlijk, en hij stond te kijken van haar schilderijen, die ze hem trots had laten zien. En toch had hij, door zijn aangeboren smaak en zijn uitmuntende kennis van kunst, meteen beseft dat ze, hoe goed ze ook was, hoe briljant zelfs in zekere opzichten, nooit een groot kunstenaar zou worden. Ze zou een van de vele goede schilders worden, maar nooit een ster.

Hij had haar als receptioniste in zijn galerie aangenomen, onder zijn hoede genomen en voor haar gezorgd. Al binnen enkele dagen viel hem de unieke schoonheid van haar gezicht op: de hoge jukbeenderen, de verfijnde trekken, haar perfecte huid en die adembenemende ogen – groot, felblauw, vol intelligentie. Hij begon haar te zien als mogelijke echtgenote, toonde interesse in haar, bracht haar geleidelijk een persoonlijke stijl bij, schaafde haar uiterlijk bij, leerde haar van alles over kunst en deelde zijn kennis met haar. En toen, op een dag, liet ze hem zitten. Pas toen begreep hij welke gevoelens hij voor haar had gekregen. Hij schrok zelf van zijn emotionele afhankelijkheid. Hij was verliefd geworden op dat spichtige meisje dat iemand anders van hem gestolen had, al duurde het maar kort.

Want ze wist niet hoe snel ze bij hem terug moest komen toen ze in ernstige problemen verzeild raakte. Bang, in paniek, doodsbenauwd voor de politie en wat er met haar zou gebeuren, had hij het enige gedaan dat haar het gevoel zou geven dat ze veilig bij hem was. Hij was met haar getrouwd, een paar dagen na haar negentiende verjaardag, begin juni. Deze zomer zou dat tweeëntwintig jaar geleden zijn.

Met liefde en vaardigheid had hij langzaam maar nauwgezet de vrouw in het leven geroepen die ze volgens hem kon zijn en die ze tegenwoordig was. Ze was zijn creatie. Er deden gemene, jaloerse geruchten de ronde dat zij Eliza Doolittle was en hij professor Higgins. Daarmee was hij het niet eens. Hij hield immers echt van haar; vanaf het moment dat ze zijn galerie was binnengestapt.

Zijn beste vriend uit die jaren had hem lachend een oude bok met zijn groene blaadje genoemd. Hij was immers achtendertig, zij achttien toen hij verliefd werd, dus dat was eigenlijk niet ver bezijden de waarheid.

'Marius, is er wat?' zei Annette en ze pakte zijn hand. 'Alles in orde?'

Ze wekte hem uit zijn mijmeringen en toen hij haar aankeek vermande hij zich. 'Er is niets aan de hand. Ik was even in gedachten, dat is alles.' Hij schraapte zijn keel en nam een slokje wijn.

'Waar dacht je dan aan?' drong ze aan.

'Er was iets wat me aan vroeger deed denken, toen ik je ontmoette, en ik dacht eraan hoe mooi je bent.'

Annette staarde hem aan, fronste haar wenkbrauwen en schudde haar hoofd. 'Ik was zo'n mager scharminkel toen,' merkte ze op. 'Uitgehongerd, in de war, en veel moois was er niet aan me te ontdekken.'

'Dat moet je niet zeggen... Ik vond je toen al mooi, en dat vind ik nog steeds.'

10

Wat maakt Marius vanmorgen een stralende indruk, dacht Annette, die tegenover hem in de ontbijtserre zat en van haar koffie nipte.

Fris gedoucht, geschoren en met zijn bos glanzend zilvergrijs haar naar achter geborsteld zag hij er blakend van gezondheid uit. In zijn blauw-wit geruite overhemd met het bovenste knoopje open en zijn grijze broek maakte hij een jeugdige indruk, wat nog werd benadrukt door zijn opmerkelijk rimpelloze huid en het kleurtje dat hij in Spanje had opgedaan. Hij wordt mooi oud, dacht ze; hij ziet er zoveel jonger uit dan hij is.

Opgewekt en hartelijk praatte hij met haar over het boek over Picasso dat hij aan het schrijven was, terwijl hij aan zijn toast met marmelade knabbelde en zijn koffie dronk.

Uit ervaring wist ze dat zijn goede humeur te danken was aan het feit dat hij gisteravond van haar had gewonnen. Maar aan de andere kant won hij altijd. Elke keer dat hij haar manipuleerde waardoor ze deed wat hij wilde, was hij zoals nu. Liefdevol en tevreden. Bovendien had ze zijn zorgen over haar stemming weggenomen, door zich over te geven aan zijn avances in bed. Ook dat was routine voor haar, al maakte seks geen belangrijk deel van haar leven uit. Als ze nooit meer seks zou hebben, zou ze het niet missen.

Hij was een vurige maar tedere minnaar geweest sinds hun eerste keer, toen zij nog achttien was. Dat was niet veranderd: zo was hij nog steeds. Marius wist hoe hij een vrouw kon opwinden en ze had zich lang geleden aangeleerd om zijn toenadering waardig toe te laten. Afwijzing verdroeg hij absoluut niet, in bed of daarbuiten. Maar aangezien die verslavende charme van hem meestal deel uitmaakte van zijn avances, was hij ook voor haar vaak onweerstaanbaar.

'Wat is er aan de hand, liefje?' vroeg hij. Hij verstoorde haar gedachten omdat hij merkte dat ze niet naar hem luisterde. 'Niets, hoor,' antwoordde ze en ze glimlachte warm naar hem. 'Sorry.'

'Het lijkt wel of je de last van de hele wereld op je schouders draagt.' Hij keek haar doordringend aan en vervolgde op veelbetekenende toon: 'Je maakt je zeker zorgen om die sculptuur van Giacometti?'

Dat was wel het laatste waar ze aan dacht, maar ze greep de kans meteen aan en riep uit: 'Ja, precies. Ik weet gewoon niet of ik hem bij de volgende veiling moet aanbieden of moet wachten op een derde. Hij past namelijk niet zo goed in het thema dat Laurie en ik hadden bedacht... Je weet wel, met die drie impressionistische schilders.'

93

'Ik vraag me af of dat nu wel zo belangrijk is,' antwoordde Marius, die er serieus op inging en bedachtzaam keek. 'Giacometti's leveren heel wat op tegenwoordig, dus waarom zou je hem achterhouden? Misschien kun je het thema aanpassen, of het uitbreiden. Of het thema gewoon weglaten.'

'Het zijn allemaal mogelijkheden,' stemde ze in. 'Christopher heeft een paar moderne schilderijen die in een modernistisch thema niet zouden misstaan, maar hij wil ze nu nog niet in de verkoop geven. Anders zouden we inderdaad een tweede thema kunnen toevoegen.'

'Welke schilders zijn dat?

'Ben Nicholson en Lowry.'

'Petje af voor sir Alec! Verdorie, hij wist wel waarmee hij bezig was als hij kunst aanschafte, al hield hij zijn catalogus maar matig bij. En waarom wil Christopher die niet meteen onder de hamer brengen? Heeft hij je dat verteld?'

Ze knikte. 'Hij wil het kalm aan doen vanwege de belasting. Je weet dat zijn oom hem alles heeft nagelaten, dus de successierechten zijn niet misselijk.' Ze zag een glinstering in zijn donkere ogen en ze voegde eraan toe: 'En als je denkt dat ik hem van gedachten kan laten veranderen, dan heb je het mis.'

Marius was niet van gisteren en kende zijn vrouw uitstekend, dus zei hij: 'Ik geloof je meteen. Daarom stel ik voor dat je de veiling opent met de Degas en de Giacometti, en pas daarna de drie schilderijen. Je veilt ze onder het motto van beroemde sculpturen uit twee eeuwen. Pas daarna kom je met die schilderijen, die je eraan verbindt via het impressionistische thema. Maar ik zou die Giacometti niet achterhouden; verkoop hem nu de tijd er rijp voor is.'

'Wat beslis je dat toch snel! Bedankt, Marius, je hebt het probleem opgelost.'

'Graag gedaan. En wat dacht je van een ander probleem? Zullen we dat ook maar meteen samen oplossen?'

'Je wilt zeker die aanvragen voor een interview bekijken?'

'Precies,' antwoordde hij en schoof zijn stoel naar achteren. 'Laten we in mijn werkkamer gaan zitten en er snel doorheen gaan. Dat is zo gepiept.'

Annette was blij dat ze het appartement kon ontvluchten. Ze hadden uren besteed aan het besluit welke journalist haar

94

mocht interviewen. Marius had de uiteindelijke keuze gemaakt, hij koos iemand van wie hij dacht dat die het beste profiel van haar kon maken.

Die man was Jack Chalmers en Marius kende al wat van zijn werk. Maar om absoluut zeker te zijn van zijn keus en nog wat feiten over hem bijeen te sprokkelen, had hij Malcolm Stevens gebeld om het fijne over hem te weten te komen.

Volgens Malcolm, die een onuitputtelijke bron van informatie was over allerlei soorten mensen en zaken, was Chalmers een jonge sterjournalist die naam had gemaakt door met een noodgang naar de toppen van de Britse journalistiek te stijgen. Hij had bovendien twee briljante boeken over de Tweede Wereldoorlog geschreven en werd door zowel hoofdredacteuren als collega's hogelijk gewaardeerd. Momenteel was Chalmers onder contract bij de *Sunday Times*, waarvoor hij portretten schreef van mensen die in het nieuws waren.

Kennelijk werd hij door iedereen als een geschikte kerel beschouwd, die nooit een geïnterviewde het mes op de keel had gezet. Toch lukte het hem geweldige kopij te leveren waar iedereen van smulde. 'Zonder zijn toevlucht te zoeken tot smaad of valse trucjes,' besloot Malcolm en hij voegde eraan toe: 'Dan mag je echt van een groot talent spreken.'

Nadat hij de conclusies van het gesprek met Malcolm aan Annette had verteld, nam Marius zijn uiteindelijke besluit, hoewel hij nog wel even zei: 'Als jij ermee akkoord gaat, schat.' Dat zei hij altijd, maar dat had verder niets om het lijf.

Want natuurlijk ging ze ermee akkoord. Ze had immers nooit een keus gehad. In wat dan ook. Marius' wil was wet.

Terwijl ze over Eaton Square liep in de richting van haar zusters appartement in Chesham Place, kreeg Annette opeens een woedeaanval. Het werd haar heel even zwart voor de ogen en ze kreeg het benauwd. Maar de woede was niet op Marius gericht, ze was vooral kwaad op zichzelf.

Waarom was ze zo'n slapjanus? Waarom nam ze altijd meteen aan dat hij wel gelijk zou hebben? Dat had ze gisteravond ook gedaan, want ze had toegelaten dat hij haar zo manipuleerde dat ze afstand had gedaan van het idee om de veiling in New York te houden.

Ze had achterovergeleund terwijl Marius aan het babbelen was met Malcolm en ze had weer als een achterlijk kind toegestemd toen hij besloten had dat het Jack Chalmers zou worden.

Ze was een stommeling, en ze wist het. De afgelopen twintig jaar had ze laten zien dat ze heel standvastig in heel veel dingen kon zijn, maar als het met haarzelf en wat ze wilde te maken had, liet ze het zonder protest uit haar hoofd praten.

Ach, barst ook, dacht ze en probeerde al die zorgelijke gedachten uit haar hoofd te bannen. Kan mij die Jack Chalmers ook schelen! Voor mijn part komen Robin Hood en Klein Duimpje me interviewen. Het wordt toch één grote ramp. Dus hoe eerder ze het achter de rug had, hoe beter. Dan kon ze weer verder met belangrijker zaken.

Op dit moment was Laurie haar grootste zorg, vooral in verband met de teleurstelling die ze te verduren zou krijgen wanneer ze hoorde dat de reis naar New York toch niet doorging. Annette leed er erg onder wanneer ze niet waar kon maken wat ze had beloofd, al was daar soms niets aan te doen. Het auto-ongeluk had Lauries toekomst verwoest; Annette was altijd in de weer haar zuster wat vreugde en plezier te geven en haar leven wat minder saai te maken.

Ze ziet het natuurlijk meteen aan me, dacht Annette toen ze de hal van de flat in stapte en Angie, Lauries thuishulp, begroette. Het staat vast op mijn gezicht te lezen, bedacht ze terwijl ze haar jas aangaf. Om dit te voorkomen spande ze zich in om te glimlachen toen ze de zitkamer binnenging, terwijl ze riep: 'Hier ben ik! Sorry dat het wat later werd.'

'Maakt niet uit, Annette,' antwoordde Laurie glimlachend. 'Ik was net in gesprek met Malcolm, we hadden nog het een en ander te bespreken. Ik ben klaar met een grote stapel research voor hem en daarom neemt hij me vanavond mee uit eten. Als beloning.'

'Wat attent, wat is hij toch altijd aardig voor je,' zei Annette en ze boog zich voorover om haar zuster te kussen. 'Waar wil je straks lunchen?'

Laurie schudde haar hoofd. 'We gaan niet uit eten. Mevrouw Groome maakt vandaag een lunch voor ons, die we hier kunnen eten. Dat vind je toch niet erg?'

'Ik vind alles best, wat je maar wilt.' Annette raakte de arm van haar zus aan en zei: 'Luister, voor we ons weer aan onze gebruikelijke prietpraat wijden, moet ik je wat vertellen.'

Laurie keek haar met gefronst voorhoofd aan. 'Wat klink je opeens ernstig. Wat is er mis?'

'Er is niets mis, niet zoals jij het bedoelt. Maar ik ben bang dat die reis op de *Queen Elisabeth* niet door kan gaan. Ik vind het vreselijk om je teleur te stellen, maar Marius vindt dat we de veiling in Londen moeten houden, en niet in New York.'

Lauries gezicht betrok, maar een seconde later was haar glimlach weer terug. 'Ach, maak je geen zorgen. Malcolm wilde met ons meegaan op de boot, dus we kunnen toch gewoon later gaan met ons drieën, na de veiling in Londen bedoel ik.'

'Wilde Malcolm met ons meegaan?' Annette klonk verbaasd. 'Ik wist niet dat jullie zulke... goede vrienden waren.'

'O ja, dat zijn we zeker. Heel, heel goeie vrienden. Hij komt 's avonds vaak bij me eten en hij neemt me regelmatig mee uit.'

Heel even wist Annette niet wat ze moest zeggen, zo verrast was ze, maar uiteindelijk vond ze haar tong weer terug. 'Nou, ik heb hem altijd al graag gemogen en ik weet dat hij goed op je zal passen wanneer jullie samen weg zijn.'

Laurie barstte in lachen uit. 'Ik kan heus wel op mezelf passen, hoor. Maar we zijn dikke vrienden,' voegde ze er weer aan toe. 'We genieten van elkaars gezelschap en we hebben veel gemeen.'

'Vast wel.' Annette zat even zwijgend in het vuur te staren en zag de vlammen de schoorsteen in verdwijnen. Ze vroeg zich af of Marius deze groeiende vriendschap wel zou goedkeuren, maar ze verdreef die gedachte snel. Eén ding was zeker: ze zou nooit toestaan dat Marius zich ook met Lauries leven ging bemoeien.

Alsof Laurie haar gedachten kon lezen, zei ze: 'Ik weet dat je boos bent op Marius, Annette. Je toont het niet, maar ik voel het wel. Je bent boos omdat het hem altijd lukt om je te manipuleren, je te laten doen wat hij wil. Maar waarom denkt hij eigenlijk dat Londen beter is voor de veiling?'

'Omdat ik er mijn eerste grote klapper had met de Rembrandt. Mijn eerste grote succes. Hij wil dat ik dat herhaal... nee, een nog groter succes behaal.'

'Maar dat kun je toch ook in New York voor elkaar krijgen? Een nog groter succes behalen?'

'Dat dacht ik ook. Maar misschien weet hij iets wat ik niet weet.'

'Ach, misschien maakt het ook allemaal niet uit,' zei Laurie peinzend en ze keek haar zuster aan. 'Als je een pas ontdekt beeld van Degas hebt, zeker als het *Het veertienjarige danseresje* betreft, weet je van tevoren dat de veiling een grandioos succes wordt, waar hij ook wordt gehouden.'

Annette keek Laurie aan. 'Je hebt gelijk,' antwoordde ze, en ze bedacht voor de zoveelste keer hoe wijs haar zus was. Ze besefte ook dat Marius precies hetzelfde wist. Ze hadden het makkelijk in New York kunnen houden, het zou net zo goed zijn gegaan, vanwege de faam en kwaliteit van de kunst. Maar om een reden die ze niet kende, was hij vastbesloten geweest om haar te dwingen de veiling in Londen te houden. Laurie draaide haar stoel een slag en keek Annette weer glimlachend aan. 'Kijk, ik weet dat je je ergert aan die dominantie van hem, aan dat sturen van hem dat hij nu al jaren doet. Maar in heel veel zaken kun je toch doen wat je wilt, omdat je bijzonder slim bent. En hij heeft nu eenmaal altijd voor ons gezorgd, nietwaar?'

'Ja, en ik heb altijd zijn spelletje meegespeeld, en ben loyaal geweest.'

Even was het stil. Toen zei Laurie: 'Wat hadden we zonder hem moeten beginnen?'

'Geen idee,' zei Annette, en ze vermoedde dat ze dan de gevangenis was ingedraaid en Laurie voor altijd afhankelijk had moeten blijven van die oude tante. Geen fijne vooruitzichten, eerlijk gezegd. Ze haalde diep adem en met een opmerkelijk opgewekte stem zei ze: 'Het voornaamste is dat ik een knaller van een veiling maak. Dus waar ik hem hou, maakt in wezen niets uit. Zo, ander onderwerp. Je leest alle kranten volgens mij... Heb je ooit gehoord van een journalist die Jack Chalmers heet?'

'O, die is te gek! Hij schrijft onvoorstelbaar goed, heel flitsend en toch heel scherp. Hij schrijft van die profielen in de

Sunday Times, die lees ik elke week. O, nee, je wilt toch niet zeggen dat hij jou gaat interviewen?'

'Ja... dat wil zeggen, Marius heeft hem gekozen.'

Laurie riep uit: 'Maar die past perfect bij jou!' Ze grijnsde. 'Marius heeft een prima keus gemaakt.'

DEEL TWEE

De sterjournalist

'Geen god is hoger dan de waarheid.'
Mahatma Gandhi (1939)

11

Jack Chalmers hield ervan om overal zijn vaste plekken te hebben, of het nu een huis, stad, land, skioord, strand, bar, restaurant of kroeg was. Zijn hang naar het vertrouwde sloeg ook op mensen.

Zo had hij zijn favoriete cafébedienden, obers, kelners en vooral uitgevers en redacteuren die hem begrepen en die volgens hem rammelende teksten in puur goud konden veranderen. Dit alles zorgde ervoor dat hij zich op zijn gemak en ontspannen voelde, terwijl het hem ook veel plezier schonk – hij zag ze als die simpele genoegens van het leven, wat het natuurlijk niet allemaal waren.

De laatste week van maart was een heel speciale week voor Jack. Hij bracht hem door in Beaulieu-sur-Mer, zijn favoriete stadje in Zuid-Frankrijk, waar hij een schitterende villa bezat met uitzicht op de Middellandse Zee.

De Villa Saint-Honoré was zijn vaste standplaats, vol met een grote collectie van oude, vertrouwde voorwerpen die zijn leven maakten zoals het moest zijn, en daarom onontbeerlijk voor hem waren. Zijn IBM Personal Wheelwriter 2 van Lexmark, een fantastische typemachine waarop hij zijn boeken schreef; zijn computer voor research en het schrijven van kranten- en tijdschriftartikelen; duizenden boeken; een overvloed aan ingelijste foto's uit zijn jeugd en tienerjaren, plus portretjes van zijn moeder, vader, zijn broer en de rest van de familie.

Andere geboende houten oppervlakken waren zowel bedekt met unieke souvenirs van zijn wereldreizen, als met een rommelige uitstalling prestigieuze prijzen voor zijn stukken; in de hoek bij het raam stond een enorme antieke globe op een standaard, die hij graag rond liet draaien toen hij nog een kind was.

In een andere kamer stonden kasten, ladekasten en klerenkasten vol uitzonderlijk dure maar onopvallende gemakkelijke kleding, waarop hij zeer gesteld was, en een verzameling geliefde, versleten trenchcoats waarvan hij met geen mogelijkheid afscheid kon nemen.

Het was dinsdagochtend en hij stond voor een van deze kasten in zijn enorme werkkamer op de eerste verdieping en liet zijn blik over zijn colberts gaan. Hij koos een lichtgewicht beige linnen jasje dat hij aantrok over zijn marineblauwe trui met v-hals en zijn jeans, waarna hij zijn kantoor verliet.

Hier, in dit charmante huis aan zee, was hij in de zevende hemel: vertrouwde dingen in vertrouwde ruimtes, kon het beter? Inwendig moest hij glimlachen en goedgehumeurd sprong hij de trap af, stak de met terracotta bedekte hal over, de gang in naar de keuken.

Hij deed de deur open en stak zijn hoofd om de deurpost. 'Bonjour, Hortense!'

Zijn huishoudster draaide zich om en lachte terug. 'Bonjour, monsieur Jacques...'

'Ik ben even weg, maar ik ben terug voor de lunch rond een uur of één. Waar is Amaury?'

'Die is naar Nice, voor die tijdschriften en kranten die u wilde hebben. Die verkopen ze hier niet. Hebt u hem nodig, monsieur?' vroeg ze in haar vrijwel perfecte Engels.

'Nee, nee, Hortense, het is niet belangrijk. Tot straks.' Hij zond haar een flitsende glimlach en was verdwenen. Jack liep de voordeur uit en het pad af, keek om zich heen, snoof de lucht op, rook de mimosa met daaronder het verfrissende van jong blad in de bomen en de geur van onlangs gemaaide gazons aan beide kanten van het tuinpad.

Hij was dol op dit jaargetij in het zuiden van Frankrijk, genoot ervan weer terug te zijn na een maand hard gewerkt te hebben in Beverly Hills en New York, waar hij drie belangrijke interviews had afgenomen en daarvan een eerste bewerking had gedaan.

Vier dagen geleden was hij direct weer teruggevlogen naar Frankrijk, en hij voelde zich nu alweer vol energie, klaar om aan het laatste hoofdstuk van zijn derde boek te beginnen, dat zijn uitgever over een week verwachtte. Het zou op tijd verstuurd worden. Hij had nooit in zijn leven een deadline overschreden en hij vond dat een prestatie om trots op te zijn.

Terwijl hij over de Boulevard Maréchal Leclerc wandelde, sloeg hij de ogen op. De hemel was maagdenpalmblauw vanochtend en het bleke zonlicht filterde door een paar witte wolkenslierten; het was een sprankelende dag: het was niet koud en het lichte briesje van zee bracht een vermoeden van warmte mee.

Jack was op weg naar La Réserve, volgens hem een van de heerlijkste hotels ter wereld, waar hij al kwam sinds hij vijf was. Toen had zijn moeder hem er voor het eerst mee naartoe genomen. De zomer van 1982! Mijn god, vijfentwintig jaar geleden, dacht hij plotseling. Ik heb mijn hele leven al af en aan in deze stad gewoond. Niet verwonderlijk dat ik dit beschouw als de plek waar ik me thuis voel, op welke manier dan ook.

Na even te hebben afgewacht tot het verkeer op de boulevard wat vertraagde, dook hij snel tussen de openingen tussen de auto's door en meteen daarop de openstaande poort van het hotel in. Daar bleef hij even staan om alles in zich op te nemen, voor hij de voortuin doorwandelde en via de oprijlaan de ingang bereikte.

Even later stapte hij de lobby binnen, hij begroette de receptionist vriendelijk voor hij het trapje naar de lange bar afdaalde. Hij liep erdoorheen en bereikte via de verlaten eetzaal het terras met uitzicht op de Middellandse Zee, waar meestal het ontbijt werd geserveerd.

Het terras was nog leeg en er was ook geen bedienend personeel in de buurt. Hij ging aan een tafeltje zitten waarvan de parasol vlak bij de balustrade stond. Hij zette zijn zonnebril af, hield zijn hand boven zijn ogen en keek naar de zee. Wat lag die er rustig bij met dat rimpelloze oppervlak, als een soort meer. Hij zette zijn bril weer op, haalde zijn rinkelende mobieltje uit zijn zak en hield het tegen zijn oor.

'Met Jack.'

'Goeiemorgen. Met Kyle. Hoe gaat het ermee?'

'Geweldig. Ben een paar dagen geleden teruggekomen. Waar denk je dat ik nu zit?'

'Je zit weer in Beaulieu, denk ik,' zei zijn broer zelfverzekerd, want hij wist altijd waar Jack uithing.

'Klopt. Maar waar ga ik zo mijn ontbijtje bestellen?'

Kyle grinnikte vrolijk. 'Ongetwijfeld in La Réserve, verwend jong. Altijd de beste plekjes voor jou, Jacko. Dus waar zou je anders zitten? Zeker nu je net terug bent. Je staat altijd te popelen je oude stekkies af te lopen, broertje.'

'Vol mooie herinneringen, Kyle. Dat weet je best. Jij hebt dat

ook bij bepaalde plaatsen. Maar goed, waarom belde je?'
'Ik zal je niet in spanning houden. Ik was gisteren bij de notaris van pa. We kunnen het huis in de verkoop gooien. Al het papierwerk is geregeld. Maar als je dat niet zit zitten, kun je mijn deel afkopen, dan is het van jou.'
'Wat moet ik nou met een groot huis in Hampstead, Kyle! En jij wilt het evenmin. Wij tweeën zijn altijd op stap en jij zou bovendien over een paar maanden een film gaan regisseren in Hollywood, zei je. Laten we maar doen wat we altijd gezegd hebben. We verkopen het huis. Oké?'
'Oké, afgesproken. En ik heb die film inderdaad in de wacht gesleept. Maar ik neem hem overigens op in Jordanië, niet in Hollywood.'
'Jordanië! Jezus, Kyle, dat ligt wel dicht bij Irak en Afghanistan; iets te dicht bij het front wat mij betreft.'
'Maar daar is het toch veilig?' vroeg Kyle gehaast.
'O jee ja, en ze zijn voor het Westen, als je maar niet te veel rondzwerft. Ga nergens heen waar ik ook niet heen zou gaan, oké, jochie?'
'Beloofd. Blijf je nog lang in Beaulieu?'
'Een paar weken. Ik moet de interviews persklaar maken, maar ik heb ze al bewerkt, om tijd te winnen. En ik heb nog één hoofdstuk voor het nieuwe boek *Dunkerque* te schrijven. Het manuscript moet volgende week binnen zijn.'
'Je zit dus tot over de oren in het werk, maar ik weet dat je daarvan houdt. Trouwens, ik wilde je nog wat vragen. Toen je me een exemplaar van het stofomslag stuurde, vroeg ik me af waarom je het Franse *Dunkerque* in plaats van Duinkerken als titel had genomen. Nou?'
'Dat weet ik eerlijk gezegd niet, behalve dat ik de Franse naam altijd mooier heb gevonden. En iedereen begrijpt toch wel wat het betekent, zelfs de niet-Fransen. Bij de uitgeverij vonden ze het ook prima; ze denken dat het een zekere flair aan het boek geeft.'
'Tja, nu je het zegt... Maar goed, wanneer zie ik je weer eens, maatje?' vroeg Kyle.
'Misschien breng ik het manuscript wel even naar Londen. Ik moet nog een paar dingetjes opzoeken in de flat, en ik moet mijn agent ook weer eens spreken. Dan laat ik je dat wel weten. Maar eerst ligt er nog een partijtje werk op me te wachten.'

'Jij hebt liever te veel dan te weinig werk, met stapels schrijf-werk op je bureau. Daar krijg je een kick van.'

Jack begon te lachen. 'Het is verdomd goed voor de adre-nalineproductie, dat weet ik wel.'

'Hoe is het met Lucy?'

'Ik neem aan dat het goed met haar gaat. Eerlijk gezegd heb ik haar nog niet opgezocht. Ik heb haar wel gebeld en ze klonk prima. Ik ga morgen even langs, om bij te praten.'

'Wat druk je dat typisch uit,' zei Kyle. Hij voegde er snel aan toe: 'Sorry. Dat zijn mijn zaken niet. Tot ziens, Jacko.'

'Tot ziens, Kyle.'

Jack drukte de telefoon uit, deed hem weer in zijn zak en merkte toen pas dat er een kan jus d'orange voor hem stond die plotseling op tafel was verschenen, met een lang glas ernaast. Toen hij rondkeek, zag hij een van de obers die hij kende en hij wenkte hem naderbij. Nadat ze elkaar vriendelijk begroet hadden, zei Jack: 'Het bekende recept, graag.'

De ober knikte en haastte zich weg.

Voor hij een glas jus d'orange ophad, stonden de *café au lait* en het mandje met croissants al voor hem, met boter en een schaaltje abrikozenjam.

Nippend van zijn glas sap, dacht Jack terug aan Kyles laat-ste opmerking, en hij wist dat zijn broer gelijk had. Het was inderdaad een beetje vreemd uitgedrukt... Dat hij en Lucy weer eens 'bij moesten praten'. Lucy Jameson. De laatste vrouw in zijn leven. Maar was ze dat wel? Hij wist niet he-lemaal wat hij met haar aan moest. Of wat hij voor haar voelde.

Plotseling gonsde het van bedrijvigheid om Jack heen, en el-ke gedachte aan Lucy werd meteen verjaagd.

De ober die hem het sap had gegeven schonk koffie met melk voor hem in, terwijl hij behendig het glas en de lege karaf weghaalde. De oberkelner, Pierre, die verantwoordelijk was tijdens de ontbijtperiode, kwam op een holletje op Jack af om hem te begroeten. Hij werd op de voet gevolgd door een aantal hotelgasten, die zich afvroegen waar ze plaats moes-ten nemen. Pas nadat Pierre ze allemaal een tafeltje had ge-wezen, bereikte hij met een grote glimlach op zijn gezicht eindelijk Jacks tafel.

'Bonjour en welkom terug, meneer Chalmers. Wat leuk u weer te zien.'

'Dat geldt ook voor jou, Pierre. Hoe staan de zaken? Veel gasten?'

'Afgelopen weekend wel. Maar nu begint het weer wat in te zakken. Met Pasen zitten we echter bijna volgeboekt. Kan ik u nog iets brengen? Een eitje? Fruit?'

Jack schudde het hoofd. 'Nee, dank je, dit is perfect.'

Met een tweede glimlach en een knikje liep de kelner naar de onlangs aangekomen gasten en Jack richtte zijn blik weer op het spectaculaire uitzicht in de baai, terwijl hij genoot van zijn café au lait, de croissants en het aangename weer.

Lucy schoot hem opnieuw te binnen en hij besefte dat hij vandaag niet over die kwestie wilde nadenken. *Kwestie? Was Lucy een kwestie? Het had er verdomd veel van weg, ja. Nou ja. Ik denk er later wel eens over na.* Hij grinnikte in zichzelf. Margaret Mitchell had gelijk gehad. *Morgen is er weer een dag.* Hij lachte nog eens.

Toen hij nadacht over het telefoongesprek met zijn broer, zag hij dat vervallen oude huis in Hampstead weer voor zich waar ze waren opgegroeid.

Het was groot, daar was geen twijfel over mogelijk, maar het was een geweldig huis voor een gezin. Een gezin met veel kinderen. Hij was er zeker van dat ze het in een mum van tijd konden verkopen.

Onverwachts schoten de herinneringen door zijn hoofd, het leven van lang geleden: de picknicks onder de enorme appelboom op warme zomermiddagen, de schommels die hen hoog de lucht in voerden, de veldslagen met houten zwaardjes en rubberen borstkurassen wanneer ze riddertje speelden, en die fameuze tuinfeesten die hun ouders hadden gegeven en die ze bij mochten wonen toen ze tieners waren... met acteurs die om hun vader de theateragent heen zwermden, afgewisseld door producers, schrijvers en regisseurs, journalisten en beroemdheden.

Kyle was twee jaar ouder dan hij, en ze waren al meteen dikke vrienden geworden toen zijn moeder met Kyles vader was getrouwd; ook nu nog waren ze erg aan elkaar gehecht. Voor altijd een band. Zijn grote broer. Zijn beschermer. Maar tegenwoordig voelde hij zich ook vaak de beschermer van Kyle. *De rollen worden omgedraaid*, dacht hij. *Zo gaat dat soms.*

Hij vond het een vervelend idee dat Kyle naar Jordanië ging. Het was dan wel een veilig land, en de koning was modern en westers georiënteerd, maar een deel van het Midden-Oosten was toch een oorlogsgebied en Kyle was nieuwsgierig, vol vertrouwen en nergens bang voor. Daarbij kwam dat hij geneigd was buiten de gebaande paden te treden wanneer hij in het buitenland met een film bezig was. *Ik móét met hem praten voor hij vertrekt. Ik moet zeker weten dat hij exact weet wat er daar aan de hand is, en welke gevaren hij loopt. Hij moet me beloven geen risico's te nemen, geen ontdekkingsreizen te gaan maken buiten de grenzen wanneer hij klaar is met zijn film.*

Het drong tot hem door dat hij niet eens had gevraagd wat voor film Kyle daar ging regisseren, en dat zat hem dwars. Kyle was altijd geïnteresseerd in zijn werk, zijn leven en was bezorgd om hem.

Hij pakte zijn mobieltje, belde zijn broer en toen hij opnam zei Jack: 'Hé, Kyle, ik heb je helemaal niet gevraagd waar je volgende film over gaat...'

'Hij gaat over Lesley Blanch; ze schreef–'

'Ze schreef *The Wilder Shores of Love*, naast andere boeken,' viel Jack hem in de rede. 'Ze maakte veel reizen door het Midden-Oosten en was getrouwd met de Franse schrijver Romain Gary.'

'Precies. Ik had kunnen weten dat je wist wie ze was. Maar het gaat over haar huwelijk. Ik schiet dus het meeste in Jordanië, dan later in de bossen bij jou in de buurt, en ook wat in Parijs,' vertelde Kyle. 'Dus ik hoop dat je thuis bent wanneer ik in Nice bezig ben.'

'Dat regel ik wel,' antwoordde Jack. 'Dan blijf je lekker bij mij logeren.' Hij dacht er even over of hij zijn broer nu zou zeggen goed op zichzelf te passen wanneer hij op locatie was, maar hij besloot van niet. Hij zei gewoon: 'Ik spreek je nog,' en beiden klikten hun toestel uit.

De sprinklers draaiden rond en besproeiden de gazons toen Jack door de poort het terrein van de villa betrad. Verderop zag hij Amaury gebogen staan over een van de grote geglazuurde aardewerken bloemkuipen aan het eind van het terras.

'Bonjour!' riep hij. 'Ik ben er weer, Amaury.'

Amaury keek op, wuifde en liep via het terras op Jack af. Toen hij vlak bij hem was zei hij: 'De kranten liggen in uw werkkamer, monsieur Jacques. Ik heb ze allemaal gevonden.'

'Dank je. Ik belde net met mijn broer. Over een paar maanden trekt hij een tijdje bij ons in. Lijkt me ook leuk voor jullie. Een deel van zijn nieuwe film maakt hij in de buurt van Nice.'

'Ah, *très bien*,' riep Amaury uit en zijn tanige, walnootbruine gezicht klaarde op. Hij grinnikte en schudde het hoofd. 'Hortense merkte een paar dagen geleden op... dat we u nu al twintig jaar kennen. *C'est pas possible, eh*?'

Jack grijnsde. 'Ik snap wat je bedoelt, maar toch is het zo. Want ik was maar tien en Kyle twaalf toen onze ouders dit huis voor het eerst van madame Arnaud huurden. We waren allemaal op slag verliefd en we zijn jarenlang elke zomer teruggekeerd. En wat een geluk dat madame Arnaud mij de kans gaf het te kopen toen ze vijf jaar geleden stierf!'

'Alleen u mocht hier komen wonen, monsieur Jacques. Madame Arnaud, zij vertelt me dat... zei dat ik u moest bellen wanneer zij sterft. Ze zegt, u moet de villa kopen, u houdt ervan. En dus bel ik u, zoals ze wil.'

Jack legde een arm om de schouders van de oude man, want hij was zeer op hem gesteld. 'Het was waar wat madame Arnaud zei, weet je. Ik houd echt van dit huis en nu zie ik de Villa Saint-Honoré als mijn echte thuis. Mijn énige thuis.'

'Zo is dat,' antwoordde Amaury meteen en hij knikte vriendelijk.

Toen ze bij de voordeur kwamen, bleven de twee nog even praten over de tuin en de rest van het terrein, en toen ging Jack naar binnen. Hij liet Hortense weten dat hij terug was en liep de trap op naar zijn werkkamer.

De huishoudster had eraan gedacht de twee ventilatoren aan het plafond aan te zetten en de houten luiken te sluiten, dus de kamer was heerlijk beschaduwd en koel. Jack liep naar zijn bureau en ging zitten, blij met het vredige gevoel dat hij daar had – het was de perfecte plek om te schrijven. En het mooiste was dat de villa van hem was, dankzij Colette Arnaud.

Er waren wat dingen misgelopen in zijn leven, maar over het algemeen had hij aardig wat geluk gehad. Colette Arnaud, een weduwe zonder kinderen, was direct op de familie gesteld geraakt, en op hem in het bijzonder. Wanneer zijn ouders in de zomermaanden de villa huurden, verhuisde zij naar het kleine gastenhuisje aan het andere eind van de tuin, achter een groep hoge populieren. Hoewel zij dus tijdens hun hele vakantie op haar grondgebied bleef, liet ze hen volledig met rust.

Maar Jack zocht haar elke dag even op; ze kende zulke prachtige verhalen en ze konden het samen goed vinden, de oude dame en het kleine jongetje. Hij hield van haar en dat gevoel was wederzijds. Ze waren dikke vrienden en begrepen elkaar.

Hij was totaal onthutst toen Amaury hem op een avond opbelde in Londen en vertelde dat ze gestorven was. Ze was niet ziek geweest en was in haar slaap overleden. Heel vredig, de beste manier om heen te gaan. Ze was zevenentachtig geworden. Jack was zo bedroefd en van slag, dat hij niet helemaal tot zich liet doordringen wat Amaury had gezegd over haar laatste wens.

De notarissen in Nice kwamen er later die week per brief op terug. Ze verklaarden dat madame Arnaud had laten vastleggen dat hem de villa aangeboden zou worden, voor een vriendenprijs, omdat ze wist hoeveel hij om haar huis gaf. Indien hij het huis niet wilde kopen, dan zou het huis bij een makelaar te koop worden aangeboden voor de normale dagwaarde, die uiteraard heel wat hoger zou liggen. Het geld dat het opbracht zou naar haar enige erfgenaam gaan, een nicht in Parijs, die al een tweede huis in Deauville had en geen interesse had in het huis in Beaulieu.

Natuurlijk wilde Jack het kopen. Maar hoe moest hij het geld bij elkaar krijgen? Met zijn spaargeld kwam hij maar tot de helft. Zijn toegewijde moeder en vader waren hem te hulp geschoten door hem de andere helft te lenen. Gelukkig hadden zijn boeken en journalistiek werk voldoende opgebracht en hij had het ze binnen twee jaar kunnen terugbetalen.

In het testament van madame Arnaud stonden een paar voorwaarden betreffende de villa, waarmee Jack schriftelijk akkoord moest gaan voor hij de Villa Saint-Honoré voor 'een absurd lage prijs' mocht kopen. Zo moest hij een deel van het jaar in de villa wonen; hij mocht het de eerste tien jaar niet verkopen, maar wel verhuren; en als hij de villa uiteindelijk toch verkocht en er winst op maakte, dan moest hij die fiftyfifty delen met haar nicht, Florence Chaillot. Jack had het contract zonder nadenken getekend, net als Florence.

Jack wist dat de koop van het huis een goede beslissing was geweest. Het bleek al snel de ideale plek te zijn om zich permanent te vestigen, en hij kon er fantastisch goed werken. Zijn kleine flat in Londen hield hij aan voor de keren dat hij erg druk was als reizend journalist, maar de villa was zijn thuis. En dat zou het altijd blijven.

Jack stond op en liep weer naar de klerenkast, hing zijn linnen jasje op en vergat niet zijn mobieltje uit de zak te nemen. Hij deed net wat houten luiken open toen de vaste telefoon op zijn bureau begon te rinkelen. Hij liep erheen en nam op. 'Jack Chalmers,' zei hij, terwijl hij naar de andere kant van het bureau liep en ging zitten. Zijn agent, Tommy Redding, zei: 'Ha die Jack, nou, je hebt het, hoor.'

'Heb wat?'

'Het interview.'

'Welk interview?' vroeg hij, fronsend en zijn ogen dichtknijpend tegen het zonlicht. Hij draaide zijn stoel en concentreerde zich op de muur.

'Je gaat me toch niet vertellen dat je het nu al vergeten bent? Je was er wild van! Het interview, bedoel ik.'

'Met wíé?'

'Hé, ben je het nou echt vergeten of neem je me in het ootje?'

'Nee, eerlijk. Hoor eens Tommy, ik zit tot over mijn oren in het werk. Ik heb die drie Amerikaanse interviews die ik moet herschrijven, en dat laatste hoofdstuk van mijn boek. Sorry, hoor, maar met wie word ik geacht een interview te houden?'

'Die dame die die Rembrandt heeft verkocht. Annette Remmington.'

'O, verdomme, je hebt gelijk! Was me totaal ontschoten. Ik was enthousiast, ik ben nog steeds enthousiast. Dus hoe zit dat?'

'De *Sunday Times* wil het natuurlijk hebben. Gewoon een-

op-een. Zoals al die profielen die je voor ze doet. Ik weet dat je dit anders wilde aanpakken, maar dat pikken ze niet. Maar... de *New York Times* wil graag een wat langer interview voor hun zondagsbijlage. Wat dacht je daarvan?'
'Ik vind het prima, maar gaat dat niet botsen?'
'Heb ik al geregeld. De *New York Times* zal het pas over een paar maanden plaatsen, misschien over een maand of vier pas. Geen probleem dus met de *Sunday Times*, want dat profiel komt eerst, en zal lang en breed vergeten zijn tegen de tijd dat die yankees met je uitgebreide stuk op de proppen komen.'
'Ai, dat is nou pijnlijk, Tommy. Ik dacht dat niemand mijn stukken ooit vergat,' klaagde Jack, zogenaamd verontwaardigd.
Tommy lachte. 'Oké, wil je nog wat vooraf?'
'*Yep*, ik heb een pen en een blocnote bij de hand.'
'Nou, hier is de deal...'

12

'Begrijp ik het goed? Sta je me nu te vertellen dat ik een vrouw moet interviewen die niet geïnterviewd wil worden?' vroeg Jack achteroverleunend in zijn stoel en met zijn voeten op zijn bureau. 'Nou, bedankt!' Toen barstte hij in lachen uit omdat de situatie zo absurd was.
Tommy lachte met hem mee en verklaarde: 'Het zit zo. Ze heeft nog nooit een interview gegeven. Nog nooit. Omdat ze verlegen is, volgens haar man, die ook zegt dat ze er niet van houdt om over zichzelf te praten.'
'Dat is weer eens wat anders. De meeste mensen die van de ene op de andere dag een bekendheid zijn geworden, houden niet op met praten over hun favoriete onderwerp. Zichzelf.' Hij kreunde even en mompelde: 'Dat wordt dus zoiets als kiezen trekken. Zij maakt het me moeilijk, en als ik er al wat uit krijg, is het niet genoeg voor een goed artikel.'
'Onderschat jezelf niet, Jack. Je bent een knappe kerel, barstensvol charme, en geen mens is bestand tegen jouw vleien-

de taal. Met andere woorden, je betovert haar gewoon. En ik weet nu al dat ze als een blok voor je valt. Je krijgt haar wel uit haar schulp.'

'Ik betwijfel het,' mompelde Jack.

'Nergens voor nodig. Ik weet waarover ik het heb. Als jij je hersens gebruikt, wordt dit hele interview een makkie voor je. Haar echtgenoot, Marius Remmington, zei dat ze bijzonder intelligent is, waanzinnig veel weet over kunst en haar gedachten helder verwoordt. Hij denkt dat ze een goed interview zal geven, al waarschuwde hij me voor haar neiging haar licht onder de korenmaat te zetten.'

'Ja vast! O, dat is toch zo'n cliché! Waarschijnlijk heeft ze een ego zo hoog als de Eiffeltoren – ja, hoor, licht onder de korenmaat!'

'Ik geloofde hem, en dat zou jij ook moeten doen. Die Marius heeft jou gekozen om dat interview te doen, en tussen twee haakjes: er waren meer dan honderd aanvragen.'

Jack zweeg even en dacht erover na. Toen ging hij recht in zijn stoel zitten en zei: 'Oké, geef me de feiten maar. Het interview gaat door. Wanneer is mevrouw beschikbaar?'

'Wat dat betreft heb je weer veel geluk, Jack. Tot en met Pasen is ze bezet. Tot 11 april, om precies te zijn. Dat geeft je dus nog een week of twee. Dan heb je dus alle tijd om de drie interviews uit de States af te ronden. En om het laatste hoofdstuk van *Dunkerque* te schrijven.'

'Dank je wel! Bestel de kaboutertjes dan maar en stuur ze meteen hier naartoe. Dan kunnen zij me 's nachts helpen schrijven, want de komende tien dagen zal ik dus dag en nacht moeten ploeteren.'

'Wat zijn we weer leuk.' Tommy grinnikte wel voor hij het zei. 'Serieus, je kunt alles net afkrijgen als je een regelmatig tempo aanhoudt. Je werkt trouwens het best onder tijdsdruk.'

Jack kreunde. 'Dat zeg je nou altijd. Goed, laat eens zien… Ik heb al kladjes van de drie interviews gemaakt toen ik ze af had, dus dat scheelt alweer een hoop tijd.' Hij zweeg even en zei toen bedachtzaam: 'Ik moet wel erg nieuwsgierig naar die Annette Remmington zijn geweest, een paar weken geleden. Hoe haalde ik het in mijn hoofd een interview met haar te doen als ik toch al zoveel op mijn bordje had? En nog steeds heb.'

'Wees nou maar niet zo verbaasd Jack, je was erg benieuwd. Je belde me vanuit New York en vroeg me om het te regelen. Dus we belden haar kantoor en we mailden haar de aanvraag. En wat denk je? We sleepten het interview in de wacht. Goh, bedankt Tommy, dat je zo'n geweldige agent voor me bent!'

Langzaam begon Jack te lachen tot hij het opeens uitschaterde. Toen hij zich weer voldoende in de hand had, zei hij: 'Klopt, Tommy, je bent de beste van de wereld. Al lijk ik soms een ondankbare zak, dat ben ik niet. Ik ben je wel degelijk eeuwig dankbaar en je bent echt de beste in je vak. Als je me een beetje zuur vindt klinken, dan komt dat alleen omdat ik er weinig trek in heb om iemand te interviewen die niet uit vrije wil met me wil praten.'

'Annette Remmington zal je vast die indruk niet geven. Ze mag wat verlegen overkomen, maar Marius verzekerde me dat ze het belang van een interview met jou heus wel inziet. Het schijnt dat ze een nieuwe veiling aan het organiseren is, die volgens hem net zo sensationeel gaat worden als die met de Rembrandt. Hij bedoelde dus dat ze goed mee zal werken omdat ze de publiciteit nodig zal hebben om succesvol te blijven.'

Met een zwaai zette Jack zijn voeten op de vloer en rolde de stoel dicht naar zijn bureau. Over de hoorn gebogen vroeg hij dringend: 'En wat mag het topstuk van deze veiling dan wel zijn? Heeft hij dat gezegd?'

'Nee, natuurlijk niet. Zorg maar dat zij dat vertelt.'

'Dat zou best wel eens lastiger kunnen zijn dan je denkt. Misschien wil ze dat achterhouden voor een persconferentie die ze later gaat geven.'

'Probeer het toch maar. Dan wordt het een verhaal waar je u tegen kunt zeggen.'

'Dat lijkt me ook. Als ik het uit haar kan trekken. Heeft die Marius een plaats en tijd voor het interview gegeven?'

'Ja. Haar kantoor, om tien uur. Ik mail je het adres en de andere details.'

'Oké. Nou, ga je gang, Tommy, bevestig dat interview maar. Kunnen we het nu over andere zaken hebben?'

'Barst maar los,' zei Tommy.

Nadat Jack opgehangen had, begon hij met het doorlezen van de schetsen van de interviews en voegde er hier en daar wat nuances aan toe. Hij was content met die kladjes; ze waren een stuk beter dan hij had gedacht, dus hij hoefde er eigenlijk minder werk in te steken dan gewoonlijk.

Om één uur ging hij naar beneden en liep meteen door naar het terras, waar Hortense de tafel aan het dekken was. Ze keek op toen ze hem hoorde aankomen en glimlachte hem toe. De huishoudster kende hem al sinds hij een jochie was en ze had hem altijd veel aandacht geschonken, dus ze had hem ook een beetje verwend. Ze zei: 'Ik heb een salade niçoise voor u gemaakt, zoals u hem lekker vindt,' en haastte zich terug naar de keuken voor hij kans zag haar te bedanken.

Hij legde net zijn mobieltje neer toen het overging. 'Jack Chalmers.'

'Jack! Hai! Met Lucy.'

'Hallo, Luce,' zei hij en hij ging aan tafel zitten. 'Ik wilde je net bellen. Je bent me weer voor.'

'Ik dacht al dat je me vergeten was,' zei ze meteen, een beetje beschuldigend. 'Ik wacht al een uur of twee op je.'

'Sorry. Maar ik had een ellenlang gesprek met mijn agent,' legde hij uit. 'We hadden veel te bespreken.' Waarom verontschuldigde hij zich eigenlijk? Ze hadden afgesproken elkaar morgen te zien; hij had niet eens beloofd haar vandaag te bellen. Hij vroeg: 'Hoe laat zal ik morgenavond komen?'

'Een uur of zeven, of is dat te vroeg?'

'Een halfuurtje later komt beter uit. Halfacht. Ik wil een beetje opschieten met schrijven de komende dagen.'

'Prima. Je klinkt een beetje raar. Bel ik je ongelegen?'

'Ik begin net aan het laatste hoofdstuk en het gaat niet zo lekker,' zoog hij uit zijn duim. 'Kan ik je later even terugbellen, Luce?'

'Tuurlijk, wat je wilt,' antwoordde ze vrolijk en ze hing op voor hij gedag had kunnen zeggen.

Hij staarde naar zijn mobieltje, legde het weer op tafel, leunde naar achteren in zijn stoel en dacht na over Lucy Jameson. Waarom deed ze zo vreemd tegen hem wanneer hij een tijdje weg was geweest? Vertrouwde ze hem niet? Dacht ze dat hij rotzooide met andere vrouwen? Waarom gebruikte ze zo vaak dat beschuldigende toontje tegen hem? En deed ze soms zo agressief? Hij zuchtte. Hij had geen idee. En het kon hem eigenlijk ook niet schelen.

Hortense wekte hem uit zijn gedachten toen ze met de slakom verscheen, hem op tafel zette, verdween en terugkwam met een mandje stokbrood en boter. 'Bon appetit, monsieur Jacques,' zei ze vriendelijk.

'Merci, Hortense,' antwoordde hij en hij gaf haar zijn allerbeminnelijkste grijns.

Na zijn lichte lunch bracht Jack de rest van de dag achter zijn bureau door om de twee verschillende interviews met een regisseur en een scenarioschrijver die in Beverly Hills werkten af te ronden. Ze kwamen allebei uit Engeland en hadden samen een aantal films gemaakt, waardoor ze een befaamd team waren geworden. Ze hadden net een nieuwe film afgeleverd over een bekende, uitzonderlijk bloedige oorlog. Niets recents, maar uit een duister verleden. Hij was genoemd naar de plaats waar het allemaal was gebeurd. *Agincourt.*

Jack duwde zijn stoel weg en stond op, rekte zich uit en liep zijn werkkamer door.

Een paar minuten tuurde hij over de Middellandse Zee, opende toen zijn raam en ademde flink wat frisse lucht in. In één middag had hij de losse eindjes in de artikelen weten te verbinden, waar hij zo tegen op had gezien. Hij voelde zich ontzettend opgelucht. Nu hoefde hij alleen het derde interview, met de ster van de film, nog maar op te poetsen en het laatste hoofdstuk van zijn boek te schrijven om een punt te zetten achter zijn huidige verplichtingen.

Daarna zou hij meteen aan de research naar Annette Remmington beginnen. Wat Tommy ook zei, hij wist zeker dat het interview een hele uitdaging zou worden.

Op deze middag in maart had Jack Chalmers nooit kunnen vermoeden hoe groot die uitdaging zou worden. Of dat zijn ontmoeting met Annette Remmington zijn leven onherroepelijk zou veranderen en dat hij nooit meer de oude zou zijn.

13

Lucy Jameson beschouwde zichzelf als een kruising van twee werelden. Een exotische mix eigenlijk. Ze was half Amerikaans en half Frans en was in beide landen grootgebracht. Ze groeide op in New York, maar van jongs af aan had ze al haar zomers in Frankrijk doorgebracht.

Haar vader, Luke Jameson, was een Amerikaanse architect en haar moeder, Camille, die gestorven was, was een talentvol kunstenares geweest. Ze was geboren in Nice, in het huis waar Lucy nu met haar twee dochtertjes woonde.

La Ferme des Iris heette het; het was een oude boerderij die al meer dan honderd jaar in het bezit van de familie van haar moeder was geweest. Nu was het van haar, een geschenk van haar tante Claudine, de oudere zuster van haar moeder. Als eerstgeborene van drie dochters had Claudine het geërfd en vier jaar geleden was het op Lucy overgegaan. Claudine had de boerderij ooit laten renoveren, en het was een villa-achtige woning geworden, hoewel het authentieke karakter bewaard was gebleven. Wat Lucy betrof was de belangrijkste vernieuwing de uitbreiding van de rustieke keuken geweest, waar ze nu zat aan de enorme, bijna zeven meter lange, eiken tafel. Aan deze tafel bereidde ze alle gerechten, schreef ze haar culinaire boeken en ontving ze haar vrienden, omdat deze unieke keuken het middelpunt van het huis was.

Lucy runde van september tot begin december een kookschool en vier studenten konden dan een kamer huren op de boerderij, als ze wilden. De rest van het jaar werkte ze aan heerlijke, vernieuwende gerechten en schreef ze haar kookboeken. De eerste twee, *Eenvoudige Franse gerechten* en *Eenvoudige Franse menu's* waren uitstekend verkocht en nu werkte ze aan haar derde boek, met de titel *Franse gerechten à la carte*.

Lucy was een lijst hoofdstukkoppen aan het bedenken, en krabbelde er net wat aantekeningen bij toen de deur openging en haar tante met twee flessen wijn binnen kwam stormen.

'Ik dacht dat Jack deze wel zou waarderen,' verklaarde

Claudine en ze liep naar de grote tafel, waarna ze de flessen vlak voor haar nicht neerzette.

Lucy bekeek de etiketten en riep uit: 'O, mijn god! Château Duhart-Milon Domaines Barons de Rothschild Lafite 2000! Dat is toch veel te gek, tante Claudine! Het is geen bijzondere gelegenheid, hij komt gewoon eten vanavond.'

'Het is wel bijzonder, Lucy, en het is aan jou om hem dat te laten merken. Je hebt Jack nu al in geen weken gezien. Wees lief voor hem, geef hem al je aandacht, verwen hem. Dat is de enige manier om een man te winnen... Luister naar een zeer romantische oude Française, en volg haar advies op.'

'Je bent nog niet echt oud, Claudine, je bent nog maar vijfenzestig. Dat is het nieuwe vijfenvijftig tegenwoordig.'

'*Mon Dieu*, is dat zo? En wie zegt dat?' zei Claudine glimlachend, want ze vond het wel grappig.

Lucy lachte terug. 'Geen idee, maar het klinkt goed, niet dan?'

Claudine lachte terug, ging tegenover haar nichtje zitten en bekeek haar even. 'Is er... iets mis tussen jou en Jack?'

Lucy keek haar tante aarzelend aan, want ze wist niet hoe ze het moest uitleggen, maar mompelde uiteindelijk: 'Dat is nu weer overdreven, maar... nou ja, helemaal goed loopt het ook niet. Dat komt denk ik door de werkdruk en de stress waaronder we allebei zo af en toe staan, door de deadlines en het reizen. Hij reist wat af, moet je denken.'

'*Mais oui*, dat begrijp ik. Maar als hij hier is, op de boerderij, dan kun je het wel laten werken. Of niet?' Claudine fronste haar voorhoofd.

'Soms wel. Maar er zijn twee obstakels, en dat zijn niet mijn obstakels. Ze zijn van Jack,' zei Lucy een beetje geërgerd en met een zorgelijke blik.

Claudine trok vragend een wenkbrauw op, maar besloot haar mond te houden tot Lucy haar in vertrouwen zou nemen.

Even later legde Lucy uit: 'Eigenlijk heeft Jack moeite om zich te binden. Aan een vrouw dan. Hij heeft tweemaal eerder een relatie gehad, maar hij heeft het ook twee keer vlak voor de bruiloft uitgemaakt. We hebben het erover gehad, maar hij kan dit gedrag niet zo goed uitleggen. Hij weet niet hoe het komt, en ik nog minder.'

'Misschien is hij bang om te trouwen?'

'Dat zou kunnen. Maar er is nog iets en daar maak ik me meer zorgen over...' Lucy haalde haar schouders op. 'Het heeft weinig zin erover te praten, omdat jij en ik het antwoord niet weten.'

'Aha, een raadsel.'

'Nou, niet echt een raadsel. Je weet waarschijnlijk niet dat Peter Chalmers niet de biologische vader van Jack is. Hij was zijn stiefvader, hoewel ik heb begrepen dat hij evenveel van Jack hield als van zijn eigen zoon Kyle – hij was een toegewijde vader voor hen allebei. Desondanks is Jack geobsedeerd door wie zijn echte vader is. Het schijnt een bedrieger geweest te zijn, hij ging vreemd bij het leven, een nietsnut die vrijwel nooit thuis was. Jacks moeder scheidde van hem toen Jack zes of zeven was. Ze trouwde met Peter die weduwnaar was, toen Jack...' – Lucy hief haar handen ten hemel zoals de Fransen zo vaak doen – '... acht, negen jaar oud was?'

'Dat is niet ongewoon. Kinderen die hun biologische vader of moeder niet goed gekend hebben, zijn er altijd nieuwsgierig naar.'

'Ik denk dat je gelijk hebt. Maar Jack vertelde me een keer dat hij zich zorgen maakte over zijn bindingsangst, en mompelde dat hij net zo was als zijn vader, die van de ene vrouw naar de andere ging en nooit iemand trouw kon blijven.'

'Maar doet hij dat dan ook, *chérie*?' Claudine trok haar wenkbrauw weer op.

'Dat dacht ik niet. Maar weet ik veel. Ik bedoel, hij komt en gaat, vliegt de wereld over, van hier naar Londen naar New York en onlangs nog naar Beverly Hills. En nu is hij weer terug in Beaulieu. Hoe kan ik weten wat hij doet, en met wie, wanneer ik hier altijd op de boerderij zit?'

'Ik betwijfel of hij tijd heeft voor affaires of zo,' zei Claudine zacht, en ze meende het. 'Hij werkt hard. Dus pieker maar niet over dat soort zaken. Neem Jack zoals hij is. Ja, dat zou ik doen. Vertrouw hem, Lucy. Mannen merken het snel als een vrouw ze niet vertrouwt. En dat ergert ze.'

'Ik vertrouw hem ook wel, maar hij kan soms zo geïrriteerd doen, zo kortaangebonden en dat maakt mij dan weer zo... nerveus.'

'Laat je niet op stang jagen. Blijf rustig, blijf jezelf. En ik kom vanavond ook geen aperitiefje nemen. Jullie moeten alleen zijn.'

'Nee, nee, Claudine,' protesteerde Lucy. 'Ik heb je zo nodig, al duurt het maar één drankje. Daarna mag je weggaan, maar alsjeblieft, blijf even bij me. Dan kun je me je mening over Jack geven. Ik wil zo graag dat je hem even observeert, stiekem natuurlijk, en dat je me dan vertelt wat je van hem denkt.'

Claudine knikte. 'Oké dan, maar dan laat ik jullie alleen voor een *diner à deux*.' Opeens stak Claudine haar neus in de lucht en snoof aandachtig. Toen riep ze uit: 'O, Lucy, *parfait! Tu prépares un boeuf bourguignon!* Het ruikt verrukkelijk. En de rode wijn die ik heb meegebracht is er ideaal bij.'

'Blijf je echt niet eten?' vroeg Lucy, terwijl ze haar tante behoedzaam opnam. 'Jack maakt het niet uit. Hij is dol op je. En mij kan het ook niet schelen.'

'Maar mij wel. Ik zal me al de derde schoen voelen, zoals ze zeggen.'

'Ik heb nooit van die uitdrukking gehoord. Wat betekent het?'

'Overbodig.'

Lucy kon haar lachen niet inhouden. 'Volgens mij heb je hem zojuist verzonnen.'

'Nee, echt niet,' antwoordde Claudine verontwaardigd. 'Waar zijn Chloé en Clémence trouwens?'

'Marie heeft ze meegenomen naar Nice. Ze ging op bezoek bij haar moeder om een verjaarscadeautje voor haar zus te bezorgen. Ze zouden niet lang wegblijven.' Lucy keek op haar horloge. 'Het is net vier uur, dus ik denk dat ze er zo wel zijn. Ren nu niet meteen terug naar huis, wacht toch eventjes op ze, dan kun je ze tenminste een knuffel geven.'

'Goed.'

'Hoe is het met de inrichting?' vroeg Lucy en ze sloeg haar aantekenboek dicht.

'Schiet niet erg op. Maar dat komt omdat ik precies de juiste kleur voor een aantal kamers moet hebben. Die schilder heeft heel wat moeten overschilderen. Veel kleurgevoel heeft hij niet.'

Lucy knikte en onderdrukte een glimlach. Haar tante was ook zo'n perfectioniste en Lucy kon zich voorstellen dat alle werklui stapelgek werden van haar onophoudelijke veranderingen en eisen. Claudine had twee jaar besteed aan de bouw van een kleiner huis aan de andere kant van het erf, en nu het klaar was, zat ze midden in de afwerking en de inrichting.

Lucy stond op en liep naar de oven, deed ovenwanten aan en nam de kasserol eruit. Ze zette hem boven op het fornuis, tilde het deksel op en keek naar het vlees. De heerlijke geur van rundvlees, groenten en wijn dreef de keuken door.

'*C'est bon*, Lucy!' Claudine straalde; ze was trots op haar nicht en blij dat ze haar had aangemoedigd om haar droom te volgen en chef-kok te worden.

'Ik hoop maar dat Jack er ook zo over denkt,' antwoordde ze. Ze deed het deksel weer op de schaal en zette hem weer in de oven. 'Ik moet toegeven dat ik vandaag het recept van Julia Child heb gebruikt, omdat Jack die variant het lekkerst vindt.'

'Dat recept gebruik ik ook, Lucy.' Claudine keek haar scherp aan. 'Volgens mij gebruik je dat altijd.' Ze fronste haar voorhoofd.

'Klopt. Maar dat hoeft hij toch niet te weten?' Lucy's bruine ogen begonnen ondeugend te fonkelen terwijl ze weer aan tafel ging zitten. 'Het is toch de bedoeling dat ik hem in de watten leg?'

Claudine glimlachte alleen maar.

Claudine Villiers was dol op kinderen, vooral op haar twee achternichtjes, de schattige vierjarige tweeling van Lucy. Omdat het een eeneiige tweeling was, wist Claudine nooit precies wie wie was. Ook hun moeder had er wel eens moeite mee, dat had ze haar een tijdje terug al eens opgebiecht.

Ze leken als twee druppels water op Lucy en waren op-en-top Villiers. Er was geen greintje Alexandre Rosset in ze te bekennen, tenminste geen greintje dat zichtbaar was.

Claudine had nooit begrepen waarom Lucy en Alexandre gescheiden waren, maar ze had ook al niet gesnapt waarom ze ooit waren getrouwd. Alexandre was teruggegaan naar Parijs, waar hij tegenwoordig een nieuwe vlam had. Claudine was genoegzaam bekend met de grillen van het leven, maar ze kon er toch echt niet bij dat hij die twee kleintjes zo gemakkelijk had kunnen opgeven en ze maar zeer zelden kwam opzoeken. Dat vond ze niet normaal, zo harteloos als dat was.

Wanneer ze Lucy ernaar vroeg, haalde die op die uiterst Franse manier haar schouders op, noemde hem een eikel voor ze op kille toon zei: 'Ik kan hem niet meer luchten of zien, tante. Ik ben blij toe dat hij ze niet komt opzoeken. Zij missen hem ook niet. Ze kennen hem nauwelijks.' En Claudine kon dat niet ontkennen.

En nu ze toekeek hoe de twee meisjes hun moeder vol liefde omhelsden, terwijl ze opgewonden kwetterden, wenste ze dat ze een camera had meegenomen om dit idyllische tafereeltje vast te leggen.

De meisjes hadden zwart haar, net als hun moeder, en ook de grote donkere ogen van de familie Villiers. Onlangs had Lucy hen meegenomen naar haar kapper in Monte Carlo, en haar eigen kapster had hun haar geknipt zodat ze een pony kregen; ze zagen eruit om op te eten met hun marineblauwe blazers, grijze plooirokjes en witte T-shirts. Ze waren vrij fors voor hun vier jaar, en hadden lange benen. Claudine glimlachte in zichzelf. Ze zouden vast net zo lang worden als Lucy's moeder, haar zuster Camille, die een meter vijfenzeventig was geweest. Die lieve Camille, haar dierbare zuster, die acht jaar geleden plotseling aan borstkanker was overleden en haar kleinkinderen nooit had meegemaakt.

Claudine slikte en knipperde met haar ogen en draaide zich om, toen ze plotseling moest lachten omdat ze vier handjes aan haar rok voelde trekken terwijl twee hoge stemmetjes riepen: 'Tante Claudine! Tante Claudine! *Chocolat! Chocolat pour toutes!*'

'Waag het niet ze chocola te geven,' zei Lucy dreigend en joeg ze naar de schouw aan het andere eind van de keuken, waar een luie bank en stoelen rond de haard stonden.

'Tante Claudine maakt muntthee. Maar jullie krijgen melk en een paar warme rozijnenkoekjes.' Lucy keek even naar Marie, die op de drempel was blijven staan, en vroeg: 'Jij ook een glas muntthee, Marie? Of iets anders?'

'Muntthee is prima, dank u wel.'

Lucy zette de tweeling op de bank en zei: 'Als jullie heel lief zijn mogen jullie vanavond wat langer opblijven. Om Jack gedag te zeggen.'

'O, Jack komt!' gilde Chloé, klaarblijkelijk opgetogen door het nieuws. Clémence, de kalme van het stel, zei zachtjes: 'Ik hoop dat hij een poesje voor me meeneemt.'

'Een poesje? Hoe bedoel je: een poesje?' vroeg Lucy wat strenger.

'Hij heeft me een poesje beloofd,' legde Clémence uit.

'Hij zei dat hij hoopte dat hij er eentje kon vinden,' verbeterde Chloé haar. 'Hij heeft het niet beloofd.'

Help me hopen dat hij het niet is vergeten, dacht Lucy, toen ze naar de koelkast liep en er een fles melk uit pakte. Maar voor het geval hij het wel was vergeten, wat haar niet zou verbazen, moest ze een smoesje klaar hebben.

Haar tante, met een blad vol glazen thee met verse munt, keek haar veelbetekenend aan en fluisterde: 'Als hij nu geen katje voor haar meeneemt, kun je bijvoorbeeld vertellen dat hij nog bij de dierenarts is voor zijn prikjes. Misschien dat ze dat begrijpt. *N'est-ce pas?*'

Lucy knikte zwijgend.

14

De twee kleine meisjes zaten in hun nachtponnetjes en kamerjasjes in de keuken en zagen hem het eerst. Chloé rende op hem af en riep: 'Jack! Jack!' terwijl Clémence haar zusje wat meer ingetogen volgde.

Lucy en Claudine zaten aan het andere eind van de keuken en draaiden zich om toen ze Chloés stemmetje hoorden. Claudine stak haar hand op ter begroeting en Lucy glimlachte, stond op en kwam meteen met een elegante pas op Jack af.

Hij grijnsde naar de twee vrouwen en zwaaide, waarna hij de boodschappentas op de grond zette, de bloemen ernaast, en neerknielde terwijl hij zijn armen spreidde voor de tweeling. Zoals gewoonlijk was Chloé het eerst bij hem, terwijl Clémence wat verlegen blozend bleef dralen.

Nadat hij ze stevig geknuffeld had, stond hij op en zei: 'Dat was het mooiste welkom dat ik in lange tijd heb gehad. Dank jullie wel, meiden, ik ben zo blij jullie te zien!'

Chloé vroeg ongeduldig op luide fluistertoon: 'Heb je het poesje bij je? Je bent het toch niet vergeten, hè?' Ze keek gretig naar zijn spullen op de vloer en fronsend voegde ze eraan toe: 'Geen poes! Ik zie geen poes!'

'Nou, nou, Chloé,' zei Lucy op strenge toon. 'Wat ben je weer onbeleefd en–'

'Nee, nee, ik ben de poes niet vergeten,' onderbrak Jack haar snel. 'Maar ik moet eerst jullie moeder even gedag zeggen, en tante Claudine.' Intussen had hij Lucy bereikt en hij drukte haar tegen zich aan, terwijl hij in haar oor fluisterde: 'Wat zie je er weer fantastisch uit.'

Ze deed een stapje achteruit, glimlachte stralend naar hem en dacht: jij ook. Maar ze zei zachtjes: 'Dank je, Jack, en het spijt me dat Chloé–'

'O, laat toch zitten,' viel hij haar weer in de rede, pakte de bos bloemen op en nam ze mee naar Claudine. 'Deze zijn voor jou,' zei hij zacht en boog zich naar voren om haar op beide wangen te kussen. 'Toen ik over het erf liep zag ik dat je huis al bijna klaar is,' voegde hij eraan toe.

'Gelukkig wel. En merci, Jack, wat een prachtige bloemen. Neem me niet kwalijk, ik ga even een vaas zoeken.'

'Maar dat poesje...' begon Chloé, die om hem heen danste. 'Clémence hoopte zo op een poesje...'

'Nu moet je echt ophouden, Chloé!' Geërgerd schudde Lucy haar hoofd. 'Anders stuur ik je nu meteen naar bed. Het is heel onbeleefd om zo om cadeautjes te vragen. Dat is erg stout van je.'

'Maar...'

'Hou je mond!' riep Lucy. 'Geen woord meer over die kat.'

Jack liep naar Clémence, die bij de deur was blijven staan, en toen hij bij haar was zei hij verontschuldigend: 'Ik ben alleen bang dat ik geen écht poesje voor je mee kon nemen. Dat moet mamma ook goedvinden. Maar ik heb wel een plaatsvervangertje meegenomen.' Hij stak zijn hand in de boodschappentas en haalde er een snoezige, pluizige zwarte speelgoedpoes met grote ogen en een lange staart uit. 'Deze is voor jou, Clémence,' zei hij en hij duwde hem in haar handen. 'Hoe ga je hem noemen?'

Clémence was nog roder geworden en ze zette grote ogen op. Ze keek naar de poes en toen naar Jack en fluisterde: 'O, o! Is die echt voor mij?'

'Ja, ik zag haar en ik dacht meteen aan jou. Kom, hoe heet ze nou?'

'Zeg eens dank je wel, liefje,' zei Lucy zacht en raakte de schouder van haar dochtertje aan.

'Dank je wel, Jack,' zei Clémence gehoorzaam en glimlachte breeduit. 'Ik vind het zo'n lieve poes!'

'Hoe noem je hem nu?' wilde Chloé weten, die erbij was komen staan. 'Je moet hem Vlekkie noemen.'

'Vlekkie is een hondennaam,' zei Jack. 'O, trouwens, Chloé, over honden gesproken, ik geloof dat jij er graag eentje wilde. Dus heb ik voor jou ook maar een plaatsvervangertje meegenomen. Hier is-ie.' Hij haalde een pluizige witte puppy uit de tas en gaf hem aan haar. 'Deze is voor jou.'

'O! O! Een puppy! Dank je wel, mag ik hem houden?'

Jack moest erom lachen. 'Natuurlijk mag je hem houden. En jij moet ook een naam bedenken.'

'Oké,' zei Chloé en fronste haar voorhoofd. 'Is het een jongen of een meisje?'

Lucy onderdrukte een lachje. Echt iets voor haar voorlijke Chloé om zo'n slimme vraag te stellen. Ze probeerde met vaste stem te zeggen: 'Het is een meisje. En het poesje ook. Toch, Jack?'

Ook hij had moeite zijn lachen in te houden en voor de veiligheid knikte hij alleen maar.

Chloé stond zichtbaar hard na te denken met een blik op haar speelgoedhond.

Haar zusje aaide de kat en riep plotseling uit: 'Ik noem haar Hector.'

'Maar het is een meisje!' gilde Chloé.

'Misschien is Hectorine dan beter,' stelde Claudine voor, die erbij was komen staan en hen langzaam naar de bank bij de haard leidde.

'Dat is een heel mooie naam,' zei Jack. 'Vind je dat ook mooi, Clémence?'

Het meisje knikte en klopte de poes op haar kopje. 'Jij bent Hectorientje.'

'En hoe heet je puppy nu, Chloé?' vroeg Lucy.

126

'Ik weet niet... Ik vind Vlekkie of Vlekje zo leuk...' zei ze zachtjes.

Lucy zei: 'Maar het is zo'n schattig klein hondje, en helemaal wit, dus waarom noem je haar niet Vlokje?'

'O, ja!' riep Chloé uit en ging naast haar zusje op de bank zitten. Wat waren de meisjes blij met hun nieuwe speelgoed.

'Nou, dat is dan geregeld,' mompelde Jack en haalde een laatste pakje uit de tas. 'Dit is voor jou, Lucy.'

'O, Jack, wat leuk!' Ze scheurde het papier eraf en riep uit: 'O, mijn hemel, Chanel No. 5. Jack, dat is veel te gek. Dank je wel, het is mijn lievelingsparfum.'

'Weet ik toch.'

Claudine zei: 'Zullen we een aperitiefje nemen? Wat drink jij, Jack?'

'Een glas witte wijn lijkt me lekker, dank je.'

'En jij Lucy?'

'Doe mij ook maar, Claudine.'

'Bestaat de naam Hectorine eigenlijk wel?' vroeg Lucy en keek Jack over de rand van haar glas aan, met een lach in haar fonkelende, donkere ogen.

Hij nam een flinke slok van zijn koele witte wijn, genoot van de smaak en zei toen: 'Hoe moet ik dat weten?'

'Nou, jij bent een schrijver... Jij hoort dat te weten.'

Hij keek haar geamuseerd aan en pareerde dat met: 'Maar het klinkt Frans, dus hoor jíj dat te weten.'

'Ik ben maar half-Frans; voor de andere helft ben ik Amerikaans, mocht je dat vergeten zijn.'

'Het was Claudine die ermee op de proppen kwam, dus moeten we het haar maar vragen als ze terug is,' stelde Jack voor.

'Ben er al,' zei Claudine en liep terug naar de enorme haard waar Jack en Lucy op de bank zaten.

Claudine had een platte schaal in haar hand, waarop driehoekjes toast lagen met kaviaar, paté en gerookte zalm. Ze presenteerde de schaal en zei: 'Hectorine kan heel goed een Franse naam zijn, hoewel ik het ook verzonnen kan hebben. Maar Clémence vond het goed...'

'En Chloé ook,' onderbrak Lucy haar. 'En zij is altijd degene die tegenspreekt en zich afvraagt hoe dingen in elkaar zitten, totdat je er horendol van wordt.'

'Misschien, of nee, waarschijnlijk wordt ze advocaat als ze groot is,' merkte Jack op en keek hen veelbetekenend aan.

De twee vrouwen lachten en Lucy zei: 'Het voornaamste is dat je die kat niet bent vergeten en ook iets voor Chloé meebracht. Ze is helemaal weg van die puppy.'

'Ja, heel aardig van je, Jack,' zei Claudine goedkeurend. Ze zette de schaal met canapés op de koffietafel en ging zitten om ook een slokje van haar wijn te nemen. 'Als ze me er nog eens naar vragen, zeg ik wel dat het een Franse naam van lang geleden is... een oeroude naam.'

'Lijkt me een prima antwoord.' Jack glimlachte naar haar. 'Is het te laat voor een rondje door je huis? Ik heb het tenslotte zien groeien, dus ik wil graag zien hoe het geworden is.'

'*Mais oui!*' zei Claudine en stond direct op, nam haar glas en liep naar de deur. 'Maar dan moeten we nu gaan, voor het echt te donker is.'

'Is de elektriciteit dan nog niet aangelegd?' vroeg Jack.

'Oui, oui, maar nog niet elke kamer heeft een lamp. Ik neem de zaklamp wel mee.'

Het huis aan de overzijde van het grote erf was in dezelfde stijl als de boerderij gebouwd, met bleekroze gestuukte muren en een dak met rode dakpannen, maar het was een stuk kleiner.

Vanbinnen was het bijzonder fraai. Het was een voortreffelijk ontwerp van Claudine zelf, en Jack liep bewonderend rond terwijl ze hem door de grote zitkamer beneden rondleidde en Lucy langzaam achter ze aan liep.

Lucy kende het natuurlijk allang, maar elke keer dat haar tante haar vroeg te komen kijken naar iets dat die dag af was gemaakt, kon ze het niet laten op te merken hoe degelijk alles in elkaar zat.

'Het is geen groot huis, Jack,' zei Claudine. terwijl ze hem de woonkamer liet zien. 'Er is geen overbodige kamer te vinden. Ik wilde er zeker van zijn dat ik alleen ruimtes zou laten bouwen die ik ook zou gebruiken. Als er maar genoeg wanden voor mijn kunst zijn.'

'Dat is te zien,' antwoordde Jack. 'En ik denk dat ik dit de fijnste kamer vind. Niet alleen om al die ramen, het schitte-

rende uitzicht en de grote schouw, maar ook wat verhoudingen betreft. En die keuken is te gek.'
'Ja, hè?' zei Lucy. 'Het is dan ook een perfecte replica van mijn keuken, maar dan kleiner, en ik sta te trappelen om hier mijn eerste maaltijd klaar te maken.'

15

Jack schonk zichzelf nog een glas witte wijn in, ging op een van de stoelen aan de grote keukentafel zitten en keek naar Lucy terwijl hij over haar nadacht.

Ze was bezig met de kasserol; ze haalde hem uit de oven en zette hem op het fornuis. Ze nam het deksel eraf en keek in de braadpan; geconcentreerd begon ze in de stoofpot te roeren.

Hij snoof eens diep. Het water liep hem in de mond toen hij de heerlijke geuren rook die uit de grote pan opstegen. 'Mmm, dat ruikt wel erg aanlokkelijk!' zei hij. 'Ik kan niet wachten tot ik het mag proeven!'

'Dat is dan prettig,' zei Lucy zonder zich om te draaien, 'want ik heb het speciaal voor jou gemaakt.'

'Dat weet ik, en dat is zo lief van je. Ik weet heus wel dat je liever bij je *cuisine du soleil* blijft, die een stuk lichter is.'

'Het is niet míjn cuisine du soleil, maar die van Roger Vergé,' antwoordde Lucy. Ze deed het deksel weer op de pan en wijdde zich aan de schaal aardappels die ze eerder had gekookt.

Jack keek om zich heen en merkte dat Claudine nergens te bekennen was en fronsend vroeg hij: 'Waar is je tante toch?'

'Ze zit waarschijnlijk in het kleine huis, zoals ze het noemt, maar ze eet hoe dan ook niet met ons mee. Ze zei dat ze zich als de derde schoen zou voelen. Overtollig. Maar ze heeft wel twee geweldige flessen rode wijn uit de kelder meegebracht, en haar kennende heeft ze er al eentje opengemaakt om hem te laten ademen.'

Jack slenterde naar het raam dat rechts uitzag over Nice en links over Beaulieu; heel in de verte zag hij de glinsterende lichtjes van Monte Carlo. Wat een sprookjesachtig panorama was het toch. Elke keer weer was hij onder de indruk.

Toen hij de wijnfles pakte en het etiket las, zag hij dat Claudine de halve fles in een karaf op de tafel had overgeschonken. Hij riep naar Lucy: 'Ze heeft hem opengemaakt en heeft hem zelfs gedecanteerd.'

'O, goed zo,' zei Lucy en ze ging verder waar ze mee bezig was.

Toen hij terugliep naar de eiken tafel, liet Jack zijn ogen nog eens over haar gestalte gaan en bedacht nogmaals hoe aantrekkelijk ze eruitzag vanavond. Lucy had lang zwart haar, dat ze gewoonlijk in een vlecht droeg, zeker wanneer ze kookte, maar deze avond viel het los over haar rug, als een lap zwarte zijde. Ze had een strakke zwarte broek aan en een losvallende rode katoenen tuniek van Marokkaanse snit, haar favoriete dracht.

Ze was een uitzonderlijk goede kok, en hij wist dat het haar ware roeping was. Als klein meisje hielp ze al met koken wanneer ze logeerde bij de familie van haar moeder hier op de boerderij; later was ze naar de culinaire school van Roger Vergé in Mougins gegaan om verder te studeren. Uiteindelijk had ze een training gehad bij de fameuze Vergé in eigen persoon, in de keukens van zijn befaamde restaurant, Moulin de Mougins. Haar stijl van koken was gebaseerd op zijn eigen vinding, 'de keuken van de zon', die het accent legde op de lichte smaken van de Provence.

Ze keerde zich om en onderbrak zijn gedachten. 'Kom eens hier, Jack,' zei ze. 'Dan krijg je een bord boeuf bourguignon.'

'Ik ben er al,' antwoordde hij en hij haastte zich naar het fornuis, waar ze een bord voor hem opschepte. 'Ziet er heerlijk uit,' zei hij.

'Ik zet de aardappels wel op tafel,' zei ze en ze joeg hem terug naar een plaats aan tafel tegenover het raam.

Jack nam de karaf en schonk twee glazen rode wijn in, terwijl hij op haar wachtte. Even later kwam ze aanlopen met haar eigen bord en een kom nieuwe, beboterde en met peterselie bestrooide aardappeltjes. 'De perfecte garnituur voor de runderstoofpot,' verklaarde ze en ze ging tegenover hem zitten.

'O, wat verrukkelijk, Luce,' zei hij verzaligd na een paar happen. 'Absoluut geweldig. Ik heb geen idee hoe je dit voor elkaar krijgt.'

'Gewoon het recept van Julia Child volgen,' zei ze lachend en ze pakte haar vork om te proeven. 'Nou, hij is inderdaad erg goed gelukt vanavond,' mompelde ze, min of meer in zichzelf.

Hij hief zijn glas. 'Op jou, Luce, mijn favoriete chef-kok!'

'En op jou, Jack, mijn favoriete schrijver.'

Ze hadden allebei trek, genoten van de runderstoofpot, en toen Jacks bord leeg was, drong Lucy erop aan dat hij nog een portie nam.

'Daar zeg ik geen nee tegen,' zei hij en hij stond op om zichzelf nog eens op te scheppen.

Toen hij weer zat en een paar happen had genomen, kwamen ze eindelijk toe aan een gesprek. Jack begon met een verontschuldiging. 'Sorry dat we net niet aan praten toekwamen,' zei hij. 'Maar ik was veel te druk met die overheerlijke maaltijd. Dus eigenlijk is het jouw schuld dat ik zo stil was.'

Lucy keek hem aan en knikte. 'Ik zei ook niet zoveel omdat ik ook echt honger had gekregen.' Ze had haar bord leeg en had geen behoefte aan meer. Ze boog zich over de tafel en zei rustig, met vaste stem: 'Dank je, Jack, voor al die cadeautjes, en vooral voor de tweeling. Zo lief van je, zo'n hartelijk gebaar.'

'Tja, ik had haar nu eenmaal een poesje beloofd en ik wilde haar niet teleurstellen. Maar toen moest ik ook wat voor Chloé kopen, anders was het oneerlijk. Dus ook voor Claudine, en voor jou.'

'Je verwent ons maar.'

'Graag gedaan.'

Lucy leunde achterover en zweeg, terwijl ze probeerde zich te ontspannen na de drukke dag.

Het afgelopen halfuur hadden ze alleen onsamenhangend gepraat over het succes van haar tweede kookboek, het derde boek waarmee ze bezig was, en Jacks tijdschriftartikelen, maar Jack begreep opperbest dat er eigenlijk over iets heel anders gesproken moest worden. Oppervlakkig gezien zaten ze hier rustig, ontspannen en vriendschappelijk samen, maar

Jack voelde wel aan dat Lucy niet tevreden over hem was. Oké, ze was gezellig, bedankte hem uitbundig voor de cadeautjes, maar er was een geïrriteerde ondertoon in haar stem, al sprak ze zich er niet over uit.

Hij vertrouwde op zijn intuïtie, voelde dingen sterk aan, en hij kende haar natuurlijk. Ze was enigszins bezitterig van aard en hij had al lang geleden beseft dat ze een vaste, duidelijke relatie met hem wilde, een hechte band die uiteindelijk tot een huwelijk zou leiden.

Hij voelde zich ongemakkelijk als hij aan trouwen dacht en wilde zich eigenlijk ook niet settelen en vastzitten aan allerlei verantwoordelijkheden. Reizen was hem veel te lief en zijn carrière in de journalistiek bracht hem gelukkig steeds weer naar onverwachte plaatsen. Hij was er niet toe bereid om dat zomaar op te geven. Nog niet in elk geval. Hij begreep dat Lucy het liefste wilde dat hij gewoon altijd in Beaulieu zou blijven om zijn boeken te schrijven en steeds bij haar in de buurt zou zijn, als een permanent onderdeel van haar leven.

Nogal plotseling stond ze op en stapelde de borden op om ze naar het aanrecht te brengen.

Hij ging rechtop zitten en vroeg of hij moest helpen, maar hij wachtte het antwoord niet af, schoof zijn stoel naar achteren, stond op en pakte de aardappelschaal. Terwijl hij hem naast de borden zette, raakte hij licht haar schouder aan.

'Dank je.' Ze glimlachte even naar hem, liep naar het keukeneiland en zei: 'Ik hoop dat je nog een gaatje voor het toetje hebt.'

'Je weet best dat ik nooit iets kan afslaan wat jij hebt gemaakt,' antwoordde hij en vroeg: 'Wat is het? Mijn favoriete bloedsinaasappeltaart, wed ik.'

'Helemaal goed.'

Hij lachte. 'Ze zeggen dat de liefde van een man door zijn maag gaat, dus mijn liefde heb je binnen, Luce.'

Ze draaide zich naar hem toe, bleef hem even strak aankijken maar zei niets.

Plotseling voelde hij zich een idioot, zoals hij daar stond terwijl ze twee punten van de sinaasappeltaart sneed, ze op gebaksbordjes schoof, er wat vanillesaus over schonk en hem er een gaf.

'Dank je,' zei hij, terwijl hij het bordje aannam.

Zwijgend liepen ze weer naar de tafel. Terwijl ze het dessert aten werd er niet meer gesproken en Jack wilde dat hij zo-even die stomme opmerking niet had geplaatst. De blik die ze hem had toegeworpen bevestigde al wat hij had gedacht. Ze ergerde zich inderdaad aan hem, waarschijnlijk was ze zelfs kwaad op hem. Hij besloot maar niets te zeggen, want het was misschien beter haar te laten beginnen als zij iets op haar lever had. Waarom zou hij de problemen over zich af-roepen?

'We moeten eens praten, Jack,' zei Lucy ineens en zette haar wijnglas neer. Zonder iets te zeggen stond ze op, liep naar de haard, gooide er nog een blok hout op en pookte het vuur op.

Jack ging op de bank zitten en keek naar haar bewegingen. Hij bewonderde haar donkere schoonheid, de waterval van gitzwart haar die bijna tot haar taille kwam, de donkere, in-tense ogen, de lichtgebruinde huid, het hartvormige gezicht dat vrijwel geen make-up nodig had. Ze was een natuurlij-ke schoonheid, slank en met een goed figuur, en ze had een unieke ongedwongen gratie als ze zich voortbewoog. Hij kon zichzelf wel voor het hoofd slaan dat hij haar ver-waarloosde, dat hij soms nog twijfelde. Lucy was een eer-steklas vrouw, hoe je het ook bekeek, en hij was ontzettend stom geweest.

Toen ze weer naar de bank liep en aan het andere eind ging zitten, vroeg ze scherp: 'Waarom zit je zo naar me te staren?'

'Omdat je er zo oogverblindend uitziet.' Hij ging wat rech-ter op zitten en zei: 'Je wilt praten, en ik ook. Kijk, ik weet dat je kwaad op me bent–'

'Nee, ik ben niet kwaad,' onderbrak ze hem. 'Ik denk dat "gekwetst" meer in de buurt komt.' Toen hij niets terugzei, ging ze snel verder. 'Luister nou eens naar me, Jack. Het schijnt dat we een relatie hebben, maar je kwam me niet eens meteen opzoeken toen je terug was in Beaulieu. Dat begrijp ik gewoon niet.'

Prompt antwoordde hij: 'Dat was verkeerd van me, Lucy, dat zie ik nu wel in. Maar ik had zoveel aan mijn hoofd en ik was hondsmoe: jetlag, de vermoeiende reis van dat gek-kenhuis in New York naar LA, en dan nog die deadline voor die tijdschriftartikelen. Maar ik heb je toch een paar keer gebeld?'

'Dat is niet hetzelfde,' zei ze bits en ze keek hem strak aan. 'Ik verlangde naar je, wilde je zien, maar blijkbaar voelde jij niet hetzelfde.'

'Jawel, maar ik concentreerde me te veel op mijn werk. Egoïstisch. Ik was egoïstisch. Maar je weet dat ik hard en regelmatig moet werken. Ik moet ook mijn brood verdienen, weet je.'

'Dat snap ik wel. Dat moet ik ook. Ik heb ook geld nodig.' Lucy zei het wat zachter, scheen zichzelf in de hand te krijgen en onderdrukte een plotselinge vlaag van woede. 'Toen mijn tante me de boerderij gaf, kreeg ik daar niet het geld bij om de zaak te beheren. Dat is mijn eigen verantwoordelijkheid, al betaalt ze mee aan de kosten van de twee tuinmannen. En ja, ze betaalt natuurlijk huur voor haar kamers binnen de boerderij. Maar dat is een aflopende zaak omdat ze nu in haar eigen huisje gaat wonen. En Alexandre is zo'n waardeloze zak. Hij zou alimentatie voor de kinderen moeten betalen, maar het komt altijd te laat, of helemaal niet.' Ze schudde het hoofd en zuchtte. 'Daarom moet ik die kookboeken wel schrijven naast het leiden van die school. Net als jij heb ik geld nodig.'

'Dat weet ik, en ik besef ook wel dat je onder heel veel druk staat. We zijn allebei erg gestrest...' Hij stopte en keek haar liefdevol aan. 'Maar het spijt me dat ik niet even langskwam voor een snelle hap of een dikke kus. Echt. Lieve Lucy, het was zo verkeerd van me. Wil je me alsjeblieft vergeven?'

'Ja, maar ik wil toch graag weten waar ik aan toe ben. Blijven we bij elkaar, maken we er een echte relatie van? Of wil je het uitmaken? Ik moet het weten en je moet het eerlijk zeggen.' Ze nam een slok rode wijn en besloot met: 'Wat je ook zegt, ik zal het nemen zoals het is, en ik zal geen scène trappen.'

Aangezien hij de laatste vierentwintig uur vaak had stilgestaan bij hun verhouding en tot een paar conclusies was gekomen, hoefde Jack niet lang na te denken. 'Nee, ik wil het niet uitmaken. Zeker weten. Ik wil een goeie relatie met je hebben en ik wil ervoor gaan. Laten we maar zien waar we uitkomen, oké?'

'Dat lijkt me een prima plan.'

'Maar je moet inzien dat ik niet kan stoppen met reizen. Ik moet nu eenmaal van hot naar her voor mijn werk. Ik vind het heerlijk dat ze mij voor hun interviews willen, dat weet je. Het geeft me een kick. Ik heb nogal naam gemaakt, en soms moet ik nu eenmaal een tijdje in Londen zijn; daar komen de meeste opdrachten vandaan.'

'Dus wat je eigenlijk wilt zeggen is dat alles bij het oude blijft,' zei Lucy onverstoorbaar.

'Nee... nou ja, niet echt. Ik zal het beter indelen. Ik zal hier meer tijd met je doorbrengen. En trouwens, ik begin binnenkort weer met een nieuw boek, dus dan zit ik weer een hele tijd achter mijn bureau in Beaulieu.'

Ze knikte, maar hij zag een zorgelijke trek om haar mond en iets krampachtigs in haar schouders.

'Laten we er geen routine van maken... Het moet allemaal niet volgens vaste regeltjes gaan, bedoel ik. Mijn leven is nu eenmaal een beetje veranderlijk. Bovendien zul jij ook druk genoeg zijn met je nieuwe kookboek, en over een paar maanden beginnen de culinaire zomercursussen weer. We kunnen er toch wat moois van maken? Het is nu eenmaal geven en nemen voor ons allebei, dat is de enige manier waarop het gaat werken. Om wie we zijn en om wat we doen.'

Lucy gaf geen antwoord. Ze zat doodstil, staarde niets ziend voor zich uit en de gedachten schoten door haar hoofd.

Jack schoof wat dichter naar haar toe, legde zijn arm rond haar schouders, en hij zei: 'Laten we een nieuwe start maken, Lucy. Ik zal beter mijn best doen niet constant door mijn werk te worden meegesleept, zodat ik er voor jou kan zijn.'

Ze draaide zich eindelijk naar hem om en keek hem bedachtzaam aan. Ze wist dat hij soms nogal ambivalent tegenover haar stond, net zoals zij tegen hem. En toch hadden ze iets heel bijzonders met elkaar; ze voelde dat hij het werkelijk meende, dat hij er geen punt achter wilde zetten. En dat was goed genoeg voor haar. Voor dit moment.

Ze boog zich naar hem toe en kuste hem op de mond. Hij kuste haar meteen terug en vurig ook. Na een tijdje liet hij haar los en zei: 'En hier zijn we trouwens wel verschrikkelijk goed in, samen.'

Lucy glimlachte. 'Misschien kan het toch wat worden tussen ons, Jack.'

'Dat weet ik wel zeker!' Hij raakte zacht haar wang aan. 'Kan ik blijven slapen?'

'Dat hoopte ik wel. En ik kan je ook niet laten vertrekken, in deze toestand, en...'

'Ja, ik heb het een beetje warm gekregen,' viel hij haar in de rede. 'En ik sta te trappelen om je te bespringen.'

'Ik bedoelde dat je behoorlijk aangeschoten bent. Ik weet niet of je wel zonder ongelukken de berg af kan rijden. En dat risico wil ik niet lopen.'

Hij lachte en ging staan om haar overeind te helpen. 'Ik denk dat we maar beter het bed kunnen opzoeken. Er zijn kleine kindertjes in huis en ik zou niet willen dat ze ons op de bank betrappen terwijl we allerlei spelletjes aan het spelen zijn...'

DEEL DRIE

Een gevaarlijke ontmoeting

'De engelen blijven op hun plaats,
Keer slechts een steen, de vleugels zijn daar!
Het ligt aan u, en uw vervreemde blikken
Dat u dit luisterrijk ding moet missen.'

Francis Thompson
The Kingdom of God

16

Annette Remmington staarde naar buiten door een van de ramen van haar kantoor in Bond Street, maar ze zag niets. Ze was doodsbenauwd en kon aan niets anders denken.

'Zal ik koffie of thee maken, baas?' vroeg Esther Oliver.

Opgeschrikt door de stem van haar assistente draaide Annette zich met een ruk om en riep uit: 'Ik schrik me een ongeluk! Ik hoorde je niet binnenkomen!'

'Sorry,' verontschuldigde Esther zich. 'Maar ik dacht dat het een goed idee zou zijn om wat te drinken klaar te zetten voor Jack Chalmers binnenkomt.'

'Ik denk dat het beter is even op gang te komen met dat interview. Dan kun je altijd nog wat te drinken maken. Misschien wil hij wel water.'

Esther bekeek Annette aandachtig. Met licht samengeknepen ogen verklaarde ze: 'Je staat stijf van de stress. Je maakt je nu toch zeker geen zorgen meer over dat interview?'

'Ik ben bang van wel, maar ik ben ook zo'n neuroot. Aan elk vraaggesprek heb ik een bloedhekel. Al dat praten over mezelf komt me zo... nou ja, zo opschepperig, uitsloverig voor...' Ze trok een lelijk gezicht.

'Maar je bent geen opschepper of uitslover. Helemaal niet. Maar je hebt nu geen keus meer. Hij is al onderweg, dus het is te laat om het af te zeggen, baas.'

'Dat weet ik wel, Esther. Ik zit eraan vast.' Ze slaakte een diepe zucht. 'Marius heeft hem toegezegd dat hij die drie sessies mocht houden, en je snapt wel dat ik daar natuurlijk niets over te zeggen had.'

'Luister, hij schrijft een groot artikel voor het *New York Times Magazine*, en dat is geweldig voor jou en je kantoor in New York. Dat je deze veiling nu niet in New York houdt, wil nog niet zeggen dat je dat volgend jaar niet doet. Het is fantastische publiciteit voor je, Annette.'

'Weet ik wel.'

'Zet nou niet zo'n zielig stemmetje op, het is maar een journalist, hoor, en je zult zien, het loopt allemaal op rolletjes.' Esther glimlachte bemoedigend. 'Ze zeggen dat het een knappe vent is...'

'O! Wie heeft je dat verteld? Marius?'

'Nee joh. Laurie natuurlijk.'

Annette schudde haar hoofd en riep uit: 'En hoe weet zij nu weer hoe hij eruitziet? Ze heeft hem nog nooit ontmoet!'

'Malcolm Stevens heeft het haar verteld. Die is hem lang geleden bij verschillende gelegenheden tegen het lijf gelopen, en ook een keer bij Margaret Mellor. Hij heeft een paar artikelen voor het tijdschrift *art* geschreven, dus hij komt niet onbeslagen ten ijs wat je werk betreft, baas.'

'Hou nou eens op me zo te noemen, Esther, ik word er gek van!'

'Nou, ik vind het leuk en het past bij je. Ik zeg tegen iedereen dat jij mijn lady-baas bent. Klinkt geweldig.'

Annette zuchtte een beetje ongeduldig en liep haar kantoor door ter inspectie. Plotseling bleef ze staan en ze zei tegen Esther: 'Ik ben blij dat ik die twee Franse stoeltjes vorige week heb laten neerzetten, en dat koffietafeltje. Dat hoekje bij het dressoir lijkt wel gemaakt voor een interview.'

Haar oog viel op de enorme vergroting van het danseresje van Degas, dat ze vorige week had gefotografeerd. Ze liep ernaartoe en begon hem van het dressoir te tillen.

'O, wacht, ik help je even!' riep Esther en rende naar haar toe.

'Ik heb hem al, maar bedankt.'

'Waarom haal je hem weg?' vroeg Esther nieuwsgierig.

'Omdat ik nog niet weet of ik over het danseresje ga praten. Ik wil hem eerst even zien, even kijken wat voor vlees ik in de kuip heb.' Ze droeg de meer dan een meter hoge, op zachtboard geplakte foto naar de kast aan de andere kant van de ruimte en zette hem naast de vergroting van de Rembrandt. 'Malcolm zei tegen Laurie dat die Jack Chalmers echt een stuk is, type Hollywood zelfs,' zei Esther spontaan en ze glimlachte veelbetekenend.

'O, god, dat heb ik weer! Hij heeft waarschijnlijk een enorm ego, stikt van verwaandheid en zwelgt in zijn rol als sterreporter.'

Esther begon te lachen, want ze genoot altijd van Annettes overdreven commentaar, vooral op mensen die ze nog nooit gezien had. 'Volgens Malcolm heeft hij uiterlijk wat weg van de jonge William Holden,' voegde ze eraan toe.

Annette kreunde. 'O, god, dat is net wat voor Laurie! Ze is weg van die oude film waarin hij journalist in Hongkong speelde: *Love is a many-splendored thing*. Zoals je ongetwijfeld weet.' Annette ging in haar bureaustoel zitten en vervolgde: 'Je hebt hem ongeveer even vaak met haar moeten bekijken als ik.'

'Ze is nu eenmaal vreselijk romantisch,' zei Esther en voor ze wist wat ze zei voegde ze eraan toe: 'Ik geloof dat ze trouwens erg gek is op Malcolm.'

Dit verbaasde Annette enigszins en ze ging wat rechter op zitten. 'Nu je het zegt... Ik dacht laatst ook al zoiets. Ze zijn veel samen, en niet altijd voor het werk.'

'Dat weet ik, en ik zou zelfs durven zeggen dat het niet alleen maar vriendschappelijk is,' vertrouwde Ester haar toe.

'Bedoel je dat ze verliefd op hem is?' vroeg Annette stomverbaasd.

Esther knikte, haalde haar vingers door haar korte bruine krullen en klemde haar lippen op elkaar. Even later zei ze zacht: 'Kijk niet zo bezorgd. Als iemand Malcolm kent, ben jij het wel. Hij is toch een beschaafde, rustige vent?'

'Klopt, ja. Wat heb je nog meer opgevangen? Is Malcolm ook verliefd op haar?'

'Daarover heeft Laurie me nog niet in vertrouwen genomen, en ik heb ze niet samen gezien, dus dat weet ik niet.' Esther beet op haar lip en zei heel zacht: 'Laurie heeft me eens verteld dat ze... nou ja, seks kan hebben. Is dat waar?'

'Ja, dat kan ze best. Sommige vrouwen die een ruggenmergbeschadiging hebben verliezen niet het vermogen om te vrijen; er zijn verschillende gradaties van verlamming, weet je. Bij Laurie zijn een aantal zenuwen in de loop der jaren weer geheeld, en daardoor kan ze daar wat voelen en zich een beetje bewegen.'

Annette stond op, liep weer naar het raam, keek naar buiten en blikte haar assistente aan. 'Laurie is zo mooi. Tante Sylvia zei altijd dat zij de ware schoonheid van de familie is. Ik hoop echt dat Malcolm haar geen... pijn doet. Ik kan niet verdragen dat iemand haar pijn doet.'

'Dat doet-ie niet, het is niet zo'n eikel als sommige kerels met wie ik het heb aangelegd. Trouwens, ik heb geen idee hoever die relatie al gevorderd is, baas. Laurie liep niet zomaar naar binnen om te zeggen: "O, Esther, ik ben verliefd op Malcolm," of zoiets. Maar ja, ik ken haar goed, en ik heb van die dingetjes opgepikt... Je weet wel, hoe ze over hem praat, en dat ze weer samen uitgaan en zo.' Esther liep naar de deur en vroeg achteromkijkend: 'Wat denk jij ervan?'

Annette haalde haar schouders op. 'Ongeveer hetzelfde als jij, denk ik. Hij brengt veel tijd met haar door en ze hebben het een en ander gemeen. Ik neem aan dat ze het me wel vertelt. Uiteindelijk.'

'Dat weet ik wel zeker, baas,' zei Esther en vroeg zich even af wat Marius zou zeggen als hij het wist. Hij zou een relatie tussen Malcolm en Laurie zeker niet goedkeuren. Daar was ze van overtuigd. Hij kon er niet tegen om de controle te verliezen over degenen die hem na stonden, en wat zij deden was ook altijd zijn zaak. In haar ogen was het een megalomaan. Esther zuchtte en sloot de deur.

Rusteloos en een beetje angstig stond Annette op en ijsbeerde door haar kantoor. Ze eindigde weer bij het raam. Met haar voorhoofd tegen het glas dacht ze even na over Laurie en Malcolm. En toen schoot Carlton Fraser haar te binnen. De restaurateur was twee weken geleden naar het ziekenhuis gebracht met een fikse longontsteking, net toen hij met de Cézanne was begonnen, dat ook nog. Hij was aan de beterende hand volgens Marguerite en ze had Annette ook verzekerd dat hij spoedig weer aan het werk zou gaan.

Ze was niet van plan om zich vandaag zenuwachtig te gaan maken over de opknapbeurt van het schilderij. Ze had wel andere dingen aan haar hoofd, en wel wat belangrijkers te doen. Ook haar bezorgdheid om Laurie zette ze opzij. Over een paar minuten zou Jack Chalmers aanbellen en ze wist dat ze rustig en beheerst moest zijn voor het interview. En op haar hoede.

Toen Jack Chalmers om vijf over tien samen met Esther het kantoor binnenkwam, kreeg Annette een schok van herkenning die haar compleet van haar stuk bracht. Hoewel ze er vergif op durfde in te nemen dat ze hem nooit eerder had ontmoet, had ze het gevoel dat ze hem kende.

Zijn ogen bleven op haar rusten terwijl ze hem nieuwsgierig opnam, en hij wankelde even terwijl hij snel met uitgestrekte hand naar haar toe liep. Voor Esther een woord had kunnen zeggen, stelde hij zichzelf voor. 'Jack Chalmers, mevrouw Remmington. Goedemorgen.'

'Goedemorgen,' antwoordde Annette en ze deed een stap vooruit. Ze schudde zijn hand en onverwacht gingen de haartjes in haar nek overeind staan. 'Prettig kennis te maken, meneer Chalmers,' was het enige wat ze kon uitbrengen, zo overrompeld was ze door haar lichamelijke reactie op hem.

'Ik wil u allereerst bedanken dat u me vandaag wilt ontvangen,' zei hij zacht. 'En dat u niet afziet van een interview...' Jack aarzelde, en hij scheen plotseling zijn tong te zijn kwijtgeraakt, want hij stond daar maar en kon zijn ogen niet van haar gezicht afhouden. Verbaasd merkte hij dat hij er niet mee kon stoppen, net zomin als hij haar hand los kon laten. Pas toen de deur achter Esther in het slot viel, knipperde Annette met haar ogen. Sinds zijn binnenkomst waren er in werkelijkheid maar een paar seconden voorbijgegaan, maar het scheen haar veel langer toe, alsof de tijd had stilgestaan.

Ze kreeg zichzelf weer onder controle en trok haar hand heel zachtjes uit de zijne, zo zakelijk als ze kon. Ze knikte naar de Franse stoeltjes bij het dressoir. 'Laten we daar maar gaan zitten, goed? En wilt u misschien iets drinken? Koffie, thee? Of water?'

'Koffie met alleen melk graag, dank u,' antwoordde Jack en terwijl hij naar het zitje liep, keek hij om zich heen met oplettende blik.

Annette ging achter haar bureau staan, nam de hoorn op en drukte het knopje van de intercom in. Toen Esther opnam zei ze: 'Meneer Chalmers zou graag een kopje koffie met melk willen, en doe voor mij maar hetzelfde, Esther.'

Ze legde de hoorn neer en liep langzaam rond haar bureau naar het zitje. Ze had totaal niet verwacht dat Jack Chalmers er zo uit zou zien, zo aantrekkelijk en ja, het was waar: hij had een sterke gelijkenis met de jonge William Holden.

Hij was slank, met blond haar en lichtgrijze ogen, maar hij had iets speciaals wat niet met zijn knappe uiterlijk te maken had, en dat Annette zo aangetrokken had. Plotseling drong tot haar door wat het was: zijn kalmte, zijn innerlijke rust. Bovendien had hij iets stijlvols over zich, en hij had goede manieren. Hij had klasse.

Ook zijn kleding straalde rust uit: donkergrijze broek, lichtgrijs kasjmieren colbertje, stijf gesteven wit overhemd en een duifgrijze das.

De kleren waren stemmig van kleur, maar van uitstekende kwaliteit, en overduidelijk niet goedkoop. Iets anders wat ze opmerkte waren zijn schoenen. Hij droeg haar favoriete Amerikaanse *penny-shoes*, instappers van soepel, bruin, glimmend gepoetst leer. Ze vroeg zich af of hij in Amerika woonde, omdat er iets Amerikaans om hem heen hing. Die kleding? Die ontwapenende vriendelijkheid?

Hij ging pas na haar zitten en toen hij tegenover haar zat zei hij: 'Uw kantoor is nogal minimalistisch, niet? En het verrast me dat er geen enkel schilderij te bekennen is.' Zijn bijzondere doorschijnende grijze ogen waren weer op haar gericht, en hij glimlachte warm.

'De muren zijn leeg omdat ze op schilderijen wachten. Die ik zou kunnen verkopen, of die ik zou kunnen aankopen. Ik wil geen favorieten van mezelf laten wedijveren met andere kunst. Ik probeer zo objectief mogelijk te zijn met werk dat ik koop of verkoop.'

'Wat goed bedacht,' zei hij. 'En ik was even vergeten dat u geen galerie beheert, maar een eigen kunstadviesbureau heeft.'

'Inderdaad,' zei ze.

Er werd op de deur geklopt en Esther bracht snel een dienblad naar het tafeltje tussen hen in. 'Daar zijn we dan,' zei ze. 'Melk, suiker, zoetjes en een paar koekjes.' Met een knikje en een glimlach verdween ze weer, terwijl Annette over haar schouder: 'Dank je wel!' riep.

'Ik heb een beetje research gedaan, ter voorbereiding van het interview,' begon Jack. 'Maar op Google was niet veel te vinden. Ik heb het idee dat u misschien helemaal niet van interviews houdt...' Hij trok een wenkbrauw op terwijl hij sprak en glimlachte weer.

Die glimlach was net zo ontwapenend als zijn informele manier van doen en ze beantwoordde zijn vraag net zo losjes. Haar angst voor het interview was al danig gezakt door de rust, de kalmte die hij uitstraalde, en zijn vriendelijke houding.

Ze zei: 'Er valt niets te googelen omdat ik nog geen enkel

groot interview gegeven heb, alleen maar korte gesprekjes nadat ik die Rembrandt had verkocht. Er staat echt niet veel over mij op internet. Ik had tenslotte ook niet veel bijzonders gedaan tot ik die veiling hield. Pas toen werd ik interessant voor de media.'

'Nogmaals bedankt dan dat u mij de eer gegeven hebt. Ik moet zeggen dat ik me zeer gevleid voelde toen mijn agent me vertelde dat u mij gekozen had. Trouwens, ik moet u nog wat bekennen. Ik ben ontzettend nieuwsgierig naar die Rembrandt, en hoe die de weg naar dit kantoor vond. Ik begreep dat het schilderij van Christopher Delaware was, hij had het geërfd van zijn oom, sir Alec Delaware. Maar hoe hij nu precies bij u terechtkwam, staat nergens.'

'Het was gewoon boffen. Of stom geluk. Wat je wilt.'

'Of een beetje van allebei?' stelde hij voor. 'Vertel eens.'

'Zo'n acht, negen maanden voor Christopher bij me kwam met die Rembrandt, zat hij toevallig naast me bij een diner van een wederzijdse vriend. Toen hij kort daarna de kunstverzameling van zijn oom erfde, dacht hij ineens aan mij, maakte een afspraak en kwam binnenwandelen met die Rembrandt.' Ze begon te lachen. 'In een plastic boodschappentas nog wel.'

'Goede god! Was dat niet gevaarlijk? Stel je voor dat hij beschadigd was geraakt!' Jack was duidelijk verbaasd.

'Precies. Maar hij was nog wel zo slim geweest om hem in een dikke deken te wikkelen voor hij hem in die tas deed. Hij liet me het schilderij zien, zei dat hij het wilde verkopen en vroeg of ik dat voor hem wilde regelen.'

'En u zei ja.'

'Wie zou dat niet doen?'

Jack knikte en lachte. Hij opende een zakje zoetjes, schudde ze in zijn koffie, voegde melk toe en roerde. Hij nipte er snel van en ging verder: 'Ik weet dat u een expert in oude meesters bent, maar van het impressionisme weet u ook heel veel. Dat viel me op omdat er zo'n wereld van verschil tussen die twee kunststromingen bestaat.'

'Klopt, ja, er bestaat een enorm verschil. Ik begon met een studie van de impressionisten, maar later specialiseerde ik me ook in schilders uit de Gouden Eeuw, omdat ik me wilde verbreden, wat kennis van kunst en kunstgeschiedenis betreft.

Eerlijk gezegd blijven de impressionisten mijn grote liefde, vooral Renoir, Manet en Degas, maar dat zijn zeer persoonlijke keuzes, zeg ik erbij. Mijn zusje legde me een hele tijd geleden al uit dat ik een tweede pijl op mijn boog moest hebben, en ik luister altijd naar haar.' Dit was een volslagen leugen. Het was Marius die haar had aangespoord de oude meesters te bestuderen, Laurie had er niets mee te maken. Om de een of andere reden wilde ze haar echtgenoot niet noemen. Al vermoedde ze wat die reden was...

Jack zei: 'Goh, ik ben ook een groot fan van Renoir. Vooral die kleuren, die levendigheid van alles en iedereen wat hij schildert vind ik zo mooi.'

'Afijn, om terug te komen op míjn Rembrandt, zoals ik hem noem: het is niet vreemd dat ik erg opgewonden was toen Christopher bij me kwam. En erg gevleid.'

'Nou, dat wil ik wel geloven. Die Rembrandt was een portret van een vrouw, toch?'

Annette sprong op. 'Wilt u hem zien? Ik heb er een enorme foto van.'

'Of ik dat wil! Ja, graag!'

Jack volgde Annette aandachtig met zijn blik toen ze door de kamer liep. Ze was lang, soepel als een wilgenboompje en ze had het fraaiste stel benen dat hij in lange tijd had gezien. Die blonde kleur haar, het heldere lichtblauw van haar ogen en haar verfijnde trekken hadden hem vanaf het eerste ogenblik sprakeloos doen staan. Ze had een verpletterende indruk op hem gemaakt toen hij een minuut of wat geleden haar kantoor binnen was gekomen. Maar het vreemdste was nog wel dat hij het gevoel had dat hij haar al kende. Ze kwam hem zo bekend voor dat hij het er benauwd van kreeg. Hij had zijn zielsverwante gevonden.

Jack had nooit op zo'n vrouw durven rekenen, een vrouw die hem zo van de kook bracht dat hij even gewankeld had toen hij haar kantoor binnenliep. Gevaarlijk, dacht hij. Gevaarlijk voor mij...

'Hier is-ie,' zei Annette aan de andere kant van de kamer en pakte de enorme vergroting vast terwijl ze hem uit de kast tilde.

Jack haastte zich naar haar toe en wilde de zware vergroting van haar overnemen. Hun handen raakten elkaar en ze trok de hare zo bliksemsnel terug dat hij haar vragend aankeek.

Annette keek terug, slikte en kon geen woord uitbrengen. Zijn aanraking was een elektrische schok geweest. Langzaam verspreidde zich een lichte blos vanuit haar hals naar haar wangen.

De roos ontluikt en kleurt, dacht Jack. Of de perzik. Mijn god, wat een huid heeft ze. Perfect glad en zacht. Een typische Engelse roos, dacht hij. 'Waar zal ik hem neerzetten?'

'Meestal zet ik mijn vergrotingen op het dressoir, tegen de muur,' antwoordde Annette, woest op zichzelf dat ze zo opvallend was gaan blozen. Maar de blik in zijn ogen was zo doordringend, zo intens, dat ze het idee had dat hij recht door haar kleren heen keek en haar in al haar naaktheid kon zien. Ze realiseerde zich wel dat hij zo vragend gekeken had toen ze haar hand zo snel terug had gehaald. Hij was verschroeiend, dacht ze, hij schroeide me gewoon. Maar hoe kon ze hem dat nu vertellen?

Het rinkelen van de telefoon bracht haar weer bij haar positieven. Terwijl ze erheen liep zei ze: 'Sorry hiervoor. Misschien wilt u hem daar even neerzetten?'

'Oké.'

'Ja, Esther. Is het belangrijk?' vroeg Annette.

'Het is Carlton Fraser. Hij moest je even spreken.'

'O, hemel! Ja, geef hem maar.' Ze bedekte de hoorn met haar hand en riep: 'Meneer Chalmers, het spijt me, maar ik moet dit gesprek echt nemen. Het duurt maar een paar minuutjes. Wilt u me even verontschuldigen?'

'Geen probleem. Wilt u liever wat privacy? Ik kan wel even naar de gang–'

'Nee, nee, dat is echt niet nodig.' Ze glimlachte naar hem en ging achter haar bureau zitten.

'Hallo! Ik ben zo blij van je te horen. Ik was vreselijk bezorgd. Hoe gaat het nu met je?'

'Ik ben bijna beter, Annette, kindje. Op Goede Vrijdag mocht ik het ziekenhuis uit, dus ik heb een paar heerlijke dagen thuis met Marguerite doorgebracht en haar aanwezigheid en unieke kookkunst hebben wonderen voor me gedaan en ik ben bijna weer helemaal op de been. Ik hoop binnen een week, anderhalve week weer aan het werk te gaan.'

'O, alsjeblieft, maak je niet druk over dat werk voor mij. Je gezondheid gaat echt boven alles.'

'Ja, ik moet goed op mezelf letten, dat weet ik wel, en ik word er ook niet jonger op.' Hij grinnikte en voegde eraan toe: 'Je weet toch dat ik een cipier als vrouw heb, dus reken er maar op dat ze me als een havik in de gaten houdt. Zeg Annette, ik bel je omdat ik je moet spreken. Vandáág. Kan dat?'

'Natuurlijk,' zei ze meteen. 'Maar dat wordt wel vanmiddag.'

'Prima. Dank je, kind. Kun je hierheen komen? Rond theetijd? Rond vieren?'

'Dan kan ik wel.' Ze fronste haar voorhoofd en vroeg: 'Is er iets aan de hand? Zijn er problemen?'

'Je moet zelf maar kijken.'

'Waarnaar?'

'De Cézanne.'

'O! Waarom? Waarom wil je dat ik hem bekijk? Gaat het over het roet?'

'Ik moet je wat interessants laten zien.'

'Wat dan?'

'Annette, het is een beetje ingewikkeld om dat over de telefoon te bespreken. Kom je om vier uur langs?'

'Ja, afgesproken. Tot straks.' Met de hoorn in haar hand vroeg ze zich af waar dit over ging. Carlton was meestal juist zo open. Rechtdoorzee, een tikkeltje bot zelfs. En ze kon zich niet indenken waarom hij opeens zo vaag deed. Het vreemde gesprek terzijde schuivend, liep ze weer naar Jack toe.

'Sorry hoor.'

'Maakt u zich geen zorgen. Ik heb het schilderij zitten bekijken... de beroemde Rembrandt.'

'En?' vroeg ze en ze keek hem aan. Hij had een licht verwarde blik.

'Twintig miljoen pond is toch een enorm bedrag om zoiets in handen te krijgen, niet?'

'Dat kun je wel zeggen,' zei ze. 'Zullen we verdergaan met het interview?'

'Graag!' zei Jack en tot haar ontsteltenis nam hij haar bij de arm en bracht haar naar de Franse stoeltjes. Ze kon zijn eau de toilette ruiken, hij was zo dichtbij. Wat was het? Guerlain, natuurlijk. Impériale. Wat typisch. Dat gebruikte ze zelf namelijk ook heel vaak, al wist ze dat het een mannenluchtje was. Ze verstrakte in zijn nabijheid en ze ontspande pas weer toen ze zat en hij in het andere stoeltje plaatsnam.

17

Na opnieuw een blik op de vergroting van de Rembrandt op het dressoir te hebben geworpen vroeg Jack: 'En, hoe voelde dat nu toen er werd afgeslagen op twintig miljoen pond? Het was uw eerste veiling tenslotte, dus u moet dolblij, opgewonden, verbouwereerd of totaal verbijsterd zijn geweest. Kies er maar eentje; vertel maar eens hoe het voelde.'
Annette schudde haar hoofd. 'Dat kan ik niet. Het is onmogelijk om er maar eentje te kiezen, want ik had al die gevoelens tegelijk. Het was zo'n emotioneel moment voor me! Ik neem aan dat ik eerst alleen verbouwereerd was, aangedaan, ik geloofde mijn oren niet, en toen kwam de verbijstering natuurlijk. Maar voor mijn klant was ik ontzettend opgetogen. Uiteraard was Christopher door het dolle heen. En een beetje overdonderd.'
'Dat zal best,' zei Jack en hij haalde een klein memorecordertje uit zijn zak, legde het op de koffietafel en keek haar aan. 'Ik zou ons gesprekje graag opnemen, als het je niet stoort. Ik vind dat prettiger dan alles op te schrijven, omdat het me altijd een beetje opdringerig lijkt, of ontmoedigend voor degene die wordt geïnterviewd.'
'Prima, ik ben het met je eens. Ik denk dat ik me met een kladblok en een potlood wat onbehaaglijk zou voelen, je moet zo op je woorden letten.'
Hij keek haar even aan en grinnikte: 'Eerlijk gezegd, mevrouw Remmington, heeft mijn agent me verteld dat u niet zo happig was op een interview. Dus ik dacht, ik maak het u maar zo makkelijk mogelijk. Kijk, ik schrijf gewoon een verhaal over een succesvolle vrouw in de kunstwereld, ik ben er niet op uit om u allerlei dingen te ontlokken.'
Annette was stil en toen keek ze hem diep in de ogen. Zacht

zei ze: 'Ik heb ook nooit gedacht dat u dat van plan was. En noem me alsjeblieft Annette.'

'Natuurlijk. Graag zelfs, als je mij Jack noemt. Wel, vertel me eens wat over de dag dat Christopher Delaware bij je kwam met die Rembrandt. Wat je dacht, en wat je voelde toen je het schilderij zag.' Terwijl hij sprak zette hij de taperecorder aan, keek even of hij liep en leunde achterover in zijn stoel, met zijn aandacht op haar gevestigd.

Ze begon te praten, eerst wat langzaam en behoedzaam. 'Als ik er nu op terugkijk, besef ik dat ik stomverbaasd moet hebben gestaan. Ik kon mijn ogen niet geloven. Een Rembrandt in mijn kantoor, zoiets was toch niet mogelijk! Het was vast een droom. Ik weet nog dat ik begon te trillen, maar van opwinding, niet van angst. Op het eerste gezicht was het duidelijk dat het schoongemaakt moest worden, en waarschijnlijk wat restauratie nodig had, wat heel gebruikelijk is bij zo'n oud schilderij. Maar om het samen te vatten, ik was... in de zevende hemel.'

'Waarom denk je dat het voor zoveel geld verkocht werd?' vroeg Jack die haar indringend aankeek, de ogen enigszins samengeknepen.

Annette merkte opeens dat er wat sceptisch in die vraag doorklonk; ze bleef bedachtzaam even zwijgen. Toen antwoordde ze: 'Ten eerste wordt Rembrandt beschouwd als de grootste van alle Hollandse meesters. Volgens mij is hij bovendien een van de grootste schilders aller tijden. Ten tweede was dat schilderij in geen vijftig jaar te zien geweest voor het grote publiek. Het zat verstopt in de collectie van Alec Delaware, waar het al die jaren stond te verstoffen. En trouwens, schilderijen van Rembrandt zijn sowieso maar hoogst zelden op de markt. Niet bepaald dertien in een dozijn.'

Jack glimlachte geamuseerd, controleerde de recorder nog even en zei toen: 'Ik ken Margaret Mellor, ik heb een aantal artikelen voor het tijdschrift *art* geschreven. Ik heb tijdens mijn research voor dit gesprek ook met haar gesproken. Ze is een groot fan van je, moet je weten.'

Dat deed Annette zichtbaar plezier. 'En dat ben ik ook van haar. Het is een goede vriendin en ze is prima in haar vak. Wat had ze over mij te vertellen?'

Een blonde wenkbrauw werd vragend opgetrokken en Jack

merkte meteen hoe de interesse in haar ogen groeide. Jack zei: 'Ik heb haar geen persoonlijke dingen over jou gevraagd. Ik wilde alleen weten of ze op de veiling was geweest, en dat was het geval. Ze merkte wel op dat je een fantastische reclamecampagne vooraf had opgezet, waardoor die Rembrandt ongelooflijk beroemd was al weken voor hij geveild werd.'

Annette barstte in lachen uit, maar tegelijkertijd bracht ze uit: 'Ik vertelde alleen overal waar ik maar kwam wat een prachtstuk het was. Maar ik kreeg inderdaad kritiek van een paar mensen, die zeiden dat ik het het graf in geprezen had. Maar ik blijf erbij dat ik het tot leven heb gewekt. En dan, zoveel geld was er nog nooit voor een Rembrandt betaald.'

'Ik wist dat al uit een van die stukjes die er over je geschreven zijn, ja. Trouwens, Margaret vertelde me dat je de promotie voor de veiling meesterlijk had uitgevoerd, ze vond het echt een briljante campagne.'

Terwijl hij wat vooroverleunde, vervolgde Jack: 'Ik weet niet zoveel van Rembrandt en zijn werk. Ik kan er dan wel wat over opzoeken, maar ik vroeg me af of jij me niet een paar blikken in zijn wereld zou willen geven, jouw gedachten over hem. Volgens mij wordt het dan wat persoonlijker, toegankelijker voor de lezers.'

'Rembrandt was geniaal,' begon Annette. 'Behalve een uitzonderlijk knappe schilder was hij ook diep begaan met de mens. Ik denk dat zijn portretten daarom zo... zo lévend zijn, zo écht. Toen ik die vrouw op die vergroting daar voor het eerst goed bekeek, had ik het idee dat ik haar huid zou kunnen aanraken wanneer ik mijn hand uitstrekte, geen verf en linnen.'

Annette stond op, liep naar het dressoir en wees naar de jurk op het schilderij. 'Deze tafzij ziet er zo echt uit dat ik hem haast kan horen ritselen. Ik geloof dat hij in de mensen kon kijken die hij schilderde. Ik zal het anders zeggen. Ik weet zeker dat hij een enorm psychologisch inzicht in zijn modellen bezat, wist wat ze dreef, en erin slaagde hun innerlijke leven naar buiten te brengen en het kon laten zien in de uitdrukking van hun gezicht.'

Annette ging weer zitten en legde het uit. 'Hij maakte dat schilderij in 1657. Voor mij is het een prachtig symbool van het overwinnen van tegenslag, want hij had grote persoonlijke problemen in die tijd. Zijn vrouw was gestorven, hij was failliet, kwam om in de schulden, en hij moest zelfs naar het platteland vertrekken om zijn schuldeisers te ontvluchten. Hij werd helaas een kluizenaar. Maar het ergste was dat hij beschouwd werd als ouderwets, kortom zijn schilderijen waren niet meer in de mode...'

Annette verschoof in haar stoel en zuchtte. 'Stel je eens voor dat je zo'n last op je schouders hebt. En toch schilderde hij toen zijn grootste meesterwerken.' Ze schudde haar hoofd. 'Ongelooflijk. En mijn Rembrandt, zoals ik hem nog steeds noem, is een van de grootste triomfen van deze kunstenaar, een voorbeeld van zijn reusachtige talent en van pure wilskracht. Het was duidelijk dat niets hem kon beletten om verder te werken.'

Jack riep uit: 'Wat vertel je dat schitterend! En ik had gelijk: ik had zo'n beschrijving nooit kunnen krijgen als ik hem gewoon op Google had opgezocht. Dus, nog maar een vraag voor je, al denk ik niet dat je daar antwoord op zult geven.'

'O. En waarom dan niet?' Nogmaals trok ze een blonde wenkbrauw op.

'Omdat ik denk dat je het niet kunt, en dan bedoel ik dat je daar waarschijnlijk geen toestemming voor hebt. Maar ik wil het je toch vragen. Wie was de koper die twintig miljoen pond neerlegde voor het schilderij?'

'Ik moet je het antwoord schuldig blijven, maar alleen omdat ik het simpelweg niet weet. Het was een anonieme koper die zijn bod deed via de telefoon, en ik weet zeker dat het een agent was die elke keer het bod doorgaf, niet de koper zelf.'

'Oké, jammer. Maar dan nog: gefeliciteerd. Je hebt een fantastische veiling opgezet, op alle vlakken, en je bent een ster! Ik zou zeggen van de ene dag op de andere, maar dat is niet helemaal correct. Denk ik.'

'Niet echt. Ik zit al lang in de kunstwereld.'

'Hoe ben je daarin verzeild geraakt? Hoe ben je begonnen?' vroeg Jack. Het was zijn eerste persoonlijke vraag naar haar achtergrond en hij was nieuwsgierig.

Annette gaf niet direct antwoord. Toen haalde ze diep adem en stak van wal met haar zorgvuldig voorbereide verhaal.

'Als kind was ik altijd al geïnteresseerd in kunst, ik zat altijd schilderijtjes te maken. Uiteindelijk, toen ik ouder was, kreeg ik de kans aan het Royal College of Art te studeren, waar ik in een paar jaar tijd ontzettend veel heb geleerd. Maar ik was wel geboren met een kritische blik, ook voor eigen werk, en ik begon te begrijpen dat ik geen tweede Mary Cassatt, Berthe Morisot of Dame Laura Knight zou worden. En zo besloot ik kunsthistorica te worden. Ik blijf erbij dat het een wijze beslissing was, een goede zet van me.'

'Je zei daarstraks dat je zus je adviseerde om twee pijlen op je boog te hebben. Daarom was je naast je specialisatie in impressionisme ook oude meesters gaan bestuderen. Heeft ze... was ze... van grote invloed op je carrière?'

'Alleen door me aan te moedigen,' antwoordde Annette. 'Door haar heb ik altijd doorgezet.'

'Zit ze ook in de kunst?'

'Zo ongeveer. Ze is kunsthistorica, zoals ik, en ze doet veel research voor kunsthandelaars. Ze heeft zich gespecialiseerd in Degas' werk.'

'Hoe heet ze?'

'Laurie. Ze is een paar jaar jonger dan ik. Ze heeft een dwarslaesie opgelopen bij een auto-ongeluk toen ze een tiener was.'

'O, het spijt me dat te horen...' Zijn stem stierf weg.

Annette vertrouwde hem nu toe: 'Ze is een topmeid, een inspiratie voor iedereen. Klaagt nooit, altijd vrolijk en ze geniet van haar drukke leven, net als van haar werk.' Ze voegde er luchtig aan toe: 'Ze is ontzettend knap.'

'Wat is haar achternaam? Niet Remmington, want dat is de naam van je man.'

'Watson, Laurie Watson.'

'Is ze getrouwd?'

'Nee.' Annette glimlachte warm naar hem. 'Je kunt met haar praten als je wilt. Mij kan het niet schelen.'

'Dank je,' zei hij, en glimlachte terug. 'Dat zou ik wel eens kunnen doen. Later. Nu wil ik nog een paar vragen over je werk stellen en dan laat ik je verder met rust. Tot vrijdag althans.'

'Ja, natuurlijk.' Ze keek op haar horloge. 'Hemel, het is al bijna halfeen. Wat vliegt de tijd.'

'Zeg dat wel,' zei hij met een peinzende blik op haar. Hij wilde haar vragen met hem te gaan lunchen, maar hij hield zich in. Hij wilde niet dat ze daardoor een verkeerd idee van hem kreeg, en hij zou haar nog tweemaal interviewen voor hij zijn stuk voor de *Sunday Times* moest schrijven. Nee, het was beter het zakelijk te houden, zei hij tegen zichzelf. En veiliger bovendien.

Hij was weer weg.
Annette staarde voor zich uit in haar kantoor en ze voelde zich alleen. Echt alleen. Jack Chalmers had de ruimte gevuld met zijn aanwezigheid, zijn gelach, zijn slimheid en zijn charisma. Er was geen twijfel mogelijk, hij was een man met een enorme dosis natuurlijke charme en hij wist ook hoe hij die in zijn voordeel kon gebruiken.
En toch besefte Annette dat hij integer, hartelijk en attent was. Hij was vastbesloten geweest haar op haar gemak te stellen en dat was hem gelukt.
Uit alles sprak dat Marius Jacks agent had verteld dat ze grote weerzin had tegen interviews; Jack had daar even op gezinspeeld, maar had daar verder geen punt van gemaakt. Het was een ontwapenend gebaar, wat zijn bedoeling was geweest, maar ze vertrouwde hem helemaal.
Geheel tegen haar verwachting in waren zijn vragen geenszins indringend geweest, hij had niet zitten graven naar haar achtergrond en jeugd. Misschien zou hij daar later op terugkomen, maar erg bezorgd was ze er niet om.
Voor hij vertrok had hij haar gevraagd of ze het meende dat hij met haar zuster kon spreken, en ze had hem gerustgesteld door te beloven dat ze het zou regelen. Dat werd beloond met een duizelingwekkende glimlach en een welgemeend 'dank je'.
Over haar bureau gebogen staarde ze naar het rapport dat voor haar lag. Het was afkomstig van het kantoor in New York en ging over twee beschikbare schilderijen, een Monet en een vroege Picasso. Twee verschillende eigenaars wilden ze verkopen. Ze begon te lezen, maar al na een paar seconden wist ze dat ze zich niet kon concentreren.
Snel schoof ze de vellen papier weer in de map en stak de map in een la. Met gesloten ogen maakte ze haar geest leeg, duwde gedachten aan werk en al het andere dat ze vandaag

moest doen terzijde. In plaats daarvan richtte ze haar aandacht op zichzelf en haar uitzonderlijke reactie op Jack Chalmers.

Haar mentale evenwicht was zoekgeraakt, ze was nog steeds een beetje van de kook. Zo had ze zich nooit eerder gevoeld... Nee, niet waar. Eén keer eerder, heel lang geleden, en door toe te geven aan die gevoelens was ze zwaar in de problemen geraakt. Haar reactie op die andere man had uiteindelijk haar leven veranderd in de breedste zin van het woord.

Haar gedachten gingen tientallen jaren terug.

Ze kwam terecht in het verleden en herinnerde zich nog zo ontzettend veel... Er was niemand geweest om haar met haar problemen te helpen. Laurie zat in een rolstoel, hun oudere broer Anthony was weg en niemand wist waar hij uithing, en tante Sylvia had het al zwaar genoeg met alle zorg voor Laurie. Dus had ze geen keus gehad: ze was weer teruggegaan naar Marius. Hij had haar gered, was met haar getrouwd en had er nooit met één woord over gerept.

Een lange zucht ontsnapte haar... Een korte tijd had ze verbazingwekkende momenten beleefd van pure hartstocht – zuivere, heerlijke, opwindende, bevredigende hartstocht – en ze was halsoverkop smoorverliefd op die man geworden. En toen was hij verdwenen, en was ze alleen, en het was haar nooit meer overkomen. Niemand anders had haar ooit nog die gevoelens van intense seksuele opwinding, van allesverterend verlangen, van zo'n emotionele band bezorgd.

Simpelweg omdat ze nooit meer iemand als hij had ontmoet. Tot vandaag.

Jack Chalmers had precies dezelfde uitwerking op haar. Ze was haast ingestort toen hij het kantoor binnenwandelde, al had ze alles in het werk gesteld om het niet te laten merken. Het was hem gelukt om haar op haar gemak te stellen wat het interview betrof. Maar los daarvan was ze van de wijs, voelde zich tot hem aangetrokken, vooral diep lichamelijk tot hem aangetrokken, met een onverklaarbare lust en een onbeschrijflijk verlangen naar hem. Ze wilde hem aanraken, dicht tegen hem aan liggen, lang en intiem beminnen, en hem van top tot teen leren kennen...

Geschrokken schoot ze naar achteren in haar stoel toen de telefoon ging. 'Ja, Esther?'

'Laurie aan de telefoon, baas.'

'Dank je, geef haar maar,' zei Annette, moeilijk slikkend. Haar stem klonk haar vreemd in de oren, dik, hees.

'Hoi,' zei Laurie vrolijk als altijd. 'Ik stoor je niet want ik hoor dat het interview voorbij is.'

'Klopt, ja.'

'Hoe ging het?'

'Heel goed. Het is de eerste van drie, dat weet je, dus ik zie hem vrijdag weer, en ergens volgende week. En daarna wil hij ook nog even met jou praten.'

'Waarover?'

'Ik denk over mij.' Annette moest er plotseling om lachen. 'Ik heb maar gezegd dat het geen probleem was, dat vind je toch niet erg? Misschien kan hij je volgende week ergens ontmoeten?'

'Prima, als jij dat ook goedvindt.'

'Tuurlijk. En hij is erg aardig, je mag hem vast.'

'Zie je, dat zei ik je toch.'

'Nee, Malcolm zei dat, via jou,' antwoordde Annette om haar te plagen.

'Een-nul voor jou. Kan ik jou vandaag nog even zien? Er is iets waarover ik het met je wil hebben.'

'Kan dat niet telefonisch dan?'

'Nee. Liever niet.'

'Ik heb het druk vanmiddag, maar rond een uur of zes kan ik wel.'

'Dat is goed. En dank je, Annette.'

Toen ze de hoorn weer op het toestel legde, vroeg Annette zich onwillekeurig af of Laurie haar over Malcolm wilde spreken. Was het een serieuze relatie? Daar had ze geen enkel bezwaar tegen, maar wat zou Marius' reactie zijn? Malcolm was een favoriet van hem, een echte protegé. Zou Marius een relatie tussen Malcolm en Laurie goedkeuren? Misschien wel. Misschien niet. Maar ze wist één ding zeker: ze zou niet toestaan dat hij zich ermee bemoeide. Dat hij háár leven volledig beheerste op zijn dominante manier was nu eenmaal zo, maar ze zou nooit toestaan dat hij Malcolm en Laurie net zo zou manipuleren. Over mijn lijk, dacht ze.

Paddy reed haar naar Hampstead, waar ze thee zou gaan

drinken met Carlton en Marguerite in hun heerlijke oude huis vlak bij het park. Toen ze zich eenmaal op de achterbank had genesteld, sloot Annette de ogen weer en ze liet zich meevoeren door haar gedachten. Onvermijdelijk kwamen die weer uit bij Jack Chalmers.

Hoe oud was hij? Was hij getrouwd? Zo ja, had hij kinderen? Of had hij een relatie met iemand? Natuurlijk was er een vrouw in zijn leven: hij was woest aantrekkelijk en veel te begeerlijk om niet omringd te zijn door de mooiste meiden. Waar woonde hij? Had hij zijn ouders nog? Broers of zussen? Wat deed hij in zijn vrije tijd? Welke restaurants waren favoriet? Waarom had hij even gewankeld toen hij haar kantoor binnenliep? Voelde hij hetzelfde als zij? Nee, onmogelijk. Trouwens, hij was een verboden vrucht, nietwaar? Ze was immers getrouwd. Marius. O, mijn god! Marius werd laaiend als een andere man alleen maar naar haar keek.

'Zo, daar zijn we dan, mevrouw Remmington,' zei Paddy. Annette ging snel rechtop zitten en had zichzelf weer in de hand.

'Dank je, Paddy,' zei ze. 'Ik laat mijn koffertje op de achterbank liggen.'

'Voor mekaar, mevrouw,' antwoordde hij, sprong de auto uit en hield het portier voor haar open.

Toen ze de treetjes van het elegante achttiende-eeuwse huis op liep, ging de voordeur open. Daar stond Carlton met een brede glimlach op zijn gezicht.

Het was hem aan te zien dat hij ziek was geweest. Hij was altijd lang geweest, maar nu leek het wel of hij gekrompen was. Hij was vermagerd en zijn gezicht was ingevallen, en bleker dan gewoonlijk, maar dat kwam misschien door het zwarte ribfluwelen jasje dat hij droeg over een zwarte trui. Zwart maakte iedereen altijd wat flets.

'Daar ben je dan, mijn lieve kind,' zei hij glimlachend.

Ze zag dat zijn bruine ogen helder straalden, en tot haar opluchting was er ook niets mis met zijn stem.

'Je ziet er beter uit dan ik verwachtte,' zei Annette en ze omhelsde hem op de bovenste tree.

Nadat hij de deur achter hen had gesloten, leidde hij haar de hal door en vertelde: 'Ik had de beste artsen en je weet dat

ik een taaie rakker ben. Ik kom altijd weer snel overeind; over een week ben ik mijn oude zelf weer.'
'Waar is Marguerite?' vroeg ze, om zich heen kijkend.
Nauwelijks was ze uitgesproken toen Carltons vrouw in de boogvormige ingang van de zitkamer verscheen, eveneens met een glimlach.
'Hier ben ik, en wat heerlijk je te zien, Annette. Volgens mij moet je altijd lichtblauw dragen. Het is helemaal jouw kleur.'
Annette zei: 'Nou, dank je! Het is ook fijn om jou weer te zien.'
Ze liep naar haar toe en kuste haar op de wang. Ze waren oude vriendinnen, Annette had altijd een zwak gehad voor de vriendelijke vrouw die zo goed voor Carlton zorgde, zijn zaken regelde, de meest fantastische maaltijden kookte en er altijd chic uit bleef zien.
Annette deed haar zachte wollen mantel uit, die paste bij haar lichtblauwe pakje, en Marguerite nam hem aan.
Carlton zei: 'Voor we theedrinken neem ik je even mee naar mijn studio. Om naar de Cézanne te kijken.'
'Gaat het om het roet?'
'Nee.'
'Wat dan?'
'Het is het schilderij, Annette.'
'Hoe bedoel je?' vroeg Annette verward.
'Het is mis.'
Ze keek hem met grote ogen aan. 'Is het een vervalsing? Wil je me zeggen dat het geen echte Cézanne is? *Maar een vervalsing?*'
'Daar komt het wel op neer.'

18

De studio van Carlton was een grote ruimte barstensvol daglicht, dat binnenviel door drie hoge ramen die uitzagen op de tuin.
Ter aanvulling van het natuurlijke licht stonden er twee enorme Klieg-lampen, die Carlton had overgenomen van een film-

studio die over de kop ging, en deze verspreidden meer licht in de rest van studio. Vier klemlampen op palen, twee aan elke kant, stonden rond de ezel waarop de Cézanne neergezet was.

Carlton nam Annette mee naar de ezel, knipte de vier lampen aan en stelde ze zo in dat ze direct op het schilderij schenen.

Annette vertrok haar gezicht terwijl ze naar het schilderij keek, zo vuil was het door de roetvlekken. 'Die lampen laten de omvang van de beschadiging wel erg goed uitkomen,' zei ze zacht en keek de restaurateur aan.

Carlton zei: 'Kijk eens naar de hoek rechts bovenin; daar ben ik begonnen met schoonmaken. Heel voorzichtig. In kleine vlakjes. Toen ik die eerste ochtend heel langzaam vanuit die hoek werkte, besefte ik dat ik met een dilemma zat... Ik moest die zwarte vlekjes verwijderen, maar door dat te doen zou ik de verf wel eens kunnen verpesten. Want zie je, dat roet zit er zo diep in. Marguerite riep me rond twaalf uur om wat soep te eten, want ik hoestte zo verschrikkelijk. Ik ben niet meer naar de studio teruggegaan. Ik stortte in en ze moest een ambulance bellen om me zo snel mogelijk naar Spoedeisende Hulp te krijgen. De rest weet je.'

'Wanneer ontdekte je dan dat er iets mis was met dit schilderij?'

'Een paar dagen geleden, toen ik hier na die verschrikkelijke dag weer binnenkwam.' Hij boog zich dichter naar de ezel en raakte het doek aan. 'Kom eens en kijk eens hier,' zei hij en hij wees naar een hoekje van het schilderij. 'De verf onder het roet was een beetje uitgelopen toen ik eraan werkte, maar ik kwam hier niet terug, ik moest naar het ziekenhuis. Anders had ik het eerder gezien. Zoals je weet loopt oude verf normaliter niet uit. Het drong opeens tot me door dat dit dus nieuwe verf was! Hoe kon dat nu? Ik stond perplex. Ik nam het schilderij van de ezel, onderzocht de achterkant van het doek. Dat zag er oud uit, maar die uitgelopen verf zat me nog steeds niet lekker.'

Annette knikte. 'Cézanne werkte halverwege de negentiende eeuw... Toen ik het de eerste keer zag vermoedde ik dat het rond 1879 geschilderd was, toen hij erg productief was.'

'Op het eerste gezicht zou je dat inderdaad zeggen. Maar ik

denk echt dat het ongeveer achttien jaar geleden is gemaakt.' Carlton tuitte zijn lippen en schudde zijn hoofd. 'Ik wilde het je pas zeggen als ik er zeker van was, dus bracht ik het naar Ted Underwood, met wie ik vroeger veel samenwerkte. Hij is een verdomd goed restaurateur, zoals je weet, en hij weet ontzagwekkend veel. Hij was het met me eens wat de verf betreft – hij heeft zelf ook nog een testje uitgevoerd, met hetzelfde resultaat. Gisteren besloten we een paar spijkertjes te verwijderen om het doek beter te bekijken. De lijst had ik er al afgehaald toen je hem had laten brengen, dus het was niet zo moeilijk het doek van het spanraam te halen. Ted en ik zagen meteen dat ook het doek niet oud was, al zag het er van de buitenkant wel naar uit.'

'Er was met het doek geknoeid?'

Carlton knikte.

'Vervalsers hebben hun eigen trucjes, ze kennen de kneepjes van het vak,' zei Annette. 'Ze laten nieuw schilderslinnen in thee weken om er vlekken in te maken, of het er oud uit te laten zien; ze gebruiken roestige oude spijkertjes of ze kopen oude schilderijen, verwijderen de verf en schilderen dan over het oude doek. Herinner je je die beroemde vervalser Elmyr de Hory, een Hongaar, die vreselijk veel succes had in de jaren vijftig en zestig? En je hebt vast dat boek over hem gelezen, door Clifford Irving. Een groter vervalser dan hij was nog niet vertoond. Hij nam honderden mensen bij de neus.'

'Nou, tien jaar geleden konden ze er ook wat van!' riep Carlton uit.

'O jee, ja! De kunstwereld zal nooit meer hetzelfde zijn op sommige punten,' zei Annette. 'Je bedoelt zeker John Myatt, de vervalser die echt bakken geld verdiende, en de man die de touwtjes in handen had, John Drewe?'

'Ja, dat stel. John Drewe was een manipulator van de eerste orde en een oplichter van het zuiverste water. Een crimineel die iedereen gebruikte om er zelf beter van te worden. Myatt, die eigenlijk een geniaal schilder was, had het moeilijk als eenzaam kunstenaar en viel in Drewes klauwen. Drewe hebben ze jarenlang niet kunnen pakken. Wat een zwendelaar.'

'Bedoel je nu dat dit schilderij een vervalsing door Myatt kan zijn?' vroeg Annette en ze keek Carlton indringend aan.

'Dat denk ik niet. Al zou ik er niet op durven zweren. Als ik me zijn proces goed herinner – maar dat was in 1999 zoals je weet – dacht ik niet dat Myatt ook maar één Cézanne heeft geschilderd.'

'Wie heeft deze dan vervalst?' vroeg ze en ze wees op het doek op de ezel.

'Joost mag het weten,' mompelde Carlton. 'Maar het interessante is natuurlijk dat iemand heeft geprobeerd het te vernielen. Al bij de eerste blik vermoedde ik dat het roet er opzettelijk ingewreven was, dat heb ik je nog gezegd. Nu weten we ook waarom. Maar niet wie het deed.'

'Het lijkt me duidelijk wie het gedaan heeft,' zei Annette. 'Sir Alec Delaware. Ik wed dat hij ontdekte dat het een vervalsing was en besloot het te verwoesten, zodat het later niet als een echte Cézanne kon worden verkocht – door een erfgenaam bijvoorbeeld.'

Carlton keek haar kort aan en schudde zijn hoofd. 'Je zult wel gelijk hebben. Het kan inderdaad sir Alec zijn geweest. Ik kan me ook niet indenken wie het anders gedaan moet hebben. Maar waarom heeft hij het schilderij dan niet gewoon vernietigd?'

'Geen idee. En dan nog iets. Er is geen bewijs van herkomst van dit schilderij, dat zat me toch al zo dwars.'

'En van de andere kunstwerken van de collectie?'

'De Degas, Cassatt en Morisot hebben piekfijne papieren, net als de Giacometti. En godzijdank ook *Het veertienjarige danseresje*. Dat meesterwerk van Degas heeft een perfect bewijs van herkomst. Er zijn wat moderne schilderijen van Nicholson en Lowry, ook met documenten. Maar er is een grote berg onbelangrijke schilderijen van vrij onbekende schilders in Knowle Court. Ik vond ze niet zo interessant, dus ik heb er ook niet naar gevraagd.'

'Mm, en hoe kom ik er dan bij dat de echte collectie heel wat meer moois bevatte?' vroeg Carlton en hij fronste zijn voorhoofd.

'Ik weet het niet zeker, maar ik heb zo mijn gedachten over Alec Delaware.'

'Wat voor gedachten?' vroeg hij en keek haar nieuwsgierig aan.

'Ik denk dat er ergens nog wat schilderijen verstopt zijn in

Knowle Court. Het is niet ongewoon dat mensen schilderijen kopen en ze vervolgens opslaan; veel van mijn cliënten doen dat ook. Ze stallen ze op zolders of in speciale opslaghuizen en laten ze pas later zien. Ze wisselen hun schilderijen. Of kopen ze als investering en slaan ze op tot de prijs stijgt.'

'Ja, dat gebeurt veel. Maar hoe weet je dat er nog kunst verborgen ligt in dat huis? Heeft iemand je dat verteld?'

'Niet echt, maar ik heb zo het een en ander opgevangen van Christopher en zijn vriend, James Pollard. Sir Alec werd vijftien jaar geleden een excentrieke kluizenaar: gesloten, lastig... nadat zijn verloofde zelfmoord had gepleegd–'

'Clarissa Normandy,' viel Carlton haar in de rede. 'Dat heb je me verteld, hoe ze stierf. Tragische kwestie.'

Annette knikte. 'Sir Alec was een zeer bekende verzamelaar, en er werd gefluisterd dat hij veel meer schilderijen had dan er op dat moment te zien waren. Wie weet waar hij ze verborgen heeft, als hij zich zo geheimzinnig gedroeg? Ik denk dat ik Christopher maar weer eens vraag het landhuis uit te kammen, misschien ga ik zelf maar eens op onderzoek uit. Maar wat doen we hiermee in de tussentijd?' Ze gebaarde naar de ezel.

'Wanneer jij je cliënt hebt verteld dat het een vervalsing is, moet je het volgens mij laten verdwijnen. Niemand die het nog zal kunnen verkopen, met al dat roet en zonder herkomst.'

'Dat is het enige wat we kunnen doen: vernietigen,' stemde ze in. Ze nam Carltons arm. 'Kom, laten we een kop thee gaan drinken. Daar ben ik echt aan toe.'

'Wat fijn dat je er al zo vroeg bent!' riep Laurie uit en haar gezicht begon te stralen van geluk toen Annette de werkkamer van haar appartement binnenliep. 'Moet ik vragen of Angie even een kop thee voor je maakt?'

Annette kuste haar zus op de wang en schudde haar hoofd. 'Nee, bedankt. Ik heb al ettelijke potten gedronken bij Carlton en Marguerite. Ik drijf nog weg als ik meer krijg.'

'Hoe is het met ze? En hoe vordert de Cézanne?'

Terwijl ze in een stoel naast Lauries werktafel ging zitten, begon Annette te vertellen. 'Ik heb slecht nieuws over de Cézanne.'

'Je gaat me toch niet vertellen dat Carlton het niet schoon kan maken, dat het hopeloos is?'

'Het ís hopeloos. Maar niet door het roet.'

'Wat bedoel je?'

'Carlton zegt dat het mis is.'

'Een vervalsing?' riep Laurie uit, en haar stem schoot de hoogte in. 'Hoe kan dat nou?'

'Dat weet ik ook niet. En ik denk eigenlijk dat niemand het weet. En dat we het ook nooit te weten komen. Carlton zei dat het een relatief nieuw doek is, hoogstens achttien jaar oud. En waar hij twee weken geleden begonnen was het roet te verwijderen, was de verf uitgelopen. Hij bracht hem naar die andere goede restaurateur, Ted Underwood, en ze haalden er een paar spijkers uit om de achterkant van het doek te bekijken. Geen twijfel over mogelijk, die Cézanne is een vuile vervalsing.'

'Mijn god!' Laurie staarde haar zuster aan. 'Heb je het Christopher Delaware al verteld?'

'Nee, nog niet, ik heb de kans nog niet gehad. Ik kom nu net bij Carlton vandaan.'

'Hij zal wel balen dat een schilderij van zijn ooms verzameling vals is en niet verkocht kan worden.'

'Ik denk dat hij er al een beetje op rekent dat hij het niet kan verkopen, want ik waarschuwde hem al dat het roet er misschien niet afgaat. En ik heb al gezegd dat we hoe dan ook een probleem hebben, omdat er geen bewijs van herkomst is.'

'Nu weten we ook waarom. Het is moeilijk om de herkomst te vervalsen.'

'Vrijwel onmogelijk.' Annette schudde haar hoofd. 'Carlton dacht dat iemand het schilderij niet had willen reinigen, maar juist opzettelijk had verknoeid door het roet erin te wrijven. Dat zag hij meteen en ik geloof hem.'

'Wie zou dat nou doen?' Laurie keek haar zus perplex aan.

'Hoe moet ik dat weten? Maar ik durf er wat om te verwedden dat het sir Alec zelf was. Hij moet het schilderij in goed vertrouwen hebben gekocht, en toen hij ontdekte dat het een vervalsing was, heeft hij er misschien voor gezorgd dat het niet meer verkocht kon worden door een erfgenaam of zo.'

'Waarom heeft hij er dan niet de bijl in gezet?' vroeg Laurie met een verwarde blik.

Annette haalde haar schouders op. 'Geen idee. Nogal een raadsel, hè? Maar goed, ik bel Christopher morgen wel om alles uit te leggen. Ik sta erop dat het schilderij vernietigd wordt, dat zal ik hem ook zeggen.'

'Dat moet je inderdaad doen.' Na een korte stilte zei Laurie: 'Nog een geluk dat de andere schilderijen voor de veiling goede papieren hebben.'

'Zeg dat wel, ja.'

Laurie rolde haar rolstoel naar de deurpost, terwijl ze zei: 'Laten we naar de woonkamer gaan, Annette, daar zit je lekkerder.'

Toen ze daar eenmaal zaten, zei Annette: 'Je zei dat je iets met me wilde bespreken wat niet door de telefoon kon. Is alles goed? Je bent toch niet ziek?'

Terwijl ze dat zei bekeek ze haar zusters gezicht en het drong tot haar door dat ze net twee erg stomme vragen had gesteld. Laurie zag er kerngezond uit. Ze straalde gewoonweg. Ze was mooier dan ooit, haar weelderige bos roodgouden haar schitterde rond haar gezicht, haar perzikhuidje was smetteloos, haar ogen fonkelden levendig.

Terwijl ze iets naar voren leunde, zei Laurie zacht: 'Ik ben zwanger.'

Verbluft door deze mededeling keek Annette haar met open mond aan.

Laurie begon te lachen. 'Kijk niet zo ontdaan. Malcolm en ik krijgen een baby en we zijn dolgelukkig.'

'Ik ben niet ontdaan, ik ben met stomheid geslagen. Je maakt me sprakeloos.'

'Ja, dat dacht ik al. Maar ik dacht ook dat je toch wel gemerkt had dat Malcolm en ik... iets met elkaar hebben.'

'Het schoot wel eens door me heen, ja, maar je hebt me nooit echt in vertrouwen genomen, dus ik wist niet zeker of jullie nu gewoon een goede vriendschap hadden, maatjes waren, of dat het meer was. Sinds wanneer hebben jullie dan iets met elkaar?'

'Nou, noem het maar gewoon een relatie, we zijn smoorverliefd. En om eerlijk te zijn, het is al zes maanden serieus. We willen trouwen. En daar wilde ik je even over spreken.'

Zonder iets te zeggen liet Annette de inhoud van Lauries woorden tot zich doordringen.

'Je bent echt van streek!' zei Laurie bezorgd en haar gezicht betrok.

'Nee, nee, heus niet, eerlijk niet, lieverd. En als jij gelukkig bent dan ben ik het ook, en ik weet toch dat Malcolm een aardige, nette man is, en heel betrouwbaar. Alleen–'

'Je bent ongerust, hè?' viel Laurie haar in de rede. 'Over de baby, bedoel ik. Maar alles gaat goed, echt. En het komt allemaal in orde.'

'Ben je er zeker van dat het veilig is? Ik weet dat je nuchter en verstandig bent, maar je bent toch wel naar een gynaecoloog geweest, hoop ik?'

'Ja, natuurlijk, en ze zegt dat alles goed komt. Ook vrouwen die deels verlamd zijn kunnen de hele zwangerschap uitzitten en een gezonde baby baren. Ze wees er ook op dat, als het nodig mocht zijn, we gewoon overgaan op een keizersnede. Je hoeft je echt geen zorgen te maken. Alsjeblieft.'

Annette stond op, liep naar haar zus en sloeg haar armen liefdevol om haar heen. 'Een beetje ongerust zal ik wel blijven, Laurie, maar je klinkt zo gelukkig dat ik dolblij ben voor je. En Malcolm is een bovenste beste, de loyaalste man van de wereld.'

'Dat is hij zeker, en hij houdt van me en ik van hem. We wilden dat jij de eerste zou zijn die zou weten dat we gaan trouwen, en over de baby natuurlijk.'

'Hoeveel maanden ben je?'

'Geen maanden,' verbeterde Laurie, 'maar weken. Zes weken op de kop af.'

Annette knikte en glimlachte geruststellend. 'Dus we moeten een huwelijk gaan regelen, niet? Hebben jij en Malcolm al een datum geprikt?'

'Niet echt. Ik wilde eerst met jou praten. En er is nog iets...' Laurie zweeg even en een bezorgde rimpel gleed over haar voorhoofd. 'Wat denk je dat Marius hiervan zal zeggen?'

'Hij is vast heel blij. Dat weet ik zeker,' antwoordde Annette, al was ze daar eigenlijk helemaal niet zo zeker van. 'Is Malcolm van plan het hem te vertellen?'

'Weet ik niet. Misschien moet ik het wel doen. Wat vind je?' Laurie beet op haar lip en ze werd overvallen door nervositeit.

'Ik heb een idee. We gaan volgende week een keer uit eten, alleen wij vieren, en dan kunnen jij en Malcolm het hem vertellen,' zei Annette ferm. Ze was vastbesloten ervoor te zorgen dat Laurie een gelukkig leven met Malcolm zou krijgen. Wat ze moest doen om dat te bereiken, dat zou ze doen; Marius zou gewoon niet de kans krijgen zich daarin te mengen. Laurie leefde nu haar eigen leven; Laurie moest vrij zijn.

Ze liep in haar eentje naar huis.
Ze had wat frisse lucht nodig; ze moest alleen zijn om zichzelf weer in de hand te krijgen. *Rust. Vrede. Eenzaamheid. Privacy.* Ze hunkerde momenteel naar deze zaken. *Dit ene moment*, dacht ze weer. Deze paar minuten, dit *nu* zou nooit terugkomen, nooit meer van haar zijn. Zo was het. De tijd vloog om, ging maar door, met grote snelheid. Morgen zou een nieuwe dag komen. En verdwijnen. En nooit terugkomen.
Vandaag was een dag vol verrassingen geweest.
Eerst die komst van Jack Chalmers en de overrompelende indruk die hij op haar had gemaakt. Daarna Carltons ontdekking dat de Cézanne een vervalsing was. En tot slot Lauries nieuws dat ze zwanger was.
Ze zou vandaag nooit vergeten.
Nu ze al die gebeurtenissen weer de revue liet passeren, besefte Annette dat Jack Chalmers de grootste verrassing van de drie was geweest. Ze herinnerde zich opeens wat Penelope Sloane tegen haar had gezegd, afgelopen februari in het kantoor in New York. Penny had haar gevoelens beschreven toen ze de man ontmoette die deze zomer haar echtgenoot zou worden.
'Het voelde aan als een frontale botsing met een vrachtwagen,' vertrouwde Penny haar toe.
'Wham! Ik ging compleet voor de bijl. Ik ben die klap van Matts verschijning nooit te boven gekomen. Hij maakte een verpletterende indruk.'
Ze begreep wat Penny bedoelde, vanwege die ene ervaring van lang geleden. Ze kon het zich weer helder voor de geest halen, ze zag het allemaal weer voor zich. Ze huiverde, al was het een zwoele avond.
Alsof er iemand over mijn graf loopt, dacht ze. Nee, dat was

het niet. *Het was angst.* Hij maakte haar bang. Ze moest moedig zijn.

Jack Chalmers, dacht ze. En ze bande hem uit haar gedachten.

Ook Lauries zwangerschap beangstigde haar. Ze kon er niets aan doen, ze kon alleen wachten en toekijken, en in de tussentijd bidden dat alles goed zou gaan. Wat ze natuurlijk kon doen, was praten met haar eigen gynaecoloog en er informatie over opzoeken, dat zou een hoop onrust weg kunnen nemen. En dan had je nog Marius' reactie op de nieuwe situatie. Wat zou het zijn? Laat maar, dacht ze. Over dat onderdeel zou ze later wel nadenken.

Plotseling stond ze aan het andere eind van Eaton Square. Thuis. Traag ging ze het gebouw binnen en nam de lift naar haar appartement. Marius had een zakendiner met een Amerikaanse klant; ze zou eten wat Elaine voor haar had gekookt en in de koelkast had gezet. Voedsel interesseerde haar eigenlijk nooit, en honger had ze ook niet.

In haar slaapkamer deed ze haar blauwwollen jas uit, hing het bijpassende jasje van het pakje op en liep de gang door naar haar werkkamer. Zonder een minuut te verspillen belde ze Christopher en legde hem alles uit over de Cézanne.

Ze beëindigde het gesprek met: 'Dus, Chris, ik zou je graag morgenochtend rond tien uur in de studio van Carlton Fraser zien, als het mogelijk is. Carlton kan je dan precies uit de doeken doen hoe hij tot zijn conclusie kwam.'

'Ik zal er zijn, Annette, en dank je voor alle tijd en zorg die je aan mijn collectie besteedt. Ik waardeer het zeer. Tot morgen en welterusten voor straks.'

'Tot morgen,' zei ze en ze hing op. Dat was vrij soepeltjes gegaan. Het goeie van Christopher was dat hij niet dom was en meestal deed wat ze hem adviseerde.

Haar volgende telefoontje was met Margaret Mellor, die vast en zeker nog op de uitgeverij van *art* was. Dat klopte en ze nam al na twee keer overgaan op.

'Met Annette. Ik wilde je even bedanken voor alle aardige dingen die je over mij tegen Jack Chalmers hebt verteld.'

'Annette, hé! Graag gedaan hoor, en mijn god, is het geen lekker ding? Ik zou hem zo met een grote gouden lepel op kunnen eten. Jammie!'

167

Annette barstte in lachen uit. 'Margaret, je bent onbetaalbaar! Ik heb nog nooit zo'n poëtische reactie op een man gehoord!'

'Poëtisch, mm? Leuk gezegd. Maar ik moet je verklappen, ik had altijd al een oogje op hem. Maar hij is natuurlijk niet geïnteresseerd in een dik propje zoals ik. Eerder in een lange, blonde stoot... ja, eigenlijk zo iemand als jij!'

'Doe niet zo idioot, Margaret. Trouwens, je bent helemaal geen dik propje. Je bent een knap en bijzonder chic mens.'

'Ik voel me gevleid. Toch ben ik niet helemaal zijn type.'

'Hij heeft me vanmorgen geïnterviewd,' ging Annette efficiënt en zakelijk verder. 'Hij schrijft een artikel, een soort profiel van me, voor de Londense *Sunday Times* en hij liet vallen dat hij met jou gebabbeld had. Dus nogmaals, bedankt voor je vriendelijke woorden.'

'Hij stelde een paar onbenullige vragen, en ik heb ze naar waarheid beantwoord.' Margaret grinnikte. 'Alleen het horen van zijn stem maakte mijn dag al goed, weet je. Hij is zo'n man voor wie vrouwen elkaar de hersens inslaan, overspel plegen of liters tranen vergieten wanneer hij ze dumpt. Hij is een hartenbreker. Of hij zou het kunnen zijn, vind je niet?'

Annette kreeg het benauwd, en ze kon even niets uitbrengen. Ten slotte zei ze: 'Hij is knap en best charmant, dat ben ik met je eens. Maar hij is natuurlijk getrouwd, ik bedoel, zo'n soort man...' Haar stem stierf weg, ze wilde niet dat Margaret merkte dat ze aan het vissen was. Want dat was ze.

Margaret riep uit: 'O nee, hij is niet getrouwd, zeker weten! Als hij iets is, dan is hij een workaholic. Hij is meedogenloos en keihard voor zichzelf. Een echte prof. Want alle gekheid op een stokje: het is een van de beste journalisten met wie ik het genoegen heb gehad, hij is top om mee te werken. En je kunt gerust zijn, hij zal een prima artikel over je schrijven.'

'Ik heb het gevoel dat hij het me niet al te moeilijk gaat maken.'

'Waarom zou wie dan ook het jou in hemelsnaam moeilijk willen maken? Goedemiddag, dame, iedereen in deze stad is dol op je!'

'Dat betwijfel ik,' zei ze snel. 'Maar bedankt voor het compliment.'

Ze babbelden nog een paar minuten en hingen toen op. Annette leunde achterover in haar stoel en bemerkte tot haar verbazing dat ze beefde. Waarom? Vanwege de dingen die Margaret had gezegd natuurlijk. Hij was single. En had daarom niets te verliezen. Deze gedachte beangstigde haar nog meer.

Zij en Marius zaten in de gele woonkamer en hij keek haar oplettend aan terwijl ze vertelde over haar bezoek aan Carlton en zijn wrange oordeel over de Cézanne.

Toen ze klaar was, zei hij: 'Maar hoe is het in godsnaam mogelijk dat jíj dat niet meteen had gezien? Je hebt een scherp oog, je kent Cézanne en hij is nog wel een van je favoriete schilders!'

Ze staarde terug naar haar echtgenoot, gekwetst door zijn woorden. Hij had kritisch en beschuldigend geklonken. 'Ik heb je vanaf het begin verteld dat die roetvegen het schilderij een totaal andere indruk gaven, ze veranderden het hele beeld en de kleur. Ik daag iedereen uit om te hebben opgemerkt dat er iets mis was met het schilderij, omdat het er goed uitzag. Op die zwarte vlekken na. Carlton ontdekte het ook alleen maar omdat de verf was uitgelopen terwijl hij in het ziekenhuis lag.'

'Dan begrijp ik het, je hoeft niet zo nijdig te doen. Dan zal het wel een fout zijn die ik vermoedelijk ook had gemaakt.'

Hij fronste zijn wenkbrauwen. 'Ik vraag me af wie de vervalser was, of is?'

'Hoe moet iemand dat weten? Volgens Carlton en Ted Underwood is het zo'n achttien jaar geleden geschilderd.'

Marius knikte. 'Dat was rond de tijd dat John Drewe zijn kunstvervalsingszaak met John Myatt opzette.'

'Daar hebben we het over gehad, maar dat leek Carlton onwaarschijnlijk. Maar één ding lijkt me duidelijk: het moet sir Alec zijn geweest die roet over het doek heeft verspreid om het voorgoed te verpesten.'

'Hoe kom je daarbij?'

'Omdat hij ontdekt moet hebben dat het een vervalsing was. Wie anders dan de eigenaar kan het schilderij hebben beschadigd...' Annette maakte de zin niet af en ging rechter op zitten. 'O, we vergeten die verloofde: misschien had zíj ontdekt dat het een vervalsing was. Zij kan het natuurlijk ook hebben besmeurd.'

'Die verloofde?' Marius fronste weer. 'Was daar geen schandaal aan verbonden? Er zat een verhaal aan vast, geloof ik.'

'Ja. Ze pleegde zelfmoord. Ze heeft zichzelf in de slaapkamer opgehangen. Een paar dagen voor hun bruiloft. In haar trouwjurk.'

Marius vertrok zijn gezicht van afschuw en keek haar met grote ogen aan. Hij schudde zijn hoofd. 'Waarom zou een vrouw zichzelf zoiets gruwelijks aandoen?'

'Om hem te kwetsen, pijn te doen? Sir Alec, bedoel ik.'

'Dat kan.' Hij kneep zijn ogen half dicht toen hij vroeg: 'Wie was die verloofde ook weer? Het fijne weet ik er niet meer van.'

'Ze heette Clarissa Normandy.'

'O ja, nu je het zegt...' Marius pakte zijn glas cognac, nam een slok en zakte onderuit op de bank.

Annette schoof een beetje naar voren op de fauteuil ertegenover, wierp een snelle blik op haar echtgenoot en vroeg zich af waarom hij plotseling zo bleek zag. 'Ben je niet lekker, Marius?'

'Ik voel me kiplekker. Hoezo?'

'Je bent een beetje bleek.'

'Dat zal wel de combinatie zijn van te veel wijn bij het diner, een zware maaltijd en dit akelige verhaal van die zelfmoord, dat is alles.'

'Zeg, Marius, er schoot me net iets geks door mijn hoofd. Stel nu dat zijn verloofde, die Clarissa, de Cézanne had vervalst? Ze was kunstschilder, weet je.'

'Nee, dat wist ik niet,' antwoordde hij. Hij nam nog een slokje Napoleon en veranderde van onderwerp.

19

Hij wilde over haar schrijven.

Wanneer hij over haar schreef zou ze dichterbij komen. Maar hij was nog niet klaar met de interviews; hij moest er nog twee doen. Desalniettemin zat hij achter zijn computer en staarde hij sinds hij haar kantoor had verlaten naar het half-lege scherm. En hoewel het nu al negen uur was, zat hij daar nog steeds.

Het wilde niet vlotten. De woorden vloeiden niet, al had hij de levendigste beelden van haar in zijn hoofd. Annette Remmington. Blond, beeldschoon, elegant. En ook intelligent en uitgesproken. Ze was op een vreemde manier raadselachtig, mevrouw Remmington. Mysterieus. Ja, dat was het perfecte woord om haar te omschrijven. Ze was anders, heel anders dan iedereen die hij ooit in zijn leven had ontmoet. En hij kon haar maar niet uit zijn hoofd krijgen.

Jack leunde achterover, probeerde te ontspannen en langzaam las hij de laatste versie van haar geschreven portret. Het deed hem niks, dus zou het ook anderen niets doen. Natuurlijk deed het hem niks. Hij had nog te weinig persoonlijk materiaal om onder haar huid te kruipen, om haar werkelijk te begrijpen en te weten wat haar dreef. Hij had meer nodig. Gefrustreerd wiste hij alles wat hij had geschreven, elke versie. Toen stond hij op, liep naar de keuken, nam een fles water uit de koelkast en ging terug naar zijn bureau.

Hij ging weer achter zijn computer zitten, van plan om opnieuw te beginnen. En veranderde van gedachten. Wat had het voor zin? Hij moest die volgende twee interviews achter de rug hebben om iets van haar profiel te maken, om wie en wat ze was volledig te begrijpen. Om nu al iets op te bouwen was compleet zinloos. Verspilling van tijd en energie.

Jack begreep natuurlijk wel waarom hij dit deed, waar het nu eigenlijk om ging. Hij geloofde dat het op papier zetten van zijn gedachten haar vanavond dichter bij hem zou brengen, en dat was in zekere zin ook zo. Maar het zou niet gebeuren. Het zou alleen lukken wanneer hij zoveel materiaal over haar had, dat hij hele stukken niet zou hoeven gebruiken.

Jack ademde diep in en uit, maakte zijn schouders los, pakte de fles en nam een paar flinke slokken water. Hij keek naar de telefoon op zijn bureau en toen op zijn horloge, want opeens dacht hij aan Lucy. Hij was vergeten haar te bellen en nu was het te laat. Het was al over tienen in Frankrijk. Dan moest hij dat morgen maar doen.

Opgelucht dat hij een besluit had genomen, stond hij op en liep naar de bank, ging zitten, deed de televisie aan en weer uit, liep naar het raam, keek naar buiten en liep weer terug. Hij was gefrustreerd, rusteloos en weinig op zijn gemak.

Hij ging weer achter zijn bureau zitten, hing een beetje achterover in zijn stoel, terwijl de gedachten door zijn hoofd tolden. *Vrouwen...* Waarom heb ik toch altijd zoveel gedoe met vrouwen? vroeg hij zich af.

Zijn gedachten dreven af naar zijn vader. Een man die van vrouwen hield. Die ook altijd gedoe had met vrouwen, en veel bovendien. Hij was journalist geweest. Jack had zijn vaders schrijftalent geërfd, net als zijn talent voor rokkenjagen, geen twijfel over mogelijk. De appel viel niet ver van de boom.

'Altijd op pad, achter oorlogen of vrouwen aan: allebei levensgevaarlijk. Hij leefde voor het gevaar,' had zijn moeder eens gezegd, toen hij oud genoeg was om te begrijpen wat ze zei, een jaar of vijftien. Toentertijd stelde hij zich voor dat zijn vader een zeer romantisch leven had geleid. Maar nu hij volwassen was, begreep hij dat het eerder een grote puinhoop moet zijn geweest.

Zijn vader was op zijn achtendertigste gestorven, veel te jong om in stukken geschoten te worden. Hij was op een landmijn gestapt, ergens in Verweggistan... 'Op jacht naar de zoveelste oorlog, hij was verslaafd aan oorlog,' had zijn moeder tegen hem gemompeld op die dag dat ze eindelijk in staat was te spreken over zijn vader. Ze had kwaad geklonken, en dat zou altijd zo blijven wanneer ze het over haar eerste echtgenoot had.

Zijn scherpste jeugdherinneringen stamden uit de jaren na het huwelijk van zijn moeder met Peter Chalmers. Wat daarvoor was gebeurd bleef maar wazig. Behalve die opmerking van zijn moeder over zijn vader, dat stond hem vreemd genoeg nog helder voor de geest. Ze was verbitterd, dat besefte hij nu. Misschien was ze heimelijk nog steeds verliefd op zijn vader.

Hij had haar zuster Helen er eens naar gevraagd. Zijn tante was in lachen uitgebarsten. 'Geen sprake van. Eleanor was veel te nuchter om naar een man te smachten die toch nooit thuis was. Ze hield van Peter en de zekerheid die hij haar gaf.'

Ja, ze had van zijn stiefvader gehouden, en hijzelf ook. Peter was een échte vader voor hem geweest, had hem geadopteerd en hem opgevoed als zijn eigen zoon. In tegenstelling tot zijn moeder had Peter nooit slecht over zijn biologische vader gesproken; hij sprak eigenlijk nooit over hem. Zo zijn mannen nu eenmaal, dacht Jack. We zijn zo anders dan vrouwen. Geen wonder dat we ze niet begrijpen.

Bij de gedachte aan Peter dacht hij eraan dat hij Kyle had beloofd terug te bellen, en hij draaide meteen zijn nummer. Zijn broer nam pas na de zesde zoemtoon op, vlak voor het antwoordapparaat aansloeg. 'Ik ben er al, Jack. Wat is er, jonkie?'

'Hai. Over die hutkoffer waar je maar over blijft zeuren. Hoe groot is-ie?'

'Het is een reusachtig ding. Ik denk dat je een busje moet huren om hem te transporteren, en je zult ook wel hulp nodig hebben om hem te dragen.'

'Hoe groot is dat monster dan eigenlijk? En heb ik hem wel nodig? Kan ik hem niet gewoon leeghalen en de rommel in een koffer meenemen?'

'Dat zou wel kunnen, denk ik,' antwoordde Kyle. 'Maar ik zou maar twee koffers meenemen als ik jou was, en dan nam ik die hutkoffer ook maar mee. Het is zo'n mooie oude Louis Vuitton. Mam moet diep in de buidel getast hebben, toen ze hem kocht.'

Jack lachte. 'Tja, je kent mam: ze hield van duur spul, vooral dure Franse spullen. Hoe dan ook, het is sowieso handiger alles in koffers te stoppen, dan is die kist ook lichter. Wat zit er eigenlijk in?'

'Ik heb niet precies gekeken, maar ik zag wel dat het vooral dingen zijn die met jouw jeugd te maken hebben: herinneringen, souvenirs, foto's uit haar jonge jaren, dat soort zaken.'

'Maar wil ik dat allemaal hebben?' vroeg Jack weifelend.

Even was het stil. Uiteindelijk zei Kyle zacht: 'Ja, dat denk ik wel, jongen. Er zit een bagagelabel aan met jouw naam erop, luid en duidelijk. Hij is voor jou, Jack, omdat mam dat graag wilde en pa zei dat tegen me toen ze stierf. Luister eens, jij bent een sentimentele donder, al doe je nog zo je best dat te ontkennen. Dus ga erheen en haal hem op, volgende week of zo. Oké?'

'Oké. Ik haal hem wel op. En gewoon uit nieuwsgierigheid, wat staat er nog meer in het huis?'

'Wat meubels. Vooral antiek. Ik dacht dat we maar een handelaar in moeten schakelen die het kan laten veilen, ook voor het porselein en nog wat dingen. Dat jonge stel dat een bod had gedaan is niet teruggezien bij de makelaar. Dus wie weet wat er gaat gebeuren?'

'Ik ga die kist morgen maar meteen ophalen.'

'Ik dacht dat je midden in een profiel voor de *Sunday Times* zat?'

'Zit ik ook. Maar ik doe nog twee interviews met het onderwerp. De volgende is pas vrijdag. Dus morgen heb ik toch niets omhanden.'

'Prima, doe dat, dan ben je er maar vanaf. Zullen we morgenavond afspreken? Hapje eten? Voor ik naar Jordanië vertrek?'

'Ja, leuk, goed idee. Ik ben om halfacht bij je.'

'Tot morgen dan,' zei Kyle en hij hing op.

'Ik weet zo net nog niet of ik die Cézanne wil vernietigen, Annette. Misschien wil ik hem wel houden,' zei Christopher tegen haar, terwijl hij op zijn lip beet en onrustig met zijn voeten schuifelde.

Het was donderdagochtend en ze waren in Carltons studio. Annette werd even van haar stuk gebracht en keek snel naar Carlton, die verbaasd naar haar terugkeek.

Ze wendde zich tot haar cliënt en zei: 'Tja, dat moet je natuurlijk helemaal zelf weten, Chris, maar ik denk dat het veel verstandiger is om er maar vanaf te zijn. Veel waarde hecht je er niet aan, en een ander nog minder. Waarom zou je een vervalsing in huis willen hebben?'

'Hoe moet je een schilderij vernietigen?' vroeg Christopher, die haar zonder antwoord te geven op haar vraag strak en onderzoekend aankeek.

'In stukken snijden of verbranden, neem ik aan. Ik heb het nooit eerder gedaan, dus ik gok maar wat.'

Carlton zei op ferme toon: 'Je moet dit schilderij echt vernietigen, Christopher. Als je in Frankrijk woonde zou je gedwongen worden dat te doen, want zo schrijft de wet het voor. Als eenmaal is aangetoond dat het vals is, kun je het niet bewaren, al had je er een miljoen pond voor over.'

'Maar wat is er nou zo erg aan als ik het bewaar?' vroeg Christopher, die onopvallend naar Carlton schoof, die vlak bij de Cézanne op de ezel stond.

Annettes mobieltje ging over. Ze haalde het uit haar jaszak en liep langzaam van hen weg in de richting van het raam. 'Hallo?'

'Baas, ben jij dat?'

'Ja, Esther. Wat is er?'

'Niets bijzonders. Ik wilde je alleen vertellen dat ik je mobiele nummer aan Jack Chalmers heb gegeven. Hij wilde je dringend spreken. Dat mocht toch wel?'

'Ja, natuurlijk. Wat wilde hij?'

'Dat zei hij niet precies. Het ging over je afspraak op vrijdag, geloof ik. Het interview.'

'Oké. Geeft niet, bedankt dat je het even zegt. Ik handel het wel af. Tot straks.' Ze klapte het toestel dicht, en keek afwezig door de tuindeuren naar de tuin. De lente was vroeg dit jaar. De wilde hyacinten stonden al in bloei.

Ze liep terug naar Carlton en Christopher en luisterde wat ze over de Cézanne zeiden. Het gesprek begon haar te vervelen. Ze wilde het liefst dat er een punt achter gezet werd, zodat ze verder kon. Haar aandacht verslapte en ze begon zich af te vragen wat Jack Chalmers van haar wilde. Ze hoopte maar dat hij hun afspraak voor morgen niet wilde afzeggen.

Op dat moment ging haar telefoon weer over en ze liep nogmaals naar het raam. 'Hallo, Annette Remmington.'

'Hé, Annette. Met Jack Chalmers.'

'Dacht ik al.'

'Ik hoop dat ik je niet stoor bij iets belangrijks, maar ik wilde je even spreken.'

'Prima. Ik ben met een klant bij de restaurateur. Heb je een momentje? Ik moet me even verontschuldigen, dan loop ik naar buiten, daar heb ik een betere ontvangst.' Ze liep een paar stappen in de richting van de twee mannen en zei: 'Carlton, Christopher, sorry maar ik heb een zakelijk telefoontje.'

Carlton knikte, glimlachte, wuifde haar weg en zei: 'Geen probleem, Annette, doe maar kalm aan.'

Snel liep ze naar de tuindeuren, maakte ze open en stapte de tuin in. 'Hier ben ik weer,' zei ze in haar mobieltje. 'Esther zei iets over een probleem met morgen.'

'Nee, geen probleem. Ik vroeg me alleen af of we het iets konden verschuiven, zodat we morgenmiddag verder praten, en ik wilde je uitnodigen om rond halftwee te gaan lunchen.'

'Lunch,' herhaalde ze en ze hoorde hoe verbouwereerd ze klonk. Op neutralere toon ging ze verder: 'Nou, ik denk dat dat wel kan, ja.'

'Mooi. Ik dacht dat het aardig zou zijn in een andere omgeving te praten. Niet steeds in je kantoor. Zodoende dacht ik: we gaan lunchen. Trouwens, ik hoorde je net tegen ene Carlton praten. Je bedoelt toch niet toevallig Carlton Fraser?'

'Jazeker, die bedoel ik, Jack. Ken je hem dan?' vroeg ze verrast.

'Hij was een vriend van mijn ouders, ze waren eigenlijk buren. In Hampstead. Hé, wacht eens even! Je bent toch nu niet daar, in zijn studio?'

'Ja, daar sta ik nu. Hoezo?'

Jack lachte. 'Dit is zo idioot. Moet je horen. Ik sta nu maar een paar huizen verder van jou. Mijn vader is onlangs gestorven en ik moest naar het huis om een paar dingen op te halen. Ongelooflijk, wat een toeval.'

Annette werd bevangen door een draaikolk van emoties, angst, hoop, spanning en afgrijzen... Want ze wist wat hij ging voorstellen, wat hij nu wilde doen.

Ze zei langzaam: 'Ja, dat is wel heel toevallig, Jack, dat je gewoon in het huis hiernaast staat.'

'Een páár huizen verder. Blijf daar, niet weggaan. Zeg tegen Carlton en Marguerite dat ik even langskom, alleen om ze gedag te zeggen. Alsjeblieft.'

'Ja, ik zal het doen.' Ze drukt haar mobiel weer uit en terwijl ze naar de deurkruk reikte, merkte ze dat haar hand beefde. Erger nog, haar hele lichaam beefde. Terwijl ze probeerde zichzelf te kalmeren, vroeg ze zich af of de goden aan het dollen waren in de hemel. En wat voor ondeugends ze aan het bekokstoven waren.

Waarom moest Jack nu net vanochtend in Hampstead zijn? Waarom had zij Christopher voorgesteld elkaar hier te ontmoeten?

Ze had geen idee, geen antwoord. Het enige wat ze wist was dat ze plotseling volkomen in paniek was.

Annette nam nog een paar seconden om zich te vermannen en nadat ze een brede glimlach op haar gezicht getoverd had, liep ze terug naar de andere kant van de studio, waar Carlton en Christopher nog steeds naast de ezel aan het delibereren waren.

Ze haalde diep adem en zei zo luchtig mogelijk tegen Carlton: 'Zo toevallig! Ik werd net gebeld door een journalist die een artikel over me schrijft en nu schijnt het dat jij zijn vader kende, die een paar deuren verder woonde.'

'Goeie god!' riep Carlton uit en zijn gezicht straalde oprecht van plezier, en zijn ogen fonkelden. 'Dan heb je het vast over Jack Chalmers. Hoe is het met hem?'

'Dat zul je zo wel merken. Hij is toevallig bezig in zijn vaders huis, en hij wipt zo even langs om jou en Marguerite gedag te zeggen.'

'Wat aardig van hem. Marguerite zal het geweldig vinden. Ze was altijd al dol op Jack, en ik ook natuurlijk. We hebben hem en zijn broer Kyle zien opgroeien.'

Carlton leek zijn goede humeur weer te hebben gevonden en tot haar grote opluchting ontspande Christopher nu ook zienderogen.

Zich tot haar richtend zei Christopher: 'Het mag misschien raar klinken, maar al is het schilderij beschadigd en nep bovendien, ik zou het toch graag houden.'

'Ik vind echt dat je het moet vernietigen,' begon Carlton weer. Christopher keek Annette vragend aan.

'Jij bent de eigenaar van het schilderij,' begon ze. 'En zolang je het niet verkoopt als een beschadigde Cézanne – want het ís geen Cézanne – lijkt het mij prima. Het is een vervalsing. En laten we er nu een punt achter zetten voor Jack Chalmers binnenkomt. Hij is de journalist die over mij schrijft, en jij, Christopher, bent de cliënt wiens Rembrandt ik voor twintig miljoen pond heb weten te verkopen. Ik weet zeker dat hij nieuwsgierig is naar je, hij wil vast even met je spreken.'

Christopher knikte. 'Dat vind je dus goed?'

'Ja, als je je mond maar houdt over die valse Cézanne. Je mag het alleen over de veiling hebben, en de Rembrandt.'

'Begrepen,' zei Christopher.

'Zo, Carlton, laten we nu dat namaakschilderij maar van de ezel halen en opbergen,' zei Annette.

'Met alle soorten van genoegen!' zei Carlton en hij tilde het doek van de ezel. Tegen Christopher zei hij: 'Ik zal het weer in de lijst zetten. Kun je hem dan vanmiddag komen oppikken?'

'Geen probleem,' zei Chris. 'Bedankt.'

Annette liep achter Carlton aan en zei: 'Laten we Marguerite maar even vertellen dat Jack Chalmers hier zo voor de deur staat.' Ze liep naar de keuken toen er werd aangebeld.

20

Plotseling stond hij in het middelpunt van haar leven, het was adembenemend en ze was nog steeds van de wijs door de manier waarop het was gebeurd. Zo toevallig, zo onverwacht en vooral zo snel. Een kort telefoongesprek over de verschuiving van het tijdstip van het interview en haar dag was van de ene op de andere minuut veranderd.

Er ontstond een hoop drukte toen hij een paar minuten geleden was binnengelaten. Marguerite Fraser trok hem meteen met veel liefdevol vertoon de grote hal binnen en dribbelde om hem heen als een moederkloek. Carlton kwam de studio uit gesneld om hem stevig te omhelzen en zelfs Christopher stond te springen om hem te ontmoeten.

Daar was hij dan. Jack Chalmers. De ster van de dag, met de verrukte Frasers om zich heen, Christopher die hem vol ontzag aanstaarde en Annette die zich schuilhield op de achtergrond. Het leek alsof Jack een beetje verlegen was met al die aandacht, want hij stond haar hulpeloos aan te staren aan de overzijde van de hal.

Annette besefte dat ze de controle van de situatie was kwijtgeraakt toen Marguerite op het toneel verscheen, maar nu nam zij de touwtjes weer in handen. Glimlachend kwam ze op hem af en ze zei met vaste stem: 'Wat is de wereld toch klein, hè Jack?' en stak hem haar hand toe.

Hij greep hem vast en drukte hem heel even net iets te stevig voor hij hem losliet. Hij glimlachte terug en legde het uit: 'Ik heb veel tijd doorgebracht in dit huis toen ik nog een jongetje was.'

Marguerite vatte dit op als teken dat ze zich als gastvrouw moest gedragen. 'Kom toch allemaal naar de keuken! Dan zal ik een lekker bakje koffie zetten.'

'O nee, echt, ik wil jullie zaken niet verstoren.' Jack kon zijn ogen niet van Annette afhouden terwijl hij dat zei. 'Ik wilde jullie alleen even gedag zeggen, dat is alles.' Hij kwam dichter bij haar staan. 'En onze afspraak voor morgen nog eens bevestigen,' voegde hij eraan toe en hij raakte licht haar arm aan.

Ze knikte stom.

Marguerite zei: 'Kom, blijf nog even koffiedrinken, Jack. We hebben je sinds je vaders begrafenis niet meer gezien en we willen dolgraag horen hoe het met je gaat.'

'Ja Jack, blijf toch even, jongen,' zei Carlton.

'Ik heb het gevoel dat ik erg ongelegen kom,' mompelde Jack, terwijl hij als gehypnotiseerd naar Annette bleef staren.

Ze dacht dat hij misschien haar toestemming zocht om te blijven, dus zei ze: 'Je komt helemaal niet ongelegen, Jack. We waren juist klaar met onze bespreking. En ik bedacht me net dat je wel een babbeltje met Christopher zou willen maken. Mag ik je voorstellen aan Christopher Delaware, mijn cliënt. Chris, dit is Jack Chalmers. Jullie kunnen het over de Rembrandt hebben en over de veiling natuurlijk. Daar ben je het toch mee eens, Chris?'

'Natuurlijk,' zei Chris en hij gaf Jack een hand.

'Nou, dat is geweldig,' zei Jack. 'Ik zou graag horen wat jij van de veiling vond, en misschien kun je me vertellen hoe Annette dat allemaal aanpakte.'

'Ze is de allerbeste,' zei Chris met een grijns naar Jack. Toen vroeg hij aan Marguerite: 'Waar kunnen we gaan zitten, mevrouw Fraser?'

'O, noem me toch Marguerite, en waarom gaan jullie niet in de woonkamer zitten. Jack weet wel waar die is.'

'Natuurlijk,' zei Jack en hij ging hem voor.

Marguerite richtte zich tot Carlton en zei: 'Wat een verrassing, dat Jack zo onverwacht langskomt. Verontschuldig me even, Annette, want ik ga snel koffiezetten. Ik weet zeker dat jij en Carlton nog een hoop te bespreken hebben.'

Toen Annette alleen met Carlton in de hal stond, zei hij zacht: 'Ik hoop maar dat hij zich niets laat ontvallen over de Cézanne. Hij komt zo jong en onervaren over, Annette.'

'Dat weet ik, en dat is hij ook op veel vlakken, maar toch kan hij best slim zijn in bepaalde dingen. Hij zegt niks over de Cézanne, dat weet ik pertinent zeker. Hij kletst er gewoon op los over de verloren Rembrandt en hoe verrast hij was toen hij er zoveel geld voor bleek te krijgen. Maak je maar geen zorgen, hij zal geen moeilijkheden veroorzaken.'

'Ik vertrouw op je oordeel, m'n kind.' Carlton nam haar bij de arm en leidde haar terug naar de studio. 'Ik zou alleen zo graag willen dat hij ons dat ding liet vernietigen. Ik vind het geen fijn idee dat die vervalsing nu blijft rondzwerven.'

'Die blijft niet rondzwerven. Welnee. En het is nu eenmaal van hem. Eerlijk gezegd denk ik dat hij het ergens in een kamer zet waar hij allerlei spullen opslaat en het gewoon vergeet. Ik kreeg de indruk dat hij dacht dat we hem wilden dwingen. Maar als je je er beter bij voelt, dan praat ik nog wel een keertje met hem. Hij is drieëntwintig, vergeet dat niet.'

Carlton lachte. 'Als je in de zestig bent, lijkt drieëntwintig vreselijk jong.'

Annette lachte terug en ging bij het raam zitten. 'Chris laat misschien wat vallen over de volgende veiling in zijn gesprek met Jack, maar dat maakt me niet zoveel uit. Ik zou hem er toch wel over gaan vertellen, want het is een mooi opstapje voor de publiciteitscampagne.'

'En je topstuk wordt deze keer het beeldje van Degas, niet?'

'Klopt. En niet te vergeten de Giacometti. Als het mogelijk is zou ik graag willen dat je volgende week even langskomt om er een blik op te werpen. Ik vermoed dat ze allebei wel een schoonmaakbeurtje kunnen gebruiken, als je maar van de tutu van de Degas afblijft. Dat gaas zou vast meteen uit elkaar vallen.'

'Daar heb je gelijk in. Ik zou er niet aan durven komen, en het zou fantastisch zijn als ik ze weer een beetje voor jou kan opkalefateren... het zou me een eer zijn, m'n kind.'

Terwijl ze naar het huis van Jacks vader wandelden, zei Jack: 'Het was zo leuk om de Frasers weer eens te zien; het zijn allebei geweldige mensen. Maar ik moet je bekennen dat ik blij was toen Chris zei dat hij een afspraak had en ervandoor moest.'

'Ik ook,' antwoordde Annette. 'Ik stond te popelen om er een eind aan te breien, maar ik wist niet precies hoe ik dat moest doen zonder Marguerite voor het hoofd te stoten. Ze is zo'n schat, en ik bewonder haar, maar die koffievisite duurde me net iets te lang.'

'Zo, we zijn er. Hier woonde ik toen ik klein was,' verkondigde Jack en nam haar bij de arm om haar over het korte pad door de voortuin te leiden.

Dat ene moment dat hij zo dicht bij haar was bracht haar zomaar weer van de wijs, omdat ze voelde wat een effect zijn fysieke nabijheid op haar had. Ze wilde het liefst een stapje opzij doen, maar besefte dat dat wel een gekke indruk moest maken, dus bleef ze bevend naast hem lopen.

Toen hij de deur openmaakte, begon haar mobieltje te zoemen en ze vertrok haar gezicht, terwijl ze zei: 'Momentje, Jack.'

Hij knikte terwijl hij naar binnen ging en haar op de bovenste tree liet staan, kennelijk om haar wat privacy te geven. Ze klapte haar mobieltje open en zei: 'Met Annette.'

'Hallo, met Malcolm. Heb je even?'

'Natuurlijk. Gefeliciteerd trouwens.'

'Dank je. Daar belde ik je overigens voor. Kunnen jij en Marius vanavond met Laurie en mij uit eten gaan?'

'Voor zover ik weet hebben we geen afspraken. Ik zou het even moeten vragen. Of beter, waarom doe je dat zelf niet? Zeg maar dat je met mij gepraat hebt en dat je weet dat ik geen andere verplichtingen heb. Maar misschien hij wel: je weet dat hij vaak cliënten mee uit eten neemt.'

'Ja, doe ik. Luister eens. Ik wilde toch even bij hem langsgaan vanmiddag. Ik lunch met een cliënt en ik dacht, ik wip even bij hem langs op kantoor. Wat denk je?'

'Om te zeggen dat jij en Laurie gaan trouwen?'

'Ja...'

Het werd stil aan de lijn. Annette zei: 'Malcolm ben je er nog? Hallo...'

'Ja. Ik ben er nog,' zei Malcolm. 'Maar ik ben een beetje bang voor zijn reactie als hij van onze plannen hoort. Hij is zo bezitterig wat haar betreft.'

'Weet ik. Maar ze is onderhand wel zesendertig. Jullie hebben zijn toestemming helemaal niet nodig – en ook niet van mij of van wie dan ook.' Ze lachte. 'Ga nou maar en vertel het hem. Oké?'

'Oké. Bedankt, Annette, en ik ben zo blij dat jij het goedvindt.'

'Dat had je kunnen weten. Jij bent top. Tot vanavond dan.'

Ze klapte haar mobieltje dicht en liet het in de zak van haar zwarte wollen jasje glijden. Ze bleef even staan, want ook zij was een beetje bang voor Marius' reactie op het nieuws. Hij kon er niets aan doen dat hij zo'n controlfreak was, dat lag in zijn aard, maar het was wel een erg lastige hebbelijkheid, vooral wanneer hij bazig ging optreden. Uiteindelijk durfde ze te wedden dat Malcolm het huwelijk met Laurie gewoon zou doorzetten. Hij zou Marius met fluwelen handschoenen aanpakken, hij kon heel diplomatiek zijn, en Annette wist dat haar oude vriend zich niet van de wijs zou laten brengen, zelfs niet door zijn beroemde mentor.

Annette stond voor de drempel en keek het huis in. De entree was klein, maar er stonden verschillende deuren open, en het licht van de ramen van de drie lege kamers vulde de hal met een flauw zonlicht. Stofjes stegen op als een wolk piepkleine fragiele insecten, glinsterend in de lucht. Het was heel stil in de hal, doodstil.

Uiteindelijk viel haar blik op Jack. Hij had niet door dat ze daar naar hem stond te kijken terwijl hij voor een grote hutkoffer geknield op de grond zat. Ze kon zijn schouderbladen zien door het dunne katoen van zijn witte overhemd en ze kreeg plotseling een brok in haar keel. Wat weerloos, wat kwetsbaar zag hij er nu uit; ze had de neiging hem licht aan te raken, zoals je liefdevol een kind aan zou raken. Wat een gevaarlijke man was hij, want hij raakte haar op zoveel vlakken en scheen onder haar huid te kruipen. Als ze verstandig was zou ze zich meteen omdraaien en er als de bliksem vandoor gaan.

Maar in plaats daarvan stapte ze over de drempel de hal in. Hij hoorde haar binnenkomen en kwam overeind. Met een glimlach draaide hij zich om. Het was die brede, gulle glimlach van hem die zijn perfecte witte tanden liet zien, en het weerspiegelde zijn hartelijkheid en die fatale charme.

'Ik heb nog maar een minuutje nodig,' legde hij uit. 'Ik heb nu wel alles gedaan wat ik kan. Ik pak mijn spullen en bel een taxi. Ik kan je bij je kantoor afzetten, of waar je maar wilt.'

'Dank je.' Ze bekeek de hutkoffer. 'Prachtige oude Louis Vuitton, zeg,' zei ze zo vriendelijk mogelijk, en ze stond er versteld van dat het er zo normaal uit kwam.

'Ja, mooi hè! Hij was van mijn moeder; ze stierf voor pa overleed, het is nu vier jaar geleden. Ze heeft hem aan mij nagelaten, met alles wat erin zit. Mijn broer zit me sinds vaders begrafenis op te jutten dat ik hem moet ophalen, omdat we het huis gaan verkopen. Dus heb ik de inhoud in deze twee koffers gedaan, die wat makkelijker te dragen zijn.'

Annette knikte dat ze het begreep. 'Maar je moet die hutkoffer hier niet laten staan, hoor. Het is een verzamelaarsobject en ongetwijfeld heel wat waard.'

'Weet ik, en ik houd hem ook. Mijn moeder had een winkeltje op Primrose Hill, een soort pijpenla. Maar zij was er gek mee. Haar rommelwinkeltje, noemde ze het, en het stond vol met allerlei oude troep. Maar ook met echt mooie spulletjes, zoals deze koffer. En af en toe handelde ze bovendien in topkwaliteit antiek, waarvan er heel wat hier belandde. Kyle regelt de veiling ervan.'

Rondkijkend zei Annette: 'Het lijkt me een echt fijn gezinshuis. Je zult hier wel erg gelukkig zijn geweest.'

'Reken maar, en Kyle zou dat beamen.' Hij keek haar strak aan en vroeg: 'Jij bent in Ilkley opgegroeid, niet?'

'Ja,' antwoordde ze en ze vroeg zich af hoe hij daarachter was gekomen. Wat wist hij nog meer? Ze bleef doodstil staan want dit alarmeerde haar. Oppassen met wat je zegt, waarschuwde ze zichzelf. Wees op je hoede. Ze klemde haar lippen op elkaar.

Jack riep uit: 'Dus dan ben je een heidemeisje uit Yorkshire! Mis je het niet? Ik wed van wel, het is daar zo prachtig.'

Haar keel zat dichtgeschroefd. Na enige tijd wist ze schor uit te brengen: 'Nee, ik mis de omgeving niet echt.'

'Mijn vader was een theateragent,' vertelde Jack haar. 'Elk

jaar gaf hij een groot feest in de zomer. Hier in de tuin. En hij nodigde iedereen uit.'

Nu liep Jack de centrale woonkamer in en hij gebaarde dat ze mee moest komen. 'Kom! Kom mee, dan laat ik je die tuin van het feest zien. Mam noemde het altijd HET TUINFEEST, met hoofdletters. Het was de gebeurtenis van het jaar voor pa. Hij genoot ervan. Hij kreeg er zo'n kick van.'

Annette wilde eigenlijk op de vlucht slaan, zo snel mogelijk bij hem weg zien te komen. Hij wist haar zo simpel en makkelijk te betoveren met zijn charmante verhalen, zijn ontspannen manier van doen, zijn truc om haar in vertrouwen te nemen en haar zomaar van alles over zichzelf te vertellen. Ze wist niet hoe ze hem moest vragen de taxi te bestellen, ze kon de woorden niet vinden. Omdat... ze hier eigenlijk zo graag wilde blijven – dat was het toch? Toen ze uiteindelijk haar stem weer vond vroeg ze: 'En jij en je broer, mochten jullie ook op dat feest komen?'

'Ja, toen ik een jaar of acht en Kyle tien was. Het begon altijd om zes uur en wanneer het eindigde wist niemand. Er werd gevochten om uitnodigingen, maar pa was er erg gul mee, want hij wilde niemand teleurstellen. Of iemand kwetsen. Hij was een toffe vent. Hij gaf mij en Kyle zoveel. Jaag je droom na, zei hij altijd, ga ervoor, vang hem, en houd hem levend. Hij stond altijd pal achter ons en moedigde alle ambities aan.'

Hij draaide zich om en greep haar hand, en hoewel ze daarvan schrok liep ze achter hem aan naar het midden van het gazon. 'Hier stond een grote tent, voor het geval het zou gaan regenen, en je snapt wel dat dat regelmatig gebeurde. En er speelde een band en er stond een bar en overal stonden tafels vol heerlijkheden. Het was de fijnste plek van de wereld.'

'Ik wou dat ik er ook was geweest,' zei ze zonder erbij na te denken en slikte, want het was een domme opmerking.

'Ik ook,' mompelde hij en hij keek haar diep in de ogen.

Annette wendde haar blik af en trok haar hand uit de zijne. Zacht zei hij: 'Pa handelde in dromen, weet je, want hij vertegenwoordigde acteurs, schrijvers, regisseurs, producenten... Ik noemde hem soms de dromenvanger, of de dromenmaker, en dan lachte hij. Wat deed jouw vader?'

'Hij was leraar,' zei ze zonder na te denken.

'In Ilkley?'
'Nee, Harrogate,' verbeterde ze en ze kon haar tong wel af-
bijten.
'O. Ik dacht dat je in Ilkley woonde.'
'Ja, nadat vader stierf. Toen gingen we bij onze grootvader
wonen.'
'Je moeder ook?'
'Ja.' Ze haalde diep adem. 'Jack, het spijt me, maar ik moet
eigenlijk terug naar kantoor.'
'O natuurlijk! Sorry dat ik je tijd zit te verspillen met al dat
gebazel over mijn vader en hoe ik hier opgroeide. Laten we
snel naar binnen gaan.'

21

Annette stond met Esther in haar kantoor, hun blik gevestigd op de enorme foto van Giacometti's sculptuur van een
lopende man van een meter hoog. De afbeelding was die ochtend aangekomen toen zij bij Carlton was en Esther had hem
uitgepakt en hem neergezet op het dressoir.
'Hij ziet er echt geweldig uit,' zei Annette na een tijdje. 'Ik
heb zo'n goed gevoel bij deze sculptuur. Ik denk dat de prijs
de pan uit rijst. Marius zei dat ik hem aan moest bieden op
de septemberveiling, niet later, omdat Giacometti helemaal
hot is de laatste tijd. En hij kan er wel eens gelijk in hebben.'
'Als je zegt "de pan uit rijst", waar denk je dan aan?' vroeg
Esther, en ze keek Annette aan, bereid om alles te geloven
wat haar lady-baas zei, want ze was de geniaalste vrouw die
ze kende. Ze vertrouwde onvoorwaardelijk op haar oordeel
over kunst, en vrijwel alle andere onderwerpen.
'Dan denk ik ergens tussen de twintig en vijfentwintig mil-
joen.'
'Pond?' zei Esther, naar lucht happend.
'Ja, natuurlijk in ponden – de veiling zal hier in Londen bij
Sotheby's worden gehouden. Dat vond Marius verstandiger.
Was je dat vergeten?'
'Nee, dat weet ik wel, maar als het er voor vijfentwintig mil-

joen pond uit gaat, dan gaat hij nog meer opbrengen dan de Rembrandt, niet dan?'

Annette grijnsde. 'Ik zei toch dat ik mezelf deze keer wilde overtreffen. Ik ben vast van plan om mijn eigen record te breken.'

Lachend riep Esther uit: 'Maar je krijgt ongeveer evenveel voor het danseresje, denk je niet?'

'Ja, misschien nog wel meer, omdat het maar een van de weinige beelden is die Degas ooit heeft gemaakt. Aan de andere kant is Giacometti de afgelopen jaren ontzettend populair geworden.'

'Hoe zit dat eigenlijk met die recessie waar iedereen zich zo druk over maakt? Krijgen wij daar volgend jaar ook mee te maken?'

'Dat zou best kunnen, maar ik denk dat dat weinig invloed zal hebben op de aankopen van de megarijken, zeker niet als het kunst betreft. De miljardairs zijn altijd op jacht naar een trofee, om hun vrienden de ogen uit te steken.'

'Als jij het zegt,' zei Esther, terwijl ze zich omdraaide en naar de deur liep. Voor ze haar eigen kantoortje binnenging, zei ze: 'Ik heb een paar telefoontjes voor je opgenomen. Marius belde om te zeggen dat jullie vanavond met Malcolm uit eten gaan. Malcolm belde zelf ook, en Laurie.'

'Dank je, Esther.'

Esther glimlachte, deed de deur open en vroeg aarzelend: 'Gaat dat interview met Jack Chalmers morgen nog door?'

'O ja, zeker. Maar ik vergat te zeggen dat hij pas 's middags komt, en dan neemt hij me mee voor de lunch, om het interview voort te zetten in een andere omgeving.'

'Goed idee. Hij wil natuurlijk verschillende kanten van je ontdekken, en het is een beetje, nou ja, klinisch in dit kantoor.'

Annette begon te lachen. 'O, Esther, je hebt altijd zo'n typische manier om dingen uit te drukken. Klinisch, jawel.'

'Maar het is toch waar, baas, en ik kan het weten,' mompelde haar assistente en sloot de deur achter zich.

Met haar blik op de deur gericht, dacht Annette even aan Jack. Hij was zo ontspannen geweest in de taxi. Hij kletste wel wat, maar had haar geen lastige vragen meer gesteld. Daar was ze blij om geweest.

Maar wat hij tijdens de lange rit van Hampstead naar Bond Street wel had gezegd, was dat hij gewoonlijk nooit drie interviews deed voor een persoonsbeschrijving voor een krant. De reden om zoveel materiaal bij elkaar te krijgen, was dat hij ook een artikel voor het *New York Times Magazine* zou schrijven, en dat zou een stuk uitgebreider moeten worden. Ze waardeerde zijn attente aanpak, hij wilde haar echt op haar gemak stellen.

Dat deed hij ook tijdens het interview. Zijn fysieke aanwezigheid, zijn charismatische persoonlijkheid en zijn aantrekkingskracht hadden haar echter van haar stuk gebracht, en hij had haar het gevoel gegeven dat ze weer een giechelende tiener was – belachelijk, maar het was zo. En daarom zou ze zich altijd zakelijk moeten blijven gedragen, beleefd maar niet al te vriendschappelijk, niet al te intiem, want dat was het belangrijkste: ze mocht haar geheimen niet aan hem toevertrouwen.

Ze keek naar het lijstje met berichten op haar bureau en belde eerst Agnes Dunne, Marius' assistente. Het antwoordapparaat stond aan en ze sprak in dat ze het begrepen had van het etentje van die avond. Daarna belde ze Malcolm, die ze op zijn mobieltje te pakken kreeg, net toen hij de Remmington Gallery verliet op weg naar een afspraak.

'Ik hoor dat we uit eten gaan met z'n allen,' zei ze toen hij opnam.

'Ja, acht uur in Mark's Club. Vanwege Laurie eigenlijk, want het is er zo rolstoelvriendelijk.'

'Ik vind Mark's Club altijd erg gezellig. Hoe klonk hij, Malcolm? Gaat hij akkoord dat je om vier uur langskomt?'

'Jawel, al is hij er pas om vijf uur. Hij begreep niet echt waarom ik hem wil spreken. Die uitnodiging was eigenlijk het enige waarom ik hem belde.'

'Maak je niet druk. Het loopt wel los. Je moet het gewoon zeggen. Geloof in jezelf, zeg het vastberaden, en ga niet in op onzinargumenten.'

Malcolm grinnikte. 'Dat zeg je altijd, maar wie weet nou beter dan jij wat een lastige klant het kan zijn wat overtuigen betreft. Hij probeert je altijd over te halen om het op zijn manier te doen.'

'Vergeet dat, vergeet dat het Marius is, en je mentor. Dit is persoonlijk en trouwens, hij is ook gewoon een man. Zeg hem vanmiddag recht in zijn gezicht dat je met Laurie gaat trouwen, en dat is dat.'

'Yes sir, zoals u zegt, sir. En tot straks, sir.'

'Dag Malcolm,' zei ze met een lach in haar stem en hing op. Met een peinzende blik op het bericht van haar zuster, belde ze haar even later. 'Hé, kleintje, hoe is het?'

'Hartstikke goed, Annette. En dolgelukkig. Ik ben blij dat we vanavond al uit eten gaan en dat Marius ook komt en op tijd terug zal zijn uit Cirencester.'

'Is hij naar Cirencester?' Annette kon haar verbazing niet verhullen.

'Ja, dat zei hij tegen Malcolm tenminste, die hem mobiel belde. Marius was op weg naar Gloucestershire om een klant te spreken.'

'Ja, hij heeft een aantal klanten daar. Maar goed, ik wilde even zeggen dat Chris alles begrepen heeft wat Carlton over die Cézanne te zeggen had, maar hij neemt hem toch mee terug naar Knowle Court. Het schijnt dat hij geen zin heeft om hem te vernietigen, hij wil hem gewoon houden, vals of niet. Daar heeft hij het recht toe natuurlijk, het is van hem.'

'Het maakt toch niet uit? Hij kan het toch niet verkopen, met al dat roet en zo, en een bewijs van herkomst heeft hij ook niet.'

'Dat heb ik hem ook gezegd, en tegen Carlton, die hem niet wist te overtuigen. Carlton wil dat schilderij echt van de wereld laten verdwijnen.'

'Maar zo is hij nu eenmaal, Annette, een beetje een pietjeprecies wat regels en wetten betreft.'

'Dat weet ik. Zo, ik spreek je vanavond wel verder.'

'Natuurlijk, dan kun je ook mijn verlovingsring bewonderen. Het is een smaragd, zo mooi! Heb ik gisteravond van Malcolm gekregen.'

'Ik ben zo blij voor je, Laurie, echt ontzettend blij. Je verdient een lieve man als Malcolm, iemand die goed op je let.'

'Ik kan heel goed op mezelf letten, hoor, zo heb je me nu eenmaal opgevoed: wees een onafhankelijke vrouw, en sterk bovendien.'

Nadat hij Annette bij haar kantoor had afgezet, was Jack teruggegaan naar zijn flat op Primrose Hill. Hij rammelde van de honger en hij liep meteen naar de keuken om een sandwich met gerookte zalm te maken en koffie te zetten. Terwijl hij zat te eten met het nieuws aan, dacht hij aan de vrouw van wie hij net afscheid had genomen.

Hij stond te springen om haar mee te vragen met hem te gaan lunchen, maar opeens besloot hij het niet te doen. Ze was een beetje afstandelijk geweest in de taxi, dus had hij zich ingehouden, kletste een beetje over ditjes en datjes, en hield het gesprek zo zakelijk mogelijk.

Nee, niet echt afstandelijk, dacht hij bij nader inzien. Verkeerde woord. Ze was... koel. Zeer koel. En kalm. En beheerst. Ze had zichzelf volledig in de hand. Zeer zelfverzekerd.

Hij zuchtte zacht. Totaal het tegengestelde van hoe hij zich voelde: zijn emoties gingen met hem op de loop. Stel je voor, hij had haar nog maar twee keer in zijn leven gezien en nu al beheerste ze al zijn gedachten. Hij wilde bij haar zijn, tijd met haar doorbrengen, haar beter leren kennen. En haar beminnen. Zijn lichamelijke reactie op haar had hem gisteren aan het wankelen gebracht, al had hij zijn uiterste best gedaan dat niet te laten merken.

Hij leek wel een scholier die stapelverliefd was. Maar hij was geen schooljongen meer. Hij was bijna dertig en ervaren, had genoeg vrouwen gekend om die eerste hevige fysieke aandrang te kennen, dat enorme gevoel van seksuele lust en passie, dat stukje bij beetje afnam, soms sneller dan dat.

Maar deze keer niet, dacht hij. Nee, deze keer niet. Helemaal niet. Omdat hij zich nog nooit zo had gevoeld als nu. Niet met zijn twee ex-verloofdes. Niet met Lucy.

O jee. Lucy! Hij had haar niet gebeld. Hij was het al weer vergeten. Dat zei toch wel iets over hem, of over zijn gevoelens voor Lucy. En ook over Annette. Hij was de afgelopen vierentwintig uur zo door haar in beslag genomen dat hij andere gedachten volledig had geblokkeerd.

Hij zette de televisie uit, nam zijn bord en mok mee naar de keuken en ging weer aan zijn bureau zitten, waar hij niets ziend naar het scherm van zijn laptop bleef staren.

Uiteindelijk stuurde hij Lucy een e-mail waarin hij uitlegde hoe druk hij wel niet was. Hij beloofde haar eind van de middag te bellen. Vervolgens zocht hij op Google naar informatie over Laurie Watson, de zus van Annette.

Meteen sprong er een artikel in beeld en zijn mond viel open toen haar foto verscheen. Mijn god, wat een spetter. Oogverblindend mooi, met glanzend rossig-goud haar, een fijn gezichtje en enorme groene ogen. Je kon nauwelijks zien dat ze Annettes zusje was; het waren totaal verschillende types. Het bijschrift vermeldde dat de foto bij Sotheby's was genomen, de avond van de veiling. Annette stond naast Laurie, die in haar rolstoel zat, met een prachtige jurk aan en mooie accessoires.

Toen hij naar Annette op de foto keek, merkte hij op dat ze eenvoudiger gekleed ging dan haar jongere zus: ze droeg een mantelpakje en een minimum aan sieraden, alleen een parelketting en parels als oorknopjes. Tijdloos, ingetogen elegant, en ze deed denken aan... aan wie? Aan wie deed Annette hem denken op die foto die in maart genomen was?

Haar blonde haar was opgestoken in een chignon, en haar blauwe ogen leken nog levendiger onder haar wat donker aangezette wenkbrauwen. Haar uitdrukking was raadselachtig. Dat tarwekleurige pakje en die parels wezen op klasse. Natuurlijk. Nu wist hij het. Ze leek precies op Grace Kelly in *To Catch a Thief*. Zijn lievelingsfilm van vroeger, vol zee en hemel en Zuid-Frankrijk. Geestige, gedistingeerde Cary Grant en de lieflijke Grace in dat meesterwerk van Hitchcock, die nu nog net zo bezienswaardig was als in de jaren vijftig.

Een paar tellen later klikte hij Google uit en zocht op andere zoekmachines informatie over Laurie en Annette. Hij vond niets anders dan de bekende interviews van de avond van de Rembrandt-veiling, en een paar wervende stukjes die eerder dit jaar waren geplaatst.

Nou, dat had ze hem toch verteld? Ze had uitgelegd dat ze geen interviews gaf omdat er niets was om over geïnterviewd te worden. 'De Rembrandt-veiling is mijn enige wapenfeit,' had ze een dag eerder in haar kantoor gezegd. En hij merkte nu dat het de waarheid was. Tot Christopher Delaware de gelukkige zet had gedaan het schilderij naar haar toe te brengen, was ze gewoon een goede kunsthandelaar met wat cliënten, geen ster in de kunstwereld.

Hij startte een nieuw leeg document en maakte een lijstje van de flarden informatie die hij die ochtend in Carlton Frasers huis had opgevangen, en in de tijd die ze later samen hadden doorgebracht. Toen hij daarmee klaar was, begon hij met een opzet voor het profiel dat hij het komende weekend moest schrijven om zijn deadline voor de *Sunday Times* te halen. Als hij daarmee klaar was, zou hij beginnen met de samenvatting voor het veel langere artikel voor het *New York Times Magazine*.

Toen de telefoon begon te rinkelen schrok hij ervan, zo geconcentreerd was hij bezig.

'Hallo, met Jack Chalmers.'

'Met Annette.'

'O,' zei hij verward. Hij had zichzelf snel weer in de hand en vroeg: 'Is alles goed?' Hij wilde zichzelf wel een schop geven. Hoe kon hij zoiets stoms tegen haar zeggen.

'Ja hoor, alles in orde. Maar er schoot me iets te binnen over dat interview van morgen. Ik vroeg me af of je het leuk zou vinden om de twee topstukken te zien voor de komende veiling waarmee ik bezig ben...'

'Nou, dolgraag natuurlijk! En of ik dat wil!'

'Wil je dan eerst naar mijn appartement komen? Daar staan de sculpturen namelijk.'

'Sculpturen? Van wie?'

'Dat zul je wel zien.' Ze aarzelde. 'Ik wil je verrassen. Ik geef je even mijn adres. Heb je een pen?'

'Ik zit aan mijn bureau. Ga je gang.'

Nadat ze het hem had verteld, zei ze: 'Zelfde tijd, andere plaats. Een uur of twaalf toch?'

'Ja, ja. En daarna lunchen we even. Oké?'

'Dat lijkt me erg gezellig. Ik zie je morgen!'

Ze had opgehangen voor hij kon reageren. Hij leunde achterover, want het drong tot hem door dat hij de allereerste was die dit nieuwtje zou horen. Net zoals zijn agent Tommy had gezegd. Dit was geweldig. Het zou een schitterende inleiding vormen, maar nu moest hij snel zijn gedachten ordenen over het eerste deel van de karakterschets. En een aangenaam restaurant in de buurt van Eaton Square reserveren. Maar dat zou niet zo moeilijk zijn.

Weer rinkelde de telefoon en hij greep hem snel. 'Jack Chalmers.'

'Hé, Jack,' zei zijn broer. 'Even over vanavond. Vind je het erg dat mijn producent Tony Lund met ons mee-eet?'
'Moet het?'
'Eigenlijk wel, hij is gisteren aangekomen van de westkust, en ik heb hem wel een paar keer gesproken, maar ik had hem een etentje beloofd. En hij kan alleen vanavond. Morgen zit hij weer in Parijs.'
'O, mij best. Tony Lund is beslist een talent. Ik wil hem best ontmoeten.'
'Oké dan. Acht uur in Harry's Bar.'
'Harry's Bar! Gaan we duur doen?'
'Daar wil hij nu eenmaal heen. Gelukkig dat pa me vorig jaar voorgedragen heeft als lid.'
'Kijk, het eten is top en er is een lekker jazzy sfeertje. Ik beloof dat ik een das om zal doen.'
Kyle lachte. 'Zeg, hoe ging het met de verhuizing? Heb je de hutkoffer het huis al uit?'
'Nee, ik beloof dat ik dit weekend alles weghaal. Ik werd vanmorgen onverwacht opgehouden.'
'Ik hoor het wel. Zeg, ik moet hangen. Zie je vanavond.'
'Oké, Kyle.' Jack hing op en belde het nummer van zijn agent. Hij had vreselijk veel zin om Tommy te vertellen dat hij het helemaal bij het rechte eind had gehad en dat Annette hem morgen de topstukken voor de volgende veiling zou laten zien. Hij zou niet alleen de feiten horen, maar nog een voorvertoning krijgen ook!

22

'Waarom heb je me dat niet verteld?' brieste Marius vanuit de deuropening van haar kleedkamer. Ze zat aan haar kaptafel, maar draaide zich met een ruk om en staarde hem met grote schrikogen aan. Ze had hem niet horen binnenkomen en de angst sloeg haar om het hart bij zijn plotselinge entree en zijn kwade stem.
'Omdat Malcolm het jou zelf wilde vertellen,' beet ze terug, 'en daarom kwam hij vandaag bij je langs. Ik neem aan dat

hij dat gedaan heeft en dat hij zijn verloving met Laurie niet telefonisch heeft afgedaan.'

'Ik zag hem pas aan het eind van de middag. En als ik zeg dat ik perplex was van dat nieuws, zou het het understatement van het jaar zijn. Ik sloeg verdomme steil achterover, ik was compleet sprakeloos. Ik kon gewoon niet geloven wat ik hoorde! En–'

'Waarom ben je zo van streek?'

'Moet je me dát nog vragen! Jij, van iedereen die ermee te maken heeft!' riep hij uit, terwijl zijn stem trilde van woede. 'Het is gewoonweg belachelijk, een huwelijk van die twee. Wat voor leven zullen ze krijgen? Dat wordt rampzalig, als je het mij vraagt. Laurie zit in een rolstoel, ze is verlamd, en Malcolm is een gezonde, normale vent met een goede smaak als het op vrouwen aankomt. Hij is de eigenaar van een zeer succesvol bedrijf, en een gastvrouw voor groots opgezette etentjes en feesten is daarvoor noodzakelijk. Nee, het gaat niet werken, daarvan ben ik overtuigd,' stelde hij vast, leunend tegen de deurpost terwijl hij haar gebelgd aankeek. 'Ze passen voor geen meter bij elkaar.'

Annette keek hem koeltjes aan. 'Begrijp ik het goed: je zegt dat Laurie als vrouw ontoereikend is, omdat ze gedeeltelijk verlamd is, en dat ze zo nooit een goede echtgenote voor hem kan zijn?'

Toen hij niet direct antwoord gaf, ging Annette verder. 'Eigenlijk zeg je dus dat ze niet goed genoeg is voor Malcolm, jouw beschermeling, die eigenaar is van de Remmington Gallery, die jij zelf hebt opgezet, en die hij nog succesvoller heeft gemaakt dan toen jij de scepter zwaaide, want zo is het toevallig wel.'

Marius staarde haar aan, verbluft door haar scherpe toon en haar ijzige blauwe ogen en hij zag in dat hij iets te ver was gegaan. Meteen liet hij zijn stem dalen en hij zei op verzoenende toon: 'Je bent beledigd, maar dat was niet mijn bedoeling. Ik hou van Laurie, dat weet je best, en ik heb altijd voor haar gezorgd, ik was me bewust van mijn verantwoordelijkheid. Maar laten we wel wezen, Annette, ze heeft haar beperkingen. Als vrouw bedoel ik.'

Annettes bloed begon te koken, zo kwaad was ze op Marius, maar daar was vanbuiten niets van te merken, ook niet in haar stem. Op neutrale toon vroeg ze: 'Je doelt zeker op hun seksleven?' en ze trok sarcastisch een wenkbrauw op.

'Vanzelfsprekend. Malcolm is tweeënveertig, gezond, viriel, aantrekkelijk, een man van de wereld op zijn manier. Ik wil liever niet dat hij Laurie gaat kwetsen, en ik...'

'Hij zal Laurie nooit kwetsen,' onderbrak ze hem op een toon die geen tegenspraak duldde. 'Hij houdt van haar, hij is smoorverliefd op haar. En in ieder geval is Laurie heel goed in staat om met iemand naar bed te gaan, al jarenlang. Drie jaar geleden had ze een relatie met Douglas Brentwood en hij wilde ook met haar trouwen. Ze maakte het uit omdat ze niet verliefd op hem was. Maar ze houdt wel degelijk van Malcolm.'

Marius leek opeens totaal van zijn stuk gebracht en terwijl hij zijn rug rechtte kreeg hij een niet-begrijpende blik in zijn ogen. 'Laurie kan gewoon vrijen?' Hij snapte er zo te zien niets van en hij schudde ongelovig zijn hoofd.

'Ja, geen enkel probleem en ze geniet er nog van ook.' Annette onderdrukte een glimlach, want die laatste opmerking had ze niet kunnen bedwingen.

'Maar dat wist ik helemaal niet,' mompelde hij in zichzelf. 'Ik heb Laurie nooit in verband gebracht met seks.'

'Ik vond het niet nodig je dat te vertellen, of het met jou of een ander te bespreken. Laurie heeft ook haar privacy. Daar stond ze op. Daarbij is ze een beetje verlegen zoals je weet. Ik zie haar nog niet gezellig een boom opzetten over haar seksleven. Je bent een man.'

'Juist.' Hij herstelde zich al een beetje en ging verder. 'Maar luister nu eens, Annette, wees verstandig, denk eens na. Voor een goed huwelijk is niet alleen seks nodig. Wat dacht je van kinderen, een gezin stichten? Daarbij zou ze dan nog gastvrouw moeten spelen, en lange reizen moeten maken. Zo'n leven levert veel stress op en sommigen raken snel uitgeput, zeker een vrouw in een rol... ik bedoel een vrouw die gehandicapt is.'

Annette kon even geen woord uitbrengen. Ze keek Marius peinzend aan en zei toen op ijzige toon: 'Het schijnt dat Malcolm je niet heeft verteld dat Laurie zes weken zwanger is.'

'Zwanger,' herhaalde Marius, terwijl hij zich langzaam liet zakken in de stoel naast de deur. 'Is Laurie zwánger?'

'Inderdaad, en ze willen de bruiloft in juli houden. Bovendien zijn ze allebei zielsgelukkig.'

Malcolm gaf geen antwoord, maar sloot mompelend zijn ogen.

'Wat zei je, Marius?' vroeg Annette langzaam. 'Wát zei je daar?'

Hij deed zijn ogen open en keek haar aan. 'Ik zei dat ze nu nog een abortus kan krijgen.'

Ze hield zich uit alle macht in, en met alle zelfbeheersing die ze kon opbrengen, zei Annette langzaam, gearticuleerd en met vaste stem: 'Nee, Marius. Laurie piekert niet over een abortus. Zij en Malcolm willen deze baby, zijn er dolblij mee. En ze gaan deze zomer trouwen... Voor de baby geboren wordt. Vooral omdat Malcolm dat graag wil.'

Marius stond met zijn mond vol tanden, kennelijk was hij in verlegenheid gebracht. Hij wist niet meer wat hij moest zeggen, zakte naar achteren in zijn stoel en sloot zijn ogen.

Na een paar tellen stond Annette op en liep naar hem toe. Ze schudde aan zijn arm en zei: 'Marius, ga rechtop zitten en luister naar me.'

Hij reageerde niet. Ze schudde hem harder heen en weer en riep: 'Ik verbied je om je met hun leven te bemoeien! En zij staan het ook niet toe. Malcolm kwam naar je toe om het je uit beleefdheid te vertellen; hij heeft goede manieren. Maar eerlijk gezegd kan het ze geen barst schelen wat jij ervan denkt en wat jij wilt. Net zomin als wat andere mensen ervan denken. Het zijn volwassen mensen, Marius.'

'Ja, dat weet ik wel,' mompelde hij en hij sloeg zijn ogen op. 'Al gedragen ze zich als kinderen.'

Annette liep terug naar haar stoel voor de kaptafel, ging zitten en keek naar hem in zijn stoel. Ten slotte zei ze met een stem kil als ijs: 'Je hebt altijd mijn leven voor me bepaald, me gemanipuleerd en gestuurd zoveel als je kon. Jarenlang hebben mensen gezegd dat jij me volledig in je macht hebt, maar ik liet ze maar kletsen en sloeg er geen acht op. Want ik kóós er tenslotte voor om bij je te blijven, om mijn leven met jou te delen. Maar als je je maar op wat voor manier dan ook bemoeit met het huwelijk van Malcolm en Laurie, dan kun je erop rekenen dat ik je zal verlaten.'

Hij wierp zijn hoofd achterover en schaterde het uit. 'Verlaat me maar,' zei hij proestend van het lachen. 'Jij weet heel goed dat je me nooit zal verlaten.' De zelfgenoegzaamheid droop van zijn stem.

Annette zweeg, want ze besefte dat hij de waarheid sprak. Hij wist gewoonweg te veel van haar pijnlijke verleden, de tegenslagen die ze had gehad, en wat ze had gedaan! Ze was in haar eigen val gelopen. Ze had alles aan hem opgebiecht. Uiteindelijk zei Marius: 'Kom schat, laten we geen ruzie meer maken over deze twee lachwekkende stumperds. Het zijn idioten, terwijl jij en ik...'

'Het zijn géén idioten!' beet ze hem toe. 'Het zijn twee mensen om wie ik erg veel geef, die stapelverliefd zijn, een kind krijgen en een bruiloft plannen. Ze zijn de baas over zichzelf en hun leven en dat blijven ze ook. En jij zult het maar moeten accepteren, anders hebben jij en ik niet langer dezelfde relatie. Reken dáár maar op.'

'Jij kunt mij nooit verlaten,' zei hij dreigend.

'Dat weet ik. We kunnen een appartement delen, maar dat betekent nog niet dat we dan ook ons leven moeten delen.'

Hoewel Marius wist dat de macht die hij over haar had nooit zou worden opgeheven, en dat ze hem, wat ze ook beweerde, nooit zou verlaten, was hij zich er bewust van dat ze door de jaren heen een stalen wil had ontwikkeld. Niet alleen was ze intelligent, ambitieus en een workaholic van het zuiverste water, ze was ook vastberaden, sterk en resoluut. En ze nam beslissingen waar hij niet altijd achter stond. Hij was echter nooit een gevecht met haar aangegaan. Lang geleden had hij al gezien dat hij haar de ruimte moest geven, als hij wilde dat hun huwelijk hecht en lichamelijk en emotioneel vol warmte zou blijven. Maar nu begreep hij dat ze zich dood zou vechten als het erop aankwam dat Laurie zou krijgen waarnaar ze het meest verlangde. Hij zou altijd het onderspit delven tegenover haar kleine zusje als het ging om zoiets wezenlijks als dit.

Hij stond op en liep naar Annette, bukte zich, nam haar hand in de zijne en trok haar zachtjes omhoog. Hij keek haar diep in de ogen en zei glimlachend: 'Je hebt gelijk. Ik had het mis. Ik beloof je dat ik me er niet in zal mengen. Laurie is tenslotte al zesendertig en Malcolm tweeënveertig, en ze moeten hun leven leiden zoals zij dat willen.'

Annette knikte. 'Ik ben blij dat je meegaat in hoe ik erover denk.'

'Het kwam als een donderslag bij heldere hemel; het was de schok, denk ik,' zei Marius.

'Ik begrijp het. Maar nu mogen we ons wel haasten, als we op tijd in Mark's Club willen komen. Ik kom niet graag te laat.'

'O, de locatie is trouwens veranderd,' zei Marius en hij liet haar handen los. 'Malcolm vond het bij nader inzien beter om het heuglijke feit in Harry's Bar te vieren. Ook daar kun je met een rolstoel uit de voeten.'

'In dat geval zal ik maar even iets anders aantrekken,' zei Annette en liep naar haar klerenkast.

'Dan doe ik even een schoon pak aan.' Marius haastte zich Annettes kleedkamer uit.

Annette bleef even doodstil zitten voor de spiegel van haar kaptafel. Ze zag er kalm en sereen uit, maar dat was in tegenspraak met haar woelige innerlijk. Ze was ziedend geweest tijdens de discussie met Marius, razend vanwege zijn onvermurwbare houding. Alleen door haar wilskracht was ze in staat geweest op een beschaafde manier te blijven praten en daardoor had hij uiteindelijk gecapituleerd.

Ze zuchtte terwijl ze haar grote poederkwast pakte, hem in de poederdoos dipte en hem langzaam over haar gezicht streek. Intuïtief had ze geweten dat hij bezwaar zou maken tegen een band tussen Laurie en Malcolm, maar ze had niet verwacht dat hij zo kwaad zou zijn en dat zijn woede zo hoog zou oplopen. Gelukkig had zij gewonnen. Niet alleen deze veldslag, maar de oorlog. Door haar dreigende woorden was hij niet verder opgerukt, waarna hij de aftocht blies en zich overgaf.

Ze wisten allebei maar al te goed dat ze hem nooit zou kunnen verlaten, nooit van hem zou kunnen scheiden, maar hij wist nu ook dat ze de emotionele kant van hun huwelijk kon veranderen als ze wilde. Ze had hem onomwonden gezegd dat ze dan haar eigen leven zou gaan leiden, zonder hem, al zou ze in naam zijn vrouw blijven. En ze had gemeend wat ze zei.

Annette was zich ervan bewust dat hij dat nooit aan zou kunnen, laat staan zo'n verandering accepteren. Hij had haar op elk emotioneel niveau nodig.

Met vaste hand wond ze haar blonde haar in een chignon en stak er haarspelden in om hem op zijn plaats te houden. Na het stiften van haar lippen en het aanbrengen van wat parfum stond ze op, trok haar zijden gewaad uit en liep naar de met spiegels behangen kasten aan de andere kant van haar kleedkamer.

Ze wist precies wat ze aan zou trekken, dat had ze zojuist al bedacht. Het was een roomkleurige wollen jurk met een v-hals en lange mouwen, met een bijpassend jasje erbij. Eenmaal aangekleed deed ze een parelsnoer van drie strengen om en stak parelknopjes in haar oren, vervolgens stapte ze in een paar zwarte pumps met hoge hak.

Ze stopte net een aantal zaken in een zwartleren handtas, toen Marius weer in haar kamer verscheen. Hij glimlachte en zag er goedgemutst uit. Nu hij zich gewonnen had gegeven, was zijn houding tegenover haar hartelijk en warm. Ze wist dat hij de situatie tussen Laurie en Malcolm geheel geaccepteerd had en dat er verder geen sprake zou zijn van tegenwerpingen. Nooit meer.

Annette maakte maar één opmerking over haar zuster toen ze in de taxi zaten, op weg naar het restaurant. Licht raakte ze Marius' arm aan en zei rustig: 'Weet je, Marius, jij en ik lijden aan dezelfde kwaal.'

'En dat is?' vroeg hij, en hij keek haar aan met een glimlachje rond zijn mond; hij was opgelucht dat ze weer als de normale Annette klonk en niet als krijger op het oorlogspad.

'We worden zo lang en zo vaak blootgesteld aan Laurie, dat we gewend aan haar raken en vergeten hoe adembenemend mooi ze is. Je zult het zien, vanavond zal geen man in het restaurant zijn ogen van haar af kunnen houden.'

'Ja, je hebt helemaal gelijk,' beaamde hij. En Marius meende het, hij probeerde haar niet te vleien of een plezier te doen, en hij accepteerde dat er een kern van waarheid in haar woorden school.

Het was drukker dan anders; Annette voorzag al dat ze toch nog te laat zouden komen, en dus was ze opgelucht toen de taxi eindelijk voor Harry's Bar in South Audley Street stopte. Ze stapte meteen uit, duwde de deur open en haastte zich naar binnen.

Onmiddellijk kwam de hoofdkelner op haar af en ze praatten wat terwijl ze op Marius wachtten. Toen de kelner zich een tel van haar afwendde om iets tegen een ober te zeggen, liet ze haar blik door de zaal gaan, op zoek naar Laurie en Malcolm. Ze zag ze meteen en zwaaide opgetogen.

Toen zag ze hem.

Jack Chalmers.

Hij zat met twee andere mannen aan een tafeltje aan de linkerkant van het restaurant, diagonaal tegenover Malcolms tafel. Haar maag trok zich samen. Ze vroeg zich af hoe ze in hemelsnaam deze avond moest overleven.

23

Laurie straalde van vreugde en de gelukkige uitdrukking in haar ogen ontroerde Annette diep. Ze zat naast haar zuster aan tafel en ze greep haar hand vast. 'Ik ben zo blij voor je, lieve Laurie, en ook voor jou, Malcolm. Dit is zulk onvoorstelbaar goed nieuws.'

Annette meende elk woord ervan. Het welzijn en de veiligheid van haar zuster waren de belangrijkste dingen in haar leven. Nu al voelde ze zich enigszins opgelucht wat Lauries toekomst betrof. Daar piekerde ze namelijk vaak over, want wat zou er met haar gebeuren als Annette iets overkwam? Die zorg was nu weggenomen. Nu Malcolm hun leven was binnengestapt, zag Lauries toekomst er schitterend uit. Hij was zo'n oude vriend, ze vertrouwde hem onvoorwaardelijk en ze wist hoe betrouwbaar en verantwoordelijk hij was, maar ook hoe aardig en zorgzaam hij kon zijn.

Malcolm boog zich over de tafel en alsof hij haar gedachten kon lezen, zei hij: 'Ik hou zielsveel van Laurie, Annette, en je kunt haar echt aan me toevertrouwen. Eerst komt zij, dan pas de rest.'

'Dat weet ik best, en ik wil alleen maar zeggen: welkom in

de familie, Malcolm.' Ze wendde haar blik weer naar Laurie en zei lachend: 'Kom op dan, laat me die ring zien.'
Laurie stak haar rechterhand uit om Malcolms verlovingsring te tonen. Het was een rechthoekig gesneden smaragd, omgeven door diamantjes. 'Is hij niet prachtig?' mompelde ze met een zucht, terwijl ze van de ring naar Annette keek.
'Ik kan niet anders zeggen,' zei Annette. 'Schitterend.'
'Alleen maar smaragden van nu af aan, die passen het mooist bij haar ogen,' verklaarde Malcolm.
'Wat ben je toch romantisch!' riep Annette uit en ze keek op naar Marius, die eindelijk bij de tafel was aangekomen.
'Sorry. Ik werd even opgehouden bij de bar,' legde hij uit. Terwijl hij ging zitten zei hij: 'Gefeliciteerd, jullie tweetjes!' En terwijl hij zich naar Malcolm en Laurie boog ging hij verder: 'En wat een geweldig nieuws van de baby. Ik krijg bijna het gevoel dat ik grootvader word.'
'Nou, nou, zo oud ben je nu ook weer niet,' protesteerde Annette. 'Meer een soort oom, vinden jullie niet?'
Hij lachte. 'Oom Marius. Ja, dat klinkt helemaal niet gek. En ik word natuurlijk peetvader. Ik zou me beledigd voelen als jullie iemand anders dan mij zouden kiezen.' Hij keek Malcolm ernstig aan.
'Peetvader zul je zijn,' antwoordde Malcolm en hij gebaarde naar een kelner die naderbij kwam om hun allemaal een glas champagne in te schenken. Laurie vroeg om een bodempje, net genoeg om te toosten.
Toen werd er van de champagne genipt, een toost uitgesproken en de eerste tien minuten zinderde de tafel van vreugde en geluk. Annette deed zo druk mee, dat het haar lukte om haar ogen niet naar Jack aan de andere kant van de zaal te laten dwalen. Ze was zich echter zeer bewust van zijn aanwezigheid en ze voelde af en toe zijn ogen op haar rusten, maar ze deed haar best kalm en beheerst te blijven.
Het deed haar groot genoegen dat Marius bewonderend naar Laurie keek, alsof hij haar opeens in een ander daglicht zag. Haar zuster zag er dan ook uitzonderlijk mooi uit vanavond. Ze droeg een zijden jurk in een bijzondere, mosgroene kleur met een licht iriserende gloed in de stof. Hij benadrukte haar groene ogen en paste perfect bij haar bijna doorschijnende porseleinen huid en glanzende roodgouden haar. Met een

steelse blik keek Annette naar haar man en ze zag dat hij in de ban was van Lauries verbluffende schoonheid, en wel voor de eerste keer sinds jaren.

Marius keek Annette even veelbetekenend aan en zei toen: 'Lieve Laurie, Annette en ik willen jullie een schitterende bruiloft aanbieden, waar en hoe je hem ook maar wilt houden. Wanneer jullie eenmaal een datum hebben gekozen, gaan jij en Annette meteen met de planning aan de slag.'

'O, dank je wel Marius, en jij ook bedankt, Annette,' antwoordde Laurie met een glimlach. Ze was enorm opgelucht dat Marius geen problemen leek te hebben met haar verloving met zijn beste leerling en dat hij zijn stempel van goedkeuring op de plannen had gedrukt. Eerlijk gezegd had ze wel moeilijkheden verwacht, minstens een woede-uitbarsting van zijn kant, maar ze had het kennelijk mis gehad. Haar stralende lach en haar fonkelende ogen weerspiegelden haar geluk.

Ook Malcolm bedankte hen. 'Dat is fantastisch van jullie, en zo genereus. We denken natuurlijk aan de zomer, eind juni, begin juli.' Hij grijnsde. 'We moeten aan de baby denken, dus veel later kan het niet worden.'

Laurie lachte zachtjes en vertrouwde hun toe: 'Ik wil er ook weer niet al te zwanger uitzien, snap je.'

'Natuurlijk niet lieverd, en dat hoeft ook niet,' verzekerde Annette haar. 'En volgens mij kun je het best in juli trouwen; dan is het bijna altijd mooi weer. Maar jullie moeten vrij snel een goede trouwlocatie kiezen, anders gaat die jullie neus voorbij. En nu iets anders. Ik zag net dat Jack Chalmers aan de overzijde van het restaurant zit. Ik neem aan dat hij ons niet komt storen door ons te komen groeten – het hele restaurant zal intussen wel weten dat wij een bijzondere familieaangelegenheid hebben – maar ik wilde alleen dat jullie weten dat hij hier ook is.'

'Het is een aardige kerel,' zei Malcolm spontaan. 'Makkelijk in de omgang, charmant en altijd goed gezelschap.'

Laurie keek stiekem over haar schouder en zei met gedempte stem: 'Ik wilde je eerst niet geloven, Malcolm, toen je zei dat hij net de jonge William Holden lijkt, maar je hebt gelijk, hij is het precies.'

'Hij is een stuk jonger dan ik had verwacht,' zei Marius na

een snelle blik door de zaal. 'Niet dat het uitmaakt. Hij is een briljant journalist en ik ben blij dat ik hem heb uitgekozen. Hij zal een uitstekend artikel over je schrijven, Annette, dat staat wel vast. Trouwens, hoe gaat het met die interviews? Je hebt er nog niet veel over verteld.'

'O, die gaan goed.'

'Je wordt niet aan een kruisverhoor onderworpen?'

'Nee, dat is totaal niet aan de orde. Je had helemaal gelijk,' antwoordde Annette en ze stapte weer over op het bruiloftsonderwerp. 'Wat die trouwlocaties betreft, Laurie, heb je al enig idee wat je leuk zou vinden? En jij, Malcolm, heb jij al iets op het oog?'

Laurie antwoordde: 'We hebben het al over een aantal plaatsen gehad, is het niet, schat?' Ze keek Malcolm aan en voegde eraan toe: 'Maar ik denk dat we ... nou ja, zijn afgestapt van zoiets als een bruiloft in een landhuis of kasteeltje.'

'Misschien, misschien ook niet,' zei Malcolm. 'We willen die locaties graag uitgebreid met jullie bespreken. Maar nu moeten we echt eens wat gaan bestellen. Anders zitten we hier de hele avond.'

Marius was diep in slaap.

Ze kon hem rustig horen ademhalen, helemaal van de wereld. Hij had zijn ogen gesloten zodra zijn hoofd het kussen raakte en verdween meteen in vergetelheid.

Zo verbaasd was ze niet. Hij had aardig wat gedronken in Harry's Bar: champagne, witte wijn, een goede bordeaux gevolgd door een grote Napoleon cognac. En toch was hij niet aangeschoten, hij leek tenminste niet in het minst beneveld. Maar zo was Marius. Hij kon goed tegen drank, hij liet zich er niet door van de wijs brengen, had zichzelf altijd onder controle. En anderen vaak ook.

Ze had niet te klagen gehad over hem. Hij had zich prima gedragen tegenover Malcolm en Laurie, had enthousiast op hen gedronken, luisterde naar de voor- en nadelen van verschillende bruiloftslocaties in verschillende delen van het land. Hij had meegepraat over het aantal gasten dat uitgenodigd moest worden, het menu, de wijnen, de bloemen en zelfs over Lauries trouwjurk. En ook had hij zijn zegje gedaan over waar ze hun wittebroodsweken moesten houden.

Er viel niets op zijn gedrag aan te merken, hij had zich voorbeeldig gedragen.

Ze had niet anders verwacht. Als hij het eenmaal met iets eens was, dan bleef hij daarbij. Bovendien kende hij haar goed genoeg om werkelijk te begrijpen dat als hij zich ook maar met één woord zou bemoeien met het huwelijk, ze zou doen waarmee ze had gedreigd. Ze zou hem niet verlaten; dat kon nu eenmaal niet. Hij wist te veel over haar. Maar ze kon hun emotionele band voorgoed verbreken. En dat zou hij niet kunnen verdragen.

Annette staarde met wijd open ogen in het donker naar het plafond. Ze wenste dat ze kon slapen. Maar haar hoofd zat vol met allerlei gedachten, vrijwel allemaal problematische, onstuimige gedachten.

Ze vroeg zich af waarom Marius nu al weer naar Barcelona ging. En waarom hij echt ging. Ze had vreemd opgekeken toen hij tijdens het diner plotseling bekendmaakte dat hij zaterdag naar Spanje vertrok. Waarom had hij het niet eerder verteld?

Maar ja, zo was Marius nu eenmaal. Hij nam besluiten op het laatste moment en stortte zich erin zonder haar erover te raadplegen. Hij deed altijd wat hij wilde doen, zonder zich iets van een ander aan te trekken.

Malcolm had gevraagd of hij nog wat research moest doen voor zijn boek over Picasso, en dat had hij beaamd.

Een weekje maar, had hij glimlachend tegen haar gezegd, terwijl hij haar arm aanraakte. Probeer een beetje kleur te krijgen, zei ze zacht en ze vroeg zich voor de zoveelste keer af of er andere vrouwen in zijn leven waren.

Ze had geen flauw idee. Waarschijnlijk niet, maar je wist maar nooit. Hij was een knappe man, was charmant, had stijl en een bepaald soort élégance. Vrouwen vonden hem aantrekkelijk, dat had ze vaak gemerkt. Ze besefte ook dat als hij zo af en toe een scheve schaats reed, zij dat nooit te weten zou komen. Daar zou hij wel voor zorgen. Omdat hij haar geen reden wilde geven hem te verlaten... alsof hij dat ooit zou toestaan. Annette liet zich uit bed glijden, ging de slaapkamer uit en liep de gang door naar haar werkkamer. Ze ging aan haar bureau zitten en probeerde wat te werken, maar haar gedachten waren er niet bij. Ze dacht aan Jack Chalmers.

Ze had hem de hele avond niet uit haar hoofd kunnen krijgen, maar na het eerste uur had ze zich er niet meer zo druk over gemaakt. Harry's Bar was niet zo groot en vrij smal en er renden de hele tijd obers rond met schalen en wijnflessen. Het grootste deel van de tijd kon ze hem niet zien omdat er mensen voor liepen. Toch kon ze niet vergeten dat hij daar zat. Zo nu en dan ving hij haar blik op, glimlachte even en keek snel weg of naar zijn gesprekspartners aan zijn tafel. En toen de drie mannen ten slotte vertrokken, had hij gewoon onopvallend naar haar gewuifd en was hij de eetzaal uit geglipt.

Op dat moment was ze opgelucht geweest, maar nu vroeg ze zich toch onverwacht af waarom hij niet naar hun tafeltje was gekomen om afscheid te nemen. Kennelijk had hij zich niet willen opdringen, of hen niet willen storen bij het eten. Of had het een andere reden? Zou hij zich ongemakkelijk hebben gevoeld? Of zenuwachtig geworden zijn? Voelde hij hetzelfde voor haar als zij voor hem? Nee, dat was onmogelijk. Hij was zoveel jonger dan zij...

Annette dacht er niet verder over na en ze werd opeens overvallen door vermoeidheid. Ze deed de bureaulamp uit, stond op en liep naar de bank in de nis. Ze ging liggen en trok een kasjmieren omslagdoek over haar lichaam. Ze sloot haar ogen en probeerde de duizenden gedachten die door haar hoofd gingen te ontwarren.

Ze viel in een diepe slaap.

Het verleden werd werkelijkheid. Dromen van geweld overheersten. Het was hetzelfde geweld dat haar onafscheidelijke metgezel was geweest in dat kille, donkere huis dat in de schaduw lag van de meedogenloze, door wind geteisterde, onafzienbare hei...

*'Marie Antoinette is mijn naam, ik ben Frankrijks koningin.
Kom dans met mij, of heb je geen zin?'*
'Josephine is mijn naam. Ik ben Frankrijks keizerin. Mijn echtgenoot is Bonaparte, ik hou van hem met heel mijn hart. Kom toch, dans en dans en dans, met de keizerin van La belle France.'
Hun lieve, zangerige stemmetjes weerklonken in de koele

lucht en hun kleine schoentjes tikten tegen de kale planken vloer terwijl ze in cirkels door de kamer walsten, hand in hand, een lach op hun knappe gezichtjes. Voor heel even waren ze gelukkig, en vergaten ze hun ontberingen, angst en eenzaamheid, al duurde dat maar kort.

Ze zagen hem niet rondhangen bij de deur, waren zich niet bewust van zijn angstaanjagende aanwezigheid tot hij binnenstormde, Marie Antoinette vastgreep en haar gillend de kamer uit sleurde. Ze gilde naar Josephine: 'Niet achter me aan komen. Blijf daar! Blijf daar!'

'Ik hoop dat ze luistert. Anders vermoord ik haar,' siste hij en trok haar mee... de hal door, haar slaapkamer in, waar hij haar roze tutu van haar lijf rukte. Hij drukte zijn verwrongen gezicht tegen dat van haar en fluisterde schor: 'Ik vermoord 'r! Ik vermoord 'r! En ik laat jou toekijken terwijl ik haar martel. Je bent een gore hoer. Een vuil kreng. Ik vermoord jou ook als ik klaar met je ben. Ik smijt je het raam uit!'

Doodsbang en rillend stond ze tegen de muur en ze kromp ineen toen hij dichterbij kwam. Ze smeekte: 'Doe haar geen pijn, alsjeblieft, doe haar geen pijn. Ik doe het wel. Ik doe alles wat je wilt, als je maar van haar afblijft.'

'Reken maar dat je alles doet wat ik wil.' Hij loerde met samengeknepen ogen naar haar terwijl hij zijn broek liet zakken, zijn handen naar haar uitstak, haar optilde en op het bed smeet, waar hij naast haar ging liggen. Ruw, driftig, nam hij haar borstjes in zijn handen en kneep erin tot ze het uitschreeuwde van pijn.

Hij lachte, hij genoot ervan haar te kwellen. Haar pijn wond hem op. Hij begon haar in haar gezicht te slaan, legde vervolgens zijn handen om haar hals en drukte ze stevig aan, zodat ze haast stikte. Plotseling stopte hij en hij duwde zijn vingers ruw in haar, diep en met zoveel kracht dat ze het uitgilde. Hij ging boven op haar liggen en drong met een stoot bij haar binnen, en bewoog met geweld op en neer. Ze gilde het uit, maar hij wist niet van ophouden.

Opeens werd de slaapkamerdeur met een klap opengegooid. Haar nicht Alison stormde witheet de kamer binnen. Met een van haar grootvaders wandelstokken in haar hand, begon ze hem keihard op zijn schouders te slaan. 'Hou op, hou daar-

*mee op, klootzak. Hou op of ik vermoord je!' gilde ze. Ze
sloeg hem op zijn hoofd. Bloed spatte eruit en het stroomde
langs zijn gezicht. Hij schreeuwde van schrik. Alles zat onder het bloed. Hij rolde van haar af en bleef kreunend op het
bed liggen, terwijl het bloed over zijn handen liep die hij om
zijn hoofd had geslagen.*

*Alison nam Marie Antoinette in haar armen, troostte haar,
hielp haar van het bed af en leidde haar voorzichtig naar de
gang. 'Ik breng jullie weg,' fluisterde ze zacht. 'Weg uit dit
huis, voor altijd. Ga je maar gauw wassen.' Ze deed de deur
naar de badkamer open. 'Deur op slot en blijf hier op me
wachten.' Ze deed wat haar nicht zei.*

*Alison ging de slaapkamer weer in, trok haar broer overeind
en bleef over hem gebogen staan, met dreigende blik. 'Maak
dat je wegkomt uit dit huis, voor ik je echt helemaal verrot
sla.' Haar woedende stem had iets onheilspellends in zich dat
hem niet kon ontgaan. 'Opgedonderd, ellendeling. Nu. Anders
maak ik af waarmee ik een beginnetje heb gemaakt. En dan
is de galg niet meer nodig voor je. Goor, sadistisch monster.'
Hij rende de kamer uit, de trappen af, de hal door en de hei
op. Zijn broek ophoudend met één hand zwoer hij luidkeels
dat hij terug zou komen om hen allemaal te vermoorden.*

*Stilletjes, kalm en zeer beheerst pakte Alison hun koffertjes
en hielp ze hun dikke reiskleding aan te doen. En net voor
ze de laatste koffer wilde dichtklikken, vouwde ze de gescheurde tutu op en stopte hem erin, en beloofde Marie Antoinette hem te zullen repareren.*

*Ze nam ze mee op de trein naar Londen en ze zouden nooit
meer naar Ilkley teruggaan. Hun moeder wachtte hen op in
het station van King's Cross en gedrieën gingen ze naar haar
appartement in Islington, waar ze een kamer voor hen had
ingericht. En waar hun stiefvader woonde.*

*Marie Antoinette zou nooit vergeten wat Alison tegen hen
had gezegd in de trein naar Londen. 'Je moet Josephine beschermen. Constant, Marie Antoinette, voor altijd. Ik vertrouw erop dat je dat doet. Je moet het me beloven.'*

Ze beloofde het. En nooit zou ze die belofte breken.

Een paar uur later werd Annette wakker, stijf en verkleumd.
Ze gooide de sjaal van zich af, ging de badkamer in en nam

een hete douche. Terwijl het water langs haar ijskoude, rillende lichaam sijpelde, fluisterde ze tegen zichzelf: 'Ik heb mijn kleine Josephine beschermd. Ik heb gezorgd dat ze veilig is. En nu zal ze nog veiliger zijn omdat ze Malcolm heeft.' En ze begon te huilen, zo opgelucht was ze dat haar kleine zusje spoedig een man zou hebben die haar net zo goed zou beschermen als zij, en er voor haar zou zijn als zij, Annette, er niet meer zou zijn. Die gedachte bracht rust in haar hart en vulde haar met diepe voldoening.

24

'Ik begin in te zien hoe ontzettend veel je van kunst houdt,' zei Jack en hij liet zijn ogen van Annette naar het danseresje van Degas op de salontafel in de gele woonkamer van haar appartement gaan. 'Het betekent echt iets voor jou persoonlijk, is het niet?' vroeg hij en keek haar weer aan, vanuit de andere hoek van de kamer.

'Dat is waar,' antwoordde ze, verrast door zijn scherpe observatie.

'Luister, ik snap best dat een handelaar, adviseur en kunsthistorica elk onderdeel van kunst moet kunnen begrijpen, of het nu een schilderij of een beeld is, en dat ze er ook van houdt. Maar ik heb het gevoel dat die liefde bij jou wel erg, erg ver gaat. Meer dan... normaal.'

'Kunst bepaalt mijn hele leven, en het heeft mijn leven gered, als je het echt wilt weten,' biechtte Annette op, en vroeg zich direct af waarom ze hem dit vertelde. Omdat ze hem vertrouwde?

Hij keek haar weer aan en zei: 'Ik wil graag alles echt weten, dus mag ik vragen wanneer en hoe kunst je leven heeft gered?' Hij boog zich iets voorover en keek op het memorecordertje om te zien of het werkte.

'In tijden van groot verdriet, wanneer ik mensen kwijtraakte – familie, bedoel ik.'

'En dan bedoel je waarschijnlijk je vader?'

Ze knikte. 'Hij stierf op jonge leeftijd, toen ik zelf ook nog jong was. Ik zocht troost in kunst, ik verloor mezelf erin. Hij was namelijk kunstenaar, maar moest een baan als kunstgeschiedenisleraar aannemen om ons gezin te onderhouden. Hij leerde mij ook van alles en moedigde me aan verder te studeren, vooral over de impressionisten, zijn grote liefde. Na zijn dood ging ik door met wat hij me geleerd had, omdat het dan leek of hij dicht bij me was. Het was een goed middel tegen verdriet. Het kalmeerde me, hiëld me op de rails.'

'Ik snap wat je bedoelt.' Jack merkte de droefheid in haar ogen op; haar hele uitdrukking was veranderd. Hij dacht er even over na en ging verder: 'Je zei "mensen". Wie ben je nog meer verloren?'

'Ik had een ontzettend lieve nicht, die ik aanbad toen ik klein was. Zij is niet gestorven. Ze ging in het buitenland wonen en ik heb haar in geen jaren gezien.' Annette schudde haar hoofd. 'Dat ze uit mijn leven verdween, voelde aan alsof ze dood was. Ze was verdwenen. Dus dwong ik mezelf me te begraven in kunst en in de schoonheid ervan. Dat bood vertroosting en op de een of andere manier leerde ik ermee leven. Ik hiëld mijn verdriet op afstand.'

Jack besloot van onderwerp te veranderen. 'Toen je daarover vertelde,' en Jack knikte naar het danseresje van Degas, 'was ik helemaal in de ban van je verhaal, en ik was stomverbaasd dat je er zo ongelooflijk veel van weet, niet alleen over dat beeldje maar ook over Degas zelf. Kunst is zo... allesomvattend in jouw leven. Het is... nou ja... een deel van je ziel, niet?'

Annette voelde een rilling over haar rug lopen. Het was waar; kunst maakte deel uit van haar ziel, haar wezen. Wat buitengewoon dat hij zijn vinger op dat deel van haar persoonlijkheid had gelegd.

Ze schraapte haar keel en zei: 'Dat heb je goed gezien.' Ze keek hem lang en bedachtzaam aan. 'Dat heeft nog nooit iemand tegen me gezegd. Niemand. Nooit. Wat scherpzinnig van je.'

'Ach, ik heb alleen goed naar je geluisterd, hoor,' antwoordde hij en hij schonk haar weer zo'n uiterst charmant half glimlachje.

Achterovergeleund op de bank staarde ze even naar *Het veertienjarige danseresje*. 'In het Louvre staat er nog zo eentje,

en ik ga er altijd even langs wanneer ik in Parijs ben. Ik ben er mijn leven lang weg van geweest. Je kunt je wel voorstellen hoe opgetogen ik was toen deze me in de schoot werd geworpen. Ik was in de wolken en dat ben ik nog steeds.'
'Ik snap wel waarom. Het is zo perfect, zo mooi en dat die tutu gescheurd is, en vuil, valt helemaal niet op.' Hij keek haar doordringend aan en vroeg: 'En heb je een idee hoeveel het gaat opbrengen op je veiling?'
'Heel veel!' riep ze uit en ze ging weer rechtop zitten. 'Dat staat wel vast, maar ik hang er liever geen prijskaartje aan en ik doe ook geen gok, omdat...' Ze haalde haar schouders op. 'Je weet maar nooit wat er gebeurt; de dingen kunnen opeens omslaan. Maar ik zal je er een idee van geven, Jack. Een ander danseresje zoals dit werd in 1997 bij Sotheby's in New York geveild en afgeslagen op elf miljoen dollar. Dat bracht dus genoeg op.'
'Wauw!' Jack was onder de indruk. 'Dus ik wed dat je denkt dat nog te kunnen verdubbelen, of niet?'
Ze lachte. 'Ik leg me niet vast op een prijs. Ik trap er niet in.'
'En die Giacometti daar?' Hij keek naar de sculptuur op een tafel in de hoek. 'Hoeveel zou die wel niet opbrengen?'
'Nee, nee, Jack, daar ga ik ook niet naar gissen.'
'Dat is duidelijk. Ik zal er niet over doorzeuren. Overigens, wat is die zus van jou beeldschoon. Tony Lund, die vent met dat donkere haar gister aan ons tafeltje, is een producer uit Hollywood en hij vond haar oogverblindend: ze had filmsterkwaliteit. En mijn broer Kyle vond het ook.'
'Ze is erg knap en eigenlijk wilde ze altijd al actrice worden. Tot ze aangereden werd en toen was die droom van de baan.'
'Hoe oud was ze toen dat gebeurde?' vroeg hij, nu hij wist dat hij haar vertrouwen gewonnen had. Ze vertrouwde hem, godzijdank. Dat maakte alles zoveel makkelijker.
'Veertien. Ze was op weg met een vriendinnetje en haar moeder en ze kregen een tik van een vrachtwagen waardoor de moeder de macht over het stuur verloor. De auto tolde over de weg, raakte een muur, sloeg over de kop...' Haar stem stierf weg. Ze schudde haar hoofd en vervolgde zacht: 'Ze mag van geluk spreken dat ze het er levend heeft afgebracht. Haar vriendin Janice en haar moeder waren op slag dood.'

'Wat tragisch,' zei Jack en hij toonde zijn medeleven, nu hij haar droefheid zag.

Annette ging verder: 'Maar gisteren was ze in zo'n feestelijke stemming, wij allemaal natuurlijk. Laurie heeft zich net verloofd met Malcolm Stevens, ik geloof dat je hem al een paar keer hebt ontmoet. Dat vierden we met een etentje. Deze zomer gaan ze trouwen. Trouwens, wilde je haar niet spreken voor het artikel?'

'Jazeker, graag. Ik kan het eventueel telefonisch doen, als ze dat liever heeft – ze zegt het maar. Ik heb niet veel tijd nodig. Een paar vragen maar.'

'Ik spreek wel wat met haar af en dan laat ik het je weten.'

'Bedankt. Nu, even terug naar de komende veiling in september, welke schilderijen wilde je met de twee sculpturen onder de hamer laten brengen?'

'Drie stuks, ook van Christopher Delaware: een Mary Cassatt, een Berthe Morisot en een Degas.'

'Impressionisten. Klopt dat? Je moet het me maar niet kwalijk nemen, ik weet niet zoveel over kunst.'

'Nou, je hebt het goed, en ik heb deze drie schilders uitgezocht omdat ze elkaar kenden. Vooral Mary Cassatt en Degas waren erg op elkaar gesteld. Maar het was een platonische relatie, hoor. Berthe Morisot kende hen allebei en ze waren alle drie in dezelfde tijd lid van de impressionistische beweging. Dat is zo'n beetje het thema, en die vrouwen waren overigens de enige twee vrouwen van de beweging.'

Jack vond het indrukwekkend. 'God, wat een fantastische veiling wordt dat! Wat zou ik daar graag bij zijn. Mag ik komen, ja toch?'

'Ik zou het fijn vinden als je kwam, Jack. Ik zal zorgen dat je een uitnodiging krijgt.'

Voor de lunch nam hij haar mee naar Daphne's in Chelsea. Het was toevallig een restaurant dat ze leuk vond omdat je er intiem en op je gemak zat, en ook omdat zij, hoewel ze niet zo'n grote eter was, erg van de Italiaanse keuken hield. Dat zei ze tegen hem en dat deed hem goed. Hij wilde het haar graag naar de zin maken.

Ze kregen een klein tafeltje in een hoek en Jack was opgelucht dat ze er wat meer ontspannen uitzag. In de taxi van

Eaton Square naar het restaurant had ze er wat gespannen uitgezien, leek ze zelfs onrustig en hij had niet begrepen waaraan die plotselinge gedragsverandering te wijten was. Maar hij had haar met rust gelaten in de taxi, praatte alleen over zakelijke dingen zoals kunst en de kunstwereld in het algemeen.

Toen ze eenmaal tegenover elkaar zaten, vroeg hij: 'Wil je misschien een glas wijn? Of champagne?'

'Eigenlijk drink ik niet bij de lunch,' zei ze zacht.

Jack lachte en keek op zijn horloge. 'Het bijna twee uur – het interview is wat uitgelopen. Het is dus twee uur, en het is vrijdag. Je wilde toch niet teruggaan naar je kantoor nadat we hebben gegeten?'

'Nee, nee, dat was ik niet van plan.' Ze werd er wat verlegen van en dwong zich te glimlachen. 'Oké, één glas witte wijn, graag.'

'Klinkt goed, ik doe mee.' Nadat Jack besteld had zei hij: 'Weet je wel dat je echt verbazingwekkend bent, zoals je al die informatie over kunst uit je hoofd opratelt? Hoe onthoud je in hemelsnaam zoveel ingewikkelde details? Zoals dat idiote verhaal over onderdelen van sculpturen die na Degas' dood overal op de twee verdiepingen van zijn studio verspreid lagen, en over Bartholomé, die vriend van Degas, die de touwtjes in handen had, en Hébrard, die de reproducties in zijn metaalgieterij maakte... Het lijkt wel of je een computer in je hoofd hebt!'

'Ik heb gewoon een goed geheugen, Jack. En wanneer je speciaal op één kunstenaar en zijn werk bent gefocust en er dus veel over leest, dan blijft die informatie op de een of andere manier hangen. Net zoiets als een gedicht uit je hoofd leren. En dan moet je weten dat Laurie nog veel beter is dan ik, in elk geval wat Degas betreft. Zij is een expert en heeft alles over hem vanbuiten geleerd.'

'Ja, dat zei je laatst, dat ze ook in de kunst zit.'

'Zoals ik je vertelde, wilde ze actrice worden, maar na dat ongeluk zag ze in dat dat onmogelijk was omdat ze niet meer kon lopen. En ik vermoed ook dat ze de ambitie verloor, zo'n hele toneelopleiding leek haar opeens ontzettend zwaar. Toen ze klein was had ze niet zoals ik interesse in schilderkunst gehad, maar vanwege mijn vader kwam ze er toch mee in aanraking. We wisten allebei dat ze zich ergens mee moest bezighouden na het ongeluk, een carrière moest hebben, wilde ze net als ieder ander een zinvol leven leiden, en ze koos voor research naar kunst en wat ermee samenhangt. En ze is er erg gelukkig mee; ze houdt van haar werk.'

Jack knikte en nam het glas wijn op dat juist voor hem was neergezet. Hij hief het en zei: 'Op jou, Annette, en de veiling in september. Dat hij nog meer succes zal hebben dan de eerste.'

Ze tikte haar glas tegen het zijne. 'En op jou, Jack, omdat je het me niet moeilijk hebt gemaakt tijdens het interview. Het was best gezellig.'

Hij glimlachte tevreden. Na een slokje wijn boog hij zich over tafel. 'Heb ik het je echt niet moeilijk gemaakt?'

'Geen seconde. Ik ben nogal slecht met interviews en ik maakte me vreselijk zorgen, maar, nou ja, ik voelde me door je aanpak heel ontspannen en totaal niet bedreigd.'

'Was dat het probleem bij andere interviews? Dat je je bedreigd voelde?' Hij fronste zijn voorhoofd, hij kon zich er niets bij voorstellen.

'Een beetje wel, ja, maar niet met jou dus.' Ze zag dat hij nieuwsgierig keek en veranderde snel van onderwerp. 'Waar woon je eigenlijk? Ergens hier in de buurt?'

'Nee, ik woon op Primrose Hill.' Hij grinnikte. 'Vlak bij mijn moeders oude rommelwinkeltje, toevallig. Leuk flatje, maar gewoon een plek waar ik mijn jas aan de kapstok kan hangen, of waar ik mijn laptop neer kan zetten. Het is overigens niet mijn echte huis, het is niet mijn thuis. Dat is mijn villa aan de Côte d'Azur.'

'Echt waar? Ik ben dol op Zuid-Frankrijk. Waar ongeveer?'

'In een klein stadje dat je waarschijnlijk niet kent: Beaulieu-sur-Mer, in de buurt van Monte Carlo.'

'Maar dat ken ik heel goed! Daar staat mijn favoriete hotel.'

'Dan wed ik dat je het over La Réserve hebt!'

'Ja precies! Ik houd van dat hotel, al heel lang. Het had jaren een speciaal plekje in mijn hart–' Ze brak af, geërgerd dat ze zich zo liet gaan en hem zoveel vertelde. Maar het was waar. Ze voelde zich op haar gemak bij hem, dat kon ze zichzelf toch wel toegeven, want zijn losse manier van doen, en hoe hij de dingen gezellig wist te maken, moedigden het aan hem van alles toe te vertrouwen. Aardig pluspunt, voor een journalist. Zou hij er bewust naar streven zo over te komen? Of was hij gewoon van nature zo?

Jack vertelde: 'Toen ik nog een klein jongetje was kwam ik al bij La Réserve. En wanneer ben jij er voor het eerst geweest?'

'Op mijn achttiende, en ik vond het meteen zo'n betoverende plek... echt iets voor een romantisch intermezzo.' Terwijl ze het eruit flapte had ze haar tong wel af willen bijten, en terwijl hij haar lachend aankeek, voelde ze zich rood worden van verlegenheid.

'Je bloost,' zei hij, en nog steeds glimlachend reikte hij in haar richting en hij pakte haar hand. 'Je hoeft je niet te schamen, Annette. Ik hoop dat het een onvergetelijk weekend is geweest... Nou ja, dat moet haast wel, aangezien je het blijkbaar niet vergeten bent.'

Ze knikte en slikte. Ze kon wel door de grond zakken. En ze begon weer inwendig te trillen omdat hij haar hand vasthield. Ze trok hem langzaam terug. Omdat ze hem wilde afleiden, prevelde ze: 'Moeten we niet iets bestellen? Ik krijg een beetje honger.' Ze pakte het menu en begon het ernstig te bestuderen, blij dat ze zich erachter kon verbergen.

'Ja, goed idee,' zei Jack.

Hij wist niet wat hij moest doen, wat hij moest zeggen. De afgelopen tien minuten was ze weer in haar schulp gekropen, en had ze niets meer gezegd terwijl ze een beetje met haar eten zat te spelen. Ze had hetzelfde besteld als hij – dunne plakjes prosciutto met schijven meloen – maar ze leek er niet van te genieten.

Hij vroeg zich af of hij haar afgeschrokken had en of ze zo stilletjes was omdat hij haar hand had vastgehouden. Misschien. Misschien vond ze het gewoon te vrijpostig. Voor hem was het echter een natuurlijke zet geweest. Toch had ze gebloosd omdat ze zichzelf in verlegenheid had gebracht, misschien omdat ze vond dat ze te veel had losgelaten over zichzelf.

Dat moest het wel zijn: vertrouwelijke informatie die ze zich zomaar had laten ontglippen; ze was niet het type dat gemakkelijk haar hart openstelde, daarvan was hij overtuigd.

Deze middag met haar in een meer ontspannen omgeving was een openbaring voor hem. Hij had nu een andere kant van haar gezien en het moedigde hem aan om wat persoonlijker te worden. Maar hij was een beetje bang dat hij het had verknald. Daarom moest hij het meteen proberen weer goed te maken. Want hij wilde koste wat kost doorgaan met dit contact en het stukje bij beetje opbouwen. Nooit eerder had hij zoiets voor een vrouw gevoeld. Hij kon haar het beste meteen weer op haar gemak stellen, dus zei hij: 'Ik wil je even vertellen dat de memorecorder uit staat, dus alles wat je zegt en hebt gezegd is off the record. Ik zou het nooit gebruiken in een artikel.'

Toen ze hem zonder te knipperen, maar ook zonder iets te zeggen aankeek, voegde hij er snel aan toe: 'Ik gebruik geen trucjes om je uit je tent te lokken, weet je. Ik ben een eerbaar man.'

Er klonk een lichte verontwaardiging door in zijn stem, en ze riep meteen uit: 'O, maar dat weet ik toch, Jack, en ik vertrouw je helemaal, en bedankt dat je me dat over die recorder hebt verteld.'

'Als je het maar niet vergeet, dat is alles,' zei hij vermanend, en het klonk een beetje nors. 'En wat is er met het eten, vind je het niet lekker?'

'O jawel, echt, maar het is alleen een beetje grote portie.'

Jack lachte. 'Ik dacht eigenlijk hetzelfde. En we krijgen ook nog de risotto primavera. Snap je nou dat ik zoveel eten heb besteld? Het is genoeg om de Seaforth Highlanders tevreden te stellen.'

Nu begon Annette ook te lachen. 'Die uitdrukking heb ik nog nooit gehoord...'

'Dat zei mijn vader altijd. Zijn vader zat bij de Seaforth Highlanders in de Eerste Wereldoorlog. Ik denk dat het zijn manier was om te melden dat er genoeg eten was voor een heel leger.'

Ze lachte nog steeds en daar was hij blij om. Haar stemming was veranderd, ze zag er weer ontspannen uit, en hij wilde het zo houden, dus zei hij: 'Luister Annette, ik wilde je nog bedanken dat je me die sculpturen hebt laten zien, en dat je me zoveel over kunst hebt verteld en hoe je gevoelens ermee verbonden zijn, en wat kunst voor je betekent. Het was heel

aardig en verhelderend, en ik weet hoe druk je bent met de planning van de volgende veiling.'
'Ja, nogal ja, maar het was me een genoegen met je te praten, Jack... Zoals ik net zei, je hebt het me makkelijk gemaakt, en heel plezierig.'
'Ik vond het ook heel prettig, en ik wilde nog zeggen...' Hij brak af toen de ober op hem afkwam en vroeg: 'Bent u hiermee klaar, meneer Chalmers? Heeft het gesmaakt?'
Hij kende deze ober en zei: 'Ja, het was lekker, maar jullie geven wel behoorlijk stevige porties voor een voorgerecht.'
De ober glimlachte, nam hun borden mee en verdween. Jack leunde ontspannen naar achteren en van zijn wijn nippend zei hij: 'Ik eet 's middags nooit zoveel. Wanneer ik in Frankrijk ben, neem ik altijd een salade en een glas water.'
'Dat neem ik ook meestal,' gaf Annette toe. 'Reis je altijd op en neer tussen Beaulieu en elders? Ik bedoel, hoe regel je dat?'
'Ik ben vaak in Londen wanneer ik journalistieke opdrachten heb. Ik schrijf de meeste hier, als het relatief korte artikelen zijn. Wanneer ik naar Frankrijk ga, ben ik daar meestal tien dagen tot een week of twee, maar als ik aan een boek werk, blijf ik er meteen een paar maanden. Tenzij er iets speciaals tussen komt: dan vlieg ik even naar Londen voor een weekje, of wat langer. Het werkt prima zo. En ik hou van mijn huis bij de zee.'
'Hoe ben je eraan gekomen?' vroeg ze, want haar nieuwsgierigheid was geprikkeld.
'O, dat is een lang verhaal... Ik weet niet of dat je nu wel zal interesseren.'
'Ja, eigenlijk wel,' hield ze aan, want ze wilde best meer weten over hem en zijn leven.
'Nou, het begon zo. Toen ik nog jong was, werd een vrouw smoorverliefd op me. Want ik was een lekker ding natuurlijk, en ze besloot me de villa te verkopen voor een onvoorstelbaar zacht prijsje...' Hij begon te lachen toen hij de vreemde uitdrukking op haar gezicht zag. 'Nee, nee, het is niet wat je denkt. Ik zal het echte verhaal vertellen. Madame Colette Arnaud was eigenaar van de Villa Saint-Honoré en wist hoezeer ik hield van het huis. Het begon zo...'
Annette luisterde aandachtig, en genoot van het verhaal, en hij was een goed verteller. Maar dat moest ook wel, na-

tuurlijk. Hij was een schrijver. Hij maakte het hier en daar net een tikkeltje mooier, en ze vond het verhaal van het kleine jongetje en de oude dame ontroerend, wat ze ook zei toen hij klaar was.

Vanaf dat moment verliep de lunch erg aangenaam. Ze aten hun risotto primavera en Jack bestelde nogmaals twee glazen witte wijn. En hij vertelde zo smakelijk dat ze soms niet bijkwam van het lachen in het uur dat ze daar zaten.

Tijdens de koffie vroeg hij haar of ze de volgende dag misschien nog wat tijd voor hem kon uittrekken. 'Ik heb nog een uurtje of wat nodig om de losse eindjes weg te werken. En maandag zou ik graag even met je zuster spreken. Telefonisch, als ze wil.'

'Laurie zou het juist leuk vinden als je langskomt, maar zie maar. En ik ben morgenmiddag wel vrij, en zondag. Marius gaat morgen voor zaken naar Barcelona, dus ik heb geen verplichtingen.'

'Zullen we het morgenmiddag dan doen? In jouw appartement?'

'Dat is goed,' zei ze, maar ze had er onmiddellijk spijt van. Het zou echter wel heel raar overkomen als ze nu op haar woorden terugkwam. Als ze morgen nog zo zenuwachtig was, kon ze het altijd nog afzeggen.

25

Het schrille gerinkel van de telefoon dwong Annette onder de douche vandaan te komen. Ze greep de hoorn en zei: 'Hallo?'

'Halloannettemetchristopherjemoetmeteenhierheenkomen-noujazosneljekuntikhebzoietsfantastischgevonden...'

'Hé, een beetje langzamer graag, Chris, ik begrijp er niets van, je ratelt zo. Begin alsjeblieft nog eens overnieuw.'

'Oké. Sorry. Ik zei dus, "je moet meteen hierheen komen, Annette, nou ja, zo snel je kunt, want ik heb zoiets fantastisch gevonden," en toen onderbrak je me.'

'Ja, omdat ik het niet verstond. Maar wat heb je dan gevonden?'

'Een paar schilderijen.' Hij klonk opgewonden.

'Ik neem even de lijn op mijn werkkamer. Ik zet je even in de wacht.'

'Oké.'

Snel deed ze een badstoffen ochtendjas aan en schoot in een paar bijpassende pantoffels, en ze rende de gang door naar haar werkkamer, opgetogen over het nieuws. Aan haar bureau gezeten nam ze de hoorn op en zei: 'Tja, geen wonder dat je zo ratelde. Ik zou ook niet rustig kunnen praten. Vertel eens.'

'Een paar weken geleden besloot ik de kamers een beetje op te knappen, ook mijn slaapkamer, en het werkkamertje van mijn oom dat ernaast ligt...'

'Ik dacht dat je de grote slaapkamer niet wilde gebruiken vanwege de... zelfmoord,' viel ze hem in de rede, ontzet bij het idee dat hij daar sliep.

'O nee, ik gebruik hem natuurlijk niet! Ik moet er niet aan denken. Ik heb het over die andere slaapkamer, die ik voor mezelf bedoeld heb, verderop in de gang. Hoe dan ook, ik huurde een aannemer om het uit te voeren. Hij begon vorige week, maar hij begon gisteren pas aan de renovatie van mijn grootvaders kamertje. En wat denk je? Een van de schilders was de oude verf aan het afschrapen terwijl hij tegen een wand leunde en een deel van de muur stortte in. Hij viel drie treden naar beneden, en kwam in een piepklein kamertje terecht. Een verborgen kamertje. Er stond een archiefkast in en een stel schilderijen.'

'Goede schilderijen?' vroeg ze, haar adem inhoudend.

'Dat zou ik wel zeggen! Een Degas, Annette, een danseres van Degas.'

'O, mijn god! Dat is geweldig, super! Wat nog meer?'

'Twee Manets, een Pissarro, en twee Cézannes en maak je geen zorgen, daar zit geen roet op. Die schilderijen zien er juist opvallend goed uit, voor mijn lekenoog tenminste.'

'Ik kan het gewoon niet geloven, echt niet!' Annette was bijna sprakeloos, zo opgetogen was ze.

'Geloof het toch maar. Dus hoe laat kun je hier zijn? Voor de lunch?'

'Ja, ik doe mijn best.' Ze keek op de klok. Het was nog voor halfnegen. 'Ik kleed me meteen aan. O wacht, ik moet Jack

Chalmers even bellen om mijn afspraak met hem af te zeggen. Ik hoop dat hij het goedvindt, het is zijn laatste interview met me voor hij het artikel gaat schrijven.'

'Neem hem dan mee, Annette. Hoe meer zielen, hoe meer vreugd. Dit is een fantastische ontdekking, en hij kan erover schrijven, toch? Hij staat vast te springen om met je mee te komen, als je het vraagt.'

'Nou, ik weet niet of ik dat wel moet doen, hoor,' aarzelde ze, hardop denkend. 'Ik werk nooit met een journalist die ergens aan de zijlijn zit en alles afluistert.'

'Maar dit is toch geen werk? Je komt alleen een stel schilderijen bekijken... de schilderijen waarvan je dacht dat ze hier ergens in huis verstopt zaten, en je had gelijk. Zoals gewoonlijk.'

'Ik dacht inderdaad dat er meer kunst moest zijn dan we hadden, omdat je oom bekendstond om zijn uitgebreide collectie.'

'Vraag Jack nou maar om mee te komen, Annette. Ik mag hem wel. Dan kan hij tijdens de rit hierheen dat interview afmaken.'

Hoewel ze nog steeds twijfels had, en iets haar tegenhield om Jack uit te nodigen met haar mee te gaan, zei Annette uiteindelijk: 'Ik praat wel even met hem, en dan zie ik wel hoe het loopt. Maar mij zie je in elk geval rond de lunch, Christopher. Dit is te belangrijk. Misschien kan Jack me morgen interviewen.'

'Best, doe maar wat jou het beste uitkomt, maar laat het me in elk geval even weten zodat ik mevrouw Joules kan zeggen met z'n hoevelen we vanmiddag eten.'

'Geef me tien minuten,' zei Annette en ze hing op. Even staarde ze voor zich uit; haar hoofd werkte op volle toeren. Het stond vast dat ze vandaag naar Knowle Court moest gaan; deze ontdekking leek te spectaculair om uit te stellen. Maar de gedachte samen met Jack te gaan was verontrustend, om een aantal redenen. Zijn aanwezigheid leidde haar af, omdat ze zo emotioneel op hem reageerde en door zijn charmante manier van doen vertrouwde ze hem telkens veel te veel toe. Bovendien had ze weinig behoefte aan publiek wanneer ze de schilderijen beoordeelde.

Er schoot haar iets te binnen en ze toetste Christophers nummer in. Hij nam op na de tweede toon. 'Chris, met Annette,' zei ze.

'Dat is snel. En ik wed dat hij ja zei.'

'Ik heb Jack nog niet gebeld. Ik wilde je eerst wat vragen. Is Jim Pollard soms toevallig bij je dit weekend?'

'Ja, hoezo?'

'Dat komt goed uit. Dan kan hij Jack gezelschap houden. Als ik besluit hem mee te vragen dan. Ik bel je zo weer terug.'

Weer hing ze op, zocht Jacks mobiele nummer en toetste het in. Hij ging een hele tijd over en de voicemail stond ook al niet aan. Ze wilde net ophangen toen hij antwoordde.

'Met Jack Chalmers.'

'Goedemorgen, Jack. Met Annette Remmington.'

'Hé Annette, leuk je te horen. O god, je gaat toch niet afzeggen?'

'Nee, nee, natuurlijk niet. Maar er is wel iets gebeurd, en ik vroeg me af of je de afspraak kunt verschuiven. Kun je morgen?'

'Dat wordt wel lastig. Ik moet morgen echt beginnen met schrijven. Dinsdag moet het klaar zijn.'

'Maar je zei dat je Laurie pas maandag wilde interviewen.'

'Klopt. Als ik morgen je portret schrijf, hoef ik maandag alleen nog wat citaten van haar in te voegen... Maar ik wil je wel helpen, geef me even... hoe los ik dit op?'

Ze hoorde een serieuze bezorgdheid doorklinken in zijn stem en nam snel een besluit. 'Laat maar. We doen het vandaag. Het is mijn probleem, maar er is een oplossing voor ons allebei. Ik zal het uitleggen. Ik kreeg net een belletje van Christopher Delaware. Hij heeft nog een stel schilderijen gevonden. Hij vroeg me nu naar hem toe te komen en daar te lunchen. En dat moet ik gewoon doen. Maar toen ik uitlegde dat ik een afspraak met jou had, stelde hij voor dat ik je meenam. Wat dacht je daarvan, zal ik...'

'Dat vind ik grandioos!' riep hij uit, haar onderbrekend. 'Ik zou dolgraag met je meegaan.'

'Oké dan. Kun je hier over een uurtje zijn?'

'Natuurlijk. Ik ben al helemaal klaar.'

'Maar ik nog niet. Ik bel de wagen met chauffeur, dan kun je me interviewen op weg ernaartoe.'

'Je hoeft geen auto te bestellen, Annette. Kyle is naar Parijs met zijn producer, Tony Lund. Hij heeft mij het sleuteltje van zijn Aston Martin DB24 gegeven. Dus ik kan je erheen rijden.'

'Maar het interview dan?'

'Ik heb dat memorecordertje, weet je nog. Ik hoef het alleen maar aan te zetten. Denk je dat jij het vast kunt houden?'

Ze lachte alleen maar.

'Dat is dus geregeld?'

'Ja. Trouwens, Knowle Court ligt vlak bij Aldington.'

'O, dat ken ik vrij goed, ik ben wel eens in Goldenhurst geweest. Maar niet toen Noel Coward daar woonde. Het was voor een veiling voor een goed doel.'

Annette had al een vermoeden dus ze vroeg: 'Ik neem aan dat je het over mijn moeder wilt hebben?'

'Ja, dat wilde ik inderdaad,' zei Jack zonder naar haar te kijken, want hij had zijn blik op de weg gevestigd. 'Dus je bent klaar om te beginnen?'

'Je zegt het maar.'

'Zet de recorder even aan, dan begin ik. Een paar vraagjes maar, hoor.'

'Oké, laat me dit even regelen.' Ze keek het opnameapparaat even na, zette het aan en voegde eraan toe: 'We kunnen starten.'

'Je hebt me eigenlijk nooit de naam van je vader verteld. Hoe heette hij?' vroeg Jack.

'Arthur... Watson.'

'En je moeder?'

'Claire Watson.'

'Je vertelde dat jij en Laurie na de dood van je vader bij je grootvader in Ilkley gingen wonen. Met je moeder, dacht ik.'

'Ja. Nadat mijn moeder een paar jaar later ook overleed, verhuisden we naar een tante, de zus van mijn moeder. Ze woonde in Londen; ze heette Sylvia Dalrymple. Ze was een kinderloze weduwe, dus ze vond het eigenlijk wel fijn ons in huis te hebben. Tante stimuleerde ons altijd, vond mijn schilderijen mooi, en moedigde een carrière in de kunst aan. Zij stuurde me naar het Royal College of Art. Ik vond dat ik veel geluk had gehad.'

'Om nog even terug te komen op je moeder: deed ze ook

iets? Ik bedoel: werkte ze, of was ze alleen huisvrouw en moeder?'

'Ze was huisvrouw en moeder, ja, al had ze de ambitie om weer de planken op te gaan, als actrice. Zo nu en dan acteerde ze ook in een amateurtoneelgezelschap toen we klein waren. Maar echt veel is het niet geworden met haar carrière,' vertelde Annette, die het verhaal van haar moeders leven al een tijd geleden flink had bijgeschaafd en uit haar hoofd had geleerd.

'Misschien dat daar Lauries verlangen om actrice te worden vandaan komt?' Hij wierp een snelle blik op haar, voor hij zich weer op de weg richtte.

'Waarschijnlijk wel,' antwoordde Annette met een flauwe glimlach.

'Hoe lang ben jij al met Marius getrouwd?' vroeg Jack, die plotseling van onderwerp veranderde.

De vraag verraste haar behoorlijk. 'Deze zomer zal dat eenentwintig jaar zijn. Ik was negentien.'

'Zo lang al! Mijn hemel, dat kun je wel een geslaagd huwelijk noemen, hè?' zei hij en hij vroeg zich af wat voor huwelijk het was, en of al die jaren nu zoveel uitmaakten.

'Ja,' zei ze. 'Behalve dat hij om me geeft, is Marius ook altijd mijn mentor geweest. Hij heeft me een boel over kunst geleerd, en hij heeft me altijd gestimuleerd, stond achter me.'

'Maar nu werk je toch onafhankelijk van hem? Sinds je Annette Remmington Fine Art hebt opgezet? Waarom wilde je iets van jezelf?'

Ze draaide zich iets naar hem toe en hoopte dat hij nu bijna klaar was met zijn vragen. 'Ik denk dat ze dat met "ambitie" bedoelen. Ik wilde mijn eigen bedrijf hebben, met mijn eigen naam erop, maar ik zag de verantwoordelijkheid en de hoge overheadkosten van een galerie niet zo zitten. Daarom zette ik mijn kunstadvieskantoor op. Het gaat om kunst van mijn cliënten. Ik geef ze advies, spoor kunst voor ze op. Regel de verkoop ervan, maak een overzicht van hun collecties, adviseer ze over restauratie van hun kunst, besluit of en waar het gerestaureerd kan worden, en verwijs ze naar andere experts, als het nodig is. Ik lever een dienst, en ik hoef geen schilderijen en sculpturen in huis te hebben, wat een kostbare aangelegenheid is, zoals je je voor kunt stellen.'

'Dat laatste is interessant, want ik vroeg me al een tijd af waarom je geen galerie was begonnen. Nog een paar vraagjes, Annette, en dan heb ik het wel.'

'Ik zal ze met plezier beantwoorden,' zei ze.

'Oké. Waar komt die gedrevenheid vandaan?'

'Goh, dat is een moeilijke... Ik denk dat ik gedreven ben... omdat dat mijn aard is. Ik heb altijd gedacht dat het op een bepaalde manier ook het verlangen om te slagen is, de ambitie schept gedrevenheid. Snap je het een beetje?'

'Ja, hoor, helemaal. En volgens mij gaan die dingen ook hand in hand, al moet je natuurlijk de discipline hebben om hard te werken. En je werkt zeker hard?'

Ze knikte. 'Laurie zegt vaak dat ik een workaholic ben.' Lachend voegde ze eraan toe: 'En ze is vast niet de enige. Maar ik hou van mijn werk en vooral van het gevoel dat ik iets moois tot stand heb gebracht wanneer het echt lekker gegaan is.'

'Zo voelde je je vast toen de veiling van de Rembrandt was afgelopen, waar of niet?' Hij keek haar weer even grinnikend aan.

'Nou en of. En ik kan je best vertellen dat het een heerlijk gevoel was. Echt super. Ik kan niet wachten tot ik me weer zo voel.'

'Dat is een mooi citaat om het artikel mee te eindigen. Bedankt, Annette, voor die kenmerkende uitspraak.'

'Als er nog iets in je opkomt kunnen we het op de terugweg bespreken. En als het interview echt voorbij is, wil ik je nog wat vragen.'

'Vraag het nu maar.'

'Wat vond je van Goldenhurst? En wat was het goede doel van die bijeenkomst?'

'Dat zijn twee vragen,' plaagde hij haar. 'Ik was weg van dat landhuis, het is zo'n mooi oud gebouw, en terwijl ik rondwandelde moest ik wel aan Noel Coward denken, die zijn mooiste toneelstukken en muziek daar heeft geschreven. Dat was lang geleden natuurlijk. En mijn tante Helen sleepte me mee naar dat evenement voor het goede doel. Het geld was voor een plaatselijke hospice, heel nuttig natuurlijk. Het was een heerlijke middag.'

'Het heet officieel Goldenhurst Farm en het was dertig jaar

lang Noel Cowards buitenhuis. De witte kliffen van Dover liggen er vlakbij, dat lied erover zong hij vaak aan de piano,' vertelde ze mijmerend.

'Ken je het moerassige gebied van Romney? Ik vind het een schitterend gebied en vanaf sommige vlakke gedeelten lijkt de zee opeens veel hoger te liggen, boven het land, een eindje de hemel in. Fantastisch.'

'Als ik ooit een buitenhuis zou hebben zou het in Kent moeten staan,' vertrouwde Annette hem toe, en voor de zoveelste keer vroeg ze zich af waarom ze hem dingen vertelde die ze nooit eerder aan iemand had laten weten, niet eens aan Laurie.

'En dan wel in de buurt van dat vlakke wetland, dat is een ding dat zeker is,' zei Jack.

Annette glimlachte slechts. De rest van de rit naar Aldington praatten ze verder over de omgeving en kunst en landhuizen. Jack vroeg niets over de schilderijen die Christopher gevonden had en zij begon er ook niet over.

Maar ze stond versteld over zichzelf toen ze opeens vroeg: 'Ben jij ooit getrouwd geweest, Jack?' Weer had ze spijt van de vraag zodra ze hem had gesteld.

Hij keek haar even snel aan en zei: 'Nee, nooit. Maar dat betekent niet dat ik er nooit over heb nagedacht. Ik denk alleen dat ik de juiste vrouw nog niet heb ontmoet.'

'Wat voor soort vrouw had je dan in gedachten?'

'Iemand zoals jij.' Hij schraapte zijn keel en was bang dat hij een fout had gemaakt.

'O,' zei ze en ze moest even slikken. Ze durfde niets meer te zeggen, maar haar hart bonsde luid. En de paniek sloeg weer toe.

26

Hierna werd er niet veel meer gezegd, en tegen het eind van de rit waren ze compleet in stilzwijgen gehuld, elk in hun eigen gedachten verzonken. Annette dacht na over de vragen die Jack had gesteld. Het waren er opvallend weinig geweest en ze kon zich niet losmaken van het idee dat hij de afspraak niet had willen uitstellen omdat hij haar wilde zien, of bij haar wilde zijn. Want ga maar na, hij had ze gemakkelijk telefonisch kunnen stellen.

Ze wist heel goed dat zij hem had gevraagd mee te komen, al was dat niet het verstandigste wat ze had kunnen doen, maar het idee met hem een dag in Kent te kunnen doorbrengen sprak haar erg aan. Nu twijfelde ze of ze er wel goed aan had gedaan. Ze vertrouwde hem op-en-top, want hij was een integer man, maar ze betrok hem nu wel erg bij haar zaken. Dat had ze nooit eerder gedaan, zelfs Marius stond ze niet toe zich ermee te bemoeien, op een enkel moment na.

Niets aan te doen. Hier zat ze dan, naast hem in de Aston Martin, en ze moest toegeven dat ze er ergens wel van genoot. Tot haar verbazing was ze niet meer nerveus of onrustig, zoals gewoonlijk wanneer er iemand zo dicht bij haar zat. Was het omdat ze begon door te krijgen dat hij zich net zo aangetrokken voelde tot haar, als zij tot hem?

Plotseling begon Jack weer te praten en hij rukte haar los uit haar gedachten. Hij vroeg: 'Hoe ver is het nog, Annette? Ik schat dat we nu toch in de buurt zijn.'

'Dat klopt,' zei ze en ze ging rechter op zitten. 'Over een paar minuten zijn we in Aldington. Je rijdt door het stadje, dan langs Goldenhurst en na een paar seconden zie je dan een grote ijzeren poort. Dat is Knowle Court.'

'Dat zal wel een chic landhuis zijn, niet?'

'Min of meer; het ziet er eigenlijk een beetje uit als een klein kasteel.' Ze huiverde onwillekeurig.

Dat zag Jack vanuit zijn ooghoek en zei: 'Je bent er niet weg van, zo te zien.'

'Nee, niet bepaald, en Laurie ook niet toen ze hier een paar weken geleden was. Het heeft iets... spookachtigs. Dat voelden we allebei.'

'Maak je geen zorgen,' zei hij en hij begon te lachen. 'Je hebt mij nu om je te beschermen.'

'Dan moet ik maar op jou vertrouwen.' Ze draaide zich weer naar hem toe. 'Jack, er is iets dat ik je moet vertellen. Wil je even stoppen en aan de kant gaan staan?'

'Natuurlijk. Wat is er dan?' vroeg hij, nam gas terug en trok aan de rem. Hij wendde zich tot haar. 'Is er iets mis? Je klinkt zo bezorgd.'

'Nee, er is niets. Ik wil alleen even iets vaststellen. Gisteren zei je dat wanneer de recorder uit staat, alles off the record is. Die regel geldt toch ook vandaag?'

'Uiteraard. Wat mij betreft is dit een gewoon bezoekje. Ik ben klaar met je interview. Op een paar kleinigheden na misschien, maar daar kunnen we het op de terugweg wel over hebben.' Hij zweeg even en keek haar doordringend aan. Toen zei hij: 'Doe het apparaatje maar in je tas... misschien voel je je dan veiliger.'

'O Jack, kijk me niet zo aan. Ik vertrouw je heus wel, wees nu niet beledigd. Het is alleen zo dat ik op het punt sta een belangrijke transactie met mijn cliënt aan te gaan...'

'Dat weet ik, en daar wil ik helemaal niet over schrijven,' onderbrak hij haar. 'Dat beloof ik. Ik heb je toch al uitgelegd dat ik niet zo'n stiekeme sensatiejournalist ben die eropuit is iemand in de problemen te brengen,' liet hij er op koele toon op volgen.

Ze keek beteuterd, alsof hij haar op de vingers had getikt. Hij boog zich naar haar toe, nam haar hand in de zijne en probeerde haar op te beuren. 'Ik zou toch nooit iets doen om je van streek te maken, Annette.' Hij keek diep in haar blauwe ogen en voor hij wist wat hij deed, kwam hij nog dichterbij en kuste haar op de mond. Ze kuste hem terug, net zo vurig als hij, maar schrok blijkbaar van zichzelf en trok zich schielijk terug.

'O Jack...' begon ze, maar ze schudde alleen haar hoofd.

'Het spijt me. Ik kon het niet helpen. Ik wilde dat al doen sinds de dag dat ik je voor het eerst zag. En jij wilde het ook.'

'Nee, Jack, dat is niet waar! Echt, we kunnen niet...'

'Jawel, je wilde het wel! En we kunnen er niets aan doen wat we voelen. Maar we kunnen toch wel goede vrienden zijn? En we kunnen elkaar vertrouwen, we móéten elkaar vertrouwen.'

Ze knikte en gaf hem de memorecorder terug. 'Die is van jou.' Plotseling glimlachte ze naar hem. 'Ik wil dat je weet dat ik heel blij ben dat je bent meegekomen, en me hierheen hebt gebracht. Ik voel me zo goed bij je.'

'En zo voel ik me ook. Maar laten we opstappen, anders zijn

we te laat voor de lunch.' Hij startte de wagen en reed de weg weer op, zich afvragend hoe hij deze netelige situatie het best kon aanpakken. Hij was bezeten van haar en hij wilde haar hebben. Voor zichzelf. En hij zou haar krijgen, wat hij er ook voor moest doen.

Hij had het raadselachtige gevoel dat er iets in haar huwelijk ontbrak.

Annette leunde achterover in haar passagiersstoel en sloot haar ogen. Ze speelde met vuur, dat besefte ze maar al te goed. De hele toestand was zo beladen als wat. Ze moest zichzelf in de hand houden, en veel voorzichtiger zijn, en zichzelf verbieden een verhouding met Jack Chalmers aan te gaan. Want als dat gebeurde zou dat haar ondergang worden. Daar zou Marius persoonlijk voor zorgen.

'Mijn god, je gaat me toch niet vertellen dat er een slotgracht is!' riep Jack uit, terwijl hij Knowle Court naderde met een verbijsterde blik. 'En een ophaalbrug! Hoewel, dat is vrij logisch.' Terwijl hij remde en de motor afzette keek hij haar even aan. 'Ik snap precies wat je bedoelt met een spookachtig gebouw.'

'Je zou het moeten zien als het slecht weer is. Vandaag is het heerlijk zonnig en dan lijkt het een stuk minder onheilspellend.'

'Daar komt Christopher aan, met nog iemand.'

'Dat is een vriend, Jim Pollard. Echt een aardige vent, je mag hem vast. Kom op, laten we ons er maar doorheen slaan, oké?'

Jack knikte. Hij opende het portier en sprong uit de wagen. Hij liep eromheen om haar te helpen uitstappen. Toen hij haar arm pakte boog hij zich snel naar beneden en gaf haar bliksemsnel een kus op haar wang en onderdrukte een glimlach, terwijl ze zich aan zijn greep ontworstelde en snel op haar cliënt afliep.

Langzaam volgde hij haar, zodat ze de tijd had de twee mannen te begroeten, en hij vond dat ze er chic uitzag in haar wijde roomkleurige jas en blouse, die ze op een bruine broek droeg. Hij zag opeens dat ze penny-shoes droeg, net als hij. Hij glimlachte in zichzelf en versnelde zijn pas toen ze hem wenkte.

Na Christophers hand geschud te hebben werd hij aan Jim Pollard voorgesteld, waarop ze allemaal het huis binnengingen. Hij voelde waarom Annette een hekel aan het gebouw had toen ze in de monsterlijke hal stonden. Er hing een dreigende sfeer; het was er vreemd benauwend en erg duister. Christopher aarzelde in de hal, hij stond stijf van opwinding en hij keek Annette strak aan.

Onmiddellijk nam zij de touwtjes in handen. Met een blik op Jack zei ze: 'Jim geeft jou een interessante rondleiding terwijl ik mijn zaakjes met Christopher ga afhandelen. Dan gaan we lunchen. Goed?'

'Prima,' zei hij.

Jim zei: 'Wil je eerst een bak koffie of een kop thee, Jack? In de bibliotheek staat van alles.'

'Dank je, Jim, een kop koffie zou er wel in gaan.'

'Kom maar mee dan.' Jim nam hem bij de arm en leidde hem de hal door en een gang in, en voegde eraan toe: 'Ik heb zelf ook wel zin in koffie.'

Toen ze eenmaal alleen waren zei Annette: 'Nou, waar zijn de schilderijen, Chris? In de kamer waar je de andere hebt opgeslagen?'

'Precies. Ik ben door het dolle heen, ik kan me nauwelijks in bedwang houden, maar ik wil je ze ook zo graag laten zien.' Hij pakte haar bij de hand en riep uit: 'Het is ook zo ongelooflijk, als je erover nadenkt... De manier waarop die schilderijen ontdekt werden! Jij dacht altijd al dat er ergens meer schilderijen moesten zijn. Hoe wist je dat?'

'Ik wist het niet zéker, Chris,' antwoordde ze terwijl ze zich naar de opslagkamer haastten. 'Ik nam het maar aan. Ik voelde dat er iets in een geheime bergplaats moest liggen. Kijk, het was een bekend feit in de kunstwereld dat je oom een vrij uitgebreide collectie bezat, en dat die bijzonder waardevol was. Dus toen je me hier voor het eerst rondleidde, vond ik het eigenlijk nogal tegenvallen. Aan de andere kant is het niet ongewoon dat verzamelaars hun favoriete schilderijen goed opbergen. Sommigen doen het om er helemaal alleen van te kunnen genieten, anderen bergen het op tot de prijzen voor dat soort werk stijgen.'

'Dan begrijp ik het. En reken maar dat ik die schilder die gister zomaar tegen een muurtje leunde eeuwig dankbaar zal zijn. Hij deed de vondst van de eeuw!'

'Laten we dat hopen.'

Ze volgde hem de kamer in waar hij de andere schilderijen had opgeborgen, en waar ook de valse Cézanne zich moest bevinden. Maar ze was opgelucht dat hij nergens vol in het zicht stond. Misschien had hij hem toch vernietigd.

Ze liep snel de kamer door en bleef staan voor een rij schilderijen die ze niet eerder had gezien. Ze stonden naast elkaar tegen een van de muren. Haar oog viel meteen op de Degas. Het was een balletdanseres; diverse tinten blauw en grijs vormden de hoofdmoot. Ze stond er een tijd voor, kwam dichterbij, stapte weer terug, bekeek het vanuit diverse hoeken, in opperste concentratie.

'Nou, wat denk je?' Christopher beefde van spanning. Hij kon gewoon niet stil blijven staan.

'Ik zeg niets, Chris, tot ik alles heb gezien. Aha, hier zijn de twee Manets!'

En weer onderzocht Annette de schilderijen met grote aandacht en een kritische blik; toen richtte ze haar ogen op de Pissarro en daarna ging ze voor de twee Cézannes staan. Die bestudeerde ze het langst van allemaal.

Christopher bleef naast haar staan en durfde haar concentratie niet te verstoren. Hij had een gespannen uitdrukking en was vol verwachting. En ook een beetje bang. Bang voor haar oordeel, haar vonnis.

Chris schrok even op toen ze een stap naar voren deed en de Degas oppakte.

'Kom, laat mij dat maar doen.' Hij nam hem over. 'Waar wil je hem hebben?'

'Daar op tafel, bij het raam, waar het beeldje van Degas stond. Daar is het licht goed.'

Ze volgde hem de kamer door en vroeg: 'Hoe zit het met de herkomst? Hoeveel hebben de juiste papieren, Chris?'

Terwijl hij de balletdanseres op tafel legde, draaide hij zich naar haar toe. 'Van deze hier kon ik niets vinden. En maar een van de twee Manets had een bewijs van herkomst. Dat met dat bosje viooltjes.'

'En hoe zit het met de Pissarro en de schilderijen van Cézanne... Twee versies van hetzelfde landschap?'

'Pissarro en die ene Cézanne die erop lijkt, hebben volgens mij uitstekende papieren en een uitgebreide herkomst. Geen probleem.'

'Maar die andere Cézanne dan? Niets?'

'Nee, niets. Maar dat zegt niet veel, mijn oom borg vaak documenten ergens anders op.'

'Alles is mogelijk,' mompelde ze, en vroeg zich af wat er misschien nog meer verstopt was in dit mysterieuze huis.

Ze tilde de Degas van de tafel en liep ermee naar het raam, waar ze het schilderij rechtop op een stoel plaatste en er nog een tijd gefronst naar bleef staren. 'Er is iets niet goed met dit schilderij, Chris. Er is iets mis... Ik vind het niet leuk je dit te vertellen, maar volgens mij is het een vervalsing. En zonder bewijs van herkomst zal niemand dit kopen.'

'Maar het ziet er precies uit als een Degas!' riep Chris nerveus uit.

'Weet ik, en degene die het schilderde had beslist een goede hand en veel talent. Maar ik weet zeker dat het niet klopt. Net zoals ik weet dat die ene Cézanne daar vals is... Dat met de rode daken en de smeltende sneeuw. De echte naam is *De Dooi in L'Estaque*. Ja, nu herinner ik het me weer. Hij zat in een privéverzameling en werd een paar jaar geleden op een veiling verkocht. Aan een andere verzamelaar. Dus het staat wel vast dat dit een vervalsing is. In kunstkringen kennen we hem als *De Rode Daken*.'

'Dus we hoeven ons niet druk te maken om hier papieren over te vinden?'

'Nee, lijkt me niet. Dat hoeven we trouwens ook niet te doen voor deze Manet, want die hangt momenteel in het Musée du Petit Palais in Genève. Ik heb hem niet lang geleden nog gezien.'

'Gek, ik dacht ook al dat deze een vervalsing was,' zei Chris. 'Omdat er allemaal vieze vegen op het gezicht van die vrouw zitten.'

Annette keek hem met een glimlach aan. 'Het echte schilderij van Manet heet *Berthe Morisot met voile*. Wat jij aanziet voor vieze vegen is eigenlijk de voile aan haar hoed.'

Christopher trok een gezicht en keek haar strak aan. 'Waarom zou oom Alec ze in een verborgen kamertje hebben gezet?'

'Joost mag het weten. Misschien om ze te beschermen. Dat geldt zeker voor de echte, maar misschien was hij ook zuinig op de valse. Borg hij ze op omdat het vervalsingen waren. Hij wist beslist een hoop van kunst. Maar drie van de zes is zeker niet slecht. Ik durf wel te stellen dat het een prachtige ontdekking is.'

'Jim heeft trouwens vanmorgen nog twee schilderijen gevonden.'

'Wát!' Geschokt staarde ze hem aan. 'Waarom zeg je dat nu pas?'

'Ik had de kans nog niet gehad. Hij vond ze een uur of zo geleden. We waren in de verborgen kamer van oom Alec, nou ja, in zijn studeerkamertje zelf, en Jim liep rond en klopte op alle delen van de lambrisering. Plotseling stompte hij tegen het eind van de muur, bij het raam. Een van de panelen vloog gewoon open, alsof er een veer achter zat, en het bleek een kast. Er stonden twee Graham Sutherlands in. En een aktetas vol papieren, onder andere de rekeningen van de Sutherlands van een galerie in Mayfair. En de herkomst. Alles staat nog boven, de schilderijen ook.'

'Wat fantastisch! Christopher, kijk niet zo sip. Enkele van deze schilderijen zijn gewoon schitterend, heel bijzonder. En heel waardevol.' Daar kikker je vast van op, dacht ze. Als al het andere niet werkt. Het was hem altijd alleen om het geld te doen.

'Neem je ze mee in de septemberveiling?' vroeg hij.

'Dat weet ik nog niet.' Ze liep de kamer door. 'Breng me maar naar de kamer met de Sutherlands, Chris. Ik wil dat priesterhok ook wel zien.'

'Priesterhok?'

'Ja, zo heet dat – een plek gemaakt voor een priester waarin hij zich kan verstoppen. Tijdens de Stuart-periode waren er godsdienstoorlogen, zoals je vast nog wel weet uit je geschiedenisboeken. Vele aristocratische families waren nog rooms-katholiek en hadden hun eigen familiepriester. Maar niemand mocht weten welk geloof ze aanhingen, want het protestantisme was het staatsgeloof aan het worden in Engeland. In deze kamertjes werd de priester verborgen wanneer soldaten het huis kwamen doorzoeken.'

'Hoe weet je dat allemaal?'

'Hoort bij mijn vak.' Ze wierp hem een bedachtzame blik toe. Hij had nog steeds een sombere uitdrukking. Het zal de teleurstelling zijn. Wat anders? Ontevredenheid? Was hij uit zijn humeur omdat ze hem had verteld dat drie van zijn schilderijen vervalsingen waren? Dat is het meest waarschijnlijk, dacht ze.

Annette herinnerde zich de kleine studeerkamer zodra ze er binnenkwam. Toen ze de eerste keer Knowle Court bezocht, had Christopher haar een rondleiding door het huis gegeven – heel wat maanden geleden. Vandaag was al het meubilair verwijderd; er lagen lappen tegen de verfspatten op de vloer. Er stond een ladder in een hoek met eronder het materiaal van de schilder.

'Daar is dat priesterhok, zoals je het noemt,' zei Christopher en hij wees een klein deurtje in de lambrisering aan. Het stond open.

Hij keek Annette even aan en vervolgde: 'En dit is de kast die Jim vanmorgen ontdekte. Hier zijn de Sutherlands.' Al sprekend boog Christopher voorover en haalde twee middelgrote schilderijen tevoorschijn. Hij zette ze tegen de muur. Ietwat benauwd keek hij haar aan en vroeg: 'Wat denk je?' Annette tuurde er een aantal minuten naar, knikte toen goedkeurend en leek bijzonder in haar sas. 'Geweldig. Het zijn fraaie voorbeelden van zijn beste werk. Laten we ze meteen meenemen naar beneden, zodat ik ze in beter licht kan bekijken. En nu wil ik even in het priesterhok afdalen. Gewoon uit nieuwsgierigheid.'

'Ga je gang,' zei Christopher lachend. 'Er is niet veel te zien en het is erg krap.'

'Dat zijn ze altijd,' mompelde Annette en liep erheen. Zonder aarzeling daalde ze de drie treetjes af. Ze trok haar neus op. Het rook muf als een oude kerk en het was donker, want er zaten nooit raampjes in priesterhokjes. Net genoeg ruimte om te staan, twee stappen te lopen en te gaan liggen.

Huiverend vroeg ze zich af hoeveel priesters zich hier vrezend voor hun leven eeuwen geleden verstopt hadden. Meerdere. Daar twijfelde ze niet aan. Vervolging om het geloof was door de eeuwen heen steeds weer opgelaaid in Engeland. Ze kwam de treetjes weer op, stapte de studeerkamer in en zei: 'Neem jij de schilderijen mee naar beneden, dan draag ik de aktetas.'

'Geen probleem,' zei hij en hij gaf hem aan haar. Hij tilde de twee Sutherland-schilderijen van de vloer en samen gingen ze de trap weer af.

'Laten we naar de kamer gaan waar je de andere schilderijen hebt staan – het licht is daar uitstekend,' zei Annette. 'En ik zou ook graag de papieren hebben die je in de archiefkast in het priesterhok vond.'

'Er lag een hele berg in, ik heb het gisteren naar beneden laten brengen. Ze liggen in de kamer met de schilderijen.'

'Overigens, ik zag de verknoeide Cézanne daar niet staan. Heb je hem toch maar kapotgemaakt?'

Hij schudde het hoofd. 'Ik heb hem in een kast gezet.'

Dit speet haar wel, maar ze hield haar mond; zwijgend liepen ze de gang door naar de zitkamer.

Zodra ze binnen waren zette Annette haar schoudertas en de aktetas op een stoel en ze nam een van de Sutherlands over van Christopher. Ze liep ermee naar het raam en opnieuw gleed er een glimlach om haar lippen terwijl ze het schilderij bestudeerde in goed licht. Het was een prima voorbeeld van het werk van de moderne kunstenaar.

Christopher kwam met de andere aanlopen en zei: 'Ik zie dat je hem mooi vindt, maar moet je deze zien. Jim vond vooral deze briljant.'

Na de twee schilderijen nog een tijdje samen te hebben bekeken, knikte Annette. 'Dit is een grote ontdekking, Chris. Bedank Jim maar dat hij zo slim was om op de muren te kloppen. Waarom deed hij dat eigenlijk?'

Christopher haalde zijn schouders op. 'Het was een opwelling. Hij was net zo verrast als ik toen dat kastdeurtje openvloog.'

'En niemand had je ooit iets van dat priesterhok verteld?'

'Er was niemand die het me kon vertellen. Mijn vader was dood en ik weet zeker dat hij er niets van wist. Want dan had hij het mijn moeder wel verteld, en zij zou er me vast op gewezen hebben, zeker toen ik als erfgenaam werd aangewezen in mijn ooms testament. En zo dik was ik niet met mijn oom, dat weet je. Ik had hem een paar keer ontmoet toen ik klein was, en hij bezocht ons verder nooit.'

'Dat begrijp ik, en ik snap ook dat een man die een kluizenaar is geworden geen familiebezoekjes meer brengt. Maar het personeel dan, Chris? Wisten zij hier niets van?'

'Beslist niet. Waarom zouden ze ook? Als mijn oom het zijn enige broer niet vertelde, mijn vader, of later zijn neef, waarom zou hij het dan toevertrouwen aan iemand van het personeel?'

'Maar ik dacht dat sommigen van hen hier al hun hele leven werkten, of bijna.'

'Ja, Harold, de klusjesman, heeft hier gewerkt sinds mijn vader een jongen was. Mijn moeder kan hem zich nog herinneren. En mevrouw Joules natuurlijk. Ze is hier als kamermeisje begonnen en werkte zich op tot hoofd van het huishouden. Ik kan mijn moeder vragen hoe lang ze al op Knowle Court werkt, maar het is minstens een jaar of dertig.'

'Hoe reageerde ze toen die schilder gister het priesterhok vond?'

'Ze was verbaasd. Hoezo?' Hij trok een wenkbrauw op, en keek haar fronsend aan.

'Wat zei ze precies?'

'Ze zei: "Asjemenou, meneer Delaware. Wie had dat nou kunnen denken." Zoiets, maar ze was verbaasd, dat kan ik je wel vertellen.' Christopher snapte Annettes reactie niet goed en vroeg: 'Waarom ben je zo geïnteresseerd in mevrouw Joules? Wat is er mis met haar?'

Annette haalde haar schouders op en schudde haar hoofd. 'Eigenlijk niets, behalve dat ik het vreemd vind dat iemand die hier meer dan dertig jaar werkt nooit van dat priesterhok heeft gehoord, dat is alles. De dienstmeisjes weten vaak veel meer over een huis en zijn geheimen dan de bewoners, weet je.'

Christopher grimaste. 'Je slaat de spijker op zijn kop, Annette, maar ik geloof niet dat mijn oom ook maar iemand heeft verteld over dat verborgen kamertje. Hij was erg gesloten heb ik gehoord, en verward tegen het eind van zijn leven. Vergeet niet dat hij ze niet meer allemaal op een rijtje had na "het incident", zoals het hier wordt genoemd.'

'*Incident*,' herhaalde Annette. 'Vreemde benaming voor zo'n wanhoopsdaad.' Ze huiverde weer. Ze vermande zich en richtte zich op haar werk. 'Ik zal de verschillende bewijzen van herkomst uit de aktetas en de archiefkast even vluchtig

doornemen, en ik bedoel vluchtig. Thuis, op kantoor zal ik ze dan wel tot in detail doornemen en opbergen. Dus ik neem alles mee wanneer ik weer vertrek. Goed?'
'Ja, natuurlijk,' zei hij.

Jim en Jack stonden voor de open haard in de bibliotheek met elkaar te praten, toen Christopher en Annette mee kwamen doen met een drankje voor de lunch.
Ze draaiden zich allebei tegelijkertijd om en Jim riep uit: 'Ah, daar zijn jullie eindelijk! En wat vind je van onze ontdekkingen, Annette? Eersteklas, of niet soms?'
Voor ze hem antwoord kon geven barstte Christopher woedend uit: 'Pure nep! De helft is hartstikke vals!'
Zijn woorden sloegen in als een bom.
Er viel een doodse stilte. Niemand durfde iets te zeggen.
Jack, die zich totaal op Annette had gericht zodra ze de bibliotheek binnenkwam, was getuige van haar geschokte reactie en zag de ijzige blik in die prachtige, blauwe ogen opkomen. Hij wilde naar haar toe gaan, maar hij wist niet of dat wel zo'n goed idee was. Ze bleef doodstil staan. En juist op dat moment viel er een bundel zonnestralen door het raam naar binnen die haar blonde haar en haar schoonheid accentueerde. Maar ook haar bleke gelaatskleur. Ze was spierwit geworden, alle leven leek uit haar weggevloeid.
Na enige tijd sprak ze. Rustig, met een stem die als een mes door de kamer sneed, zei ze: 'Dat is niet helemaal juist, Christopher.'
Zonder hem nog een blik waardig te keuren, liep ze de grote kamer in naar de open haard. Met koele, afgemeten stem zei ze tegen Jim: 'De schilderijen die jullie gisteren hebben gevonden zijn miljoenen waard: een Manet, een Cézanne en een Pissarro zijn zonder twijfel echt. Van drie andere ben ik niet helemaal zeker. Voorlopig. En de schilderijen van Graham Sutherland zijn een tweede geweldige vondst. Dus, ja Jim, de ontdekking is inderdaad eersteklas!'
'Wat een fantastisch nieuws!' antwoordde Jim, en hij glimlachte naar haar terwijl hij zijn best deed om zijn irritatie over Christopher te verbergen.
'Dat zou ik ook zeggen,' zei Annette. 'En zoals ik Chris al zei, hij is je veel dank verschuldigd voor het kloppen op de

lambrisering van de studeerkamer van sir Alec. Als dat niet in je opgekomen was, zouden die schilderijen van Graham Sutherland nog steeds in die verborgen kast hebben gezeten.'
'Ik heb geen flauw idee waarom dat in me opkwam,' antwoordde Jim en schudde het hoofd. 'Beetje kinderachtig om dat te gaan doen, vind je niet? Maar je leest wel eens over geheime deuren en holle ruimtes achter lambriseringen en boekenkasten.'
'Helemaal niet kinderachtig,' beweerde Christopher voorzichtig, in de hoop de spanning in de kamer weg te nemen. Hij besefte dat hij een vreselijke faux pas had begaan en dat hij Annette van streek had gemaakt. Hij schraapte zijn keel en ging verder. 'En Annette heeft gelijk, ik mag je wel ontzettend bedanken, Jim. Zo, en wat zeggen we van een lekker glas champie om het te vieren?'
'Dat lijkt me heerlijk,' zei Jack en kwam dichter bij Annette staan. Hij keek haar vragend aan en zei: 'Jij ook een glaasje champagne?'
'Nou, dat lijkt me wel lekker, ja.'
Jim en Christopher liepen naar de dranktafel, waar Jim de fles champagne opende. Christopher keek stilletjes toe, duidelijk nog niet helemaal op zijn gemak.
Jack nam Annette bij de arm en heel zacht mompelde hij: 'Geen licht, die jongen, hè?'
'Niet echt,' zei Annette. 'Maar hij meent het niet kwaad. Ik leg het je later wel uit. En we mogen niet vergeten dat hij wel in het bezit is van heuse meesterwerken die miljoenen waard zijn. Dus hij moet zich niet blindstaren op die enkele die vals zijn. Heeft Jim iets gezegd? Over hoe ze ze zo onverwacht hebben gevonden?'
'Nee, met geen woord. En zo hoort het toch ook? Hij lijkt me een prima kerel. Ik mag hem wel. Maar hij heeft me er niets over verteld en ik heb hem ook geen vragen gesteld. Ik weet dat jij me wel vertelt wat je kwijt wilt over die vondst, wanneer jij het daar tijd voor vindt.'
'Dat zal ik zeker doen, en ik weet dat jij er geen letter over schrijft tot ik zeg dat het mag.'
'Je bedoelt dat ik er wel wat over mag schrijven? Later?' Opgetogen kneep hij even in haar arm. 'Misschien voor het artikel voor het *New York Times Magazine?*'

'Dat denk ik wel. Ik moet eind volgende week alles wel op een rijtje hebben.'

'Wat bedoel je?'

'Maandag moet ik meteen met Carlton Fraser spreken, om te vragen of hij de schilderijen schoon wil maken waarvan ik zeker ben. Hij moet ook de andere voor me nakijken... Daar komt Chris, met twee glazen champagne.'

Annette vond dat Christopher eruitzag alsof hij zich schaamde. Hij zag een beetje wit om zijn neus.

Terwijl hij haar een glas champagne aanreikte, verontschuldigde hij zich. 'Het spijt me verschrikkelijk, Annette. Vergeef me alsjeblieft dat ik voor mijn beurt praatte.' Toen overhandigde hij de andere flûte aan Jack, die hem bedankte.

Annette zei: 'Het is je vergeven, Chris, maar onthoud nu eens dat ik het liefst privé over zaken spreek. Maakt niet uit wie erbij zijn. Ik wil het er niet over hebben als er anderen bij zijn. Ik spreek in principe met jou alleen. Vergeet het nou niet.'

'Ik zal eraan denken,' zei hij berouwvol en hij liep terug om een glas voor zichzelf te halen.

Jack zei: 'Voorbeeldig opgelost, Annette. Hij voelt zich vast een beetje beter.'

'Ik wil geen nare stemming tijdens de lunch hebben en ik ken hem goed genoeg om te weten dat hij soms gewoon zegt wat er in zijn hoofd opkomt, zonder na te denken. Trouwens, het is machtig dat die schilderijen uiteindelijk weer te zien zijn en ze zijn zeker een feestje waard.'

'Ik weet dat ik het niet mag vragen, omdat je het er niet over wilt hebben, maar wat is er gebeurd? Hoe zijn die schilderijen ontdekt?' Jack keek haar vragend aan.

'Ik zal het je uitleggen,' zei Annette en ze ging op de bank naast de schouw zitten.

Jack deed hetzelfde en luisterde aandachtig toen ze hem vertelde wat daar gisteren gevonden was in het priesterhok, en hoe dat was ontdekt. 'Wat een verhaal!' riep Jack toen ze was uitgesproken. 'Heel bijzonder, eigenlijk. Nog een geluk dat Christopher besloot om zijn ooms studeerkamertje op te knappen. Want als hij dat niet had gedaan, hadden de schilderijen daar nog jaren ongezien kunnen staan...'

Ze raakte zijn glas met het hare aan. 'Op jou, Jack.'

'En op jou,' zei hij en hij vroeg heel zacht: 'Is er een kansje dat ik de schilderijen te zien krijg? Lijkt me zo spannend.'

'Ik zou niet weten waarom niet. Ik zal je ze laten zien voor we vertrekken, na de lunch.'

27

Annette had eigenlijk geen enkele reden mevrouw Joules te wantrouwen, maar tot haar verbazing merkte ze dat ze dat toch deed. De huishoudster deed erg uit de hoogte en scheen te denken dat het huis en Christopher Delaware haar persoonlijke bezit waren, wat Annette erg op de zenuwen werkte.

Gedurende de lunch in de achthoekige kamer piekerde Annette erover waarom deze vrouw met haar strenge uiterlijk zich gedroeg alsof zij de eigenares was van het gebouw en alles erin. Niet echt arrogant, maar wel bijna.

Christopher onderbrak haar gedachtespinsels. 'Dus je wilt de schilderijen straks direct meenemen naar Londen?'

'Ja, Chris, want ik wil ze zo snel mogelijk naar Carlton brengen. Ik wil zijn mening erover horen, en ik wil dat hij de schilderijen schoonmaakt die een tikkeltje vuil zijn.'

'Nou, als het geen probleem voor je is, dan komt het mij goed uit, want het scheelt me maandag weer een reisje naar Londen. Ik heb een afspraak met de aannemer en die zou ik anders moeten uitstellen.'

'Jack zegt dat alle schilderijen makkelijk in de Aston Martin kunnen. Carlton–' Ze zweeg toen de keukendeur weer openzwaaide en mevrouw Joules de eetkamer in schreed, ditmaal met het dessert. Ze werd vergezeld door haar paladijn, het meisje Brenda, dat een grote schaal droeg.

Christopher richtte zich met een glimlach tot de huishoudster. 'En wat is de verrassing, mevrouw Joules? U zei dat ik dít toetje verrukkelijk zou vinden.'

'Het is uw lievelingstoetje, meneer Delaware.'

'Ik heb een paar lievelingstoetjes,' zei hij en hij bleef glimlachen.

'Het is uw favoriete lievelingstoetje. Trifle.'

'O, zalig! U bent een kok uit duizenden, mevrouw Joules, en u verwent ons schromelijk.'

'Dank u. Kom Brenda, zet die schaal eens op de zijtafel, dan zal ik opdienen.'

Terwijl de huishoudster de trifle op de bordjes schepte en Brenda de bordjes rondbracht, begon Jack een lang verhaal over hoe hij ooit een Franse vriendin een echte Engelse trifle had leren maken, een vriendin die bovendien een bekende chef-kok was. Hij was een fantastische verteller en hij bracht het amusante verhaal met veel humor en zelfspot. Binnen de kortste keren lagen ze allemaal dubbel vanwege het hilarische relaas.

Annette bedacht weer hoeveel charme Jack toch had, een natuurlijk soort charme die iedereen meteen op zijn gemak stelde. Hij was stellig een van de meest ontspannen mensen die ze ooit had ontmoet; ze stelde zich voor dat hij wel erg populair moest zijn bij zijn familie en geliefd in elk gezelschap. Toen iedereen het dessert voor zich had, zei Christopher: 'Dank u, mevrouw Joules. Ik weet zeker dat we er allemaal van zullen smullen.'

Mevrouw Joules glimlachte zuinig, knikte en liep snel de eetkamer uit, Brenda voor zich uit drijvend.

Hij richt zich totaal op haar, besloot Annette terwijl ze haar lepel pakte en in de trifle stak. En zij is een vreemde mengelmoes. Bazig, maar tegelijk een beetje kruiperig. En bijzonder zelfingenomen. Erg zeker van zichzelf. Overtuigd dat ze nooit ontslagen zal worden. Hoe zou dat komen? Omdat ze te veel weet?

Mevrouw Joules deed haar aan iemand denken. Maar aan wie? Ze brak haar hersens er even over en plotseling schoot het haar te binnen. *Mrs. Danvers.* Gespeeld door Judith Anderson in de film *Rebecca.* Een van haar favoriete klassiekers, met twee acteurs van wie ze altijd gehouden had. George Sanders en Laurence Olivier, die Maxim de Winter speelde in de bewerking van het boek van Daphne du Maurier. Ja, Mrs. Danvers... precies mevrouw Joules. Zeer bezitterig, gewichtig en een vreselijke snob. Denkt dat ze beter is dan wie dan ook.

Annette onderdrukte een veelbetekenend lachje, keek even

naar Jack aan de andere kant van de tafel en merkte dat hij haar scherp op zat te nemen. Ze glimlachte naar hem.

Hij lachte terug en het leek wel of hij in schateren wilde uitbarsten. Maar dat deed hij niet. In plaats daarvan zei hij: 'Wat een verrukkelijke lunch, Christopher. Complimenten aan de chef.'

'Dat is dan mevrouw Joules,' antwoordde Christopher. 'Ze doet alles hier. Ik zou niet weten wat ik zonder haar moest beginnen. Ze heeft alle touwtjes in handen, en ze heeft er goed de wind onder. Ik vertrouw volledig op haar.'

Jack knikte. 'Ze is een uitstekende kok. Maakt een prima trifle. En nu we allemaal klaar zijn, wil je mij en Annette zeker wel verontschuldigen, Christopher? Ze zei dat ze me de schilderijen wilde laten zien voor we weer naar Londen gaan.'

'Maar natuurlijk. Jim en ik trekken ons terug in de bibliotheek. Mevrouw Joules brengt daar zo dadelijk koffie en thee voor de liefhebbers. We wachten daar wel op jullie.'

Ze stonden allemaal op, verlieten de eetkamer en liepen naar de centrale hal.

Annette liep naast Jack en vertelde: 'De schilderijen staan in een van de zitkamers, in die gang daar. Kom, laten we gaan.' Ze riep naar Chris: 'Ik zie jullie zo, we zullen het kort houden.'

'Neem de tijd,' zei Christopher die achter Jim naar de bibliotheek liep.

'Godzijdank dat je net het woord nam,' zei Annette tegen Jack toen ze alleen waren. 'Er leek geen eind te komen aan die lunch.'

'Inderdaad. Maar ik moet wel zeggen dat het me fascineerde.' Wat zachter vervolgde hij: 'Heel boeiend trouwens, die dynamiek tussen werkgever en werkneemster.'

'Hou op! Vond ik ook, al kwam ik er niet precies achter hoe die relatie in elkaar zit.'

Hij boog zich nog wat dichter naar haar toe en fluisterde: 'Mevrouw Joules gedraagt zich alsof het hele landgoed van haar is. Met hem erbij.'

'Precies. Maar ze is ook een beetje kruiperig, vind je niet?'

'Uriah Heep. Nou ja, mevrouw Uriah Heep. Ze praat een beetje zalvend, vond ik.'

'Ja. Maar Dickens schiep altijd unieke personages, ja toch?

Dus ik vond haar eerder een replica van Mrs. Danvers. Als je weet wie ze is.'
'Ja natuurlijk. *Rebecca* is een van mijn favorieten. En die goeie ouwe George Sanders ook. Hij speelde ook zo goed in *All About Eve*.'
'O ja, ik geniet ook zo van hem.' Ze keek Jack nieuwsgierig aan en vroeg: 'Dus jij houdt ook van oude films?'
'Ik heb een reusachtige verzameling.' Hij grijnsde naar haar en plaagde: 'Kom eens langs, dan kunnen we lekker samen oude films kijken.'
'Doe ik,' antwoordde ze, maar ze klonk opeens afwezig. 'Hier is de zitkamer waar Chris momenteel zijn collectie bewaart.'

Jack liet zijn ogen door de kamer dwalen toen hij Annette naar binnen volgde; ze liep naar het boograam aan de andere kant. Hij merkte alles op: het tapijt van Aubusson, antieke spullen, en de comfortabel uitziende bank en fauteuils voor de open haard. Er hing wel een spiegel aan de muur, maar schilderijen ontbraken.
Bij twee stoelen voor het raam zei Annette: 'Kijk eens naar deze twee schilderijen. Eentje is van Cézanne, de andere van Pissarro, en ze zijn echt. Onvervalst meesterschap. Beide hebben de juiste herkomstpapieren.'
Hij ging naast haar staan en bekeek de schilderijen aandachtig. Ze stonden elk in een leunstoel, met de beste lichtval via het raam. Na een tijdje zei hij: 'Maar hebben ze niet allebei hetzelfde onderwerp genomen?' Hij leek verward.
'Ja, precies.'
'Maar waarom?'
'Cézanne en Pissarro waren vrienden en compagnons, en ze werkten vaak samen. Ze wilden gewoon van elkaar leren... Ze werkten zo'n tien jaar naast elkaar.' Annette wees eerst op de Pissarro, toen op de Cézanne en zei: 'Je ziet dat ze allebei een typerende stijl hebben. En weet je, ze waardeerden de stijl van de ander werkelijk, ze genoten van de samenwerking en ze probeerden elkaar altijd te helpen als het kon.'
'Ik zie het verschil,' zei Jack. 'De versie van Pissarro is bleker, of in elk geval veel lichter. De Cézanne is een stuk donkerder, en de streken zijn sterker. Wat interessant. En hoe-

veel zijn ze waard?' Jack keek haar aan, met een wenkbrauw vragend opgetrokken.

'Elk schilderij apart is miljoenen waard. Maar als ze als stel worden aangeboden, kan ik er veel meer voor vragen op een veiling. In plaats van ze apart aan te bieden, bedoel ik. Dit is zoiets unieks, om de twee schilderijen samen beschikbaar te hebben.'

'Wist Alec Delaware zoveel van kunst?'

'Ik denk van wel,' antwoordde Annette. 'Hij kocht kwalitatief zeer goed schilderijen, zoals die twee Graham Sutherlands daar. En deze twee hier zijn natuurlijk grandioos. Ze hebben een schoonmaakbeurt nodig, er zit vuil en vet op, maar verder lijken ze in perfecte staat.'

'En die Sutherlands?' vroeg Jack.

'Ja, dat zijn uitstekende voorbeelden van zijn werk. Het zijn twee van zijn religieuze kunstwerken in waterverf, van halverwege de jaren vijftig. Dat was dus ver voor hij het bekende wandkleed *Christ in Glory* voor de kathedraal van Coventry maakte, in 1962. Maar zijn schilderijen zijn erg gewild tegenwoordig. Hij stierf in 1980 en de prijzen gaan met het jaar omhoog.' Ze nam Jack mee om ze te bekijken.

'En die werden dus in dat priesterhok gevonden?' vroeg hij nadat hij ze een paar seconden bekeken had.

'Nee, in de verborgen kast achter de lambrisering die Jim toevallig ontdekte. De Cézanne en de Pissarro stonden in het priesterhok. Samen met de Manet die hier staat.'

Annette liep de kamer door met Jack op haar hielen. Voor een ander schilderij dat in de leunstoel stond, bleven ze staan.

'Dat is de Manet... heel eenvoudig, maar ik vond het heel schattig.'

'Een bosje viooltjes,' zei Jack zachtjes. 'En deze is ook echt?'

'O ja, en een van de redenen waarom ik er zo van hou is omdat het verwijst naar Berthe Morisot, de impressioniste die een vriendin was van Manet. Als je goed kijkt zie je een deel van haar naam op het witte papier dat tegen de rode waaier ligt.'

Jack tuurde van dichtbij naar het schilderij en knikte. 'Ik zie het. En is dit ook miljoenen waard?'

'Ik durf er op dit moment geen uitspraken over te doen. Het

kan voor heel wat minder weggaan. Maar een Manet-verzamelaar heeft er misschien weer veel voor over.'
'En die vervalsingen? Die zou ik graag zien.'
'Deze Cézanne, bekend als *De Rode Daken*, is waarschijnlijk nep.' Ze nam hem mee naar het schilderij dat tegen de muur leunde.
'Maar hoe weet je dat toch, Annette? Waar zie je dat aan?'
'Ik heb er geen goed gevoel bij, dus is het mis; dat is de uitdrukking waarmee mensen in de kunstwereld een vervalsing beschrijven.'
'En het andere?'
'Er zijn er eigenlijk twee, Jack. Een Manet, dat Berthe Morisot zou verbeelden, en een balletdanseres van Degas. Dat laatste schilderij is echt compleet mis volgens mij. Kijk er maar eens naar. En dan zullen we meteen even het priesterhok bekijken. Maar dan moeten we toch echt weer terug naar Londen.'

28

Met gemengde gevoelens reed Jack terug naar Londen. In de stoel naast hem zat een vrouw voor wie hij als een blok gevallen was; hij was smoorverliefd op haar en bewonderde haar, en ze boezemde hem ook ontzag in.
Al voor ze nog maar een paar meter gereden hadden, zei ze dat ze er behoefte aan had even goed na te denken over de schilderijen die ze naar Carlton gingen brengen, en vroeg of hij het erg vond dat ze zich daar achterover in haar stoel met de ogen dicht even op concentreerde.
Hij zei van niet, en zo kwam het dat hij het laatste uur in zijn eigen gedachten verzonken gereden had: over zichzelf, over haar en over hen samen. Hij besefte dat hij inmiddels stapelgek op haar was.
Wat je zág wanneer je een vrouw voor de eerste keer ontmoette, hoe ze eruitzag, dat eiste je aandacht, dat was wat je aantrok. En de aantrekkingskracht was groot geweest, toen hij haar bleekblonde schoonheid, het glanzende haar, de kris-

talblauwe ogen en de roomzachte perzikhuid zag. En natuurlijk haar perfecte figuurtje, en de benen waaraan geen eind kwam. Hij vond haar sexy en uitzonderlijk opwindend. Hij verlangde vurig naar haar. Maar afgezien van de fysieke aantrekkingskracht, was hij in de ban van haar terughoudende gedrag, haar verlegenheid en het raffinement dat haar klasse gaf. Ze was een complexe persoonlijkheid. Vuur en ijs.

En dan had je haar hersens nog. Haar kennis van kunstgeschiedenis, van kunstenaars en schilderijen, was zo enorm dat het hem duizelde. Ze had uitgesproken meningen en werd bijzonder spraakzaam als ze het had over kunst en de briljante en getalenteerde mensen die kunst vervaardigd hadden. Jack vond het tegelijkertijd fascinerend en onbegrijpelijk dat ze een schilderij kon bekijken en meteen merkte dat het er niet uitzag zoals het eruit moest zien, dat er iets niet in orde was, en kon beredeneren waarom dat zo was. En dan verklaarde dat het een vervalsing moest zijn. Haar vaardigheid en deskundigheid waren ongelooflijk, net als die computer in haar hoofd. Want hij sloeg steil achterover van dat verbijsterende geheugen van haar.

Hij had dat danseresje van Degas zelfs best een aardig schilderij gevonden en was met stomheid geslagen toen ze hem vertelde dat het nep was. Volgens hem was er niets aan de hand. Maar wat wist hij er nu van? Over kunst in het algemeen maar weinig, zeker. Maar met die stijl van Degas was hij wel bekend, zeker de schilderijen van danseressen. De meeste kwam je immers overal tegen als posters en reproducties.

En nu waren ze dan op weg naar Carlton Fraser in Hampstead. Toen Annette hem vlak voor de lunch had gebeld vanuit Knowle Court, en hem had verteld wat er was gebeurd, had Carlton erop gestaan dat ze de schilderijen direct langs zouden brengen wanneer ze in de late namiddag of vroege avond terug waren in Londen. Hij had Annette beloofd dat hij hen zou belonen met een heerlijke cocktail of een coupe *de* champagne.

Jack peinsde erover hoe hij haar daarna zou kunnen verleiden tot een dinertje met hem. Hij wist dat haar echtgenoot die ochtend naar Barcelona was vertrokken en dat ze ook de komende week alleen zou zijn. En hij wilde bij haar zijn, wilde haar niet uit het oog verliezen. Geen seconde.

Hij zuchtte zacht. Als ze bij hem was, kon hij zijn geluk niet op. Maar het was ook een soort marteling voor hem. Hij wilde haar kussen, aanraken, stevig tegen zich aan klemmen, en vol passie met haar vrijen. Hij wilde deze vrouw totaal bezitten, een met haar worden. Hij wilde de rest van zijn leven met haar delen. Maar zou dat mogelijk zijn? Ze was getrouwd. Tot nu toe was hij getrouwde vrouwen altijd uit de weg gegaan.

Soms, wanneer hij dicht bij haar was, werd hij overspoeld door seksuele gevoelens en erotische sensaties, en hij wist dat hij op het punt stond een erectie te krijgen. Op de een of andere manier had hij dat onder controle kunnen houden. Maar hij voelde zich dan ook als een puber als hij bij haar was. Het was een hevige kwelling dicht bij haar te zijn en tegelijk zo veraf. Voorlopig.

Hij bande haar uit zijn gedachten en richtte zijn aandacht weer op de weg. Gestaag reed hij voort en dacht erover na hoe vreemd het in een leven kon lopen. Sommige mensen dachten dat alles wat gebeurde een reden had, dat het zo moest zijn, dat het een soort predestinatie was. Anderen dachten dat alles in het leven puur toeval was; je gooide een steentje in het water en de rimpelingen verspreidden zich wijder en wijder.

Ga maar na hoe dit begonnen was.

Een jonge man zit naast een knappe blonde kunsthistorica tijdens een diner. Een paar maanden later erft hij een bekende kunstcollectie, zoekt de kunsthistorica op en vraagt haar een Rembrandt voor hem te verkopen, een verloren Rembrandt die dertig jaar geleden voor het laatst te zien was geweest. En dat doet ze. En dat leidt ertoe dat ze beroemd wordt en een ster in haar wereldje, en de media staan te trappelen. Haar echtgenoot kiest een jonge journalist uit die haar als enige mag interviewen. En de journalist wordt verliefd op haar en zij op hem. Een *coup de foudre*, zoals de Fransen het zo passend zeggen, een bliksemsinslag, ofwel liefde op het eerste gezicht.

Plotseling schoot Annette overeind en ze riep uit: 'Hemel, ik ben in slaap gevallen! Waar zijn we, Jack?'

Opgeschrokken uit zijn gedachten keek hij haar vanuit zijn oogkoeken aan. 'Een dik uur van Hampstead af. Niet slecht van ons, hè?'

'Nee, niet slecht van jóú.' Ze draaide zich naar hem toe en vervolgde: 'Vertel me nu eens, Jack. Wat vond je van Knowle Court?'

'Ik vond het vreselijk. Jij noemde het spookachtig, onheilspellend, maar ik denk dat het erger is dan dat. Er hangt iets in de lucht dat...' Hij schudde zijn hoofd. 'Ik denk dat er iets kwaadaardigs in schuilt.'

'Vreemd om dat zo te zeggen.' Annette fronste haar voorhoofd.

'Dat weet ik wel, maar dat voel ik nu eenmaal. Ik heb altijd gevonden dat huizen een zekere sfeer hebben door de levens die zich daar hebben afgespeeld. Ik voel dat ook als ik in Carltons huis ben. Dan voel ik een bepaalde spiritualiteit, een zuiverheid, en ik denk dat dat door Carlton en Marguerite komt, die zulke goede mensen zijn. Vanaf toen ik heel klein was voelde ik me daar echt thuis. Andere huizen hebben een minder vredige uitstraling, zitten vol restanten van ongelukkige levens, en weer andere kun je dan niet anders dan kil, griezelig, onuitnodigend noemen. Volgens mij hebben de afschuwelijke dingen die daar hebben plaatsgevonden en de slechte mensen die daar hebben gewoond hun stempel op zo'n huis gedrukt. Ze hebben hun gewelddadigheid daar achtergelaten.'

'Bedoel je dat de slechtheid in de muren gesijpeld is? Is het dat?'

'Zo kun je het zeggen; dat is wat ik bedoel. Beestachtige toestanden. Verwaarlozing. Boosaardige gesprekken. Geschreeuw, knetterende ruzies, hele gevechten, God mag weten wat nog meer.'

'Kwaadaardig is als ik er even over nadenk nog niet zo'n gek woord. Ik ken een huis dat dezelfde gruwelijke sfeer heeft. Het was vol pijn en onderdrukking, erg angstaanjagend eigenlijk.'

'Echt waar? Welk huis was dat?'

'Waar we opgroeiden. Waar we in elk geval een paar jaar woonden toen we klein waren. In Ilkley. En–' Annette brak haar relaas abrupt af en klemde haar lippen op elkaar. Alsof ze spijt had dat ze erover begonnen was.

'Maak eens af wat je wilde vertellen,' drong Jack aan.
'O nee, het is niets bijzonders. Ik praat er liever niet over.'
'Juist.' Jack nam gas terug, zette de auto aan de kant en haalde de handrem aan. Hij draaide zich naar haar toe. 'Waarom wil je niet praten over dat huis in Ilkley?'
Ze schudde haar hoofd, haalde haar schouders op en zweeg.
'Ik denk dat je me iets wilde toevertrouwen over je jeugd, en opeens van gedachten veranderde. Omdat je me niet vertrouwt. Is dat het?' zei Jack.
'Nee, dat is het niet, Jack. Heus.' Haar stem trilde.
Hij stak zijn hand in de zak van zijn jasje en haalde zijn memorecorder tevoorschijn, die hij haar toestak. 'Ik wil graag dat je hem in je tas bewaart, zodat je er verzekerd van bent dat ik nu niets opneem van wat je zegt.'
'Toe nou, Jack, doe niet zo mal. Dat denk ik helemaal niet. En ik vertrouw je wél.' Ze nam de recorder niet aan.
'Oké, ik geloof je, maar ik wil desondanks dat je het voor me bewaart.' Hij liet het recordertje in haar schoot vallen. 'Zorg dat het veilig is tot het eind van de avond.'
Hij draaide het contactsleuteltje weer om, liet de rem los en reed de Aston Martin weer de weg op, zijn ogen naar voren gericht, maar met strakke kaken.
Ze bleef een tijdje zwijgen, want ze wist dat ze hem had beledigd. En dat speet haar diep. Hij had bewezen dat hij oprecht was, dat hij er niet op uit was een slecht stuk over haar te schrijven en dat hij haar vertrouwen waard was. Maar ze had zoveel te verbergen, zoveel gruwelijke geheimen, dat ze bang was zich ongewild te verspreken.
Even later stopte ze de memorecorder in haar handtas en draaide zich een beetje naar hem toe. 'Het was een angstwekkend huis, het was zo groot en zo donker. De kamers waren enorm en ongemeubileerd. We woonden daar met onze grootvader, nadat grootmoeder was gestorven, en Laurie was dag en nacht bang. Ik eigenlijk ook.'
'Waar was je moeder dan?'
'O, ze was er wel, maar ze ging vaak uit met vrienden, of ze deed boodschappen. Ze was altijd druk met haar eigen leven, met acteren, dat soort dingen.'
'En toen ze stierf gingen jullie bij je tante wonen.'
'Dat klopt. Ja, eerst in Twickenham, en later verhuisden we

naar St. John's Wood. We hielden zo van dat huis: het was kleiner, maar knus en gezellig. Uitnodigend, dat is het juiste woord.'

'Knowle Court dateert zeker uit de tijd van de Tudors en de Stuarts?' vroeg Jack.

'De Stuarts, volgens Christopher. De Delawares wonen daar al eeuwen, en het huis is onvervreemdbaar erfgoed, het mag niet worden verkocht. Moet doorgegeven worden aan de volgende generatie.'

'Dus sir Alec Delaware had geen alternatief. Hij moest het huis aan zijn neef overdragen. Nou ja huis, het is meer een kasteel.' Hij schudde zijn hoofd. 'Mijn moeder had een leuke uitdrukking. "Als muren konden spreken..." zei ze vaak. En ze had gelijk. Wat zouden die muren een verhalen te vertellen hebben. Gruwelijke moorden en meer van dat soort. Overigens, Jim liet iets vallen over sir Alecs *tragedie*. Weet jij wat hij bedoelde?'

'O god, hoe kwam hij daar nu weer bij? Het is een vreselijk verhaal, echt afschuwelijk. Sir Alecs verloofde Clarissa Normandy pleegde zelfmoord vlak voor hun bruiloft. Ze verhing zichzelf in de grote slaapkamer. Met haar trouwjurk aan.'

'Allemachtig!' riep Jack met afschuw in zijn stem uit. 'Ik koos echt het goede woord, of niet, toen ik het huis kwaadaardig noemde?'

'Ja, en wie weet wat er in al die honderden jaren ervoor gebeurde?'

'Misschien hoeven we niet eens zo ver terug te kijken. Ik neem aan dat sir Alec pas na die zelfmoord kluizenaarsneigingen kreeg?'

'Ik denk het wel, als ik Christopher goed begrepen heb. Maar hij schijnt niet veel te weten over de geschiedenis van de familie. Hij wist in elk geval niets van het priesterhok.'

'Dat meende ik al te begrijpen. Maar ik vraag me af of mevrouw Joules er ook niet van wist...'

'Dat heb ik me ook al afgevraagd. Maar dan zou ze het Christopher toch wel verteld hebben toen hij het landgoed erfde?'

'Wie weet. Je krijgt haar in elk geval niet weg, want ze deelt daar de lakens uit. Wanneer werd die zelfmoord gepleegd?'

'Zo'n vijftien jaar geleden, dacht ik.'

'En mevrouw Joules zorgde voor sir Alec, vervulde al zijn behoeften... misschien ál zijn behoeften? Hoeveel huishoudsters zijn niet langzamerhand de vrouw des huizes geworden?' Hij begon te lachen. 'Daar ga ik weer, in mijn verbeelding schrijf ik hele victoriaanse romans.'

'Suggereer je nu dat mevrouw Joules en sir Alec minnaars zijn geweest?' vroeg ze, een beetje verrast.

'Zo vreemd is het niet. Huishoudsters hebben er altijd een handje van gehad om zich naar binnen te wurmen, en nadat hij over de eerste schok van de dood van zijn verloofde heen was, zal hij behoefte hebben gehad aan wat liefdevolle zorg en warmte. En daar hoefde hij de deur niet voor uit. Hij hoefde alleen de keukendeur open te doen. Misschien alleen de slaapkamerdeur.'

Annette kon haar lachen niet inhouden. 'Je schudt de verhalen inderdaad uit je mouw, net als bij de lunch. Maar je zou best eens gelijk kunnen hebben. Als ze inderdaad iets had met sir Alec, en dat jarenlang, dan zou ze volgens haar vast recht op een deel van de erfenis hebben gehad. Het zou die houding van "ik deel de lakens hier uit" kunnen verklaren.'

'Hou oud zou ze zijn?'

'Geen idee,' zei Annette. 'In de zestig? Ze begon hier als kamermeisje toen ze zestien was en maakte snel carrière. Uiteindelijk werd ze huishoudster. Dat doet ze zeker al dertig jaar en misschien wel langer.'

'Ze ziet er oud uit, maar misschien is dat haar arrogante houding en dat strak naar achter getrokken haar. Maar ze is geen onaantrekkelijke vrouw, Annette, en ze heeft wel prachtige ogen.'

'Je heb veel gezien in zo'n korte tijd.'

'Dat is logisch. Het is mijn vak goed op te letten. En jij wordt binnenkort veertig? In juni?'

Deze opmerking verraste haar zeer. Ze keek hem even steels aan. 'Ik ben drie juni jarig. En hoe oud ben jij eigenlijk, Jack?' Die vraag glipte er zomaar uit.

'Negenentwintig,' antwoordde hij. 'Ik word dertig in mei. De negentiende.'

'O ja.' Ze leunde achterover in de passagiersstoel en dacht: hij is tien jaar jonger dan ik. En dat zat haar niet lekker. Ze zei niets meer.

Jack zei: 'Zou je mij een heel groot plezier willen doen, Annette?'

'Als ik kan.'

'Zou je me vanavond willen redden?'

'Wat bedoel je?'

'Als we Carlton hebben gesproken, en hij de schilderijen heeft bekeken en je verteld heeft wat hij ervan denkt, moet ik weer naar een leeg huis, en ik heb niks te eten gehaald. Daarom zou je mij kunnen redden van de hongerdood en tegelijkertijd een goede daad doen. Als je met me uit eten gaat.'

'Nou, daar moet ik even over nadenken.'

'Waarom?'

'Daarom.'

'O, kom op nou, doe niet zo mal. Ga gewoon uit eten met een eenzame oude vrijgezel.'

'Die is niet zo oud, en volgens mij ook echt niet zo eenzaam. Maar oké, ik zal puur uit medelijden met je mee uit eten gaan. Je hebt morgen tenslotte al je energie nodig. Om dat artikel over mij te schrijven.'

'Daar heb je helemaal gelijk in,' antwoordde hij, en glimlachte bij zichzelf om die onverwachte, gevatte conversatie.

29

'Als dit een vervalsing is, dan hebben we met een verdomd handige schilder te maken!' riep Carlton uit. Hij stond voor de ezel in zijn studio en keek met half samengeknepen ogen naar het schilderij van de balletdanseres dat eruitzag als een Degas.

Door de schijnwerpers baadde de grote ruimte in fel licht. Twee krachtige spots waren op het schilderij gericht zodat elke centimeter nauwkeurig bekeken kon worden op mankementen.

'Ben ik helemaal met je eens,' zei Annette. 'Het is beslist een getalenteerde kunstenaar. Wie het ook was. Maar hoor eens, misschien zit ik ernaast door te zeggen dat er iets mis mee is. Niemand is onfeilbaar, ik zeker niet. Het ongelukkige is wel dat de herkomst onbekend is. Nou ja, nog onbekend, in elk geval.'

'Je zei dat je twee plastic tassen vol papieren van Knowle Court had meegenomen. Zouden de ontbrekende gegevens daartussen kunnen zitten?'

'Dat is niet onmogelijk. Sir Alec was vrij nonchalant en Christopher is geen haar beter. Aan de andere kant heeft hij wel de documenten van de Cézanne en de Pissarro teruggevonden – die landschappen die die twee in Louveciennes hebben gemaakt – en ook voor die viooltjes van Manet. Hij is inmiddels in staat rekeningen van handelaars, brieven en rekeningen van galeries en rekeningen van kunstkenners te onderscheiden. En hij herkent een document van herkomst. Hij leert het nog wel.'

'Heeft hij genoeg geleerd om in te zien dat hij die Cézanne met dat roet moet vernietigen?'

'Dat betwijfel ik.'

'Waar is het dan?' vroeg Carlton met een bezorgde blik, en hij schudde treurig het hoofd.

'Hij zei dat hij het in een kast had gestopt. Dat is alles wat ik weet.'

'Juist ja...' Carlton haalde zijn schouders op, kneep zijn lippen op elkaar en bromde: 'Het is van hem, dus hij kan ermee doen wat hij wil.' Hij keek Annette aan toen hij zei: 'Vertel me eens... wat vind je precies niet kloppen aan deze Degas?' Hij wees ernaar. 'Je zei dat er iets mis mee was, dus wat is dat dan?'

'Er zijn een paar dingen onmiskenbaar. Wat mij betreft. Wanneer je er de eerste keer naar kijkt, lijkt het een gewone danseres van Degas. Líjkt. Want als je langer kijkt, zie je dat haar houding wel erg onbeholpen is. Lelijk zelfs. Vervolgens blijken de penseelstreken niet helemaal juist... bijna goed, maar niet helemaal. Ik vind het lichaam van de vrouw ook een beetje topzwaar, gewoon niet goed.' Ze wees op de schouders en voegde eraan toe: 'Die lijken me ook niet helemaal goed.'

'Ja, nou zie ik het ook. Hoewel Degas niet altijd danseressen schilderde die sierlijk en mooi waren. Soms waren ze een beetje vreemd, om eerlijk te zijn. Maar hij schilderde wel vaak groepjes danseressen, of duo's, en deze danseres staat in haar eentje aan de barre...'

Hij blies bedachtzaam wat lucht uit en schudde het hoofd. 'Er is nog geen schaduw van een ander op dit schilderij.' Hij liep naar achteren en bekeek het schilderij van een afstandje. 'Aha! Volgens mij is het gewoon niet af!'

'Je hebt gelijk, dat is het! Nu leg je de vinger op de zere plek. Vandaar dat het er wat ruw en schetsmatig uitziet. Toch zal ik die tassen wel doorzoeken naar papieren van deze Degas. En als je het niet erg vindt, stuur ik Laurie even naar je toe om er een blik op te werpen. Je weet dat zij de echte Degasexpert is.'

'Ik kan het wel naar haar toe brengen als je wilt,' bood Carlton aan.

'Nee, nee. Ten eerste zijn deze lampen nodig om het echt goed te zien, maar bovendien weet je best dat ze onafhankelijk wil zijn. Ik weet zeker dat ze liever hier komt. Ze heeft er een hekel aan als invalide behandeld te worden.'

'Ik begrijp het,' zei hij en hij tilde het schilderij van de ezel. Hij zette het tegen de muur en schoof het kleinere schilderij, van de vrouw met de voile, toegeschreven aan Manet, op de ezel.

Na het een paar minuten bestudeerd te hebben, wendde Carlton zich fronsend naar Annette. 'Waarom is dit volgens jou dan ook een vervalsing? Het lijkt me hoogstens vervuild door roet. Zoals de Cézanne.'

'Dat zei Christopher ook, maar het ís geen roet. Manet schilderde op die manier, met vlekken en al. Het heet *Berthe Morisot met voile* en het werd in 1872 geschilderd. Ze was met zijn broer Eugène getrouwd en ze schilderde een paar keer samen met Manet.'

'Ja, dat wist ik. Dus ook hier heb je geen herkomst van?'

'Nee, en dat is ook niet mogelijk. De herkomst berust bij de directie van het Musée du Petit Palais in Genève, waar de echte Manet hangt. Ik heb het onlangs nog met eigen ogen gezien.'

'Dan is dit een kopie, maar wel een verdomd goeie.'

'Niet gewoon goed, maar briljant,' zei Annette.

Hij zette het schilderij weer terug en pakte de tweede Manet, een bosje viooltjes dat tegen een rode waaier leunde. 'En deze?'

'O, maar die is echt! Er bestaat een hele lading documenten van en de herkomst is prima. Alles in orde. Het is een kleintje, dat weet ik, maar het gaat waarschijnlijk voor een flink bedrag weg, omdat het eens van Berthe Morisot is geweest. Manet gaf het aan haar uit waardering dat ze zo af en toe model voor hem wilde staan.'

'Interessant detail,' zei Carlton en lachte. 'Je weet vast hoe je dat uit moet melken om het schilderij te promoten en de prijs op te drijven. Niemand kan dat beter dan jij, m'n kind, wat mij betreft. Dus de viooltjes, en de landschappen van Pissarro en Cézanne zijn de originelen. En ik denk uitzonderlijk kostbaar. De vervalsingen zijn dus de Berthe met de voile, de Cézanne die bekendstaat als *De Rode Daken*, en waarschijnlijk die danseres van Degas.'

'Precies. Ik heb nog één vraag, Carlton. Ik weet dat die echte schilderijen schoongemaakt moeten worden. Maar moeten ze ook nog worden gerestaureerd?'

'Nee. Ze lijken me in uitstekende conditie. Er zit duidelijk vuil op, maar dat is relatief gemakkelijk weg te halen.'

'En heb je tijd om dat voor me te doen?'

'Natuurlijk heb ik tijd voor je. Zou ik je ooit in de steek laten?' Hij schudde het hoofd. 'Nooit, Annette.' Hij keek haar doordringend aan. 'Waarom is Jack met je meegekomen? Waarom heeft hij je naar Knowle Court gebracht?'

'Omdat we eigenlijk het laatste deel van het interview zouden afhandelen vandaag. Toen Christopher me vanochtend belde omdat hij die schilderijen in dat verborgen hok gevonden had, drong hij erop aan dat ik direct naar Kent moest komen. Ik had geen keus, het is een belangrijke cliënt. Toen ik zei dat ik eigenlijk al een afspraak had met Jack, stelde hij voor om Jack mee te nemen. Hij dacht dat Jack Knowle Court wel eens wilde zien, dat het nuttig achtergrondmateriaal kon zijn voor het stuk dat hij schrijft voor die Amerikaanse krant.'

'Dus jij vroeg hem mee te komen, en hij heeft de schilderijen dus ongetwijfeld gezien.'

Annette vond dat een beetje vreemd klinken en ze antwoordde snel: 'Wat bedoel je? Vind je soms dat hij ze niet had moeten zien? Vanwege de vervalsingen? Vertrouw je hem soms niet?'

'Ik stel het grootste vertrouwen in hem. Hij is oprecht, ethisch bewust en integer. Vergeet niet dat ik hem al ken sinds hij een jochie was. Hij zal met geen woord over die vervalsingen reppen of schrijven, en ook niet over de echte schilderijen, tenzij hij jouw toestemming heeft. Maar jou kennende heb je hem laten beloven dat hij er met niemand over spreekt.' 'Klopt. Ik vertrouw hem namelijk ook. Hij lijkt me een rechtschapen man. Hoe dan ook, van alles wat hij vandaag gezien en gehoord heeft, gebruikt hij niets om zijn profiel van mij aan te vullen. Hij heeft materiaal genoeg.' Er gleed een warme gloed over Carltons gezicht. 'Jack en Kyle waren zulke fijne jongens. En ze zijn goed terechtgekomen. Peter heeft ze prima grootgebracht. Ik heb hun vader altijd gemogen. Hij was een kei van een vent.' 'En Jacks moeder? Wat was zij voor een vrouw?' vroeg Annette onderzoekend, nieuwsgierig naar alles wat met Jack te maken had. 'Aardige vrouw, en ook aardig voor Kyle, haar stiefzoon. Maar eerlijk gezegd had Peter de meeste invloed op de jongens, en dat blijkt nu ook wel. Ze hebben allebei een succesvol leven.' Carlton nam de Degas weg van de muur en over zijn schouder zei hij: 'Laten we nu een kijkje nemen bij de aquarellen van Graham Sutherland. Daarna zullen we Marguerite en Jack maar eens gezelschap gaan houden, want dan moeten jullie die speciale cocktail van mij beslist proeven.'

'Ik vraag me iets af,' merkte Marguerite een halfuur later plotseling op. Ze keek Annette strak aan en vroeg: 'Waarom heeft sir Alec niemand ooit over dat verborgen kamertje verteld? Of een brief achtergelaten, die geopend moest worden na zijn dood? Of er iets in zijn testament over gezegd? Want er zat tenslotte veel waardevols in dat priesterhok.' 'Dat heb ik me ook afgevraagd,' antwoordde Annette. 'De enige verklaring die ik kan bedenken, is dat de dood hem eigenlijk overvallen heeft. Hij was lichamelijk kerngezond toen hij die hartaanval kreeg en die heeft hem uiteindelijk de das omgedaan. Hij was nog maar negenenzestig, of hoogstens zeventig jaar, dat is vandaag de dag nog niet zo oud.' 'Nee, zeker niet,' zei Marguerite en ze nipte van haar drankje. 'En toch had hij het vast in zijn testament kunnen zetten, voor de zekerheid. Beetje onverantwoordelijk van hem dat hij dat niet deed.'

'Daar heb je gelijk in. Maar veel mensen denken liever niet na over hun eigen sterfelijkheid. Ze vermijden zo veel mogelijk na te denken over hun dood,' wees Annette haar erop.

Carlton riep uit: 'Ja, maar in dit geval ging het wel om onbetaalbare schilderijen! Hoe kon hij dat nu vergeten?'

'Ik denk dat geen kwestie van vergeten was, maar van niet rationeel nadenken,' zei Annette zacht. Nadat ze van haar *cosmopolitan* had genipt, Carltons beroemde cocktail, vervolgde ze: 'Ik heb begrepen dat sir Alec een beetje verward was geworden. Een beetje wereldvreemd misschien. Dat zou ook de reden kunnen zijn waarom hij zo nonchalant met de herkomst van sommige schilderijen was. Net als met rekeningen, ontvangstbewijzen, dat soort zaken.'

Ze keek de bekende restaurateur aan, een man in wie ze een groot vertrouwen stelde en die al jaren een goede vriend van haar was. 'Ik kan het fout hebben, en die Degas kan best echt zijn. Omdat ik er zo mijn twijfels over heb, hoeft het nog geen vervalsing te zijn. Ik kan het radicaal mis hebben. Maar de herkomst kan niet liegen. Alec Delaware wist dat ook. En toch liet hij zo'n chaos achter, en dat is niets voor de zakenman die hij eens was. Dat past gewoon niet bij hem. Volgens mij tenminste.'

Jack keek Annette aan en zei: 'Ik zou er dolgraag achter komen wat mevrouw Joules weet, jij niet?'

Annette knikte.

Marguerite vroeg: 'Wie is mevrouw Joules?'

'De huishoudster van Knowle Court,' antwoordde Jack. 'Beetje raar mens hoor. Annette en ik vonden dat ze akelig veel weg had van Mrs. Danvers.'

'Mrs. Danvers uit *Rebecca*?' Marguerite keek hem verbaasd aan.

'Ja, die.'

'Waarom denk je dan dat ze er meer van weet?' vroeg Carlton.

'Ga maar na,' zei Jack. 'Wanneer je ik-weet-niet-hoe-lang voor iemand gewerkt hebt, in hetzelfde huis hebt geleefd, weet je alles wat er te weten valt van zo iemand, en van zijn familie en het gebouw. Mevrouw Joules begon daar als kamermeisje en beklom de carrièreladder om als huishoudster te eindigen. Ze zit barstensvol informatie.'

Annette zei: 'Ik kan echt niet geloven dat ze niets van dat priesterhok wist.'

'Maar als ze dat wist, waarom zou ze het dan niet aan Christopher hebben verteld?' Jack keek haar vragend aan.

'Misschien wist ze dat er vervalsingen tussen zaten. Misschien wilde ze niet dat dat bekend werd.' Annette zweeg even en dacht na. 'Je moet de loyaliteit niet uitvlakken. Ik denk dat mevrouw Joules zo'n vrouw is die sir Alecs reputatie wil beschermen.'

'De aankoop van een vervalsing heeft toch geen weerslag op iemands karakter?' meende Carlton. Bij nader inzien voegde hij eraan toe: 'Maar wel op iemands beoordelingsvermogen, misschien.'

'Dat klopt wel, denk ik,' zei Annette. 'Het blijft echter allemaal bij veronderstellingen. Trouwens, het maakt allemaal niet meer uit: het geheime hok is ontdekt en alles wat erin zat is bekend.'

'En zo is het,' zei Jack. Hij wendde zich tot Carlton met het glas in de hand. 'Op je gezondheid, Carlton. Dit is de beste *cosmo* die ik ooit gedronken heb.'

'Wat is je geheim?' vroeg Annette.

'Schudden, niet roeren,' zei Carlton met een knipoog.

'Ik ben blij dat jullie allebei blijven eten,' zei Marguerite en keek van Jack naar Annette. 'Ik heb *blanquette de veau* gemaakt en al zeg ik het zelf, hij is verrukkelijk. De beste die ik ooit heb gemaakt.'

Jack staarde Annette aan, met een kleine frons.

Annette negeerde de blik. Ze zei: 'O, ik had niet begrepen dat je ons behalve voor het drankje ook voor het eten had uitgenodigd, Carlton.'

'O, ja hoor. Ben ik dan niet duidelijk genoeg geweest?'

Annette schudde van nee en keek Jack even verbluft aan.

Marguerite stond op. 'Ik kan maar beter even een blik op de kalfsstoofpot werpen.' Snel liep ze de kamer uit.

Carlton zei zacht: 'Jullie kunnen nu niet weggaan, hoor. Ze heeft genoeg eten gemaakt voor een heel leger. Het zal haar zo'n verdriet doen als jullie nu vertrekken.'

'Natuurlijk blijven we eten,' stelde Jack hem gerust, die zag dat de man zich wat ongemakkelijk voelde – de teleurstelling tekende zich al af op zijn gezicht. 'En aangezien we blijven eten, denk ik dat ik nog wel zo'n cosmo lust. Als dat kan natuurlijk.'

Carlton sprong meteen op en haastte zich naar het dranktafeltje. 'Geen enkel probleem, Jack. Hij komt er meteen aan. En wat dacht jij ervan, lieve kind?'

'Ik ook graag, al is het volgens mij een dodelijk drankje.' Uit haar ooghoek zag ze Jack naar haar lachen. Er glinsterde iets heel ondeugends in zijn ogen. Hij is net zo dodelijk, dacht ze. De gevaarlijkste man die ik ooit ben tegengekomen. En plotseling stak de paniek weer de kop op. Ze was bang voor hem, of bang om straks weer alleen met hem te zijn. Bang voor zichzelf en wat er tussen hen zou kunnen gebeuren. Ze wist nu heel zeker wat hij voor haar voelde – het gevaar lag op de loer.

Ze huiverde toen ze vanuit haar stoel naar hem keek en een glimp van zijn gezicht opving. Dat drukte hunkering, zelfs verlangen uit. Naar haar. Geschrokken wendde ze haar gezicht af. En de angst sloeg haar voor de tweede keer om het hart.

30

'Ik moet je iets vertellen,' zei Annette en ze tuurde naar Jack in de duistere auto. 'Je iets uitleggen.'

'Wat dan? Je klinkt bezorgd. Ga je gang, ik luister.' Hij draaide zich iets naar haar toe. Ze zaten in de Aston Martin die nog voor Carltons huis geparkeerd stond, en hij stond op het punt haar thuis te brengen.

Het was even stil voor Annette zei: 'Er mag absoluut niets uitlekken over de valse schilderijen die Chris gisteren heeft gevonden. Dit moet echt onder ons blijven. Er staat weer een veiling voor me op stapel. Daar kan ik geen geruchten over vervalsingen in de Delaware-collectie bij gebruiken. Het zou een ramp voor de veiling zijn, maar ook voor mij en mijn bedrijf.'

'Dat begrijp ik toch,' antwoordde Jack. 'En je hoeft je absoluut geen zorgen te maken over mij. Ik zal er met geen woord over spreken. Ik zou jou toch nooit in de problemen willen brengen, dat weet je toch wel?'

'Ja, dat weet ik. Maar ik moest het even kwijt, al heb ik het grootste vertrouwen in je. Ik ben bang dat de kunsthandel een gecompliceerd wereldje is. Hebzucht, tomeloze ambitie, doortraptheid, verraad, bedrog, laaghartige, vaak intens gemene roddels, en moordende competitiegeest. Jij kent die wereld niet, Jack, en ik wilde alleen dat je je ervan bewust bent dat de minste opmerking over vervalsingen als een lopend vuurtje om zich heen grijpt.

'Pieker daar nou maar niet over. Ik zwijg als het graf, en trouwens, ik ken eigenlijk niemand in de kunstwereld, op Margaret Mellor na, en dat is een vriendin van jou. Dus aan wie zou ik het moeten vertellen? Maar wat denk je van Christopher? Ik heb hem maar een paar keer ontmoet, maar hij lijkt me vreselijk jong en onervaren. En hij kletst zonder erbij na te denken.'

'Ik ben me zeer bewust van zijn tekortkomingen. Voor we vertrokken, na de lunch, heb ik hem op het hart gedrukt er met niemand over te spreken. En wat Jim betreft, die weet zijn mond te houden. Bovendien heeft hij een goede invloed op jongeheer Delaware.'

'Niet te geloven hoe hij de bibliotheek in kwam lopen en begon te blèren dat het allemaal één grote valse bende was. Ik kan je niet kwalijk nemen dat je kwaad op hem werd.'

'Dat doet hij niet nog eens, dat kan ik je verzekeren.'

'Je maakte hem inderdaad goed duidelijk dat hij zich als een klein kind gedroeg.'

'Ik heb hem ook verteld dat het hem heel veel geld zal kosten als hij dit naar buiten brengt. Dat is mijn grote truc.'

Jack keek verrast. 'Je kunt niet zeggen dat hij platzak is! Integendeel, na die verkoop van de Rembrandt.'

'Klopt. Maar het is een geldwolf. Hoe dan ook, ik weet wel zeker dat hij zijn bek houdt. Want anders...'

Jack lachte.

Ze vroeg: 'Wat?'

'Je klonk als een keiharde tante, daarnet.'

'Ik moet wel een keiharde tante zijn tegenover sommige klanten. En geloof me of niet, ze zijn soms ook spijkerhard tegen mij. Welkom in de wereld van het grote geld.'

Jack draaide het contactsleuteltje om en de auto gleed vooruit. Terwijl hij de straat uit reed zei hij: 'Vind je het erg als ik even stop bij mijn vaders huis? Ik heb Kyle beloofd elke dag even te gaan kijken nu hij weg is, om te zien of alles in orde is.'

'Prima.'

Een paar tellen later hield hij stil voor het grote oude huis waarin hij was opgegroeid, en hij trok aan de handrem. Hij draaide de contactsleutel weer terug, deed hem in zijn zak en stapte uit. Hij liep naar haar kant van de auto en deed het portier open. 'Kom op.'

Annette leek te schrikken en zei: 'Ik wacht hier wel op je, Jack. Maakt me niet uit, echt.'

'Nee, nee, kom alsjeblieft mee naar binnen. Dat is veel beter. Ik moet een boel dingen controleren, en Kyle vindt dat ik de boiler in de kelder moet afsluiten. Ik heb liever dat je binnen wacht.' Hij hielp haar met uitstappen en toen ze het korte pad opliepen zei hij met een lach: 'Ik denk dat je je hier wel prettig voelt, het is het tegengestelde van Knowle Court.' Ze gaf geen reactie. De paniek dreigde weer toe te slaan.

Jack liet haar arm los om de deur open te doen. Toen ze samen naar binnen stapten deed hij het licht in de hal aan, sloot de deur achter hen en nam haar mee naar het midden van de entree. Hij keek haar aan en zei glimlachend: 'Voel je het? Die warme, liefhebbende sfeer? Hij hangt hier nog steeds, vind je niet? Het geluksgevoel dat mijn ouders tot stand brachten. Nou ja, ik voel het in elk geval wel.' Toen ze nog steeds niets terugzei, keek hij haar beter aan. 'Jij niet?'

'Jawel,' wist ze uiteindelijk uit te brengen, en ze dwong zich te glimlachen.

'Ik ben in een wip klaar. Ik moet alleen even de kelder in om die boiler uit te doen.' Hij beende weg terwijl zij door de boogvormige deuropening de woonkamer binnenging. Door hoge openslaande tuindeuren kon je de tuin zien – de hele kamer baadde in maanlicht. Ze keek naar buiten en zag de enorme volle maan, stralend aan de inktzwarte hemel. Het was een prachtige nacht en hoewel het pas half april was, was het opvallend zacht weer.

Ze liep weg van de glazen deuren naar het midden van de

kamer en keek om zich heen. Ze zag al snel dat al het antiek van goede kwaliteit was. Twee fraaie oude kasten, een secretaire tegen de muur en een stel stoelen met ruggen vol houtsnijwerk waren geen rommel. Waarschijnlijk was dat winkeltje van zijn moeder dus helemaal geen tweedehandswinkel met bric-à-brac. Misschien had hij haar beetgenomen. Ze hoorde zijn voetstappen in de hal en de woonkamer in komen. Langzaam draaide Annette zich om.

Hun ogen ontmoetten elkaar en ze zette enkele stappen in zijn richting, tot ze plotseling bleef staan. Haar hart ging wild tekeer.

Hij kwam vlak voor haar staan. Zijn lichtgrijze ogen gleden over haar gezicht en hij had een vragende blik. Ze wilde de andere kant op kijken, maar het lukte haar niet. Het leek wel alsof hij haar gehypnotiseerd had.

Precies tegelijk bewogen ze zich naar elkaar toe en ze vielen elkaar in de armen. Jack hield haar stevig vast, streelde haar haar en zijn hart bonsde tegen het hare.

Zo bleven ze een poosje staan en toen boog hij zijn hoofd om zijn mond op de hare te drukken. Ze kusten elkaar net zo vurig als eerder die dag in de auto. Maar nu kusten ze zolang ze wilden en zij trok zich niet terug. Haar knieën knikten, dus ze klemde zich aan hem vast om niet te vallen.

Toen ze elkaar eindelijk loslieten, keken ze elkaar lichtelijk verdoofd aan. Heel zacht zei hij: 'Zie je wel, jij voelt precies hetzelfde als ik. Ontken het maar niet.'

'Dat doe ik ook niet... het is waar.'

Meteen kwam Jack weer dichterbij, sloeg zijn armen om haar heen en hield haar net zo stevig vast als even ervoor. Hij sprak, met zijn lippen in haar haar: 'Kom mee naar boven... naar mijn oude kamer. Ik verlang zo naar je, ik wil met je vrijen.'

'Dat kan ik niet! O Jack, dat kan ik niet. Ik moet naar huis. Probeer alsjeblieft om het te begrijpen,' fluisterde ze terug en de paniek golfde door haar heen en stond op het punt haar te verzwelgen. Ze trilde over haar hele lichaam.

Een diepe zucht ontsnapte hem. Zonder haar los te laten, fluisterde hij verder. 'Ja, dat weet ik, maar laat me je dan nog heel even vasthouden. Alsjeblieft. Ik kan je echt niet meteen loslaten.'

Zo bleven ze staan in het midden van de kamer, in de stralen van het maanlicht, in een wanhopige omhelzing, totdat zij zich uiteindelijk uit zijn armen bevrijdde. Hij hield haar niet tegen; hij nam gewoon haar hand in de zijne en liep zwijgend met haar de hal in. Hij deed de hallichten uit en opende de deur.

Toen ze weer in de auto zaten reed hij meteen weg.

Geen van beiden kon een woord uitbrengen.

Pas toen ze Hampstead Heath ver achter zich gelaten hadden en in de richting van Belgravia reden, doorbrak Jack de stilte.

'Luister, als ik morgen mijn profiel van jou afmaak, wil je dan met me dineren?'

'Ik weet het niet.'

'Maar je had me beloofd vanavond met me uit eten te gaan, en dat werd door Carlton en Marguerite gesaboteerd. Dus je staat bij me in het krijt, hoor.'

Ze moest wel glimlachen. Hij klonk zo gekweld.

'Oké dan,' zei ze. 'Ik zal met je uit eten gaan. Bel me morgen maar hoe laat en waar.' Het verbaasde haar dat haar stem zo normaal klonk, als je naging hoe onthutst ze was.

'Doe ik,' antwoordde hij, zijn stem net zo neutraal als die van haar, al was hij licht beneveld doordat al zijn emoties overhooplagen.

Op weg naar Eaton Square spraken ze maar heel af en toe. Toen ze er eenmaal waren, stond hij erop haar te helpen met de twee tassen vol documenten. Hij droeg ze het gebouw in, bracht haar naar de lift, ging de hal van haar appartement binnen en zette ze neer.

'Tot ziens,' mompelde hij, voor hij de lift weer instapte en vertrok.

Nadat Annette de deur achter hem had dichtgedaan, plofte ze neer in een van de stoeltjes in de hal, zakte achterover en sloot haar ogen. Ze sidderde inwendig, want de paniek was nog niet beteugeld.

Jack had een hoogst uitzonderlijk effect op haar. Ze beefde wanneer hij haar aanraakte, werd overvallen door lust wanneer hij haar kuste en ze stond er versteld van dat ze zo kon reageren. Hartstocht was iets dat ze niet kende; ze had zich tenminste nooit eerder zo gevoeld. Nou ja, één keer dan. Plotseling vroeg ze zich af hoe het haar gelukt was om van hem af te blijven toen ze in Carltons huis waren. Pure wilskracht, stelde ze vast. Ze wist dat hij met hetzelfde dilemma zat.

Want elke keer als Marguerite en Carlton samen de keuken in gingen om iets aan het eten te doen, sprong Jack op en snelde naar haar toe om haar een kus op de wang te drukken, haar schouder aan te raken of haar simpelweg aan te staren – zijn verlangen naar haar stond op zijn gezicht te lezen. Ze besefte dat hij smoorverliefd op haar was.

Na een poosje vermande ze zich, stond op en bracht de twee supermarkttassen naar de eetkamer. Later zou ze die papieren wel op tafel opstapelen en uitzoeken wat belangrijk was en wat niet. Misschien zou ze de verloren herkomst van de danseres van Degas ertussen vinden, al had ze daar zo haar twijfels over.

Ze liep van de eetkamer naar haar werkkamer, knipte de bureaulamp aan en keek op het antwoordapparaat. Niets. Ze grabbelde in haar schoudertas om haar mobieltje te checken, klapte het open en zag dat ze geen oproepen had gemist. De enige mensen die haar hierop wel eens belden waren Marius en Laurie. Geen van beiden had haar dus nodig gehad.

Vervolgens ging ze naar haar kleedkamer, waar ze zich uitkleedde en een nachtjapon en een zijden kamerjas aantrok, en snelde toen naar haar slaapkamer, waar ze de schemerlamp aandeed. Nadat ze haar mobieltje op haar nachtkastje had gelegd, ging ze op bed liggen, in een poging te ontspannen.

Jack was nu werkelijk haar leven binnengedrongen en daar was ze blij om. Maar ze was wel bang om wat er tussen hen zou gaan gebeuren. En voor de consequenties die een affaire met hem zouden veroorzaken. Nee, een relatie zou echt onmogelijk zijn. Ze moest ervoor zorgen dat ze niet intiemer werden. Ze moest niet met hem naar bed gaan. Deed ze dat wel, dan zou ze verloren zijn. Dan zou ze voor altijd de zijne zijn. Een toekomst met hem zat er echter niet in, want Marius zou haar nooit laten gaan. En als ze hem verliet om er met Jack vandoor te gaan, zou hij haar achtervolgen, haar straffen en al haar geheimen verraden. Ze was zich er altijd al van bewust geweest dat je Marius niet tegen je in het harnas moest jagen. Annettes moeder had haar eens verteld dat een geheim alleen een geheim was zolang maar één iemand het kende. Zodra een tweede persoon er weet van had, was het geen geheim meer.

Haar moeder. De lieflijke Claire. Maar niet zo lieflijk meer toen ze stierf, verslaafd aan alcohol en drugs. Annette huiverde even en ze trok de kamerjas strak om zich heen.

Haar stiefvader Timothy Findas stond haar ineens voor de geest en opnieuw huiverde ze bij de gedachte aan hem. Hij had de ondergang van haar moeder betekend, hij bezorgde haar drank en pillen...

De vaste telefoon op het nachtkastje sneed schril rinkelend door haar gedachten en ze nam op. 'Hallo?'

'Ik ben het, schat,' zei Marius. 'Je lag toch niet te slapen?'

'Nee, nee, ik ben nog wakker. Hoe was je vlucht? Goeie reis gehad?'

'Perfect, maar ik kon je niet eerder bellen. Opgehouden door een cliënt. Maar ik kreeg je sms'je over de vondst in de geheime bergplaats op Knowle Court. Vertel eens, wat is het goede nieuws?'

'Drie originele schilderijen, Marius! Maar helaas ook drie vervalsingen. Nou ja, twee zeker, en een Degas met een luchtje eraan.'

Marius zweeg even. Toen zei hij, heel zacht: 'Vertel eerst maar eens wat over die echte.'

'Een Cézanne en een Pissarro, uit de tijd dat ze gezamenlijk schilderden... Beide schilderijen stellen Louveciennes voor. Een landschap, maar in twee heel verschillende stijlen natuurlijk. Ik verkoop ze samen, en dan zijn ze volgens mij van onschatbare waarde.'

'Dat staat wel vast. En de derde?'

'Het is een Manet met een bosje viooltjes en een rode waaier. Hij had het aan Berthe Morisot geschonken, als dank dat ze soms model voor hem wilde staan. Klein maar fijn.'

'Dan zit je gebakken, liefje. Nog drie impressionisten erbij! Die veiling van je in september kan wel eens een topevenement worden. Groter nog dan de Rembrandt-verkoop.'

'Daar had ik ook al aan gedacht. Ik start maandag met een aangepaste opzet voor het thema van de veiling.'

'Goed idee. En hoe zat het met die vervalsingen?'

'De Manet is een kopie van het schilderij dat momenteel in het Musée du Petit Palais in Genève hangt. Ik heb het pas nog in het echt gezien.'

'Dan is die vervalser niet al te snugger,' mompelde Marius op een vreemde toon. 'En de andere?'

'Een Cézanne uit...'

'Toch niet weer met roet besmeurd?'

'Nee, maar het stelt *De Rode Daken* voor, en ik was aanwezig bij de veiling waarop de echte versie werd verkocht. Hij zit in een privéverzameling. Uitgesloten dat hij echt is, al ziet hij er wel zo uit.'

'Misschien dat sir Alec hem daarom heeft gekocht?'

'Zou heel goed kunnen. Het is echt goed gedaan. Het laatste schilderij is van Degas, een danseres, maar ik heb er geen goed gevoel bij. Intuïtief zag ik dat het mis is.'

'Waarom laat je ze niet aan Carlton Fraser zien? Hij kan verf en doek aan een test onderwerpen, zoals hij met de andere Cézanne deed.'

'Toevallig heb ik ze vanavond al bij Carlton afgeleverd.' Ze slikte en vroeg zich af of ze hem moest vertellen dat ze er met Jack was geweest. Hij zou er gemakkelijk via Carlton achter kunnen komen. Nee, Carlton sprak Marius maar zelden. Snel voegde ze eraan toe: 'Ik heb ze meteen uit Knowle Court meegenomen. Ik moet de informatie zo snel mogelijk hebben.'

'Vind ik ook. Wat vond Carlton ervan?'

'Het is zonneklaar dat het enige schilderij dat hij beter moet onderzoeken die Degas is. We weten dat er drie echt zijn en dat er twee vals zijn, omdat iedereen na kan gaan dat ze vals zijn, en ze bovendien geen papieren hebben. Gelukkig dat ik wist waar de echte exemplaren zich bevinden.'

'Ik ga ervan uit dat hij meteen aan het werk gaat. En zeg eens, hoe zit het met de herkomst van de schilderijen die wel echt zijn?'

'Christopher heeft de papieren gevonden. Er zat een archiefkastje in het priesterhok en zijn vriend Jim Pollard heeft bovendien nog een verborgen kast in diezelfde kamer gevonden. Er stonden twee Graham Sutherlands in, aquarellen, plus een aktetas.'

'Mijn hemel, dat is me de ontdekking wel! En die Sutherlands zijn oké?'

'O ja, duidelijk echt. Geen enkele twijfel. Bovendien heb ik nu een berg documenten die ik uit moet zoeken. Daar ga ik morgen mee aan de slag. Ik denk dat ik daar heel wat uit kan halen.' Ze keek even op de klok en zag dat het al half-twaalf was. Halfeen in Spanje. 'Dus jij hebt zeker laat gedineerd, hè, schat?'

'Jazeker. Ik ben net pas terug in het hotel.'

'Het is laat bij jou. Dus ik zeg welterusten.'

'Droom zacht, lieverd,' zei hij en hij hing op.

Annette legde de hoorn op de haak en liet zich tegen de berg kussens zakken, twijfelend of ze Marius toch niet had moeten vertellen dat Jack mee was geweest naar Knowle Court. Had ze een fout gemaakt? Ze wist het niet. Maar nu was het te laat. En ze kon hem nu moeilijk terugbellen. Het zou er juist aandacht op vestigen en het zou nogal schuldig klinken. Laat maar zitten, dacht ze.

Ze gleed het bed uit en ging naar de keuken. Ze nam een fles mineraalwater uit de koelkast, schonk een glas in en nam dat mee naar de slaapkamer. Even later knipte ze het licht uit en probeerde in slaap te vallen. Maar de slaap wilde niet komen en ze lag nog een hele tijd rusteloos te woelen.

Plotseling schoot ze rechtop en sperde haar ogen open. Wanneer verjaarde een moord ook weer? Een moord verjaarde nooit. Dat wist ze maar al te goed; een onopgeloste moordzaak bleef altijd open, een cold case. Dus kon ze nog steeds ooit terechtstaan voor moord. Ze wist dat maar al te goed...

Ze had het hem nooit moeten vertellen, al die jaren geleden. Had ze hem maar nooit al haar geheimen toevertrouwd!

31

Gehuld in een kleurige kimono zat Elizabeth Lang in kleermakerszit midden op het bed, haar blik gevestigd op haar minnaar. Hij stond naast het schrijftafeltje te bellen met zijn mobieltje; af en toe dwaalde zijn blik door het raam naar de haven. Hij draaide zich een halve slag om zodat hij zeer geconcentreerd naar de tegenoverliggende muur staarde – hij luisterde zo aandachtig dat hij haar kritische blik niet opmerkte.

Ze bestudeerde zijn profiel. Hij had een nobel voorkomen, een Romeinse neus en een volle bos haar. Zijn profiel deed haar denken aan een of andere Romeinse keizer wiens beeltenis in reliëf op een oude munt stond.

Ze noemde hem Toro, omdat hij haar grote, woeste stier was. Met zijn lengte, machtige schouders en goede bouw in het algemeen was hij een indrukwekkende en zeer knappe verschijning, die opmerkelijk was op allerlei gebieden. Ze waren al vijftien jaar minnaars en de relatie beviel hun prima. Hij was getrouwd maar wilde niet scheiden, en aangezien ze ook helemaal niet wílde trouwen, waren ze een ideale combinatie. Jaren geleden was ze een tijdje getrouwd geweest, maar dat was op een ramp uitgelopen.

Ze was er tevreden mee om de minnares van deze unieke, getalenteerde en succesvolle man te zijn. En dan nog met name in bed. Hij was kerngezond, inventief, gepassioneerd en veeleisend, maar ze gaf hem wat hij wilde, want ze genoot ervan enthousiast aan al zijn seksuele behoeften tegemoet te komen.

Vanaf het begin had hij gezien dat ze een goed koppel waren. Ze waren goed voor elkaar en met elkaar. Geen van beiden was van plan een punt achter hun relatie te zetten, aangezien die bevredigend was op elk gebied en hun veel plezier verschafte.

Er was echter één ding dat hem de laatste tijd dwarszat, en dat was een lichte daling van zijn libido. Zij was vijftien jaar jonger dan hij en bruiste van energie, en zo nu en dan kon hij haar tempo niet bijhouden. Hij zat er erg mee in zijn maag. Maar eerder die avond was hij weer helemaal zijn oude zelf geweest, de woeste stier, haar Toro. Krachtig, vurig, veeleisender dan ooit en opmerkelijk lang in staat het liefdesspel vol te houden.

Hij was in de wolken dat zijn uithoudingsvermogen plotseling weer terug was, en ze had hem geprezen en zijn ego gestreeld en daardoor was hij lief en vriendelijk tegen haar geweest na hun vier uur durende bedmarathon.

Ze had haar toevlucht genomen tot een truc die de magie weer terug moest brengen, en gelukkig was het haar gelukt, zodat ze het keer op keer zou blijven gebruiken. Als het nood-zakelijk was. Moeilijk was het niet: een fijngemaakte viagra in zijn *bellini*-cocktail, die meer perziksap dan champagne bevatte. Maar hij mocht nooit iets te weten komen over dat pilletje. Hij zou uit zijn vel springen van woede.

Elizabeth zag de lege flûte naast het bed vanuit haar oog-hoek, en stond onmiddellijk op, bracht het glas naar de keu-ken, spoelde het grondig om en zette het weg.

Hij pakte haar pols vast toen ze de slaapkamer weer bin-nenkwam en drukte haar tegen zich aan terwijl hij een eind aan het telefoongesprek breide en afsloot. Ze was net zo groot als hij en ze keken elkaar recht in de ogen. Ze glim-lachte licht en hij glimlachte terug terwijl ze zijn zijden ka-merjas openmaakte, haar kimono liet openvallen en zich liet koesteren door zijn omhelzing. Ze wreef haar lichaam zacht tegen het zijne en hij reikte naar een van haar borsten, streel-de hem bewonderend en drukte zijn hand er zacht omheen. Vanaf het eerste moment was hij bezeten geweest van haar weelderige lichaam, haar wilde bos rood haar en haar ho-ningkleurige ogen. 'Gouden ogen', noemde hij ze.

'We kunnen beter stoppen,' zei hij en hij schudde het hoofd terwijl hij haar losliet en op afstand hield. 'Rafael zit in het restaurant op ons te wachten. We moeten erheen. Nu.'

Ze staarde hem even aan, zag dat hij het meende en knikte. 'Geef me vijf minuutjes om me op te maken en me aan te kleden.'

'Geen make-up. Dat heb je niet nodig. Trek snel een rok en een blouse aan, dan gaan we. Hij is de wijn al aan het be-stellen, hem kennende.'

Een paar minuten later was ze gereed, in een katoenen ma-rineblauwe rok, witzijden blouse en espadrilles met sleehak. Nadat ze haar haar had geborsteld en snel wat parfum had opgespoten, draaide ze twee pashmina's ineen, een groene en een rode, sloeg ze over haar schouders en greep haar hand-tas.

'We zijn een winnend team,' beweerde hij, nam haar bij de arm en leidde haar de hal van het appartementengebouw uit, de drie trappen af naar de straat.

Elizabeth vond het geweldig zo dicht bij het water te wonen en ze was blij dat ze deze flat die uitzag over de haven had uitgekozen. Ook hij genoot ervan zo dicht bij zee te zijn, en bovendien op loopafstand van alle restaurants die rond de haven gelegen waren.

Het was een prettige, zachte nacht, met slechts een licht briesje van zee. Elizabeth klemde zijn arm in de hare terwijl ze naar de haven liepen, en ze snoven de frisse lucht op. Opeens keek ze op en zuchtte van bewondering. De volle maan scheen haast zo fel als de zon en stond als een gigantische zilveren schijf aan de met sterren bezaaide hemel.

'Wat een nacht!' riep ze uit en ze keek hem aan. Hij boog zich naar haar toe om haar een kus op de wang te drukken. 'Zeg dat wel,' zei hij instemmend. 'Ik wil niet opscheppen, maar zo goed ben ik niet eerder geweest, hè?'

'Nee, beslist niet. Je bent meer dan ooit mijn woeste stier, Toro. Maar ik was toch ook niet slecht? Alles wat je wilde heb ik gedaan, en met het allergrootste genoegen, mag ik wel zeggen.'

'Natuurlijk mag je dat! Maar dat doe je toch altijd. Met jou ben ik de macho ten top, Elizabeth – ongelooflijk wat je in bed in me boven brengt.'

'Ben je nog steeds tevreden met me? Doe ik het zoals je wilt? Ja, Toro?'

'Dat weet je best.' Hij keek haar fronsend aan.

'Beter dan je vrouw?'

'Kom op, daar gaan we het niet over hebben. Je hebt altijd geweten dat mijn seksleven thuis te wensen overlaat.'

'En mijn zuster? Ben ik beter dan zij was?'

Heel even was hij met stomheid geslagen en hij bleef abrupt staan om haar met een nog diepere frons aan te kijken. 'Daar gaan we het ook niet over hebben. Maar het antwoord is "ja". Tevreden?'

Ze glimlachte simpelweg naar hem en stak haar arm weer door de zijne. Zwijgend vervolgden ze hun weg naar hun favoriete visrestaurant.

Binnen enkele seconden werd hun de tafel gewezen waar Rafael Lopez al plaats had genomen. Hij stond met stralend gezicht op toen hij hen binnen zag komen, zijn partner met zijn beeldschone minnares, die zo rijp, weelderig en sensueel was dat Rafael elke keer dat hij haar zag begon te watertanden.

'Elizabeth!' riep Rafael uit. 'Je bent knapper dan ooit. Goed je te zien.'

'Dat geldt ook voor jou, Rafael,' antwoordde Elizabeth terwijl ze in een van de stoelen ging zitten.

Rafael grijnsde naar zijn zakenpartner en vriend, die hij al vijfentwintig jaar kende, en de twee mannen omhelsden elkaar, en lieten hun genegenheid voor elkaar zien voor ze elk aan een kant van Elizabeth plaatsnamen.

'Ik heb die mooie rode wijn besteld, die jij zo lekker vindt, Marius,' zei Rafael. 'En we hebben wat te vieren vanavond. Ik heb de Picasso verkocht waar we de afgelopen jaren zo zuinig op zijn geweest! Ik heb de deal vanmiddag mondeling afgesloten.'

Marius Remmington stond versteld – totaal verbluft zelfs – en hij staarde de Spaanse kunsthandelaar met open mond aan. Na een paar tellen vroeg hij: 'Maar waarom heb je me dat net niet aan de telefoon verteld?'

'Omdat ik je verraste gezicht wilde zien toen ik het je vertelde. Ben je er niet blij mee, Marius?'

'Ik ben uitzinnig! Kom eens op met de details, wil je?'

Als antwoord op dit verzoek haalde Rafael een envelop uit zijn zak en overhandigde die aan Marius, die hem openmaakte, er snel in keek, en hem in zijn eigen zak stopte. 'Goede actie, mijn vriend. Heel goede actie zelfs. Hebben we een record gebroken met dit onvoorstelbare bedrag? Ik neem aan van wel.'

'Dat klopt, ja.'

Elizabeth keek Marius aan en vroeg: 'Voor hoeveel is hij weggegaan?'

'Vijfenzestig miljoen,' antwoordde Marius.

'Pond?' vroeg ze ongelovig, met geschokte blik.

'Nee, nee, dollar,' antwoordde Rafael voor Marius wat kon zeggen. 'Ik heb hem aan een Amerikaan verkocht. Hij bood in dollars, dat wilde hij. Ik had nog verder kunnen aandringen, misschien had ik hem nog hoger kunnen laten bieden. Maar ik voelde aan dat hij geïrriteerd begon te raken en ik wilde de verkoop niet op het spel zetten. Ik hou nu eenmaal van een onderhandse verkoop, dat is zoveel makkelijker dan een veiling of zo.'

'Dat is waar,' beaamde Marius. Hij nam zijn wijnglas dat

zojuist gevuld was. 'Op je succes, Rafael. Je blijft me verbazen, en meestal op een positieve manier.'

De twee mannen klonken, en raakten daarna Elizabeths glas aan. 'Proost!' zei ze. 'En gefeliciteerd, jongens. Dit wordt echt een feestdiner!'

'We kunnen maar beter bestellen,' zei Marius en keek op zijn horloge. Het was al halftwee in de ochtend en hij besefte plotseling dat hij uitgehongerd was.

'Ik heb al besteld,' merkte Rafael op en hij knipoogde naar Marius. 'Het schoot me te binnen dat je wel eens te druk met andere zaken zou kunnen zijn, zo vlak na je aankomst uit Londen.'

'Dat heb je goed gezien, maar nu heb ik honger. Je hebt zeker het gebruikelijke besteld?'

'Verse mosselen in witte wijn, een grote moot gegrilde kabeljauw, verse groenten. Antonio liet weten dat de mosselen er zo meteen aankomen.'

Marius knikte en leunde achterover in zijn stoel, terwijl hij het nieuws over Rafaels verkoop liet bezinken. Hij was nog steeds lichtelijk verbijsterd dat zijn partner erin geslaagd was deze waarlijk grote transactie tot stand te brengen. Maar ja, Picasso was opeens weer in populariteit gestegen, en de laatste tijd waren zijn schilderijen voor enorme bedragen weggevlogen. Hij en Rafael hadden deze Picasso een jaar of zeven geleden aangeschaft en hem in Madrid opgeslagen tot de prijzen aantrokken. Pas dit jaar hadden ze hem ter verkoop aangeboden.

De Picasso had een onberispelijke reeks eigenaars gehad, dus de herkomst was waterdicht. Het schilderij was aangekocht door Paul Rosenberg, de beroemde kunsthandelaar in New York, die het in 1936 van Picasso zelf had gekocht. Rosenberg, een van de beste dealers ter wereld, had het jaren in bezit gehad, tot hij het aan een echtpaar in Pasadena verkocht, die het dertig jaar later aan hun dochter schonken. En zij had het weer aan hun tweeën verkocht. Ze vonden het een van de beste werken van de kunstenaar, geschilderd tijdens een van de beste perioden van zijn uitzonderlijke carrière.

Toen Marius de vorige keer in Barcelona was om te werken aan zijn boek over Picasso, was Rafael vanuit zijn kantoor in Madrid naar hem toe gevlogen, zodat Marius hem kon voorstellen aan Jimmy Musgrave, een nieuwe Amerikaanse cliënt. Later had Musgrave zijn zwager eens langs gestuurd bij Rafael. En via deze man hadden ze Thomas Wilmott negen maanden geleden de Picasso aangeboden. Hij was er niet op ingegaan, maar Wilmotts zakenpartner had het gekocht voor exact de prijs die ze ervoor hoopten te vangen.

Marius en Rafael hadden de afgelopen vijfentwintig jaar goed samengewerkt; ze hadden nooit ruzie gehad, er was geen onvertogen woord gevallen... nogal uitzonderlijk, vond Marius.

Zijn gedachten dwaalden af naar Londen... en naar Annette.

Dat er gisteren nieuwe vervalsingen waren opgedoken in de Delaware-collectie was een grote schok voor hem geweest, al had hij zijn best gedaan zijn zorgen niet te laten blijken toen hij met haar sprak. Hij brak er echter zijn hoofd over waar sir Alec die valse schilderijen vandaan had.

Rafael vroeg: 'Hoe lang wilde je in Barcelona blijven, Marius?'

'Vier of vijf dagen, en dan gaan we naar de Provence, eerst naar Vallauris en dan verder naar Aix-en-Provence. Ik ben van plan Picasso's favoriete verblijfplaatsen in Zuid-Frankrijk te bezoeken, waar hij in de jaren vijftig en zestig woonde. Tot zijn dood om precies te zijn.'

'Hij stierf in 1973,' zei Rafael. 'Enkele van die woningen zijn een soort bedevaartsoorden geworden.'

Elizabeth riep uit: 'Je hebt me helemaal niet verteld dat we naar Zuid-Frankrijk gaan! Ik weet niet of me dat wel lukt.'

'Dat lukt je best, en je gaat gewoon mee,' zei Marius op scherpe toon. 'Ik heb je nodig.'

Elizabeth knikte en gaf verder geen commentaar.

Ze wist maar al te goed dat ze niet in discussie moest gaan wanneer hij zijn besluit genomen had, zeker niet waar Rafael bij was, die aan de voeten lag van de grote Marius Remmington.

Dat deed zij ook, op haar manier, al had ze er af en toe spijt van dat ze voor zijn charmes gevallen was. Hij was de meest autoritaire man die ze ooit was tegengekomen. En dat niet alleen, hij manipuleerde haar en wilde van alles de touwtjes in handen hebben, en deze bazige trekjes van hem irriteerden haar zo nu en dan mateloos. Ze was een onafhankelijke vrouw die zelf kon nadenken en had altijd een hekel gehad aan mannen die haar vertelden wat ze moest doen.

'Wat ben je stil,' zei Marius plotseling en keek haar vanonder zijn gefronste wenkbrauwen doordringend aan. Hij keek geërgerd.

Ze sloeg haar blik niet neer. 'Ik probeerde mijn planning in gedachten te veranderen,' verzon ze snel. 'Zodat ik met je mee kan naar de Provence.'

Hij was ermee ingenomen, en maakte dat kenbaar door haar hand in de zijne te nemen en er een kus op te drukken. 'Je zult er nog blij om zijn dat je deze beslissing genomen hebt,' zei hij zacht. 'Wacht maar af.'

32

'Om een lang verhaal kort te maken, je weet zeker dat er nog twee schilderijen uit de Delaware-collectie vervalsingen zijn,' zei Malcolm Stevens tegen Annette.

Ze zaten aan de lunch in het Ritz Hotel. Hij zat tegenover haar en keek haar aan, terwijl hij vervolgde: 'De Manet met de voile en de Cézanne met de rode daken. Behoorlijk pech en erg teleurstellend, maar vooral iets wat we goed verborgen moeten houden. Je kunt het je niet permitteren dat er een schaduw van twijfel over de hele collectie wordt geworpen, want dan kun je het wel schudden met die veiling.'

'Dat weet ik best,' antwoordde Annette. 'Ik ben me van de valkuilen bewust.'

'Je zei dat je ook twijfelde aan de echtheid van de danseres van Degas,' zei hij mismoedig, met een verontruste blik.

'Ja, dat klopt, Malcolm.'

Hij zweeg en schudde het hoofd.

'Wanneer kun je dat zeker weten?' vroeg Laurie.

'Hopelijk begin volgende week.' Terwijl ze zich dichter naar haar zuster boog, vertelde Annette: 'Carlton heeft het schilderij in zijn atelier, zoals ik je al aan de telefoon vertelde. Hij is er morgen de hele dag en kan je ontvangen wanneer het jou uitkomt. Pas als jij de danseres hebt bekeken, zal hij een paar testjes op het doek en de verf uitvoeren, om te zien wat dat zegt over de leeftijd. We moeten geduld hebben.'

'Ik snap het,' zei Laurie. 'Maar jij denkt toch dat er iets mis is met die Degas? Volgens jou is er iets raars mee. Waarom denk je dat?'

Haar zus schudde haar hoofd. 'Ik wil je op geen enkele manier beïnvloeden. Ik wil dat je erheen gaat en het schilderij onbevooroordeeld bekijkt, zonder dat je mijn ideeën erbij betrekt. Ik vertrouw op jouw oordeel, lieve Laurie, maar Carlton zal het laatste woord hebben. Tegen doek en verf kunnen wij niet op. Die tests leveren feiten.'

'Ongelooflijk wat voor trucs sommige vervalsers toepassen,' merkte Malcolm op en nam een slok witte wijn. Ze gebruikten hun zondagse lunch in de eetzaal van het prachtige oude hotel met uitzicht op Green Park. 'Ze wrijven vuil over het doek uit, of laten het weken in koffie of sterke thee, ze kopen oude, waardeloze victoriaanse of edwardiaanse schilderijtjes, verwijderen de verf en gebruiken het doek als basis voor vervalste dure kunst.'

'En ze zetten de oude lijsten van waardeloze schilderijen eromheen,' voegde Laurie eraan toe. 'Je staat versteld wat een effect zoiets op een vervalsing kan hebben. Maar het was wel dom dat die vervalser van jou een Cézanne kopieerde die de afgelopen twee jaar geveild is geweest, en een Manet die in een museum hangt!'

'Maar misschien wist die vervalser het niet, en had hij niet de juiste informatie voorhanden,' nam Annette aan. 'Die recente vervalsingen uit de collectie die Carlton bekeken heeft kunnen wel twintig jaar oud zijn, of ouder. Die Cézanne die met roet bedekt was, was tenslotte ook een jaar of achttien.'

'O ja, dat was ik vergeten,' mompelde Laurie en sneed haar schijf lamsbout aan.

'Ik vraag me nog steeds af of die Cézanne niet door John Myatt is gemaakt.' Malcolm keek Annette nadenkend aan. 'En die andere kunnen ook door hem zijn geschilderd. Hij was, en is, een geniaal kunstenaar.'

'Het is een mogelijkheid.'

Malcolm grinnikte en doorbrak daarmee de ernstige stemming aan tafel. 'Stel je toch voor: Myatt schildert nog steeds, maar verkoopt zijn schilderijen nu ondertekend met "echte vervalsing" in onuitwisbare verf. Ik weet nog dat ik naar zijn eerste tentoonstelling ben geweest. Dat was dacht ik in 2000, nadat hij vier maanden in de gevangenis had gezeten, maar eerder werd vrijgelaten wegens goed gedrag. Die tentoonstelling was een grandioos succes. Hij verkocht zo'n vijfenvijftig schilderijen, in die orde van grootte. Hij was opeens een beroemd kunstenaar in plaats van een beruchte kunstvervalser.'

'Hij en John Drewe waren een fantastisch stel,' ging Laurie verder. 'Weet je dat nog, dat we ons erover verwonderden dat ze zoveel kunsthandelaars en klanten konden belazeren?'

'Drewe was de briljante intrigant, en hij kon uitstekend papieren van herkomst vervalsen,' legde Malcolm uit. 'Hij lichtte zelfs de Tate Gallery op. Ze hadden groot succes zolang het duurde. En nu is John Myatt zo eerlijk als goud. Een galeriehouder vertelde me eens dat een klant aan Myatt vroeg om die inscriptie "Echte vervalsing" achterwege te laten. Myatt piekerde er niet over en legde uit dat hij nu erkend kunstenaar is, die de wet respecteert.'

'Wat is er eigenlijk met John Drewe gebeurd?' vroeg Laurie en ze trok haar wenkbrauw op.

'Hij loopt vrij rond, naar het schijnt, maar je ziet hem maar zelden. Hij heeft vier jaar van de zes uitgezeten, geloof ik. Eén ding is zeker: de markt voor vervalsingen groeit nog steeds. Ik heb pas gelezen dat de Engelse markt ongeveer tweehonderd miljoen pond per jaar verliest aan vervalsingen.'

'Mijn god, wat een boel geld!' riep Laurie gechoqueerd uit.

'Ik herinner me nog goed wat ik over Drewe en Myatt heb gelezen,' zei Annette. 'De pers had het over de grootste kunstfraude van de twintigste eeuw. Maar behalve hen had je ook Elmyr de Hory, een Hongaar, die ook al bekendstond als de grootste vervalser van de twintigste eeuw. Hij zou in de jaren vijftig en zestig honderden doeken hebben vervalst. Ook zo'n bijzonder getalenteerde kunstschilder die net zo knap als Myatt imiteerde en kopieerde. Elmyr de Hory specialiseerde zich in Picasso en Renoir, maar ook in Matisse, Vlaminck en Dufy. Hij heeft echt een langdurige carrière gehad.

273

Blijkbaar was het zeer moeilijk de vervalsing van het echte werk te onderscheiden, zelfs grote kunstexperts werden beetgenomen.'

'Sir Alec Delaware werd ook beetgenomen,' zei Malcolm. 'Hij kocht een aantal vervalsingen zonder te beseffen wat het waren. Dat weet ik zeker.'

'Zoveel kunstverzamelaars worden voor de gek gehouden,' zei Annette en ze keek Malcolm veelbetekenend aan. 'Daarom is het zo belangrijk dat verzamelaars een goede kunsthistoricus inhuren. Maar dat doen ze niet allemaal, en daardoor hangen er veel schilderijen aan de wanden van de huizen van de kapitaalkrachtigen, die op een slimme manier vervalsingen in de maag gesplitst hebben gekregen.' Ze zuchtte. 'Christopher Delaware is meer van streek over die vervalsingen dan hij blij is met de echte schilderijen. Ik wees hem erop dat hij de eigenaar is van een Cézanne, een Pissarro en een Manet die zo echt als wat zijn en waarvan hij niet wist dat hij ze had, en dat hij daar dolblij mee moest zijn.'

'Dat moet hij zeker,' zei Laurie. 'Ik weet niet of je dit ooit hebt gelezen, Annette, maar Degas vroeg zijn verkoper Paul Durand-Ruel om een bod te doen op enkele werken van Manet na diens dood. Degas kocht onder andere *Berthe Morisot met voile*.'

'Lieve help, een mooier begin van de herkomst kun je niet bedenken!' riep Malcolm uit. 'En die hoort helaas bij het echte schilderij in het Musée du Petit Palais in Genève,' voegde Annette er mistroostig aan toe.

Laurie en Malcolm lachten.

Annette ging verder. 'Genoeg over vervalsingen en imitaties. Laten we het over jullie huwelijk hebben. Hoe zit dat met die trouwlocaties van jullie? Heb je iets in de brochures kunnen vinden? Een plek die jullie wat lijkt?'

'Ja, op al je vragen,' antwoordde Laurie. 'En misschien hebben we iets in Londen gevonden, uiteindelijk. Voor het huwelijk zelf en de receptie.'

Malcolm knikte. 'Een datum hebben we nog niet geprikt, maar we dachten aan juli...'

'... omdat ik een prachtige trouwjurk aan wil,' vulde Laurie aan. 'Ik wil er niet al te zwanger uitzien.'

'Dat neem ik je niet kwalijk,' zei haar zus met een warme glimlach, blij dat ze oprechte blijdschap in Lauries ogen zag. 'En dat wil ik ook niet,' zei Malcolm met een blik vol aanbidding en diepe liefde voor Laurie. 'Ik sta gewoon op een duizelingwekkend mooie jurk.'

Laurie riep uit: 'Jee, dat vergat ik bijna! Dat komt van al dat gepraat over die vervalsingen en zo, Annette. Maar Jack Chalmers belde me vanmorgen. Hij wilde me wat vragen stellen.'

Annette verstijfde in haar stoel en keek haar zus gespannen aan. 'Wat moest-ie dan weten?'

'O, vrij onschuldige dingen, eigenlijk. Hoe zagen jouw eigen schilderijen eruit? En hoe die van pappa? Zouden die jouw werk beïnvloed hebben? En wat vragen over onze relatie. Ze waren makkelijk te beantwoorden en hij was erg aardig, charmant en het duurde allemaal nog geen twintig minuten.'

Annette knikte en leunde opgelucht achterover, blij dat Jack eindelijk met Laurie gesproken had.

Alle gesprekken waren nu voorbij en hij had gisteravond gezegd dat hij dacht zelfs genoeg materiaal voor het stuk in het magazine van de *New York Times* te hebben. Desondanks wist ze dat hij haar wilde blijven zien. Ze had hem in haar leven toegelaten, maar ze had geen idee hoe ze hem er weer uit moest krijgen. En of ze dat wel wilde...

Ze nam haar glas en nipte van de witte wijn, en praatte verder over het huwelijk, hun trouwplannen in het algemeen, en verdrong Jack uit haar gedachten. Hij zou alleen voor problemen zorgen.

Later die middag stond Annette verslagen te kijken naar de stapeltjes papier die de hele eettafel bedekten. Die ochtend was ze voor de lunch in het Ritz al een uur bezig geweest de boel enigszins te sorteren.

Er zat niets bij. Helemaal niets. Rekeningen, o ja, maar niet voor schilderijen; brieven van galerieën waar niets definitiefs over de aankoop van kunstwerken op stond; geen documenten van herkomst, kortom, niets wat de kunstverzameling betrof.

De aktetas en het archiefkastje hadden niets van betekenis opgeleverd. Ze bleef zich verwonderen over de chaos die sir

Alec, die machtige zakenman, had achtergelaten. Dat paste totaal niet bij zo'n man. Had iemand misschien al vóór haar de papieren doorzocht? Mevrouw Joules? Als dat zo was, waarom dan? En waarom bleef ze haar zo verdacht vinden? Annette had geen idee. Wat voor motief zou de huishoudster gehad kunnen hebben? Annette kon niets bedenken, maar de argwaan omtrent mevrouw Joules verdween niet. Ze vertrouwde dat mens voor geen cent.

Vermoeid draaide ze zich om van de tafel vol papier en liep naar haar kleedkamer, waar ze haar pakje uitdeed en een nachtjapon aantrok. Ze vlijde zich neer op het bed. Snel werd ze overmand door slaperigheid. Komt door de wijn, dacht ze doezelig, en met vage gedachten aan Jack Chalmers sliep ze in.

'Waar was je van plan me mee naartoe te nemen voor het etentje?' vroeg Annette en ze richtte haar blik op hem. Wat zag hij er knap uit in die zwarte trui met zwarte jeans en een rode sjaal rond zijn hals. En zo jong...

Snel verdreef ze die gedachte aan hun leeftijdsverschil, leunde ontspannen achterover in de passagiersstoel en liet alle zorgen verdwijnen.

'Het is een verrassing,' antwoordde hij, en keek haar even aan, met zijn onweerstaanbare halve glimlachje rond zijn lippen. 'En ook... om iets te vieren.'

'O. Wat dan?'

'Ik ben klaar met mijn profiel van je, en ik heb zo'n idee dat je het leuk vindt. Ik weet het eigenlijk wel zeker. Het zou me verbazen als je dat niet deed. En daarom wil ik het vieren.'

'Dat doen we dan maar. Wanneer komt het in de krant?' vroeg Annette, al had ze helemaal geen zin het te lezen. Als ze het nu eens vreselijk vond? Wat dan?

'Zondag aanstaande,' antwoordde hij.

'Zo snel al! Goh, dat had ik niet verwacht. Nu weet ik ook waarom je het zo graag af wilde hebben.'

Hij glimlachte alleen maar en zei: 'Trouwens, ik heb met je zuster gesproken, maar dat heeft ze je vast al verteld.'

'Ja, dat klopt. Haar verloofde heeft ons meegenomen naar het Ritz voor de lunch en ze noemde het terloops.'

'Ze gaat morgen langs bij Carlton, niet? Om naar de danseres van Degas te kijken.'

'Klopt, maar hoe ze er ook over denkt, Carlton zal vervolgens het doek testen, omdat er geen herkomstpapieren te vinden zijn. Haar mening en de mijne, en die van hem, doen er eigenlijk niet toe. De ouderdom van het doek en de verf zijn de enige dingen die belang hebben.'

'Ik begrijp het. Maar ik wil je wel vertellen, Annette, dat ik me nooit had gerealiseerd dat een vervalsing zo goed kon zijn. Ik stond werkelijk paf. Ik vroeg me af of daar niet een goed tijdschriftartikel in zou zitten, in kunst en misdaad, vervalsingen enzovoort.'

'Lijkt me wel. Als je over valse kunst wilt schrijven, kan ik je wel een zet in de goede richting geven, en je naar de mensen sturen die je zouden kunnen helpen omdat ze er heel wat meer van weten dan ik.'

'Wat dacht je van Scotland Yard? Is er geen speciale afdeling bij de politie die zich bezighoudt met vervalste schilderijen en zo?'

'Nu je het zegt, die is er wel. Die wordt de Kunst- en Antiekbrigade genoemd en ze onderzoeken vervalste schilderijen, nepantiek, en de mensen die zich in die kringen ophouden. Ze hielpen om John Drewe te pakken te krijgen, die uiteindelijk de gevangenis in werd gestuurd.'

'Kun je me wat over hem vertellen?' vroeg Jack terwijl ze verder reden in de richting van Hampstead. Hij hoopte dat ze dat niet zou merken als ze verwikkeld waren in een conversatie over een onderwerp waar ze veel van wist.

Annette begon het verhaal over John Drewe te vertellen, een excentrieke, getalenteerde man, die het brein was achter het plan om werken van grote meesters door een echte kunstschilder te laten vervalsen, die hij dan aan nietsvermoedende galeries kon verkopen. Jack luisterde aandachtig, en liet haar praten zonder haar woordenstroom met vragen te onderbreken.

Tegen de tijd dat Annette hem alles had verteld wat ze wist over John Drewe, besefte ze dat ze van het West End vandaan reden, en dat ze op weg waren naar Hampstead Heath.

Ze draaide zich naar hem toe en riep uit: 'Gaan we soms

eerst je vaders huis controleren Jack? Eten we daar in de buurt?'

'Om je de waarheid te zeggen: dat klopt,' antwoordde hij opgewekt. 'Ik wil even die boiler nakijken, om te zien of die wel in orde is voor we gaan eten.'

'Maar die had je gister toch uitgedaan?' zei ze, met een frons op haar voorhoofd.

'O ja. Maar ik moet gewoon even alles in het algemeen nalopen,' loog hij, hopend dat ze het geloofde, maar ach, wat maakte het ook uit. Als ze eenmaal het huis binnenging zou ze zo geboeid zijn dat ze niet meer weg wilde.

Hij bedwong een geeuw en schoot overeind achter het stuur. Vrijwel de hele nacht had hij aan het artikel gewerkt. Hij had maar een paar uur geslapen, en vervolgens een stevig ontbijt met gebakken eieren en bacon op brood klaargemaakt. Weer helemaal wakker was hij boodschappen gaan doen, naar het huis in Hampstead gereden, had zijn voorbereidingen getroffen en was weer vertrokken.

Eenmaal terug in zijn flat op Primrose Hill had Jack nog een dutje gedaan, daarna had hij zich gewassen en geschoren en het artikel nogmaals nagelezen. Tevreden had hij een spijkerbroek en trui aangedaan, een sjaal om zijn hals gegooid en was hij in de auto gestapt om haar op te halen.

Met een snelle blik op Annette zei hij: 'Je reageerde een beetje raar vanmiddag aan de telefoon. Ik dacht dat je me zou laten zitten, en onze afspraak zou afzeggen.'

'Raar? Als ik zo klonk, dan was dat niet de bedoeling... Ik weet niet precies waarop je doelt,' zei Annette een beetje verward.

'Toen ik zei: "Ik kom je halen", hield je je adem in en gaf je geen antwoord. Ik moest het herhalen.'

'Ik deinsde een beetje terug voor die bewoording, denk ik. Je zei het zo nadrukkelijk: IK KOM JE HALEN – net of Djengis Khan me toeriep dat hij van over de heuvels op me afkwam om me geboeid mee te slepen naar zijn legerstee.'

Jack gooide zijn hoofd achterover van het lachen. 'Mooie Djengis Khan!'

'Je klonk bijzonder macho, dat is alles,' mompelde ze en vroeg zich af wat hij in petto had voor vanavond. Iets heel speciaals, vermoedde ze. Er voer een rilling door haar heen en ze onderdrukte het opkomende paniekgevoel. Ze kon nu moeilijk meer terug. Haar leven had een koers genomen die onvermijdelijk was... en levensgevaarlijk.

33

Annette stond op de bovenste tree van het huis van Jacks vader. Hij had gezegd dat ze daar moest wachten en ze vroeg zich af waarom. Wat had het te betekenen? Ze draaide aan de deurknop maar die was in het slot gevallen nadat hij naar binnen was gegaan.

Even later vloog de voordeur plotseling open en Jack kwam naar buiten. Hij nam haar bij de hand en zonder iets te zeggen leidde hij haar het huis in. Ze liepen de hal door en de woonkamer in, en nadat hij haar zacht op de wang had gekust, zei hij: 'Ik ben zo terug,' en hij verdween weer. Ze hoorde hoe zijn voetstappen zich verwijderden door de gang in de richting van de keuken.

Langzaam draaide ze zich om en liet haar blik door de kamer dwalen; verwonderd staarde ze naar de transformatie die hier sinds gisteren had plaatsgevonden. Kaarslicht en vuur in de haard mengden zich en verspreidden een rozige gloed. Achter het haardscherm knapperden blokken hout, votieflichtjes in glazen potjes stonden in een rij op de schoorsteenmantel en hoge kristallen kandelaars met slanke witte waskaarsen erin stonden op de antieke kasten van dat zogenaamde rommelwinkeltje van zijn moeder. Op elke kast stond een vaas roze rozen tussen de kandelaars, en roze rozen dreven ook in een kom op de glazen koffietafel voor de grote bank. Die bank, die als een wonder die avond ergens vandaan was getoverd, was bedekt met dikke kussens.

Verderop ontdekte Annette een kleine tafel en twee stoelen voor de openslaande deuren naar de tuin. Er lag een wit kleed over de tafel, die gedekt was voor een diner voor twee personen. Behalve het zilveren bestek stond er een enkele roze roos in een rond vaasje en ook een kaars, nog niet aangestoken, in een zilveren kaarsenhouder. De woonkamer, die

279

daarvoor nog halfleeg was geweest en er daardoor nogal troosteloos had uitgezien, zinderde van leven en straalde opeens een heel speciaal soort schoonheid uit.

Hij had dit allemaal tijdens zijn drukke werkdag voor elkaar weten te krijgen. En het was voor haar. Ze was zo ontroerd dat ze er tranen van in haar ogen kreeg en op hetzelfde moment drong het tot haar door dat het hem allemaal dodelijke ernst was met haar, en ze werd er bang van.

Ze was al emotioneel met hem verbonden, al was er nog niets gebeurd tussen hen, op die paar kussen na. Als ze verder verstrikt zouden raken, zouden ze in een gevaarlijke situatie belanden. Dat moest koste wat kost vermeden worden. Maar kon ze het vermijden? Wilde ze hem werkelijk kwijt?

Ze huiverde bij de gedachte dat Marius erachter zou komen wat er tussen hen speelde en hoe afschuwelijk zijn reactie zou zijn. Ze begreep maar al te goed dat haar leven dan drastisch zou veranderen. Het zou het einde voor haar betekenen. *Ze moest dit huis onmiddellijk verlaten, nu het nog kon.* Ze moest er meteen vandoor.

Ze wilde naar voren gaan, maar merkte dat ze haar benen nauwelijks kon bewegen; ze stond aan de grond genageld.

Terwijl ze diep ademhaalde dwong Annette zich een stap te nemen naar de boogvormige deurpost die naar de hal leidde, toen Jack plotseling voor haar opdook. Hij had een fles champagne en twee kristallen flûtes bij zich, en die bekende, lieve glimlach speelde rond zijn lippen.

'Kun jij deze even meenemen?' vroeg hij en hij stak haar de glazen toe.

Ze knikte zwijgend, nam ze aan en liep achter hem aan de woonkamer weer in.

Nadat hij de fles champagne op de koffietafel had gezet, vroeg Jack: 'Mag ik de flûtes van je, Annette?'

'Ja, natuurlijk,' zei ze, en haar stem klonk opeens wat hees. Jack zette de glazen voor hen op de koffietafel en ze liet zich op de bank zakken, want ze wist niet wat ze anders moest doen, nu ze begreep dat ze verloren was. En ze vroeg zich onwillekeurig af of één nacht met hem de onvermijdelijke chaos die daarna zou losbarsten wel waard zou zijn...

'Waarom kijk je zo ongerust?' vroeg hij, terwijl hij de kristallen glazen volschonk.

'O, ik was me daar niet van bewust,' antwoordde ze snel en ze nam het glas aan dat hij haar aanreikte.

Nadat hij er een voor zichzelf had ingeschonken, kwam hij bij haar op de bank zitten, tikte met zijn glas het hare aan en zei: 'Nogmaals welkom in mijn ouderlijk huis. Ik hoop echt dat je de liefde voelt die hier nog rondhangt... Tenminste, ik voel het. Het is de muren ingesijpeld, weet je... Er is een liefdevolle atmosfeer, want het was een huis waar iedereen gelukkig was.'

Annette glimlachte naar hem en staarde in die heldere, trouwhartige grijze ogen, en moest ten slotte toegeven dat ze verliefd op hem was geworden, net zoals hij op haar. Ze kon niet meer terug. Ze moest hier doorheen, dit samenzijn. Vluchten kon niet meer... ze wist dat ze er eeuwig spijt van zou krijgen als ze dat deed. Laat me dan ten minste vanavond blijven, dacht ze. Deze ene nacht. En dan moet ik er een eind aan maken. Dat moet. Marius zal me nooit laten gaan. En als ik bij hem wegga zal hij me straffen. Hij zal mijn leven compleet verwoesten, zowaar als ik hier zit.

Ze nipte van haar champagne en reageerde nu eindelijk op zijn eerdere opmerking. 'Jack, ik kan die liefde hier voelen, en de warmte, en het geluk.' Ze keek hem diep in de ogen en zei zacht: 'Dank je dat...' Ze hakkelde en keek om zich heen. '...dat je de kamer zo schitterend hebt gemaakt – de bloemen, de kaarsen, het vuur, alles. Ik ben er ontroerd van, Jack.'

'Daar ben ik blij om. Weet je, ik wilde alleen met je zijn, dicht bij je zijn, en ik besloot plotseling dat we hier een picknick moesten houden, en dat doen we straks ook. Ik heb een diner voor ons geregeld, wist je dat?'

Ze glimlachte naar hem. 'Jack, wat ben je toch hopeloos romantisch!'

Hij lachte tevreden en zag er gelukkig uit, terwijl hij een slok van zijn champagne nam.

'Het moet fantastisch zijn geweest hier op te groeien,' zei Annette. 'Het is zo'n prachtig oud huis. Ooit zou ik wel eens een huis willen hebben – precies zoiets als dit.'

Hij kneep zijn ogen een beetje samen toen hij vroeg: 'Meen je dat? Zou je dit huis willen hebben? Ik kan mijn broer zonder probleem uitkopen, dan zouden jij en ik hier nog lang en gelukkig kunnen leven. Wat vind je daarvan?'

Als dat eens zou kunnen, dacht ze, maar ze zei: 'O Jack, wat lief van je om dat te zeggen, maar je weet best dat dat onmogelijk is. Totaal onmogelijk.'

'Alles is mogelijk als je maar wilt,' antwoordde hij en zette zijn flûte op de koffietafel. Toen vervolgde hij: 'Ik moet je iets vertellen, Annette.'

Hij klonk zo ernstig dat ze schrok. 'Wat dan? Er is toch niets aan de hand?'

'Nee, nee, maar ik wilde je alleen vertellen dat ik het afgelopen jaar min of meer iets met een andere vrouw heb gehad. Ze heet Lucy Jameson en ze woont in een oude boerderij in de heuvels ten noorden van Beaulieu. Ze is die chef-kok over wie ik het had, je weet wel, degene die ik trifle leerde maken.'

'Jack, alsjeblieft, dat hoef ik allemaal niet te weten...'

'Jawel, dat moet je wel. Luister, sinds ik in Londen ben, ben ik alleen maar aan het werk, zoals je gemerkt hebt. Zo hard, dat ik eigenlijk nauwelijks nog contact met haar heb gehad. Bovendien heb ik altijd enigszins ambivalente gevoelens over haar gehad, over haar en mij als stel bedoel ik. En nu weet ik opeens hoe dat komt.'

'Hoe komt dat dan?'

'Ik ben niet verliefd op haar, en dat ben ik nooit geweest. En het is uitgesloten dat ik ooit een vaste verhouding met iemand krijg op wie ik niet verliefd ben. Dus ik ga het uitmaken met haar. Ik moet eerlijk zijn tegenover haar.'

'Maar wat voor verhouding was het dan?' vroeg ze, want ze was natuurlijk altijd wel een beetje nieuwsgierig naar hem en zijn leven. En plotseling voelde ze een redeloze jaloezie opsteken, jegens die onbekende vrouw, die Lucy. Ze verbaasde zich over zichzelf, nam snel een slokje champagne en wenste dat ze niet zo'n idiote vraag had gesteld. Hoe kon ze zo dom doen.

Jack zei: 'Het was voornamelijk een soort vriendschap, we konden goed met elkaar opschieten en ik mocht haar graag. Eigenlijk mag ik haar nog steeds: dat is niet veranderd.'

'En ging je met haar naar bed? Dat is een belachelijke vraag: dat lijkt me vanzelfsprekend.'

Hij keek haar even aan en knikte. 'Ja, ik bleef daar vaak slapen. Maar dat is niet genoeg – seks bedoel ik. Er moet veel

282

meer in een verhouding zijn, anders werkt het niet... Ik hield gewoon niet van haar. En dat begrijp ik nu pas. Omdat ik verliefd ben op jou, en dat is een overweldigend gevoel. Nu ik het kan vergelijken zie ik pas hoe het in elkaar zit.'

'Jack, zo moet je niet praten. Je kent me nauwelijks, je weet niets van me. En je ziet trouwens nog een kleinigheidje over het hoofd. Nogal een obstakel zelfs. Ik ben getrouwd.'

'Daar ben ik me maar al te bewust van... Kijk, ik wil dat je één ding begrijpt, en dat is dit. Ik heb nooit achter vrouwen van andere mannen aan gelopen. Maar ik werd op slag verliefd zodra ik je zag en ik kan toch niets doen aan wat ik voel. Bovendien heb ik het idee dat jij precies hetzelfde voelt, en zeg nou niet dat dat niet waar is, want dat is het wel.'

Zwijgend staarde ze hem hulpeloos aan, helemaal in de ban van hem en zijn woorden. Hij boog zich naar haar toe en nam het glas uit haar handen. Hij schoof tegen haar aan, legde een arm om haar schouders en kuste haar vol op de mond.

Ze wilde hem wegduwen, ontsnappen nu het nog kon. Maar het lukte haar niet. In plaats daarvan kuste ze hem terug, en beantwoordde ze zijn verlangen naar haar met dezelfde passie en vurigheid die hij tentoonspreidde. Na een poosje lieten ze elkaar los en keken ze elkaar aan. Hij raakte haar wang met een vinger aan en drukte een kusje op haar voorhoofd.

Jack stond op en hij hielp haar overeind. Met zijn gezicht in haar haar fluisterde hij: 'Kom alsjeblieft mee... naar mijn oude kamer.'

'Jack, nee! Dat kan niet! Dat moeten we niet doen! Daar kan alleen liefdesverdriet van komen, en vreselijke toestanden...'

'Alsjeblieft, Annette. Alsjeblieft.'

Ze kon geen woord meer uitbrengen. Ze stond daar maar en staarde hem aan, verstard van angst.

Het licht was gedempt.

Ze stond midden in zijn kamer, nog steeds doodsbang. Hoe was ze hier gekomen? Jack had haar langzaam de trap op geleid, rustig had hij haar overgehaald en voorzichtig, met zijn arm om haar taille alsof ze een breekbaar voorwerp was, had hij haar de weg gewezen.

En nu stond ze hier. Eindelijk. In de kamer waar hij als jongen geslapen had. Vertrouwd voor hem, maar niet voor haar. Maar híj was haar wel vertrouwd, na de vele uren die ze samen hadden doorgebracht.

Ze vertrouwde hem. Er hing iets om hem heen waardoor ze wist dat ze veilig was. En toch was ze bevreesd, niet alleen om de toekomst, maar om wat er nu zou gebeuren. Tussen hen tweeën. Uit alle macht probeerde ze de angst te onderdrukken, de paniek op afstand te houden, maar erg goed lukte het niet.

'Het is fijner met de gordijnen open,' zei hij, haar opschrikkend uit haar gedachten. Ze was zo in zichzelf gekeerd dat ze wel in trance leek. Even dan.

'Hoe bedoel je?' vroeg ze gespannen. Haar stem klonk heser dan ooit. Dat kwam van de zenuwen, dat had ze wel door. 'Met de gordijnen open kun je de toppen van de bomen in de tuin zien, en de hemel erboven. De sterren en de maan. Toen ik nog een klein jongetje was, lag ik hier in bed te staren naar de hemel...' Zijn stem stierf weg en hij trok de draperie van het derde en laatste raam van de kamer open.

Hij draaide zich om, keek haar aan en kwam naar haar toe, nam haar hand in de zijne en trok haar zachtjes mee naar het raam.

'Het is een prachtige nacht, vind je niet, schatje?' zei hij. 'Een nacht om eindelijk samen te zijn.'

Ze negeerde zijn opmerking maar ze moest wel uit het raam kijken, en toen ze zag dat hij gelijk had over het uitzicht zei ze: 'Ja, dat is zo.'

Opeens voelde ze zich verlegen en dat verraste haar. Tot dit moment had ze zich steeds zo op haar gemak gevoeld bij hem, alsof ze hem al jaren kende. Soms had ze het vreemde gevoel dat ze hem al eens gezien had. Vooral vanavond. De manier waarop hij wat zei, of de manier waarop hij met zijn handen gebaarde als hij wat uitlegde, de manier waarop hij naast haar liep – er was iets in zijn manier van bewegen die een herinnering opriep, die echter meteen weer vervloog, als een déjà vu.

Hij nam haar bij de schouders, trok haar tegen zich aan, kuste haar licht op de mond en begon de knoopjes van haar witzijden blouse los te maken. Ze stond daar maar en liet hem begaan. Ze bewoog niet tot hij hem van haar schouders liet glijden, toen kromp ze even ineen. Maar ze bleef hem aankijken, haar ogen vast op hem gevestigd.

Jack glimlachte terwijl hij haar tegen zich aan drukte.

'Je lijkt een beetje angstig, Annette. Dat is toch nergens voor nodig. Ik zal je niets doen.'

'Daar ben ik ook niet bang voor,' fluisterde ze en ze deed er verder het zwijgen toe, terwijl hij haar rok openritste, die op de grond gleed. Ze stapte eruit en deed een stap uit zijn richting, draaide zich om en wachtte tot hij haar volgde naar het bed.

Binnen een tel was hij bij haar. Weer omhelsde hij haar, legde zijn handen op haar schouders en liet ze langs haar rug naar beneden glijden, en maakte de sluiting van haar beha los. Voor ze met haar ogen kon knipperen had hij zijn trui uitgetrokken en stapte hij uit zijn jeans.

Even later lagen ze allebei naakt op bed. Ze hield haar ogen dicht en lag doodstil, al sidderde ze inwendig. Ze wist dat ze daar stijf als een plank naast hem lag, maar ze kon er niets aan doen, ze kon geen spier vertrekken.

Jack merkte hoe gespannen Annette was en kreeg het vermoeden dat ze nooit een prettig seksleven had gehad. Hij wist niets van haar huwelijksleven, of van haar leven voor ze was getrouwd, maar hij wist wel veel van vrouwen. En het idee bekroop hem dat ze misschien ooit iets traumatisch had beleefd. Plotseling bedacht hij dat ze als kind misbruikt kon zijn geweest, maar even snel liet hij die gedachte los: het was zijn taak om haar nu gerust te stellen, haar zo teder mogelijk te behandelen, haar genot te schenken, om de liefde met haar te bedrijven zoals ze verdiende.

Hij boog zich naar haar toe en kuste haar neus, haar oogleden, haar voorhoofd; toen begon hij langzaam haar schouders en armen te strelen en liet zijn handen over haar benen dwalen.

Ze bewoog even en hij zag dat ze al iets begon te ontspannen. Hij drukte een kus op haar lippen, streelde voorzichtig haar gezicht en haar haar, en tussen de kussen door fluisterde hij: 'Het is allemaal goed, mijn lief, we zullen het heel langzaam doen, stapje voor stapje... we hebben geen enkele haast... relax maar een beetje, wacht, ik help je wel.'

Plotseling sloeg ze haar ogen op en keek hem aan en zijn hart zwol op. Haar ogen waren zo blauw dat hij er beduusd van was en het gevoel kreeg dat hij langzaam verdronk in die zee van blauw.

Ze tilde haar hand op om zijn mond aan te raken en hij boog zich weer naar de hare. Ze kusten elkaar langer dan ooit, elke keer werden hun kussen hartstochtelijker. En ze werden nog intiemer verbonden toen hij zijn tong over de hare liet glijden, en zij beantwoordde dat en liet haar tong voorzichtig met de zijne spelen.

Annette merkte verbaasd dat haar lichaam begon te reageren op zijn strelingen. Er gleed een heerlijke loomheid door al haar ledematen, en langzaam maakte de spanning plaats voor zachtheid, en haar lichaam opende zich om hem te verwelkomen.

Jack voelde een schokje door haar heen gaan toen hij heel zacht de binnenkant van haar dijen streelde, maar hij negeerde het en ging door met haar heel teder op meer intieme plekjes aan te raken. Hij liet de druk iets toenemen en nam de tijd tot ze zacht kreunend een serie schokjes door haar lichaam liet gaan. Toen kon hij zich niet meer bedwingen en liet zich op haar rollen. Terwijl hij in haar kwam sloeg hij zijn armen om haar heen. Ze liet hem gewillig toe en onmiddellijk vonden ze het ritme dat bij hen paste. 'Je bent zo fantastisch,' mompelde hij in haar haar en ze fluisterde terug: 'Jij ook.'

Daarna concentreerden ze zich alleen op elkaar, gevangen in hun wederzijds verlangen. Al die lust die ze dagenlang hadden onderdrukt werd nu eindelijk vrijgelaten en het ontroerde hen hoe snel ze vanavond minnaars waren geworden. Annette stond versteld van zichzelf, van haar vreugdevolle en gewillige reacties op Jack en op alles wat hij met haar deed, en dat ze zich zo bewust was van haar eigen genot. Hij had haar tot een climax gebracht door haar alleen maar aan te raken; en nu, nu ze elkaars lichaam binnendrongen en vurig bewogen, elkaar verzwolgen, gevend en nemend, begreep ze en accepteerde ze dat ze een andere wereld was binnengegaan. Het was een uitzonderlijke wereld van seksuele bevrediging, een wereld waarvan ze het bestaan niet had vermoed. Nooit had er iemand van haar gehouden zoals Jack nu van haar hield.

Onverwacht spande hij zijn armspieren aan en tilde haar een stukje op en ze verhieven zich van het bed, zweefden hoger en hoger en bereikten een niveau van pure extase. Terwijl ze tegelijk klaarkwamen bleef hij haar naam herhalen. Ze liet zich gaan en riep zijn naam, iets wat ze nooit eerder had gedaan. Seks was altijd een zwijgend gebeuren voor haar geweest.

Jack kon zich er niet toe brengen haar los te laten, en bleef onbeweeglijk op haar liggen, met zijn hoofd in haar hals. Plotseling vroeg hij: 'Ben ik te zwaar?'

'Nee, welnee,' mompelde ze zacht, en ze streelde zijn rug.

Toch liet hij zich even later van haar af glijden, kwam op één arm overeind en keek haar recht aan. 'Alles goed met je?' vroeg hij met zijn liefste stem, terwijl hij keek of ze tekenen van ongenoegen vertoonde.

Ze antwoordde niet en bleef hem alleen aankijken. Tranen welden op in haar ogen en gleden traag over haar wangen. Geschrokken boog hij zich naar haar toe en veegde de tranen weg met een vingertop. 'Wat is er? Heb ik iets fout gedaan?'

'Juist niet.' Ze glimlachte zwakjes. 'Ik heb gewoon nooit zo de liefde bedreven; heb nog nooit zoveel heerlijks gevoeld.'

'Je zult het niet geloven, dat snap ik, maar ook voor mij was het een nogal unieke belevenis. Het is nog nooit zo goed geweest als vanavond met jou.' Hij kuste haar wang en daar was dat vertederende halve glimlachje weer. 'Ik denk dat ze dat liefde noemen. Niet dat ik de bijzondere kracht van seksuele aantrekkingskracht nou wil bagatelliseren. Dat heeft er ook mee te maken, maar wanneer er ook nog eens een grenzeloze emotie bij betrokken is... ja, dan is het toch anders. Oneindig veel beter.'

Hij stond erop het diner op te dienen en weigerde haar hulp. Toen ze eenmaal weer waren aangekleed en naar beneden waren gegaan, dronken zé eerst een glas champagne. Toen leidde Jack haar naar het tafeltje bij de tuindeuren.

Hij stak de eenzame kaars naast de roos aan, raakte haar schouder aan en zei: 'De eerste gang is–'

'Je bedoelt dat er meer dan één is?' onderbrak ze hem lachend.

'Uiteraard. Wat denk je wel niet van me? Dat ik mijn meisje geen chic diner gun? Ik heb gerookte zalm, maar als mevrouw daar niet van gecharmeerd is, kan ik u ook kaviaar aanbieden, madame.'

'Gerookte zalm is prima, dank je.'

'Oké. Niet weggaan, ben in een mum van tijd terug.'

En dat klopte. Hij kwam de kamer in met een fles gekoelde Pouilly-Fumé, vulde hun glazen met de witte wijn, zette de gekoelde fles op tafel en verdween weer.

Een paar seconden later verscheen hij weer met twee borden gerookte zalm, gegarneerd met partjes citroen.

Nadat hij de borden op tafel had gezet, ging hij tegenover haar zitten en zei: 'Toch veel beter dan eruit te moeten om naar een restaurant te gaan?'

Annette knikte en pakte haar vork. Voor de verandering had ze honger en ze begon meteen te eten na de citroen over haar zalm te hebben geknepen. 'Lekker, zeg,' zei ze en ze keek hem aan. 'Hoe heb je dat zo snel voor elkaar gekregen, Jack? Ik sta echt versteld.'

Hij grijnsde. 'Speedy Gonzales noemen ze me wel eens!' Hij haalde zijn schouders op en hief zijn glas wijn. 'Op jou, mijn liefste Annette.'

Ze klonken en zij zei: 'En op jou, Jack.' Ze nipte ervan zonder haar ogen van de zijne los te maken. 'Kom op, verklap me nu eens hoe je deze kamer gepimpt hebt waardoor hij zo gezellig is geworden. En ook nog een diner hebt voorbereid!'

'Goed dan. Eerst ging ik naar Harrods om alles in te slaan. De wijn, de champagne, het eten, de kaarsen, de bloemen. Toen bracht ik alles hier om de inrichting aan te passen. Daarna heb ik het haardvuur aangestoken, maakte de volgende gang klaar die ik zo opdien, en ruimde mijn slaapkamer op. Het heeft me ongeveer drie uur gekost, maar dat was het wel waard, of niet soms?'

'Ja, zeker. Ik ben erg ontroerd dat je zoveel moeite voor me hebt gedaan.'

'Graag gedaan. Ik vond het leuk om te doen.'

Nadat ze de zalm ophadden, leunde Annette achterover in haar stoel met een blik op Jack. Ze bedacht hoe ontzettend aardig hij was, nog afgezien van zijn aantrekkelijke voorkomen.

'Je zit naar me te staren,' bromde hij en een paar tellen later keek hij haar aan, met zijn hoofd een tikkeltje opzij.

Omdat ze niet wilde vertellen wat ze dacht, zei ze: 'Waar kwam die bank opeens vandaan? Dat is me echt een raadsel.'

'Die stond altijd in mijn vaders werkkamer hiernaast. Het was een heksentoer om hem hierheen te slepen, maar het is me gelukt.'

'En dit dan allemaal? Het mooie porselein, het zilveren bestek, de vaasjes, en de lakens op je bed?'

'Er liggen genoeg van dat soort spullen in huis,' legde hij uit. 'Tante Helen, de zus van mijn moeder, komt nog een dag helpen met inpakken wanneer ze volgende week terugkomt uit Canada. Ze is op bezoek geweest bij haar zoon en zijn gezin. Kyle en ik hebben gezegd dat ze mag meenemen wat ze wil.'

'Hoe heb je overigens met al dat winkelen en inrichten en opruimen nog tijd gevonden om te schrijven?'

'Dat heb ik vannacht gedaan,' antwoordde hij. 'Ik had al een samenvatting en opzet van wat ik over je wilde schrijven, dus dat hielp. Ik ging gewoon zitten en schreef aan één stuk door, tot ik vroeg in de ochtend klaar was. Ik sliep een paar uur en toen ging ik aan de slag.' Hij stond op en pakte de lege borden. 'Klaar voor de volgende gang? Het is salade niçoise. Sorry dat het weer een koud gerecht is, maar ik wist niet wat ik anders moest maken, in deze omstandigheden.'

'Kan ik je helpen?' riep ze hem na toen hij naar de keuken liep.

'Ben je mal! Ik zou jou een diner geven, dus doe ik dat.'

Ze zag hem de hoek omgaan en draaide zich om naar de glazen tuindeuren. Het was volle maan en het gazon baadde in het koele zilveren licht, net als gisteren. Het was een prachtige nacht, met honderden sterren aan de hemel, een licht briesje dat de bladeren aan de bomen deed ritselen en een tuin die er magisch, haast bovennatuurlijk uitzag.

Annette zuchtte en zat ontspannen in haar stoel. Ze was echt op haar gemak bij Jack. Alle spanning en onrust waren verdwenen. Ze had een vreemd gevoel van vreugde dat ze nooit eerder had gevoeld. Het was lichamelijke bevrediging, en het kriebelige gevoel verliefd te zijn, dat stond wel vast.

De tijd stond stil. Vanavond tenminste. Ze waren ingekapseld in hun eigen kleurige zeepbel. Ze wist dat hij spoedig uiteen zou spatten. Dat was onvermijdelijk. Maar nu even niet. Morgen, ze zou zich morgen wel over de problemen buigen.

34

'Naar welk kuuroord ben jij dit weekend geweest? Ik wil meteen het adres!' riep Esther uit, terwijl ze Annette met grote ogen opnam. 'Daar moet ik zo snel mogelijk heen!'
Annette begon te lachen. 'Ik ben niet naar een kuuroord geweest,' zei ze. 'Ik heb bijna het hele weekend gewerkt.'
'Je ziet er in elk geval fantastisch uit, wat je ook gedaan mag hebben,' zei Esther en ze keek haar bewonderend aan. 'Je huid straalt gewoon, en jijzelf ook.'
'Dank je voor je complimentjes, Esther.' Voorovergebogen over haar bureau richtte Annette haar koele blauwe blik op haar assistente. 'We hebben met een probleem te kampen.'
'Wat is het, baas? Klinkt ernstig.'
'Dat is het ook. Er is iets aan de hand met de Delaware-verzameling en ik wil niet dat het uitlekt.'
'Hoe zou het uit kunnen lekken? En waar gaat het om? O god, je maakt je zorgen over Christopher Delaware, is het niet? Ik neem het je niet kwalijk, hij is een ongeleid projectiel.'
'In de roos, Esther, zoals gewoonlijk. Hij is een ongeleid projectiel, al bedoelt hij er niks mee. Maar hij heeft de slechte gewoonte om er dingen uit te flappen. Zonder erbij na te denken.'
'Maar wat kan hij er dan uit flappen?' Esther leunde achterover in de stoel aan de andere kant van Annettes bureau. 'Wat is de nieuwe ontwikkeling?'
'Er zijn twee, mogelijk drie schilderijen in de collectie die vervalst zijn, en dat moeten we hoe dan ook tussen ons houden. Dat mag onder geen beding uitlekken, dat zou een ramp voor mijn zaak en de veiling betekenen. Je weet zelf hoe er ge-

roddeld kan worden in de kunstwereld; als het woord "vervalsing" genoemd wordt in verband met de Delaware-verzameling en Annette Remmington Fine Art, kan ik mijn zaak wel opdoeken. Al heb ik dan helemaal niets te maken met die vervalsingen, het zou toch een smet werpen op mijn naam. Je weet hoe het gaat, mensen horen geruchten en anders verzinnen ze wel wat.'

Esther vertrok haar gezicht. 'Vertel me niks. Maar bedoel je nu dat er twee nieuwe vervalsingen zijn, naast die Cézanne met dat roet erop?'

'Ja, er zijn nieuwe gevonden. Kom, dan vertel ik je precies wat er afgelopen weekend is gebeurd.'

Annette ging er rustig voor zitten en legde gedetailleerd uit hoe de zaterdag was verlopen, met de ontdekking van het priesterhok en de geweldige en de minder fijne vondsten. De Graham Sutherland-aquarellen liet ze niet onvermeld.

Toen Annette klaar was, riep Esther uit: 'Wat machtig! Dat is een lot uit de loterij, zeg. Je kunt de volgende veiling helemaal uitbouwen, niet? Doen wat je oorspronkelijk wilde doen.'

'Je hebt gelijk. Ik wil een veiling van zes impressionistische schilderijen en één sculptuur, Degas' *Het veertienjarige danseresje*. De Giacometti bewaar ik dan wel voor een veiling later dit jaar, samen met de Sutherlands, die beter bij elkaar passen omdat ze alle drie tot de moderne kunst horen. Maar deze verzameling impressionisten is uniek – het wordt gegarandeerd een belangwekkend evenement.'

'Chris zal wel in de zevende hemel zijn,' zei Esther.

'Ik heb ontdekt dat Christophers glas altijd halfleeg en nooit halfvol is. Hij heeft een negatieve kijk op de dingen, het is nooit goed of het deugt niet en er is altijd wel íets verkeerd. Hij is een zeurpiet en hij richt zich op de vervalsing, niet op het lot uit de loterij, zoals jij het noemt.'

'Maar je kunt hem toch wel waarschuwen, eisen dat hij het met niemand over die vervalsingen heeft die zijn oom per ongeluk heeft gekocht. Kun je niet uitleggen hoe gevaarlijk dat zou zijn?'

'Dat heb ik al gedaan, en ik vermoed dat hij het wel begrijpt, zeker omdat ik het woord "geld" tijdens ons gesprek liet vallen. Maar ja, ik kan hem niet opsluiten, of hem overal mee naartoe nemen, en daarom lopen we altijd het risico dat hij iets verkeerds tegen deze of gene zal zeggen.'

'Ik begrijp het,' zei Esther, haar voorhoofd fronsend. Ze keek op toen er op de deur werd geklopt en de secretaresse binnenkwam. 'Meneer Chalmers staat bij de receptie. Hij zegt dat hij geen afspraak heeft, Annette, maar dat het erg belangrijk is dat hij je even spreekt.'

'Dank je, Marilyn,' antwoordde Annette. 'Zeg maar dat ik hem zo snel mogelijk zal ontvangen.'

De secretaresse knikte en sloot de deur.

'Het zal wel iets zijn met dat profiel dat hij over me schrijft,' zei Annette.

Esther vroeg zich even af waarom hij dan niet belde, maar hield haar mond. 'Dan zal ik hem maar snel even halen,' zei ze en ze stond op uit haar stoel.

'Het was de bedoeling dat ik hem zaterdag zou spreken over het interview,' liet Annette haar weten. 'Maar toen ik hoorde wat er in Kent was gebeurd en ik daar meteen heen moest, vroeg ik Jack mee te gaan. We hebben wel wat kunnen doen aan het interview terwijl we erheen reden, en op de terugtocht. Hij was trouwens zo aardig om de schilderijen mee te nemen in de auto en we hebben ze meteen naar Carlton gebracht.'

'O, ik begrijp het.' Esther haastte zich naar de deur zodat Annette haar plotselinge grijns niet zou zien. Nu begreep ze ook waarom Annette er vandaag zo zonnig uitzag. Ze had tijd met Jack Chalmers doorgebracht, en dat had blijkbaar een gunstig effect op haar gehad. Esther was zo vrolijk dat ze stralend de lobby in liep om de knappe journalist te begroeten.

Even later liet ze hem Annettes kantoor binnen en ze sloot de deur achter hem.

Met een brede glimlach leunde Jack tegen de deur en wenkte Annette om bij hem te komen. Weifelend stond ze op en liep naar hem toe. 'Wat is er zo dringend, Jack?' vroeg ze zacht. 'Waarom ben je hier gekomen?'

'Ik heb de oplossing voor je probleem,' mompelde hij zacht en trok haar in zijn armen, kuste haar licht op de mond en wreef met zijn neus in haar hals. Hij fluisterde: 'God, wat heb ik je gemist, schatje. De hele nacht eigenlijk.'

Nog steeds in zijn omhelzing fluisterde Annette met bonzend hart: 'Waarom leunen we in hemelsnaam tegen de deur?'

'Om te zorgen dat er niemand binnenkomt,' fluisterde hij terug en hij kuste haar opnieuw. Maar omdat hij stond te springen om te vertellen wat hij had bedacht, liet hij haar los en ze liepen naar haar bureau. Jack nam plaats waar Esther net had gezeten, Annette ging achter haar bureau zitten.

Ze keek hem een poosje aan en vroeg toen: 'Voor welk probleem heb je een oplossing?' Eindelijk glimlachte ze naar hem met een liefdevolle blik in de ogen. 'Ik heb er zoveel.'

'Ik weet dat je je zorgen maakt over Chris' loslippigheid wat betreft die vervalsingen. O, trouwens, heb je al nieuws van Laurie?'

'Nee, maar ze zal me zo wel bellen. Ze ging vanochtend vroeg naar Carlton om die Degas te bekijken.'

'Mooi.' Hij boog zich voorover en terwijl hij haar doordringend aankeek begon hij te praten, de woordenstroom was niet te stuiten. 'Je moet Christopher gewoon te vlug af zijn. Je hebt gesuggereerd dat de minste verwijzing naar de vervalsingen je bedrijf kan schaden, dat je voor altijd verdacht zult blijven als jij ermee in verband wordt gebracht. En aangezien jij je zorgen maakt dat hij er – laten we zeggen, "per ongeluk" – wat over laat vallen, moet jij nu het heft in handen nemen. Onmiddellijk.'

'Hoe bedoel je hem "te vlug af zijn"? Ik volg het niet helemaal.'

'Morgen of woensdag moet jij een verklaring afleggen. Je gaat de hele wereld vertellen over die wonderbaarlijke ontdekking in het vergeten priesterhok in Knowle Court. Je onthult wat er gevonden is. Drie fantastische impressionistische schilderijen, miljoenen waard. Ga uitgebreid in op die van Cézanne en Pissarro, de twee verschillende weergaven van Louveciennes van deze twee grote kunstenaars, die zij aan zij werkten. Beschrijf de schilderijen van Sutherland en de Manet, ook in die kamer ontdekt. Zet ze maar goed in de schijnwerpers. Rep met geen woord over de vervalsingen. Als er gevraagd wordt of er ook andere schilderijen gevonden zijn, wuif je dat weg, doe je daar geringschattend over – zeg hoogstens dat er wat nietszeggende, onbelangrijke doekjes van onbekende kladschilders bij waren. Door die verklaring af te leggen ben jij Christopher voor. Want hij zal door de tamtam eromheen onmiddellijk in het centrum van de belangstelling staan, omdat jij weet hoe je dat moet sturen. En zelfs hij zal dan inzien hoe oerstom het zou zijn om over de vervalsingen te gaan praten, wanneer iedereen praat over deze waardevolle schilderijen en de media het alleen hebben over zijn fantastische collectie.'

'Het is briljant, Jack! En jij bent briljant. Maar het klinkt alsof je vindt dat ik een persconferentie moet geven. Is dat zo?'

'Ja, eigenlijk wel. Dat was het idee dat vanmorgen in me opkwam tijdens het scheren, aankleden, en hierheen komen om je mee uit lunchen te nemen.'

'Gaan we lunchen dan?'

'Wat dacht je!'

'Ik geloof niet dat ik een persconferentie wil houden. Een publicatie lijkt me beter. Kun jij het verhaal niet gewoon opschrijven, Jack? Want je bent immers mee geweest naar Knowle Court. Je bent eigenlijk, nou ja, deelgenoot geweest van die gebeurtenis. Dat zou het verhaal toch beter moeten maken, niet?'

'Ja, dat scheelt een hoop, en ik zeg niet dat ik daar niet aan heb gedacht toen ik net in de taxi zat. Maar ik wist niet hoe jij zou reageren. Ik wil voor geen goud dat je denkt dat ik me een beetje in jouw wereldje wil begeven. Of erger, dat ik er een slaatje uit wil slaan, of jou zou willen manipuleren. Dat gebeurt al meer dan genoeg met je, en—' Hij brak af toen hij besefte wat hij in alle opwinding had gezegd.

Hij keek haar voorzichtig aan. Ze zag wat wit om haar neus en haar blauwe ogen drukten verrassing uit. Of was het pijn? Hij vervloekte zichzelf en zei vriendelijk: 'Sorry, Annette. Zo bedoelde ik het niet.'

'Je hebt sommige mensen blijkbaar indringende vragen over mij gesteld voor je aan dat profiel begon. En over Marius.'

'Nee, dat heb ik niet gedaan,' protesteerde hij. 'Ik zweer het. Het is de waarheid, liever, en we moeten altijd de waarheid tegen elkaar zeggen, waar het ook over gaat. Ik heb inderdaad met een aantal mensen in de kunstwereld gesproken, en heb verteld dat ik een profiel over je schreef voor de *Sunday Times*. Een aantal van die mensen die ik sprak vertelde me dat Marius nogal drammerig is, en mensen manipuleert om zijn zin te krijgen. Vooral jou, zijn jongere vrouw. Ik vond het eigenlijk nogal vreemd, omdat jij zo daadkrachtig en onafhankelijk op me overkwam.'

Ze knikte, en ontspande in haar stoel, want ze geloofde hem. Na een poosje zei ze met een lachje: 'Marius denkt altijd dat hij weet wat het beste is. Voor iedereen, niet alleen voor mij.'

'Ik snap het. Luister, ik heb mijn laptop in de receptie laten liggen bij mijn regenjas. Ik haal hem even. Je kunt het profiel even ter goedkeuring lezen als je wilt, al heb ik het al naar mijn redacteur gemaild voor ik van huis vertrok.'

'Ik vertrouw je, Jack, eerlijk waar. En ik zou echt graag zien dat jij het verhaal schrijft. Maar botst dat dan niet met het profiel, aangezien dat nog niet verschenen is?'

'Nee, dat denk ik niet. Ik kan wel een week wachten met het schrijven van dit verhaal over Knowle Court, maar ik denk echt dat het beter is dat het zo snel mogelijk wordt gepubliceerd. Voor Chris de kans krijgt te gaan kletsen.' Jack stond op, liep naar het raam, keek uit over Bond Street en dacht enkele ogenblikken na.

Annette besefte hoe goed hij eruitzag, zo en profil. En plotseling was het er weer, die flits van een déjà vu, die meteen weer verdween.

Terwijl hij terugliep naar de stoel en weer ging zitten zei hij: 'Ik bel straks mijn redacteur bij de *Sunday Times* om te vertellen wat er zaterdag is gebeurd. Ik neem aan dat hij voorstelt er een stukje voor de *Times* van te maken. Die komt dagelijks uit, dus dat komt er vast voor zondag in. Want daarmee kunnen ze vooruitwijzen naar je portret in de zondagskrant. Hoe klinkt dat?'

'Prima idee, maar jij bent de journalist. Eén vraagje. Als je dat stuk voor de *Times* schrijft, en ze plaatsen het van de week, kan ik dan een bombardement van telefoontjes van andere journalisten verwachten? Ik bedoel, stel dat ze allemaal een graantje willen meepikken van het nieuws?'

'Je zult wel een paar belletjes moeten beantwoorden, omdat elke krant nu eenmaal zijn eigen quote of een pikant detail wil hebben. Maar dat mag voor jou geen probleem zijn. Ik zal echter mijn best doen ons verhaal zo uitgebreid mogelijk te maken, alles te bespreken wat er gebeurd is. Zodoende blijven er niet al te veel dingen onbesproken waarover ze meer willen weten en hoeven ze je dus niet lastig te vallen, oké?'

'Goed, dan moet het maar. Wanneer wil je eraan beginnen?'

'Nu meteen eigenlijk, als je ergens een tafeltje voor me hebt. En daarna neem ik je mee uit lunchen.'

'En wat had je in gedachten?'

'Ik dacht aan Le Caprice. Het ligt op loopafstand, en ze maken de lekkerste viskoekjes.'

'Maar Jan en alleman komt daar,' zei ze zorgelijk.

'Ik beloof je dat ik me zal gedragen.'

'Maar ze zullen ons samen zien.'

'Wat is daar mis mee? Ik schrijf een stuk over je, ik schrijf over je volgende veiling. Prima dekmantel. Wanneer is de grote dag trouwens?'

'Begin september. Sotheby's is het eens met de datum. Ik dacht dat ik je dat al gezegd had.'

'Ja, nu je het zegt.' Hij stond op. 'Heb je een plek waar ik een uurtje of twee kan zitten, lieverd?'

'Ik breng je wel naar het vergaderzaaltje, klein maar fijn. O en Jack, noem me alsjeblieft geen lieverd als er iemand in de buurt is, ja?'

'Natuurlijk niet. Ik ben niet van lotje getikt.' Hij grijnsde naar haar, nam haar in zijn armen en gaf haar een stevige kus.

Annette trok zich snel los en schudde haar hoofd terwijl hij een verdrietig gezicht trok. 'Je speelt wel graag toneel, hè?'

'Dit is geen spelletje. Ik heb er een hekel aan als je me wegduwt.'

'Ik zal het wel goedmaken,' fluisterde ze speels.

'Als je maar weet dat je daar niet onderuit komt,' zei hij, terwijl hij zichzelf naar de deur liet jagen, de receptie van haar kantoor in.

Esther luisterde naar Annette en nam Jack onder haar hoede. Ze was het ermee eens dat het vergaderzaaltje een perfecte plek was om te werken. Terwijl ze de gang in liepen, keek Esther steels naar hem en het viel haar op dat hij er bijzonder zelfvoldaan uitzag. Duidelijk dik tevreden. Ze glimlachte stiekem en hoopte maar dat hij en Annette nog heel lang goede vrienden bleven. Maar dat hing wel van Annette af. De gedachte aan Marius Remmington deed Esthers gezicht betrekken en maakte haar zelfs een beetje bezorgd.

Annette ging haar kantoor weer in en ging achter haar bureau zitten. Jack had een prima oplossing gevonden, al zat ze toch een beetje met die media-aandacht in haar maag. Ze bleef bang dat men toch zou graven naar haar verleden. Tot dusver was dat niet het geval geweest, maar ze was er nog steeds niet gerust op.

Haar privételefoon begon te rinkelen en ze nam meteen op. 'Hallo?'

'Met mij,' zei haar zuster. 'Ik ben nog bij Carlton.'

'Wat is het vonnis?'

'Ik ben er voor negentig procent zeker van dat die Degas een vervalsing is; eigenlijk zag ik het meteen. Het heeft zoiets grofs, iets lomps. Het is geen kopie van een van Degas' danseressenschilderijen. Ik heb het idee dat iemand gewoon in zijn stijl probeerde te schilderen, maar zelf iets verzonnen heeft.'

'Precies wat ikzelf dacht, Laurie. Op het eerste gezicht denk je, o, geweldig, een Degas, en als je iets beter kijkt weet je het niet meer zo zeker. Ik neem aan dat Carlton het doek en de verf gaat testen?'

'Ja, natuurlijk. Hij wil met je spreken. Hier komt-ie.'

'Hallo, mijn lieve kind,' zei Carlton. 'Laurie zag meteen wat voor vlees ze in de kuip had, en bevestigt wat jij ook al dacht. Om het zeker te weten zou ik Ted Underwood weer willen vragen er een blik op te werpen. Vind je dat goed?'

'Absoluut. Doe wat je moet doen, onderzoek alles, vergeet de lijst niet. Het leek mij een afgietsel van een andere oude lijst.'

'Ik heb nog een vraagje, Annette, al denk ik niet dat je hem kunt beantwoorden.'

'Wat dan?'

'Wat is Christopher van plan met deze vervalsingen? Er zijn er nou al drie opgedoken in de beroemde Delaware-verzameling. Vier, als deze Degas ook een flop blijkt. Vind je niet dat ze vernietigd moeten worden?'

'Natuurlijk, maar hij heeft die eerste Cézanne ook niet verbrand, tenminste, niet dat ik weet. Ik zal hem er wel weer eens over aanspreken.'

'Uitstekend. Ik bel je over een paar dagen weer.'

Laurie nam de hoorn van Carlton over en zei: 'Tenzij je me voor iets anders nodig hebt, ga ik nu naar huis.'

'Doe dat, dan bellen we later wel weer.'

'Kusje,' zei Laurie en ze hing op.

Annette staarde een hele poos voor zich uit. Wie had deze vervalsingen gemaakt? Waarom had sir Alec Delaware ze gekocht? Had hij ze niet allemaal meer op een rijtje toen hij dat deed? Was hij aan het dementeren? Iedereen scheen te denken dat hij zich vreemd gedroeg toen zijn verloofde zich van het leven beroofd had. Had zij hem adviezen gegeven, toen ze nog leefde? Annette kneep haar lippen op elkaar. Ze bleef het ongeloofwaardig vinden dat een man als Delaware opgelicht was.

In een opwelling drukte ze de knop van de intercom in en zei tegen Esther: 'Kun je even een kunstenaar voor me opzoeken in de naslagwerken over Britse schilders? Moderne, eigenlijk hedendaagse schilders.'

'Ja, doe ik. Wat is de naam?'

'Clarissa Normandy,' antwoordde Annette. 'De vrouw die verloofd was met sir Alec, en later zelfmoord heeft gepleegd.'

'Geef me twee minuten,' zei Esther en hing op.

Tien minuten later viel Esther haar kantoor binnen, en zei: 'Sorry, het duurde wat langer dan ik had gedacht. Ze staat maar in een van de boeken, en veel is dat niet, een paar regels maar. Ze heeft op het Royal College of Art gezeten, was zeer veelbelovend, maar heeft het nooit waargemaakt en is zeker niet beroemd geworden voor ze vroegtijdig stierf. Hier, ik heb wat voor je opgeschreven.' Esther gaf haar een blaadje.

Annette wierp er een blik op en haalde haar schouders op. Ze las hardop: 'Geboren in Gloucestershire. Meisjesnaam: Lang. O, Normandy was dus de naam van haar echtgenoot. Dan was ze dus gescheiden of weduwe, want ze was verloofd met Alec Delaware. Nou, bedankt, maar ik ben er niet mee geholpen.'

'Waarom had je haar nodig?'

'Het kwam bij me op dat ze sir Alec misschien kunstadviezen had gegeven. Ik bedoel, waarom zou hij in hemelsnaam veel geld uitgegeven hebben aan vervalsingen?'

'Ik neem aan dat hij dat niet wist.'

'Ja, dat moet haast wel,' zei Annette en ze vroeg: 'Staan de Estrins niet op de agenda voor deze week?'

Esther knikte. 'Ja, staat allemaal in je agenda. Ze zitten nu nog in Parijs, maar vliegen morgen naar Londen.'

'Uitstekend en nogmaals bedankt, Esther.'

Twee uur later, rond een uur of één, kwam Jack Annettes kantoor binnen en wenkte haar mee. 'Kun je even meekomen naar het vergaderzaaltje?'

Annette stond op en vroeg: 'Ben je nu al klaar met je artikel?'

'Ja, min of meer. Ik moest ook nog een paar telefoontjes plegen. Ik heb groen licht van de *Times*, ze willen het plaatsen. Normaal gesproken laat ik mijn werk alleen aan mijn redacteuren zien, maar ik zou het fijn vinden als je het even doorleest. Als de feiten volgens jou kloppen, en als ik me alles goed herinnerd heb, dan zitten we gebakken. Morgen poets ik het nog een beetje op, dan mail ik het naar de redactie en dan staat het woensdag in de krant.'

'Ben jij altijd zo snel?' vroeg Annette.

'Soms wel. Ik schreef het uit mijn hoofd, ik hoefde niet steeds aantekeningen te bekijken, dus dat ging redelijk vlug. Denk eraan, dit is een nieuwsbericht, dus alleen de feiten graag, mevrouw.'

Annette fronste haar wenkbrauwen. Die woorden had ze eerder gehoord. Iemand anders had ze net zo tegen haar gezegd. Maar wie dan?

'Wat kijk je peinzend,' zei Jack en keek haar aan.

'Die woorden kwamen me zo bekend voor. "Alleen de feiten graag, mevrouw," bedoel ik.'

'O, je denkt vast aan die acteur, Jack Webb. Hij speelde een rechercheur met de naam Joe Friday in een Amerikaanse tv-show, *Dragnet*, en hij zei altijd: "Vrijdag is de naam. Ik ben van de politie. Alleen de feiten graag, mevrouw."'

'Dat zal dan wel,' zei ze en ze liep naast hem verder. Eigenlijk was dat niet wie ze bedoelde. Maar wat maakte het ook uit. Haar grootste zorg was haar geheime verleden. Ze had het diep begraven en hoopte vurig dat het daar zou blijven. Onwillekeurig huiverde ze. Angst was iets vreemds. Die bekroop je steeds als je er niet op verdacht was.

In de vergaderzaal aangekomen ging ze voor zijn laptop zitten en las langzaam zijn verhaal over de gebeurtenissen van afgelopen zaterdag. Het was een goede, heldere beschrijving, geen onzin en alles was correct. 'Het is perfect, Jack. Wat heb je toch een goed geheugen.'

'Dank je.' Hij liep naar de deur, sloot hem en kwam op haar af. Hij hielp haar overeind en nam haar in zijn armen. 'Wil je wel naar Le Caprice? Zullen we niet naar mijn appartement gaan voor een picknick?'

'O, wil je niet met mij in het openbaar gezien worden?' vroeg ze gekscherend.

Hij lachte. 'Niets liever. Wie zou jou niet aan zijn arm willen hebben? Vanavond kook ik voor je op Primrose Hill.'

'Maar Jack, we kunnen niet–'

'Geen gemaar,' onderbrak hij haar met een glimlach.

Later die middag, toen Jack thuiskwam, liep hij meteen naar zijn bureau en belde Lucy. Haar antwoordapparaat stond aan en hij liet zijn naam achter met het verzoek terug te bellen.

Dagen geleden al had hij zich voorgenomen om open kaart te spelen en eerlijk te zijn. Dat verdiende ze. Ze was een fatsoenlijke vrouw en ze was altijd aardig tegen hem geweest – een telefoongesprek was de enige manier om hiermee om te gaan. Niets meer van je laten horen, een mailtje of sms'je waren prutsoplossingen.

Hij klapte zijn laptop open en wilde net het verhaal over de gevonden schilderijen bij gaan vijlen toen zijn vaste telefoon rinkelde. Hij nam op. 'Jack Chalmers.'

'O hallo, Jack, met Lucy. Ik moest je bellen. Hoe is het ermee?'

'Prima. Met jou?'

'Drukdrukdruk, net als jij neem ik aan.'

'Klopt, Luce, en het spijt me echt dat ik je niet eerder heb gebeld. Maar ik had mijn handen vol.'

'Wanneer kom je weer terug naar Beaulieu? Binnenkort, hoop ik?'

'Weet ik nog niet. Ik zit hier nog wel even vast, denk ik. Luister, Luce, ik heb de laatste tijd veel over ons zitten nadenken, en eerlijk gezegd denk ik niet dat het ooit nog wat wordt tussen ons. En jij?'

Het was opeens doodstil aan de andere kant.

Hij doorbrak de stilte. 'Ik mag je graag, erg graag, en op zekere punten waren we best goed op elkaar ingespeeld. Maar ik kan je niet aan het lijntje houden. Ik vind dat eerlijkheid op de eerste plaats komt, zeker wat ons betreft, omdat we toch goede vrienden zijn. En–'

'Maak je het uit met me, Jack? Probeer je dat te zeggen?' vroeg Lucy.

'Nou, eigenlijk... Ja.'

Ze lachte en zei toen: 'Sorry hoor, ik lach niet om jou, maar om mezelf. Ik loop ook al tijden moed te verzamelen om onze relatie toch nog eens te bespreken. Nu heb jij het gedaan en je hebt alles op een rijtje gezet, dus nu hoef ik het niet meer te doen.'

'Probeer je me nu te vertellen dat jij het ook met mij wilde uitmaken?'

'Ja, zo ongeveer.'

'Wauw! Andere man misschien?'

'Nee, hoor.'

'Maar je wilde er toch een punt achter zetten?'

'Ja, klopt.'

'Maar waarom?'

'Omdat ik diep in mijn hart altijd heb geweten dat je je twijfels over ons hebt, Jack, ondanks de laatste keer dat je hier op de boerderij was, alles wat je deed en zei, en onze zeer romantische nacht in elkaars armen.'

Hij wist niet wat hij moest zeggen.

Plotseling zei ze een beetje bits: 'Jack, ik zou maar eens op zoek gaan naar wie ik was! Zoek eens uit wat voor vent je eigenlijk bent. Ik denk dat jij nooit echt van een vrouw kunt houden tot je weet wie je bent.'

'Heus, het spijt me Lucy, dat het zo tussen ons moet eindigen.'

Nu was het Lucy's beurt om stil te zijn.

'Maar we kunnen toch wel vrienden blijven?' vroeg Jack zacht.

'Ik weet het niet. Misschien wel, misschien ook niet. Maar eerlijk gezegd denk ik van niet.'

Ze had al opgehangen voor hij nog een woord kon zeggen en hij begreep onmiddellijk dat ze razend was. En gekwetst.

Het was niet zijn bedoeling geweest haar te kwetsen, maar hij had geen keus gehad. Hij was smoorverliefd op een andere vrouw.

35

Annette zat aan haar bureau in haar kantoor in Bond Street. Ze maakte aantekeningen voor de Estrins, de klanten die ze later zou ontvangen, toen de privételefoon rinkelde. Zoals gewoonlijk nam ze na het tweede belsignaal op. 'Hallo?'

'Hallo, lieve kind,' begroette Carlton Fraser haar zacht. 'Ik ben bang dat ik slecht nieuws voor je heb.'

'Hij is nep, hè?' stelde ze vast, want ze was er al die tijd al van overtuigd geweest dat er een luchtje aan de danseres van Degas zat.

'Een vervalsing, inderdaad. Ted en ik hebben gisteren de verf getest en het is beslist nieuwe verf, Annette. En een relatief nieuw doek, zo'n achttien jaar oud, net als de met roet bedekte Cézanne.'

'Zou de Degas door dezelfde schilder zijn gemaakt? Wat denk je, Carlton? En Ted? Wat zei hij erover?'

'Ted en ik zijn daar niet zo zeker van. Het landschap van Cézanne lijkt veel meer op het echte doek en laten we wel wezen, we hadden allebei geen idee dat het om een vervalsing ging. Ted en ik denken dat een meer ervaren kunstenaar die valse Cézanne gemaakt heeft.'

'En we kunnen er niet achter komen wie dat was, hè?'

'Nee. Tenzij het degene was die ook de Manet van de vrouw met de voile en de Cézanne met de rode daken schilderde. En ik ben geneigd dat te geloven, vooral omdat die schilder zoveel beter was. Trouwens, waarom zouden er geen twee vervalsers aan het werk zijn.'

'Maar allemaal achttien jaar geleden, toch?'

'Zo ongeveer.'

'Enfin, dan weten we dat tenminste zeker.'

'Wanneer wilde je het Christopher vertellen?'

'Niet vandaag, Carlton. Hij wentelt zich in alle aandacht

dankzij de publiciteit die dat artikel over de Delaware-verzameling hem heeft opgeleverd. Ik denk dat we hem de mond gesnoerd hebben wat nonsens en gevaarlijke praatjes betreft.'
'Dat lijkt me zo goed als zeker! En dan hoop ik ook maar dat hij inziet dat hij zijn valse schilderijen echt moet vernietigen. Stel dat ze gestolen worden, en dan verkocht worden als echt? Het is zo riskant om vervalsingen te bewaren. Heel gevaarlijk voor de rest van je collectie.'
'Ik weet het. Ik zal hem daarover nog wel eens flink onder handen nemen, en erop staan dat ze versneden of verbrand worden. Voor ik het vergeet: nog bedankt dat je ons in je atelier liet komen voor de fotoreportage van de *Times*. Jack was je zeer dankbaar, en ik natuurlijk ook.'
'Het was me een genoegen. En Jack had zo'n goed artikel geschreven. Dat wordt echt een topzware veiling in september.'
'Ik hoop het maar, Carlton. En ook bedankt dat je alle doeken zo snel hebt onderzocht.'
'Ik wilde dat je de informatie zo snel mogelijk had. Ik spreek je nog.' Hij hing op voor Annette zelfs maar gedag had kunnen zeggen.
Ze belde Laurie meteen op om haar het nieuws te vertellen, toen Jack en ten slotte Malcolm Stevens. Vervolgens ging ze naar Esther in haar kantoortje.
Ze stak haar hoofd om de deur en zei: 'Ben bang dat die Degas een nepper is, Esther. Alweer een vervalsing. Helaas.'
'Verdikkeme!' riep Esther uit. 'Ik hoopte zo dat er nu weer eens eentje echt was.'
Annette hoorde haar privételefoon rinkelen in haar kantoor en liep er snel heen om op te nemen. Ze greep de hoorn en een beetje buiten adem zei ze: 'Hallo?'
'Ben je besodemieterd?' blafte Marius aan het andere eind van de lijn. 'Op dit moment een verhaal over de ontdekking van de drie impressionisten publiceren is wáánzin! Compleet krankzinnig, verdomme!'
Annette schrok zo van zijn woedende toon en zijn gevloek dat ze even niet wist wat ze moest zeggen. Ze haalde diep adem voor ze antwoordde. Met vaste stem zei ze: 'Wat heb jij vanmorgen? Je lijkt wel een dolle stier, zoals je door die hoorn schreeuwt. En het is niet krankzinnig. Het is juist erg redelijk. Het is goede publiciteit vooraf wat de veiling betreft en—'

'Het is godverdomme pas april! En waarom heb je me niet gebeld om te vertellen wat je van plan was, hè? Je vertelt me altijd alles, ik ben je klankbord. Je had het moeten bespreken, gebruik moeten maken van mijn ervaring!'

'Eigenlijk had ik hierbij geen klankbord nodig, Marius,' antwoordde ze ijzig, want ze ergerde zich wild aan zijn agressieve aanval. 'Ik wist dat ik Christopher Delaware ervan moest weerhouden zijn mond voorbij te praten over de vervalsingen, want die neiging heeft hij. Door de ontdekking van de drie impressionisten, waarvan twee zeer waardevol, breed uit te meten, leidde ik zijn aandacht af van die valse doeken. Hij wentelt zich in de aandacht en de publiciteit, hij geniet van elke minuut, en hij zal wel tweemaal nadenken voor hij deze situatie verpest door te vertellen dat er ook vervalsingen in zijn verzameling zitten. Dan zou er meteen twijfel over de drie echte ontstaan.'

'Heb je daar dan de herkomst van?' vroeg Marius streng.

'Natuurlijk heb ik die. Dat heb ik je zaterdag al verteld.'

Hij negeerde die laatste opmerking en riep op luide toon: 'En waarom heb je die Jack Chalmers met je meegenomen? Ook weer zo'n verdomd belachelijke actie van je, net als de rest. En nu heeft hij zijn kans gegrepen en je verraden door alles erover op te schrijven.'

'Eerst beschuldig je mij ervan, en nu Jack weer. Ik heb hem gevráágd erover te schrijven, omdat het precies paste bij mijn plan.'

'En waarom heb je me nooit verteld dat hij is meegegaan naar Kent?' drong hij boos aan, overduidelijk geïrriteerd.

'Was me ontschoten. Ik was zo opgetogen over die echte impressionisten, en trouwens, je belde me zaterdag toen ik al in bed lag en ik viel om van de slaap.'

'Je had me de volgende dag meteen terug kunnen bellen.'

'Nou wordt-ie mooi! Je hebt me zo ongeveer verboden je te storen wanneer je op reis bent. En dat heb ik dus ook nooit gedaan. Nooit. In al die jaren dat we getrouwd zijn. En dan nog, het was niet in me opgekomen dat het zo belangrijk was dat Jack met me meeging.'

'En wat was er dan de reden van, als ik het mag weten?' sneerde hij.

'Omdat hij zijn interview met me wilde afmaken, maar ik

moest onverwacht naar Kent. Christopher is nu eenmaal een belangrijke klant. Ik dacht dat ik het beste twee vliegen in één klap kon slaan. Hij nam onderweg zijn interview af.'

'Ja, ja.' Hij klonk nog steeds kregelig, maar hij schreeuwde niet meer.

Annette zei: 'Wat je er ook van denkt, het is prachtige reclame voor de veiling. Dat verhaal in de *Times* was fantastisch. Vind je niet dat Jack dat mooi opgeschreven heeft?'

'Het was een aardig stuk, meer ook niet.'

'Mijn profiel verschijnt komende zondag,' vervolgde ze koeltjes. 'Ben je dan nog in Spanje?'

'Dat denk ik wel. Maar goed, ik moet hangen. Ik ben laat voor een afspraak.'

'Goed. Tot ziens.' Annette hing op. Klaarblijkelijk had hij weer eens een rothumeur. Plotseling hoopte ze maar dat hij er niet te veel achter zocht, dat Jack zaterdag met haar mee was geweest naar Knowle Court. Vermoedde hij iets? Doe niet zo belachelijk, gaf ze zich op haar kop. Hoe kan hij daar nu van weten? Hij was nu al bijna een week in Barcelona om research voor zijn boek over Picasso te doen.

Een uur later verwelkomde Annette meneer en mevrouw Estrin, die een rondreis door Europa maakten om kunst te bekijken en te kopen. In het verleden had ze al vaker zaken met hen gedaan, en het waren goede klanten van haar geworden. Het waren aardige mensen die een hoop van kunst wisten, en ze vond het erg leuk om met hen aan hun kunstverzameling te werken. Ze waren onlangs van Bethesda naar Palm Beach verhuisd.

Annette ging hun voor naar het zitje naast het lange dressoir, en terwijl ze plaatsnamen zei Melvyn Estrin: 'Gefeliciteerd! Dat was een indrukwekkend artikel, vanmorgen in de *Times*, en ik hoop dat je weer zo'n succesvolle veiling hebt in de herfst.'

'Dat hoop ik ook,' antwoordde Annette en vroeg: 'Kan ik jullie iets aanbieden?' Ze glimlachte naar Suellen, de echtgenote van Melvyn, en voegde eraan toe: 'Koffie, thee, water? Je zegt het maar.'

'Nee, dank je,' antwoordde Suellen in haar melodieuze zuidelijke tongval, en ook haar man sloeg het af.

'Ik zou het leuk vinden als jullie naar de veiling konden komen,' ging Annette verder. 'Al zijn jullie meer geïnteresseerd in contemporaine kunst van de laatste vijftig jaar dan in impressionisten, deze veiling wordt echt uniek. Veel tamtam, grote stukken, en omdat jullie van kunst houden zullen jullie er vast van genieten. Het zal een heel circus worden, dat weet ik zeker.'

'We komen erg graag,' antwoordde Suellen. 'En toevallig hoopte ik dat je ons een paar moderne Engelse impressionisten kon laten zien deze keer. Ik ben me gaan interesseren voor het werk van Dame Laura Knight.' Ze keek haar man aan en vervolgde: 'En Melvyn heeft opeens iets met beelden en sculpturen gekregen.'

'En dan vooral Henry Moore en Barbara Hepworth,' nam Melvyn het over. 'Maar ik begrijp wel dat hun werk maar zelden verkocht wordt.'

'Dat is zo, en het werk van Laura Knight eigenlijk ook,' zei Annette. 'Ze is toevallig nogal populair de laatste tijd, en er is niet veel werk van haar op de markt. Maar ik weet dat een collega van me er toevallig twee in zijn galerie heeft hangen. Ik was toch al van plan daar straks met jullie langs te lopen, dus dat komt mooi uit. Ik ben bang dat ik hier niets heb om te laten zien, omdat ik niet precies wist waarnaar jullie op zoek waren.'

Melvyn knikte. 'Ik zie dat je muren leeg zijn, zoals gewoonlijk. Maar ik dacht dat je wel iets zou hebben opgehangen om ons te verleiden, zoals je vroeger altijd deed.'

Annette lachte. 'Ik heb niets in de kast staan, helaas. Maar Malcolm Stevens heeft behalve die Laura Knight een aantal zeer interessante hedendaagse schilderijen van Lucian Freud en Francis Bacon. Ik heb echter het idee dat jullie liever een paar doeken van Ben Nicholson zouden willen zien, gezien jullie voorkeur voor abstracte kunst. Nicholson is geweldig, als je het mij vraagt.'

'We willen alles wel zien,' zei Suellen, 'omdat we sowieso van kunst genieten. Daarom komen we ook zo graag naar Europa. Onze grootste passie is het bezoeken van galeries, om nieuwe kunstenaars te ontdekken.'

'Laten we dan maar meteen naar Malcolm lopen; zijn galerie ligt op een steenworp afstand,' stelde Annette voor. 'Ik heb hem verteld dat we er rond elven zouden zijn, en hij vindt het fijn jullie te ontmoeten. Hij weet ontzettend veel, en jullie mogen hem beslist.'

Malcolm heette hen opgewekt als altijd hartelijk welkom toen ze tien minuten later zijn Remmington Gallery binnenstapten.

Toen iedereen aan elkaar was voorgesteld, zei Annette tegen Malcolm: 'Melvyn en Suellen zijn erg geïnteresseerd in hedendaagse kunst, zoals ik je laatst vertelde. Maar ze zijn ook avontuurlijk en staan open voor andere kunst. Ze zouden graag je Ben Nicholsons eens zien, maar ook die Laura Knights van je.'

'Fantastisch. Laten we dan maar naar het andere eind van de galerie lopen, naar de zaal waar we contemporaine kunst tentoonstellen,' zei Malcolm. Hij wendde zich tot meneer en mevrouw Estrin en vervolgde: 'Ik denk dat ik jullie meteen maar even voorstel aan mijn assistent, David Loudon, die een expert is in Britse kunstenaars van de afgelopen zeventig jaar, en in Nicholson in het bijzonder. Hij weet ook uitzonderlijk veel van de kunstenaars van de Newlyn School – u weet wel, die in de kunstenaarsgemeenschap in Cornwall woonden en schilderden – zoals Lamorna Birch, Alfred Munnings en natuurlijk Dame Laura Knight.'

'Dan zouden we graag een praatje met hem maken,' zei Melvyn.

Malcolm wandelde verder met de twee Amerikanen en vertelde honderduit over diverse andere kunstenaars. Hij mocht ze meteen en genoot overduidelijk van hun gezelschap, en dat was wederzijds.

Annette slenterde achter hen aan, terwijl ze de berichten op haar mobieltje nakeek en piekerde over Marius. Ze kreeg hem maar niet uit haar gedachten. Ze maakte zich nog steeds kwaad over die agressieve manier van doen tijdens het laatste telefoongesprek, en de houding die hij aannam over het feit dat Jack met haar mee was gegaan naar Kent zat haar al helemaal niet lekker. Ze voelde de paniek weer opkomen, maar wist die te beteugelen. Het was onmogelijk dat hij ook maar iets wist van haar affaire met Jack. Niemand was ervan op de hoogte. En zo wilde ze het ook houden. Zoals Jack zei hadden ze een uitstekende dekmantel omdat hij immers artikelen over haar schreef.

Ze haalde diep adem en haastte zich vooruit om Malcolm en de Estrins in te halen. Melvyn, een succesvol zakenman en producer op Broadway, was net zo knap als charmant en Suellen, die vroeger topmodel was geweest, was een schat van een mens. Ze was lang en elegant, had blauwgroene ogen en kastanjebruin haar en ze deed Annette altijd een beetje aan Laurie denken.

Nu ze aan haar zuster dacht, schoot haar te binnen dat ze haar nog moest terugbellen. Ze drukte de sneltoets in en zei toen Laurie opnam: 'Sorry, lieverd, ik werd opgehouden. Ik ben bij Malcolm met dat Amerikaanse stel dat je vorig jaar hebt ontmoet. Melvyn en Suellen Estrin.'

'O ja, die aardige mensen. Ik dacht al dat je werd opgehouden. Zonde dat die Degas ook al vals was, maar ach, je hebt toch een topcollectie. Die impressionisten waren prachtig toen ik ze bij Carlton zag, vooral dat stel van Louveciennes. Dat levert vast miljoenen op.'

'Dacht ik ook. Hoeveel schat je, Laurie?'

'Misschien dertig of veertig miljoen per stuk.'

'Dan zitten we op één lijn. Ze zijn zeldzaam en het is mazzel dat we ze allebei hebben gevonden. Zo'n verhaal dat er aan vastzit verhoogt de waarde altijd.'

'Ben ik met je eens.'

'Zeg, ik ga Malcolm maar eens bijstaan. Hij laat de Estrins de zaal voor contemporaine kunst zien en stelt ze voor aan David. Maar ik spreek je later nog wel.'

'Ja, vanavond natuurlijk. Dat was je toch niet vergeten?' vroeg Laurie snel, vlak voor Annette afbrak.

'Vanavond? Hadden we dan afgesproken? O, god, dat is waar ook! Malcolm zou ons meenemen naar The Ivy. Sorry, joh, het was me totaal ontschoten...'

Het was even stil tot Laurie vroeg: 'Annette, ben je er nog?'

'Ja, ik dacht even na. Ik zou eigenlijk bij Jack eten vanavond. Om te vieren dat zijn stuk vandaag in de krant stond. Maar dat zeg ik wel af.'

'Nee, doe dat nou niet. Dat is zo onaardig. Neem hem dan mee. Ik wil hem graag wat beter leren kennen; ik heb hem alleen aan het andere eind van Harry's Bar gezien en hem aan de telefoon gehad. Ik wil hem nu wel eens in het echt ontmoeten. Malcolm heeft een tafel gereserveerd voor half-acht. Zie ik je daar wel. Dag!'

'Oké,' zei Annette en ze drukte op 'afsluiten'. Ogenblikkelijk vroeg ze zich af of ze geen vreselijke vergissing had begaan. Jacks gevoelens voor haar stonden dag en nacht op zijn gezicht te lezen, ze zou hem dus moeten waarschuwen om zich zo goed mogelijk in te houden, anders zouden Malcolm en Laurie onmiddellijk doorhebben dat er iets tussen hen beiden speelde.

36

Laurie en Malcolm luisterden aandachtig toen ze hun vertelde over het telefoongesprek dat ze die ochtend met Marius had gevoerd. Toen ze klaar was voegde ze eraan toe: 'En daarom heb ik Jack gevraagd pas om acht uur te komen, ik wilde even met jullie praten voor hij er was.'

Malcolm schudde het hoofd en zuchtte diep. 'Je weet heel goed dat Marius al driftig wordt als een man alleen een vluchtige blik op je werpt. Hij is stinkend jaloers, Annette, en dat is hij altijd geweest. Wat jou betreft in elk geval.'

'Marius is echt obsessief met je bezig,' viel Laurie in. 'Denk maar eens aan wat hij zei over Christopher Delaware. Hij bleef volhouden dat hij smoorverliefd op je was.'

Annette staarde haar zus aan en trok een wenkbrauw op. 'Jij plaagde me ook met Chris, vergeet dat niet. Van verliefdheid was geen sprake. Zeker nu we weten waar hij wel stapelgek op is. Hij en James Pollard zijn trouwens onafscheidelijk, en ik ben daar allang blij over. Omdat Chris een solide, volwassen partner in zijn leven nodig heeft, iemand die hem kan adviseren en kan leiden. Maar om terug te komen op Marius, hij had totaal geen reden om zo woedend te worden en slaat de plank volkomen mis als hij zegt dat ik mijn verhaal te vroeg bekend heb gemaakt. Het was precies het juiste tijdstip.'

'Dat vind ik ook.' Malcolm nipte van zijn rode wijn, terwijl een peinzende uitdrukking over zijn gezicht gleed. Na een poosje keek hij Annette veelbetekenend aan en zei: 'Marius ontstak in woede omdat Jack Chalmers met jou op stap was. Dat was de reden dat hij je belde.'

'Maar wat een onzin!' riep Annette hoofdschuddend. 'Hij heeft Jack nota bene zelf uitgekozen. Hij dwong me in te gaan op die verzoeken tot een interview en Jack te laten weten dat hij de gelukkige was. Ik had weinig zin om dikke maatjes met de pers te worden.'

'En is dat nog steeds zo?' vroeg Malcolm, die haar licht fronsend bleef aankijken.

Annette was veel te slim om in de val te lopen en zei op neutrale toon: 'Nou, natuurlijk ben ik geen dikke maatjes geworden met Jack, als je dat wilt insinueren. Ik mag hem wel natuurlijk, hij is best aardig. Maar we moeten nog zien hoe aardig hij in werkelijkheid is en of ik hem nog steeds mag, als dat profiel van mij zondag in de krant staat.'

Ze zakte naar achteren in haar stoel, hief haar glas mineraalwater en keek Malcolm onbewogen aan. Ook bloosde ze niet en het was bekend dat ze die neiging al snel had.

'Ik denk dat je maar niet te veel aandacht aan die uitbarsting van Marius moet schenken. Hij werkt natuurlijk keihard aan dat onderzoek, hij mist je en voelt zich vast alleen,' merkte Laurie op en ze kneep Annette even in haar arm.

'Misschien wel,' gaf Annette toe.

Malcolm zei: 'Ik sta helemaal achter je, Annette, dat weet je, maar ik denk dat je wel wat voorzichtiger moet zijn; let een beetje op.'

'Ik weet dat je me altijd steunt, Malcolm, en daar ben ik je dankbaar voor. Maar waarom zou ik in hemelsnaam voorzichtig moeten zijn?'

'Ik heb wat praatjes opgevangen, wilde geruchten.'

'Over mij?' zei ze verbluft.

Malcolm knikte. 'En over Jack. Iemand vertelde me gisteren dat jij met je vriendje naar Kent was gegaan, en dat jullie samen verloren gewaande impressionisten hadden opgegraven die miljoenen waard zijn.'

'Mijn god, wat mensen al niet kunnen verzinnen!' zei Laurie een beetje boos. 'En hoe wist die persoon dat Jack met mijn zus naar Knowle Court was geweest?'

'Ik heb geen flauw idee, maar iemand zei het tegen een ander en zo kwam het in de wereld. Bovendien heeft Fenella Anderson me verteld dat ze jou in Le Caprice zag lunchen met een zeer appetijtelijke man, en dat jullie tweetjes haast niet van elkaar af konden blijven!'

'Wat een nonsens!' riep Annette uit en dat was waar. Zij en Jack waren heel discreet geweest toen ze lunchten in het populaire restaurant bij het Ritz. Ze had erop gestaan, en hij had toegegeven, net zoals hij beloofd had zich ook vanavond in te houden. 'Nog geen knipoog in mijn richting,' had ze hem gewaarschuwd en hij had plechtig beloofd om zich keurig te gedragen.

Laurie boog zich naar Malcolm en vroeg: 'Is het ook maar enigszins mogelijk dat Marius die wilde geruchten gehoord zou kunnen hebben?'

'Maar hij zit in Barcelona,' zei Annette zacht en ze keek Laurie doordringend aan.

'Het lijkt me sterk dat hij er iets van heeft opgevangen,' zei Malcolm. 'Maar zeker weten doe je het nooit.' Hij wendde zich tot Annette, nam haar hand en zei zacht: 'Maar denk eraan: doe voorzichtig.'

'Er is helemaal niets tussen ons,' protesteerde ze.

'Ik geloof je wel, maar soms worden dingen verkeerd geïnterpreteerd, en heel vaak worden dingen buiten proportie opgeblazen.'

'Ah, daar is Jack!' riep Laurie uit en ze keek hem stralend aan terwijl hij hun tafel naderde.

Malcolm stond meteen op en schudde Jacks uitgestoken hand; nadat Jack iedereen begroet had, gingen de mannen naast elkaar zitten. Jack zat tegenover Annette en zei met een glimlach: 'Ik hoop dat je een geslaagde dag hebt gehad met je Amerikaanse klanten.'

'Dat was het zeker, dank je,' antwoordde ze. 'Ze vonden je verhaal in de krant geweldig en zodoende hebben ze besloten om in september naar de veiling te komen.'

Malcolm verklaarde: 'Volgens mij kwam Jacks artikel dan ook precies op het juiste moment. Je hebt nog ongeveer vier maanden, Annette, waarin je de veiling moet promoten. Dat is zelfs minder dan je had voor de Rembrandt.' Hij gebaarde naar de ober die zich in de buurt bezig had gehouden en hij vroeg aan Jack: 'Wat wil je drinken?'

'Doe mij ook maar een glas rode wijn, net als jij. Dank je, Malcolm.'

Toen de bestelling was geplaatst, zei Laurie: 'Ik sta te popelen om Annettes profiel te lezen. Ik ben een groot fan van je, hoor Jack.'

Hij glimlachte warm naar haar en bedacht dat ze in het echt nog mooier en charmanter was dan op de foto. Toen hij opeens merkte dat hij naar haar zat te staren, zei hij snel: 'Ik was helemaal weg van die danseres van Degas en ik had nooit gedacht dat het een nepschilderij was. Om je een indruk te geven van wat ik van kunst af weet.'

'Ik denk dat een boel mensen beetgenomen zouden worden,' zei Laurie tegen hem. 'Het gemiddelde publiek verwacht gewoon niet dat een schilderij ook wel eens een vervalsing kan zijn. Zo argwanend is haast niemand.'

'Daar ben ik inmiddels achter.' Jack richtte zich weer tot Malcolm. 'Annette heeft me alles verteld over een aantal vervalsers, de grote namen uit die wereld dan, en ik heb een idee voor een artikel over vervalsing en vervalsers, hoe dat in zijn werk gaat, en dan met name over Elmyr de Hory en de John Drewe/John Myatt-samenwerking. Ze suggereerde dat jij me zou kunnen helpen.'

'Ik wil het wel proberen,' antwoordde Malcolm. 'Ik ken een paar mensen die ooit opgelicht zijn.'

Jacks rode wijn werd gebracht en hij hief zijn glas om een toost uit te brengen op Laurie en Malcolm. 'Op jullie twee. Gefeliciteerd met jullie verloving. En ook op jou Annette, en je volgende veiling. Dat het de grootste klapper uit de geschiedenis mag worden.'

Het diner verliep, zeer tot Annettes opluchting, zonder problemen. Malcolm en Jack gingen meteen op het onderwerp door, en spraken lang over vervalste schilderijen, vervalsers en misdaad in de kunstwereld. Hij was er zeer happig op om er een stuk over te schrijven. Zij en Laurie onderbraken hen af en toe, vooral om uit te leggen hoe het John Drewe gelukt was door te dringen tot de archieven van het Tate-museum. Dat was zo'n sterk staaltje dat men het lang niet had kunnen geloven.

Toen de mannen van onderwerp veranderden en hun mening

over voetbal, voetballers en hun uitzonderlijke streken met dames buiten het voetbalveld te berde brachten, bogen Laurie en Annette zich over het naderende huwelijk. Van de genodigden voor de receptie gingen ze over op de mogelijke trouwjurken en welke kerken Laurie in haar hoofd had, en vervolgens kwamen ze op de datum. De eerste zaterdag van juli leek hun wel het beste.

Bij het hoofdgerecht kletsten ze met z'n vieren. Annette merkte dat Jack zich interesseerde voor onderwerpen waar ook hun voorkeur naar uitging, en dit deed haar genoegen. Ze genoten ook weer van Jacks gevoel voor humor. Zonder een greintje eerbied nam hij op grappige wijze beroemdheden op de hak, of het nu filmsterren of politici waren. Hij bracht hen het hele diner lang steeds weer aan het lachen.

Tegen het eind van de avond zei Jack plotseling: 'Ik kan je wel een lift geven, Annette, er staat een auto op me te wachten. En jullie jongens? Ik kan jullie ook wel afzetten.'

'Bedankt, Jack,' zei Malcolm, 'maar ik heb een auto met chauffeur vanavond, aangezien je de auto hier nergens kwijt kunt.'

Eenmaal buiten pakte Jack zijn mobieltje en riep zijn chauffeur op; Annette wenste Malcolm en Laurie goedenacht en bedankte hen. Ze omhelsde haar zuster en Jack deed hetzelfde. Hij beloofde Malcolm te bellen voor een lunchafspraak en hielp Annette de auto in toen die voorreed.

Wegrijdend van The Ivy nam Jack haar hand in de zijne en zei: 'Ik moet met je praten. Zullen we ergens wat gaan drinken? Wat dacht je van Annabel's? Het Dorchester?'

Annette aarzelde en schudde haar hoofd. 'Ik denk dat we beter ergens heen kunnen gaan waar niemand ons ziet.'

Jack staarde haar strak aan in het gedempte licht van de auto, maar gaf geen commentaar. Hij gaf de chauffeur het adres van Primrose Hill en kroop tegen haar aan. Rustig vroeg hij: 'Is er iets?'

Zachtjes vertelde ze hem wat Malcolm had gehoord, over de geruchten dat zij haar vriendje mee had genomen naar Knowle Court, en het verslag van hun zogenaamde geknuffel in Le Caprice.

Jack was verbijsterd. 'Maar we zijn juist zo keurig gebleven! Niet alleen in Knowle Court, maar zeker in dat restaurant.

God, wat zijn mensen toch vreselijk: ze verzinnen wat, borduren erop voort en sturen dan de roddels de wereld in.'
'Ja, het is erg. Maar toch denk ik dat we er beter aan doen om Malcolms advies ter harte te nemen en nog voorzichtiger te zijn.'
'Hij weet het toch niet van ons?'
'Natuurlijk niet, en Laurie ook niet. Niemand weet het eigenlijk, Jack. Die mensen die met Malcolm praatten, het gerucht doorgaven, veronderstellen maar wat. Het zijn gewoon wilde geruchten.'
'Kan het niet dat Christopher iemand verteld heeft dat ik ben meegekomen naar zijn huis?'
'Nou, dat denk ik niet, al is het een kletsmajoor. Dat zou hij niet doen. Bovendien was hij het die voorstelde dat je meekwam naar Kent; hij stond er gewoon op. Ik heb geen idee wie die verhalen de wereld in stuurt. Maar waarom zouden we risico's nemen?'
'Je hebt gelijk.'
'Waar wilde je het over hebben? Je klonk behoorlijk ernstig.'
'Een aantal zaken, maar laten we maar wachten tot we bij mij thuis zijn.'
Annette kroop dicht tegen hem aan en mompelde: 'Het was een heel goed stuk vandaag in de krant, Jack, goed geschreven en intrigerend, dus fantastische reclame voor de veiling. Nogmaals heel erg bedankt.'
'Graag gedaan.' Hij nam haar gezicht in zijn handen en kuste haar heel zacht op de mond, en de rest van de rit zwegen ze, met de handen ineen, ieder verzonken in eigen gedachten. Toen ze bij zijn flat op Primrose Hill aankwamen, vroeg Jack de chauffeur te wachten en leidde haar naar het gebouw. 'Is dat niet een beetje overdreven?' vroeg Annette en ze keek hem verbaasd aan. 'De auto hier laten wachten?'
'Maakt niet uit. Ik weet dat je hier niet blijft slapen, en ik moet zorgen dat je veilig thuiskomt. Soms is er geen taxi te krijgen in deze buurt.'
Eenmaal in zijn flat nam Jack haar in zijn armen en ze kusten elkaar hartstochtelijk. Toen ze elkaar na een poosje weer loslieten, zei hij zuchtend: 'Dat was wel bikkelen zeg, om de hele avond zo fatsoenlijk te blijven. Maar jij speelde het knap, je had de juiste toon te pakken.'

Annette glimlachte flauwtjes. 'Ik vond dat we allebei vrij goed toneel kunnen spelen, niet? We hebben onze roeping gemist.'
Jack lachte en nam haar mee naar de woonkamer. 'Kom eens even zitten, Annette. Aan de andere kant heb ik mijn werkplek.' Ze ging op de bank zitten terwijl hij naar het dranktafeltje liep en vroeg: 'Lust je nog een glaasje wijn? Of iets anders?'
'Nee, nu even niet, dank je.'
Jack schonk voor zichzelf een bodempje cognac in en ging bij haar op de bank zitten. Hij ging meteen van start: 'Ik ben bang dat ik dit weekend weg moet, en ik zou het zo fijn vinden als je met me meegaat.'
Verbluft keek Annette hem aan. 'Jack, je weet best dat we nergens samen heen kunnen. Ik zou zelfs niet met je naar Clapham Common kunnen gaan, als ik niet 's nachts thuis zou zijn. Trouwens, waar moet je zo op stel en sprong heen?'
'Ik moet naar Beaulieu. Vanmiddag om vier uur werd ik gebeld en ik hoorde dat Amaury, mijn huisbewaarder, een flinke val van de keldertrap in mijn villa heeft gemaakt. Hij heeft zijn linkerarm en -been gebroken. Hortense, zijn vrouw, is helemaal over d'r toeren en ik vind dat ik er even heen moet om orde op zaken te stellen. Ik moet iemand zoeken die zijn werk kan doen tot hij weer beter is. En voor Hortense moet ik een meisje erbij nemen die haar kan helpen met haar werk.'
Jack nam een slok van zijn cognac en vervolgde: 'Ik dacht dat het wel leuk zou zijn als we er samen heen gingen, dan kun je meteen eens zien waar ik woon.'
'Jack, dat is echt onmogelijk.' Ze haalde diep adem en zei: 'Marius was laaiend vanmorgen aan de telefoon.'
Hij keek haar fronsend aan en vroeg: 'Waarover dan?'
Annette vertelde alles over zijn kritiek, zijn onaangename houding en hoe hij haar uitgefoeterd had.
Jack leunde achterover en sloot een paar seconden peinzend zijn ogen. Toen ging hij rechtop zitten, draaide zich naar haar toe en klemde haar handen in de zijne. 'Je moet bij hem weg. Hoe eerder hoe beter. Ik wil dat je bij me intrekt totdat de scheiding rond is en dan wil ik met je trouwen, Annette.'
'O Jack, dat is echt uitgesloten.'
'Maar ik hou van je, en jij houdt van mij. Dat is toch zo?'
Toen ze bleef zwijgen, zei hij: 'Je weet best dat je van me

houdt, zeg het dan. Alsjeblieft, Annette...' Hij zag er opeens aangeslagen en nerveus uit en de spanning klonk door in zijn stem.

'Ja, ik ben verliefd op je, Jack. Ik ben nooit eerder zo verliefd op iemand geweest...' Ze stopte. Tranen glinsterden in haar helblauwe ogen.

'Niet eens op Marius? Toen je trouwde?'

'Ik hield van hem, dat is waar. En ik ging nog meer van hem houden toen hij goed voor me zorgde, en me koesterde. En ik hou nu nog van hem. Maar verliefd op hem ben ik nooit geweest, niet op deze manier. Dat was ik nooit eerder, en dat is echt waar.'

'En die man dan? Die man die je toen je nog jong was dat romantische uitje in La Réserve bezorgde? Was je op hem niet verliefd?'

'Ik dweepte met hem, ik aanbad hem, het duizelde me, maar nu ik terugkijk, geloof ik niet dat ik verliefd op hem was. Maar oké, toen dacht ik dat wel. We hadden maar zo kort een verhouding, het was opeens voorbij...'

Jack trok haar tegen zich aan, en keek haar diep in de ogen. 'Onze gevoelens voor elkaar zijn zo overweldigend, zo puur, lieve Annette, en ik wil echt de rest van mijn leven met jou doorbrengen. Ik zeg je eerlijk dat ik al twee keer verloofd ben geweest, maar het ook steeds weer heb uitgemaakt. Omdat ik wist dat ik niet verliefd was, net zoals ik niet verliefd was op Lucy, en dat heb ik haar ook gezegd. Ik heb haar onlangs gebeld. Maar ik weet zeker dat ik stapelverliefd op jou ben, en dat zal ik de rest van mijn leven blijven. Jij bént mijn leven tegenwoordig.'

'O Jack, lieve schat... Hij zal me nooit toestaan te scheiden, en–'

'Dat kan me niet schelen,' onderbrak hij haar snel. 'We kunnen toch samenwonen. Dat boterbriefje hebben we niet nodig om onze liefde echt te maken. Die formaliteit is niet meer zo belangrijk als vroeger. Mensen gaan samenwonen, krijgen kinderen, vormen een gezin zonder dat stuk papier ooit te missen. Waarom zouden wij dat niet doen?'

'Ik ben veel te oud voor je, Jack. In juni word ik veertig, en je zult toch ooit kinderen willen.'

'Je bent niet te oud! En als we geen kinderen kunnen krijgen, dan maar niet. Ik wil jou, geen kinderen die ik toch niet ken. Vraag hem om een scheiding zodra hij terug is uit Barcelona. Meteen. Geen moment te verliezen.'

'Jack, geloof me nou; hij zal me nooit laten gaan. Hij zal alleen maar wraakzuchtig worden, en mij en jou een hoop ellende bezorgen.' De tranen begonnen weer te stromen, ze biggelden over haar wangen.

'O lieveling, niet huilen, toe, huil nou niet,' zei Jack teder, en veegde haar tranen weg met zijn vingertoppen. 'We kunnen bij elkaar blijven, heus, ik zweer het je. Ik hou zo ontzettend van je, mijn leven is geen cent meer waard zonder jou… Ik weet ook wel dat het melodramatisch klinkt, maar ik meen het. Onze zielen zijn met elkaar verbonden, we horen bij elkaar. Op elk vlak passen we bij elkaar. Ik hou zo zielsveel van je.'

Annette keek hem in de ogen en ze zag dat hij elk woord ervan meende. Maar ze wist ook dat Marius jacht op hen zou maken zolang hij leefde. Wat hij haar aan zou doen kon haar niet schelen, maar ze moest er niet aan denken dat hij Jack zou vervolgen en het hem betaald zou zetten. 'O lieverd, ik hou net zoveel van jou. Maar het kan nooit wat worden.'

'O jawel, dat kan het wel.' Hij stopte zijn hand in zijn zak en haalde er een klein, nogal versleten roodleren doosje uit, dat hij aan haar gaf. 'Dit is voor jou.'

Ze maakte het open en hapte naar adem toen ze de ring met de diamant zag, die lag ingebed in zwart fluweel. 'Jack, dat kan ik niet aannemen! Ik kan me niet met je verloven, en dat weet je best. Maar ik ben er wel helemaal ondersteboven van, en ik bedank je uit de grond van mijn hart dat je me dit aanbiedt…'

Jack pakte het doosje, haalde de ring eruit, nam haar rechterhand en liet de ring om haar middelvinger glijden. 'Zo. Klaar. Er komt een dag dat je hem om je ringvinger draagt.'

'Ik kan dit niet aannemen, Jack en ik–'

'Het is geen verlovingsring,' onderbrak hij haar op een toon die geen tegenspraak duldde. 'Het is voorlopig een vriendschapsring. Hij was van mijn moeder en ik heb hem nooit aan een andere vrouw aangeboden. Nooit. Mijn biologische vader gaf hem aan mijn moeder, en toen zij met Peter trouwde heeft ze hem afgedaan en hem opgeborgen. Later gaf ze hem aan mij en ze zei: "Hij werd uit ware liefde aan mij geschonken, Jack, en jij moet hem alleen aan de vrouw geven van wie je werkelijk houdt." En dat ben jij, mijn liefste.'

Annette was ontdaan en tot tranen geroerd. Ze wilde geen ruzie maken over de ring, of hem dwingen hem terug te nemen. Niet op dit beladen moment. Ze zou hem verbergen en hem teruggeven wanneer hij in staat was hem kalm weer bij zich te steken.

'Kijk toch hoe mooi hij je staat,' zei Jack zacht en hij glimlachte. Hij boog zich naar haar toe en kuste haar hartstochtelijk en enige tijd later zei hij, zijn hoofd verborgen in haar hals: 'Kom, laten we een bed opzoeken om onze overeenkomst te bezegelen.'

De drie dagen daarop waren ze onafscheidelijk en leefden ze in wat Annette haar 'zeepbel van liefde' noemde.

Op donderdag- en vrijdagochtend ging Annette even naar kantoor, deed het hoogstnoodzakelijke en vertrok weer tegen elven. Ze zei tegen Esther dat ze ging shoppen, ze zou op zoek gaan naar een jurk voor zichzelf die ze op Lauries huwelijk wilde dragen, en een uitzet voor Laurie. Haar zusje wilde graag een passende collectie zwangerschapskleding meenemen op huwelijksreis naar Italië.

Of Esther dat nu geloofde of niet, daar kwam Annette niet achter. Haar assistente leek erin mee te gaan; als er iets dringends was, zou ze Annettes mobiele nummer bellen.

Zodra ze het kantoor uit was, hield ze een taxi aan en reed spoorslags terug naar Jacks flat op Primrose Hill, waar ze kletsten, vreeën, aten, doezelden en weer vreeën.

Tweemaal gingen ze even naar zijn vaders huis in Hampstead, om te kijken of alles nog in orde was. En onvermijdelijk moest daarbij ook zijn jongenskamer geïnspecteerd worden, vooral het bed, waarop ze vurig de liefde bedreven, want ze werden steeds gekker op elkaar.

Er waren ook stille momenten, en wanneer ze dan rustig tegen elkaar aan lagen, dacht Annette vaak over zichzelf na. Hoe kon het dat zij, die nooit veel om seks had gegeven, niet genoeg van Jack kon krijgen, onverzadigbaar was geworden, in vervoering door hem werd gebracht en in de wolken was van haar lustgevoelens en de ontdekking dat ze een sensueel wezen was.

Hij zat onder haar huid, had haar compleet in bezit genomen – haar lichaam, haar hart, haar ziel en haar geest. Ze behoorde hem toe. En ze wist dat dat nooit zou veranderen. Er waren momenten waarop ze over hem nadacht en zich herinnerde wat hij had gezegd over de macht van seks, en hoe mensen erdoor konden veranderen. Hij had gelijk. Ze was een ander mens geworden. Door hem.

Plotseling was het zondag en was hij weg. En op het moment dat hij in het vliegtuig stapte om orde op zaken te stellen bij Amaury en Hortense, las zij het profiel dat hij van haar had geschreven in de *Sunday Times* en ze glimlachte in zichzelf. Hij had vooral over haar huidige leven geschreven, en ging nauwelijks in op haar jeugd en het beetje dat hij van haar verleden wist. Het draaide allemaal om de verkoop van de Rembrandt... en haar intelligentie, haar slimme aanpak, haar onvoorstelbare geheugen, haar vaardigheden, haar buitengewone kennis van kunstgeschiedenis. Maar ze kwam ook als een echt mens naar voren, zorgzaam en warm. En mooi. Het was op een bepaalde manier een liefdesbrief aan haar. En ze accepteerde hem ook zo, want ze was er dolblij mee. Later die ochtend belden Malcolm en Laurie haar op, maar ook Margaret Mellor, en Christopher en Jim. Iedereen was het erover eens: Jack had een schitterend portret van haar geschreven en ze mocht zich wel gelukkig prijzen, want het was fantastische publiciteit.

Maar tegelijkertijd was ze minder gelukkig met het feit dat ze hem nu al miste. Jack Chalmers. Haar minnaar. De man van wie ze hield. Nu begreep ze pas goed dat ze met hem moest breken. Als ze Jack niet verliet, maar in plaats daarvan Marius zou verlaten, zou het haar schuld zijn dat Jacks leven tot een hel werd gemaakt. Ze was ervan overtuigd dat Marius op een vreselijke manier wraak op hem zou nemen. En op haar. Hij zou haar ongetwijfeld zo snel mogelijk overleveren aan de politie, waar een cold case heropend zou worden. En dan zou ze waarschijnlijk de rest van haar leven in de gevangenis moeten slijten.

37

'Met mij is niets aan de hand, monsieur Jacques. Daar had u niet voor terug hoeven komen, ik red me wel,' riep Hortense, nadat Jack haar weer losliet uit zijn omhelzing. 'En volgende week komt mijn nichtje Albane uit Marseilles me in de huishouding helpen.'

Ze stonden midden in de hal van de Villa Saint-Honoré, waar hij net twee kleine tassen had neergezet. 'Dat is mooi. Je bent vast druk genoeg met de verpleging van Amaury, dus dan kan je het huis prima aan haar overlaten.'

'Met Amaury gaat het vandaag een beetje beter. Gisteren niet. Maar dat zal de schok wel zijn geweest.'

Hortense en Jack wandelden de keuken en de bijkeuken door naar het appartementje tegenover de moestuin. Hier woonden Hortense en Amaury al zo'n veertig jaar.

Toen ze de woonkamer binnenkwamen, gleed er een brede glimlach over Amaury's getaande gelaat en terwijl Jack op hem afstapte zei hij vrolijk: 'Het spijt me, monsieur Jacques, maar opstaan kan ik niet.'

'En dat laat je ook maar uit je hoofd,' antwoordde Jack vriendelijk en hij boog zich naar de oude man die op de bank zat. Hij schudde hem de hand en klopte hem op zijn schouder. 'Wat vervelend dat dit nu gebeurd is. Ik hoop dat je niet al te veel pijn hebt?'

'Niet zo erg. Wel lastig om rond te scharrelen.' Spijtig keek hij naar zijn arm en naar zijn been, beide in gips, de arm bovendien in verband en mitella. Hij trok een lelijk gezicht. 'Zo stom ook, monsieur Jacques. Ik had haast. Nergens voor nodig. Het spijt me vreselijk.'

'Het was een ongelukje, Amaury, kan iedereen overkomen. En de trap van de kelder is nogal steil. Met een paar weken ben je weer de oude.'

'Maar de tuin... Wie gaat hem bijhouden, monsieur? Ik maak me zorgen.'

'Zorg jij nu maar voor jezelf, dan ben je snel weer beter, Amaury. Ik bel mijn oude vriendin madame Claudine Villiers. Ik weet zeker dat ze me kan helpen. Ze kent iedereen in de wijde omtrek. Misschien kan zij iemand aanbevelen.'

'Oui, monsieur. Merci.'

Terug in de hal van de hoofdingang, pakte Jack zijn laptop-tas en zijn weekendtas en ging met sprongen de trap op. In zijn werkkamer zette hij de laptop op het bureau en de tas op de grond en keek rond. Alles stond op zijn plaats, precies zoals hij het graag had.

De ramen stonden open en de geur van bloemen zweefde op de lichte bries naar binnen. Het was een schitterende dag, zonnig en zonder een wolkje aan de blauwe hemel. Hij wou dat Annette hier bij hem was. Hij had haar vandaag al twee-maal gesproken. Eén keer vanuit Heathrow, later toen hij in Nice geland was. Hij was blij dat ze het stuk dat hij over haar geschreven had prachtig vond, maar eerlijk gezegd ver-raste hem dat niet.

Hij deed zijn jasje uit, hing het over de leuning van de stoel, ging aan zijn bureau zitten en belde Claudine. Hij kreeg het antwoordapparaat en hij sprak een bericht in: of ze hem zo snel mogelijk wilde terugbellen, omdat het dringend was.

Enkele minuten later ging de vaste telefoon over en hij nam hem direct op. 'Hallo?'

'Hallo, Jack. Met Claudine. Je had gebeld?'

'Claudine, hallo! Ja, klopt. Ik heb een probleempje hier en ik vroeg me af of jij me zou kunnen helpen.'

'Ligt eraan. Wat is het?' vroeg Claudine.

Hij vertelde haar van Amaury's val van de keldertrap, zijn gebroken botten, en hij vroeg haar of ze een tuinman kende die een paar maanden de tuin van de villa kon onderhouden. Ze beloofde over een uurtje terug te bellen.

Jack bleef aan zijn bureau zitten, een beetje moedeloos zo zonder Annette. Die lange uren die hij de afgelopen dagen met haar had doorgebracht hadden hem verwend gemaakt. Hij wilde dat ze bij hem was, nu en voor altijd. Hij zuchtte. Hij wist donders goed dat het niet makkelijk zou worden, zeker wanneer Marius weer terug was in Londen. *Marius Remmington.* Hij had wel gemerkt dat Annette bang voor hem was, en hij begreep niet waarom. Die echtgenoot van haar manipuleerde bij het leven en wilde overal de baas over zijn, dat wist hij van de geruchten die de ronde deden, maar er scheen nog iets speciaals te zijn dat haar zoveel angst aanjaagde. Ze bleef herhalen dat Marius haar nooit zou laten gaan, nooit van haar zou scheiden. Maar ze kon hem toch gewoon verlaten?

Hij piekerde er nog een tijd over door. Eigenlijk was die vent net zo mysterieus als Annette zelf. Want ze deed vreselijk haar best om zo min mogelijk te onthullen over haar verleden. Wat zou zij nou te verbergen kunnen hebben? Dat kon toch niets bijzonders zijn.

Binnen het uur belde Claudine hem terug. 'Ik heb een tuinman voor je gevonden, Jack. Hij heet Antoine. Zal ik hem vragen om morgen rond drie uur bij je langs te komen?'

'Absoluut, die tijd komt me prima uit.'

'En heb je zin om dinsdag bij me te komen eten?'

'Nou, heel graag, Claudine. Trouwens, hoe is het met Lucy?'

'Ze is op reis, Jack. In Italië, voor zaken. Dan zie ik je dinsdag.'

Even later stak Hortense haar hoofd om de deurpost en zei: 'Ah, daar bent u, monsieur Jacques. Wilt u nu lunchen of later?'

'Nu graag. Merci, Hortense,' zei hij zacht en liep de trap af naar het terras waar een tafeltje stond, gedekt voor één persoon.

De dag verstreek en Annette had hem nog steeds niet teruggebeld. Dat zat hem dwars, maar hij besloot te wachten voor hij haar laat in de avond weer zou proberen te bereiken.

Ze bespaarde hem de moeite. Tot zijn grote genoegen belde ze rond negen uur vanuit Londen, tien uur op zijn horloge. 'Het spijt me zo dat ik je niet eerder kon bellen, Jack,' zei ze met gedempte stem. 'Maar ik ging uit eten met Laurie en Malcolm, en ik ben net pas thuis. Ze vonden het een meesterlijk profiel.'

'Dank je, schat. Luister, ik ben waarschijnlijk eerder thuis dan ik dacht.' Hij vertelde haar hoe het met Amaury's letsel was, de komst van Hortenses nicht en dat het Claudine was gelukt een tuinman te vinden. Hij voegde eraan toe: 'Maar ik blijf natuurlijk langer als je toch naar me toe komt.'

'Ik zou wel willen, maar je weet dat het niet kan. En Jack... we moeten zakelijk overkomen,' waarschuwde ze.

'Ik begrijp het,' zei hij en hij besloot het op haar manier te spelen. 'Wanneer komt Marius eigenlijk terug?' vroeg hij vriendelijk, want hij wilde haar niet ergeren.

'Geen idee. Tegen het eind van deze week, neem ik aan. Hij weet nooit hoe lang zijn research gaat duren.'

'Dat begrijp ik. Hoe vond hij het profiel?'

'Hij heeft me vandaag nog niet gebeld.'

Daar keek Jack van op. Het was tenslotte Marius die hem had gekozen voor dit artikel over haar. Hij zei: 'Misschien heeft hij de krant nog niet gezien, hij zit immers in Spanje.'

'Dat zal het zijn.'

Ze kletsten nog even en hij zag ervan af nogmaals te beginnen over het verlaten van Marius. Het zou haar alleen maar irriteren. Nadat hij had opgehangen dacht hij er alleen maar aan hoe opgelucht hij was dat ze gebeld had. Nu kon hij als een gelukkig man gaan slapen.

Maar hij sliep slecht, die nacht. Hij woelde en draaide een paar uur voor hij in slaap viel. En toen hij eindelijk wegdoezelde werd hij geplaagd door vreselijke dromen... ware nachtmerries.

Hij liep over een slagveld dat bedolven was onder de lijken, op zoek naar zijn vader, en terwijl hij zijn naam riep, keerde hij de lichamen om zodat hij de gezichten kon zien. Overal was bloed en dood, maar waar was zijn vader? In welk land was hij eigenlijk? En toen zag hij zijn vader; met een lichaam in zijn armen liep hij Jacks kant op. Jack rende op hem af, struikelend over de lijken, want hij wilde hem helpen. En toen hij bij zijn vader was, zag hij dat zijn gezicht onder het bloed zat en van zijn kin op het meisje droop dat hij in zijn armen hield. Ze was verfomfaaid, bewoog niet en had een bruidsjurk aan. Het wit was vuurrood van haar bloed. Jack huiverde toen hij haar lege ogen zag, haar geknakte hoofd. Ze was dood.

Zijn vader zei met een stem verstikt van tranen dat het Hilda was, zijn lieve vriendin Hilda. Hij was op zoek naar een dokter om haar te helpen. Jack liep mee met zijn vader, hij durfde niet te zeggen dat het te laat was. En al snel vonden ze een verpleegster van het Rode Kruis, die geknield in de bloederige modder zat, haar onberispelijke uniform bespat met slijk en rode vlekken van de doden. Het was tante Helen en ze hield een stethoscoop vast. Ze reikte naar het meisje, haar armen gespreid.

Jack liet hen alleen. Hij begon over de modder te lopen, maar het werd steeds moeilijker. In de verte wuifde zijn moeder naar hem, smeekte hem harder te lopen, maar hij zonk bij elke stap dieper weg in de prut. Het was als stroop, die zijn voeten naar beneden zoog en ze vasthield. Plotseling kon hij niet meer bewegen. Hij hoorde hoe zijn broer Kyle zijn naam riep. Hij schreeuwde terug en zag zijn stiefvader, Peter, met Kyle aan komen lopen en ze grepen hem vast en trokken hem aan zijn armen uit de modder, en redden hem.

Verderop stond een ambulance. De chauffeur wuifde. Gedrieën strompelden ze naar hem toe, voortploeterend door de modder. Alle anderen waren op onverklaarbare wijze verdwenen. Zij drieën waren de enige levenden op een veld vol doden. Toen ze bij de ambulance kwamen stond zijn vader Nigel, zijn biologische vader, op hen te wachten. Hij zei: 'Zoek Hilda Crump. Ze is daar ergens, ze leeft nog.'

Jack ging weer op pad, liet de andere drie achter. In de verte zag hij Annette staan. Ze duwde een rolstoel. Toen hij haar bereikte, zag hij hoe de tranen over haar wangen stroomden. Ze herhaalde keer op keer dat ze Laurie was verloren en dat ze niet wist waar ze was.

Ze liepen samen de weg af. Het vuur werd weer geopend. De bommen ontploften oorverdovend rondom hen. Annette liet de rolstoel los en begon van hem weg te rennen. Hij rende achter haar aan, maar kon haar niet inhalen. 'Annette! Wacht! Annette, wacht op me!' riep hij, maar zijn woorden werden weggeblazen door de wind, en overstemd door geweerschoten...

Het licht van de dageraad, dat voorzichtig binnenstroomde door de houten latjes van de luiken, deed hem ontwaken, en hij schoot overeind. Hij baadde in het zweet.

Jack kwam moeizaam uit bed en trok zijn doorweekte pyjama uit terwijl hij naar de badkamer liep. Hij had zware hoofdpijn, waar hij anders nooit last van had. Hij stapte onder de douche, draaide de kraan open en liet het water wegspoelen over zijn bezwete lichaam. Nadat hij zich had afgedroogd en zijn haar had gekamd, ging hij terug naar zijn slaapkamer. Hij keek op de klok en zag dat het pas zes uur was. Hij trok een short en zijn Marokkaanse slippers aan, en liep de trap af naar de keuken, waar hij een kop koffie voor zichzelf maakte en meenam naar het terras.

De frisse lucht werkte verkoelend en kalmerend. Hij nipte van zijn koffie, herinnerde zich zijn nachtmerrie en huiverde. Hij schudde het hoofd en nam een grote slok koffie in de hoop zijn barstende hoofdpijn te verdrijven.

Hilda Crump.

Hij vroeg zich af wat er in werkelijkheid met haar was gebeurd. De privédetective die hij had ingehuurd had niet het minste spoor van haar kunnen vinden. Ze was blijkbaar in rook opgegaan. *Misschien was ze wel overleden.* Al was daar ook geen bewijs van gevonden. Dus had hij de detective maar gezegd een punt achter de zaak te zetten.

Zijn moeder had gezegd dat het zijn vaders vriendin was, zo kende hij de naam. Dat was het enige wat hij van haar wist. Plus het feit dat zijn moeder eens had laten vallen dat Hilda Crump in de Remmington Art Gallery had gewerkt. Maar dat was blijkbaar toch niet het geval, volgens die detective. In die galerie had niemand ooit van haar gehoord, en ze stond ook niet in de boeken of bij de personeelsgegevens in de computer. Het spoor liep dood.

Ach, nou ja, wat maakte het verder ook uit, dacht Jack en liep terug naar de keuken voor een tweede kop koffie. Terwijl hij inschonk herinnerde hij zichzelf eraan dat hij die Hilda Crump alleen had willen vinden om meer over zijn biologische vader te weten te komen. Ze had hem ongetwijfeld meer over hem kunnen vertellen, belangrijke dingen, meer dan hij wist.

Hij had zo graag willen weten of zijn vader behalve een rokkenjager ook een fatsoenlijke vent was geweest. Maar wat had hij er eigenlijk aan? Zou hij zich beter voelen, als zijn vader toch een goeie kerel was gebleken? Hij wist het niet en opeens kon het hem ook niet meer schelen. Hij, Jack Chalmers, was precies wie hij was en – nu hij erbij stilstond – hij mocht zichzelf eigenlijk wel. Hij had altijd tegenstrijdige gevoelens gehad over de vrouwen met wie hij een relatie had omdat hij niet echt verliefd op ze was. Nu begreep hij dat eindelijk. Hij kon niet verliefd op ze zijn omdat ze niet zoals Annette waren.

Zo simpel lag het. Hij had vriendin na vriendin gehad omdat het nooit ware liefde was geweest. Nu kon hij zichzelf eindelijk nemen zoals hij was, en zichzelf accepteren, omdat hij wist dat hij zichzelf niets hoefde te verwijten. Hij was oprecht, fatsoenlijk, had normen en waarden en was bovenal integer. Dat was genoeg voor hem. Hij had de genen van zijn vader en zijn moeder, maar hij was opgevoed door een goed mens, en Jack wist zeker dat Peter Chalmers zich uitstekend van die taak had gekweten.

En dat was alles wat hij hoefde te weten.

DEEL VIER

Een onverwachte informante

'Kennis is macht.'
Francis Bacon, *Meditationes Sacrae*

'Hoe gruwelijk kan het zijn de waarheid te kennen.'
Sofokles, *Oedipus Rex*

38

Op veel fronten was Jack een gewoontedier, want al was hij maar een paar dagen in Villa Saint-Honoré, hij ging altijd minstens één keer naar La Réserve voor ontbijt, lunch of diner.

Op deze heerlijke zonovergoten dinsdagochtend, de lucht vervuld van de vele geuren van lentebloemen en fris jong groen, begaf hij zich op weg naar het prachtige oude hotel waar hij al sinds zijn prille jeugd kwam.

Met kwieke tred verliet hij om halfnegen de villa; het perfecte tijdstip voor een ontbijtje op het terras van het hotel dat uitzag over de Middellandse Zee.

Hij voelde zich een stuk beter vandaag: hij had goed geslapen en hij had geen nare dromen gehad die nu nog door zijn hoofd spookten. De hoofdpijn die hem gisteren zo geteisterd had was verdwenen en hij voelde zich energiek en klaar om aan te pakken wat op zijn weg kwam.

Gisteravond had hij tot laat aan zijn manuscript gewerkt, blij dat zijn redacteur de puntjes op de i had gezet. Ze had inzicht, was precies en zorgvuldig, en de kwaliteit van haar werk was duidelijk merkbaar. Hij had haar al een mailtje gestuurd om te zeggen dat ze het weer zichtbaar had verbeterd, waarvoor hij haar bedankte. Hij was opgelucht dat er niets geschrapt of toegevoegd moest worden, en dat hij niets hoefde te herschrijven, maar alleen wat zinnen moest bijschaven. Vanmiddag zou hij het nog een keer goed doorlezen, wat eigen kleine wijzigingen invoeren en het ruim voor de geplande datum naar zijn uitgever sturen.

Deze gedachte maakte hem gelukkig, want hij was een echte professional en hij miste nooit een deadline. Maar zelden maakte hij bezwaar tegen redactionele ingrepen, hoogstens wanneer ze bijzonder ingrijpend waren, en dat had zijn redacteur tot nu toe altijd vermeden. Hij was ook blij dat Annette hem 's avonds twee keer had gebeld, op eigen initiatief.

De eerste keer om hem te vertellen dat ze werkelijk plat gebeld was over het profiel, en dat mensen nu al aandrongen op informatie over de volgende veiling of dat ze op de lijst van genodigden wilden komen. Tijdens het tweede gesprek meldde ze dat drie mensen enorme bedragen hadden geboden voor Degas' veertienjarige danseresje.

'Goede cliënten van me, oude klanten met een dikke portefeuille. Maar ik heb ze allemaal afgewimpeld,' legde ze 's avonds uit. 'Ik doe geen zaken op die manier, met een preemptief bod, om het bieden van anderen te bemoeilijken. Mijn instinct zegt me dat het op de veiling moet komen. Het is een meesterwerk, iets unieks, en de publiciteit die eruit voortkomt is van onschatbare waarde. Wie weet krijg ik een nog veel hoger bod op de veiling. Sotheby's doet daar ook zijn best voor.'

Hij was het geheel met haar eens geweest en prees haar slimme tactiek, en toen hadden ze nog een halfuur gekletst over van alles en nog wat, maar eigenlijk niet over hun relatie. Jack voelde aan dat ze het daar niet over wilde hebben, en dus hield hij zijn mond over hun mogelijke gezamenlijke toekomst. Ze hadden het niet over de scheiding van Marius gehad en heel liefdevol afscheid van elkaar genomen.

Met stevige pas liep Jack de Boulevard Maréchal Leclerc af en wachtte tot het verkeer wat trager reed voor hij de drukke hoofdweg overstak naar het hotel. Bij de poort bleef hij even staan, om de aanblik van dit schitterende gebouw tegen de smetteloos blauwe lucht met daarachter die diepblauwe zee in zich op te nemen.

Op zijn dooie akkertje slenterde hij het pad af, maakte een praatje met de portier en toen met de receptionist in de kleine lobby, en beiden heetten hem hartelijk welkom nu hij terug was.

Met grote stappen daalde hij de treetjes naar de lange bar af en liep over de terracotta tegels naar het restaurantgedeelte met het aangrenzende terras.

Het schrille geluid van een luide, irritante ringtoon deed hem om zich heen kijken, maar hij was de enige in de bar. Toen het mobieltje maar bleef jengelen, keek hij naar rechts door de openslaande deuren naar de tuin, waar ook van het ontbijt genoten kon worden.

Als door de bliksem getroffen deed hij direct een stap terug naar het beschaduwde deel van de zaal, dichter bij de bar, waar hij zich moest vasthouden aan een barkruk.

Hij kon niet geloven dat hij hier getuige van was. Maar hij kon zijn ogen er ook niet van aftrekken. Een forse, voluptueuze vrouw met vlammend rood haar had haar armen om een lange man met zilver haar geslagen en ze waren zo in een hartstochtelijke kus verwikkeld, dat ze geen acht sloegen op het mobieltje. En er was geen vergissing mogelijk wie die man was. De oude Zilvervos zelf. Niemand minder dan Marius Remmington.

Jack was verbijsterd. Hij stond aan de grond genageld en keek gebiologeerd toe. Toen ze elkaar eindelijk loslieten, grabbelde de vrouw in haar grote slangenleren handtas die aan de stoel hing, nam het mobieltje eruit en begon erin te spreken. Marius deed zijn marineblauwe blazer uit, hing hem over de leuning van zijn stoel en ging zitten. Toen ze haar gesprek beëindigd had, nam de vrouw naast Marius plaats. Meteen begonnen ze een intiem gesprek, de hoofden vlak bij elkaar en tussen door kusjes uitwisselend. Marius kon zijn handen niet van haar afhouden.

Jack had daar wel langer willen blijven staan, zowel gefascineerd als van afschuw vervuld, maar er kwam een ober uit het restaurant zijn kant op lopen. Hoewel het geen ober was die hij kende, draaide hij zich direct om en liep snel de bar uit; met enkele stappen liep hij de treden op en kwam weer uit in de lobby.

De receptionist was verbaasd hem zo snel alweer terug te zien en Jack begreep dat hij iets moest uitleggen. 'Ik ben zo terug. Ik vergat mijn kranten te halen.'

'Ik kan wel iemand sturen, monsieur Chalmers,' zei de receptionist. 'Als u me zegt welke kranten u wilt hebben... Geen enkele moeite.'

'Ik weet het niet precies, dus ik doe het zelf wel even, maar toch bedankt, Marcel.' Met een knik en een brede glimlach liep Jack de lobby door naar de uitgang.

Hij bleef even bij de drempel staan, maar toen er plotseling een portier met een bagagekarretje naar de ingang kwam, greep hij zijn kans en zei: 'Volgens mij zag ik zojuist een oude vriendin van me, Magda Rollins, een bekende Engelse actrice.' De portier schudde het hoofd. 'Er logeert hier momenteel niemand die zo heet, monsieur.'

'Maar ik zag haar net,' protesteerde Jack. 'Ze zat met een

lange Engelsman met zilverwit haar te ontbijten, in de tuin bij de bar.'

'O, dat is madame Elizabeth Lang, dat is geen actrice, monsieur Chalmers. Ze is kunstenares.'

'Je bedoelt een kunstschilder?'

'Oui, oui,' zei de portier en grijnsde, trok een wenkbrauw op en gaf Jack een veelbetekenende blik.

Jack lachte en zei: 'Nou ja, dan heeft ze bepaald een dubbelgangster rondlopen in Londen.'

Op dat moment kwam een chique, bordeauxrode auto de korte oprijlaan opgereden en stopte voor de ingang van het hotel. De chauffeur stapte uit en liep op de portier af.

Jack deed een stapje opzij, maar ging niet weg en luisterde onopvallend naar hun conversatie. De chauffeur legde uit dat hij monsieur Remmington kwam ophalen, maar dat hij aan de vroege kant was. Kon hij ergens parkeren?

Jack groette de portier met een kort handgebaar en liep de oprijlaan af naar de poort. Toen hij de auto passeerde zag hij dat het een verzamelobject was, een kostbare Bentley Continental Drophead Coupé van zo'n twintig jaar oud, maar in perfecte staat. Hij merkte ook op dat het nummerbord aan de achterkant uit Genève kwam.

Jack was nog steeds ondersteboven van wat hij net had gezien en hij bleef erover nadenken. Die vrouw zag er zo opzichtig uit dat ze haast ordinair was, en toch bezat ze een zekere schoonheid. Alles aan haar was groot. Haar lengte, haar kapsel en haar boezem. Het was beslist een flinke meid, en toch was ze niet te dik. Ze was ook smaakvol gekleed in haar witte broek, een witte blouse en witte trui over haar schouders geslagen. Ze was behangen met gouden sieraden en had een grote diamant aan haar ringvinger. Wat een fraai stel vormden ze, allebei lang en knap. En wat een hufter is het, voegde Jack er in zichzelf aan toe.

Jack liep de poort van het hotel uit en zette koers naar de boulevard, waar hij de trap nam naar het kleine haventje van Beaulieu, waar jachten, zeilboten en motorbootjes lagen aangemeerd. Binnen enkele minuten bereikte hij een van zijn favoriete cafeetjes. Hij ging zitten en bestelde een café au lait en een croissant en leunde nog steeds verbouwereerd achterover in zijn stoel. Het duizelde hem letterlijk en hij was nog niet helemaal in staat te bevatten wat hij had gezien. In geen duizend jaar had hij verwacht Marius Remmington met een andere vrouw te zien. Of zich zo intiem durfde te gedragen in een openbare ruimte. Aan de andere kant was het nog vroeg en er waren geen andere gasten in de tuin geweest. Maar toch, ze zaten zo ongeveer boven op elkaar, en waren zich niet bewust geweest van hun omgeving.

Jack sloot zijn ogen.

Hij wist niet wat hij ervan moest denken, en al helemaal niet wat hij moest doen. Hij wilde er met iemand over praten, maar hij durfde het eigenlijk niemand te vertellen. Kyle? Zinloos. Zijn broer was veel te druk met zijn nieuwe film, en hij had het gevoel dat er iets moois opbloeide tussen Kyle en zijn assistente Carole. En trouwens, Kyle kende geen van de hoofdpersonen, dus kon hij er ook geen oordeel over vellen. Ook met Laurie kon hij er niet over spreken. Of met Malcolm Stevens. En zeker niet met Annette. Nog niet. Hij wilde haar niet overstuur maken en op dit moment maakte het ook niet uit dat ze het niet wist. 'Spreken is zilver en zwijgen is goud,' zei zijn moeder altijd en dit oude gezegde kwam hem ook nu goed uit. En hij herinnerde zichzelf eraan dat kennis nog altijd macht was.

Na enige tijd kalmeerde Jack een beetje en hij ontspande zich. Hij dronk zijn koffie en at zijn croissant en vroeg zich af wat hem te doen stond. Maar hij kon eigenlijk weinig doen, toch? Hij dacht aan Remmington en die rooie dame: hadden ze het weekend in het hotel doorgebracht? Of waren ze alleen komen ontbijten, net als hij? Was die Bentley van Remmington? Of van de vrouw? Bleven ze nog in La Réserve of vertrokken ze vandaag?

Niet dat het uitmaakte, al moest hij wegblijven uit het hotel tot hij het zeker wist. Voor geen goud wilde hij Remmington en die vrouw tegen het lijf lopen.

Toen hij een uur later terugliep naar de villa, bedacht Jack zich wat een vuile gluiperd die Marius Remmington toch was. Hij had de macht over Annettes leven, manipuleerde haar, trok aan de touwtjes wat hun huwelijk betrof en bedroog haar ook nog eens.

Er was niets bijzonders aan het feit dat een succesvol zakenman een minnares had, dat hadden er zoveel; zelfs minder succesvolle mannen hadden maîtresses. Zo waren mannen nu eenmaal. En vrouwen ook. Vreemdgaan deed je niet in je eentje.

Wat moet ik doen met wat ik weet? vroeg Jack zich af, terwijl hij in zijn werkkamer zat en voor zich uit staarde. Hij had geen flauw idee.

Jack vertrok vroeg naar de boerderij waar Claudine woonde en waar hij zou eten die avond. Hij reed Beaulieu in, stopte bij de beste bloemist, kocht een prachtige witte orchidee voor haar en deed er een kaartje bij. Terug in de auto nam hij zijn mobieltje, belde het hotel, en vroeg met een Amerikaans accent of hij doorverbonden kon worden met Marius Remmington. De telefoniste liet hem weten dat de heer Remmington die ochtend had uitgecheckt. Dat was goed nieuws. Nu kon hij tenminste weer wanneer hij er zin in had het hotel binnenlopen. Hij vroeg zich wel af waar de twee tortelduifjes heen gereden waren in hun schitterende Bentley.

Het kostte Jack veertig minuten om via de heuvels naar La Ferme des Iris te rijden, de oude boerderij boven Beaulieu. Hij reed in rustig tempo en mijmerde over de verandering die dit in Annettes leven zou brengen. Misschien was het niet recent. Hoe lang had Marius al een maîtresse gehad? Alle mogelijkheden schoten hem te binnen. De vrouw van wie hij hield, en die van hem hield, zat vast in een huwelijk waaruit ze niet kon ontsnappen, en ze wist zeker dat haar echtgenoot nooit in een scheiding zou toestemmen.

En die echtgenoot was een eikel. Hij had een verhouding met een andere vrouw. En paradeerde in het openbaar rond met die vrouw aan zijn arm, of in zijn armen. Gaf dat overspel van haar man haar geen grond voor een scheiding? Of, aangezien Annette eveneens overspel pleegde, zou haar man dan geen scheiding willen aanvragen? Behalve dat haar man onder geen voorwaarde van haar wilde scheiden... Hij wilde van twee walletjes eten.

Maar wat ik weet geeft me wel wat in handen om te onderhandelen, dacht Marius opeens. Hij bande het onderwerp uit zijn gedachten voor later, wanneer hij het nodig zou hebben. En terwijl hij de boerderij naderde, kwam hij in een betere stemming. Op de een of andere manier voelde hij zich een stuk positiever gestemd over alles. Hij grinnikte in zichzelf. Als de waarheid aan het licht kwam, had hij Marius Remmington goed te pakken.

Op de drempel van haar charmante nieuwe huis wachtte Claudine Villiers hem op, terwijl hij het erf opreed dat de boerderij en haar woning van elkaar scheidde.

Nadat Jack de auto was uitgestapt en haar had omhelsd, reikte hij naar de achterbank en gaf haar de orchidee.

'Ah Jack, lieve Jack. Galant als altijd,' zei Claudine zacht terwijl ze de bloem aannam. '*Merci beaucoup*,' voegde ze eraan toe. Ze stak haar arm door de zijne en nam hem mee naar binnen. 'We eten in mijn nieuwe huis. Ik wilde niet dat de tweeling weer helemaal opgewonden zou worden als ze je zagen. Je weet hoe ze zijn... Ze gaan zo naar bed, en Marie past op. Maar ik slaap straks op de boerderij, zoals gewoonlijk, wanneer Lucy op reis is.'

'Oké. En ik wilde toch je nieuwe stulpje wel eens bewonderen, nu het eindelijk klaar is. Je hebt er zoveel werk in gestoken, het moet nu wel helemaal perfect zijn.'

'Ik vind het vooral knus en prettig. Ik zal je later wel even een rondleiding geven. Eerst maar eens een aperitiefje in de keuken. We hebben heel wat in te halen, *n'est-ce pas?*'

Claudine ging hem trots voor naar haar keuken, die hij al eerder had gezien toen hij nog niet klaar was en hij sprak nogmaals hardop zijn bewondering uit. De ruimte was goed ingedeeld en was kleurrijk geworden met overal blauw-witte tegeltjes, blinkende koperen pannen, stenen bloembakken vol bloemen, een grote stenen open haard en balken aan het plafond waar allerlei bossen gedroogde kruiden en lavendel aan hingen, naast gedroogde worstjes en nog meer koperen potten en pannen.

'Ik vind dat je het geweldig gedaan hebt,' zei Jack oprecht, terwijl hij rondwandelde en alles bekeek. 'Wat leuk, die wijnrekken achter die glazen deurtjes. Heel slim. Chic, als je dat woord bij een keuken mag gebruiken.'

Claudine straalde en met een hartelijke blik maakte ze een fles rode wijn open. Glimlachend zei ze: 'Die wijnkast heb ik ooit eens in een restaurant in New York gezien. Ik was er meteen weg van.' Met een vrolijke blik voegde ze eraan toe: 'En nu maken mijn vrienden die van mij weer na.'

Jack moest daar ook om lachen en pakte het glas rode wijn van haar aan, en nam zich voor er heel langzaam van te nippen. Hij moest tenslotte later weer slingerend naar beneden rijden.

Claudine tikte zijn glas met het hare aan en zei: 'Santé.' Jack deed hetzelfde. Ze nam zijn arm en liep met hem naar het enorme raam aan de andere kant van de keuken, waar een spectaculair uitzicht op Monte Carlo te bewonderen viel. 'Laten we hier maar gaan zitten,' stelde Claudine voor en wees op de grote leunstoelen gericht op het raam.

Toen ze allebei gemakkelijk zaten, zei Claudine: 'Ik ga dit maar één keer zeggen, Jack, en je moet weten dat ik het meen. Met heel mijn hart...' Ze stopte en keek hem vriendelijk aan. Hij beantwoordde haar blik en knikte. 'Het gaat zeker over Lucy, hè?'

'Ja. Je moet weten hoe... nou ja, blij ik was met jullie relatie. Ik hoopte zo dat het zou uitmonden in een huwelijk. Maar het mocht niet zo zijn. Ik vind het jammer, Jack. Ik geef toe dat ik... je ontzettend graag mag. Ik wens je alle goeds toe – je bent een bijzonder mens.'

'O, Claudine, wat zeg je dat lief, en ik vind het natuurlijk ook jammer. Ik geef veel om Lucy, en je weet dat ik dol op de meisjes ben. Maar...' Hij haalde zijn schouders op en keek haar recht in de ogen. 'Ik hield van haar, hou nog steeds wel van haar, het is een geweldige vrouw. Maar weet je, Claudine, ik was totaal niet verliefd op haar. En ik geloof ook niet dat Lucy verliefd was op mij.'

'Misschien niet... Nou ja, *c'est la vie.*' Ze glimlachte, een klein maar begrijpend glimlachje.

'Het gaat toch wel goed met haar?'

Claudine knikte. 'Ze heeft zich op haar werk gestort, de kookschool vooral. Ze is ambitieus en wil haar stempel drukken op dit leven. En daar vertrouw ik op... Ze komt er wel. En jij, Jack, hoe gaat het met jou? Er moet iets ongewoons, iets wereldschokkends zijn gebeurd. Lucy vertelde dat je haar speciaal wilde bellen om het uit te maken.' Ze trok een donkere wenkbrauw op en glimlachte gemoedelijk naar hem.

'Ik ben iemand tegengekomen, je hebt gelijk. Het was een

coup de foudre. We maakten tegelijkertijd dat vreemde, beangstigende fenomeen mee; ik noem het maar de schok der herkenning. Ik weet zeker dat je begrijpt wat ik bedoel, met al die levenservaring van je.'

De Française knikte en nipte van haar wijn. Na een poosje zei ze: 'Maar je klinkt zo droevig, Jack. Gaat het niet zoals het zou moeten gaan? Zijn er… problemen?'

Later begreep Jack niet waarom hij het ooit had gezegd, maar nu flapte hij het eruit. 'Ze is getrouwd.' Hij had zijn tong wel willen afbijten.

'*Mon Dieu!*' Ze schudde haar hoofd. 'Dat is de grootste valstrik in het leven. Ik weet er alles van, Jack. Ik heb het ook meegemaakt.' Ze zuchtte, en raakte zijn arm aan. 'Kan ze geen scheiding regelen?'

Jack schudde zijn hoofd. Hij nam een grote slok wijn. 'Ik denk dat haar man niet van haar wil scheiden… het ligt ingewikkeld.'

'Ach ja, maar dat is het altijd.'

Hij keek langs Claudine Villiers heen, en herinnerde zich hoe vriendelijk ze de afgelopen negen maanden voor hem was geweest, en hoe wijs ze was en hij nam een besluit. Hij zou haar vertellen wat hij vandaag had gezien zonder namen te noemen.

Met een diepe zucht hakte hij de knoop door. 'Claudine, wat ik je wil vertellen is heel vertrouwelijk, en–'

'Jack. O Jack, hou toch op. Ik ben geen vrouw die voor God wil spelen. Ik zeg niets tegen niemand. Gooi het er nu maar uit. Misschien helpt het. En waar is een oude vrouw als ik nu goed voor, behalve voor het luisteren naar liefdesperikelen van jonge mensen?'

'Je bent niet oud. Maar bedankt voor de geruststelling. Ik vertrouw je, Claudine.' Hij vertelde haar in het kort over het huwelijk van de vrouw van wie hij hield, en haar manipulerende, autoritaire echtgenoot. En toen vertrouwde hij haar toe wat hem die ochtend was overkomen in La Réserve. Wat hij had gezien in de tuin.

Daar dacht Claudine even over na. 'En wat wil je hier nu mee, Jack?' vroeg ze ten slotte. 'Je hebt nu voldoende munitie voor een aanval… misschien wel een geladen geweer. Om tegen zijn hoofd te zetten.'

337

'Ik heb geen idee wat ik moet doen. Al weet ik wel dat ik het haar niet ga vertellen. De vrouw van wie ik hou.'
'Nee, nee, dat zou ook heel dom zijn. Dat zou je...' Ze hief haar handen zoals Fransen doen en ging zacht verder: '...goedkoop maken. En daar ben je te integer en waardevol voor.'
'Vind je het ook niet ironisch? Mijn geliefde denkt dat haar man haar nooit zal laten gaan, en ik ontdek dat hij een verhouding heeft.'
Claudine schudde het hoofd. 'Ze spelen allebei hetzelfde liefdesspel, niet?'
Jack was stil en liet zijn hoofd zakken. Na een korte stilte zei hij: 'Ik weet echt niet wat ik moet doen, Claudine.'
'Er is niet veel wat je momenteel kunt doen.'
'Ze probeert een punt achter onze verhouding te zetten, omdat ze bang is dat haar man me iets zal aandoen als hij erachter komt. Maar ik kan haar niet laten gaan. We zitten op een dood spoor, vrees ik.'
'Ik denk dat je terug moet naar Londen. Kun je al vertrekken?'
'Ja, dankzij jou voornamelijk. Ik heb die tuinman Antoine gisteren gesproken en hij gaat morgen aan het werk. Amaury heeft hem ontmoet en schijnt met hem op te kunnen schieten. Hortense heeft haar nicht Albane uit Marseilles gevraagd te helpen en ze kan blijven zolang als het nodig is. Volgens mij loopt het huishouden straks weer op rolletjes.'
'Als je weer terug bent in Londen, praat dan met je vriendin. Zeg dat ze dapper moet zijn, de moed niet moet verliezen. Ze moet haar man om een scheiding vragen.'
'Ik hoop dat ze dat durft,' zei Jack, want hij herinnerde zich de panische angst in Annettes ogen toen ze vertelde dat Marius dan zowel hem als haar in het verderf zou storten.
'Het kan namelijk zijn dat de echtgenoot die scheiding wel ziet zitten; misschien wil hij allang van die vrouw af en is hij blij dat zij het voorstelt.'
'Je hebt gelijk!' riep Jack uit. 'Zo had ik het nog niet bekeken.'
'Als het een geldkwestie is, zou die man niet alleen blij zijn dat zijn vrouw hem verlaat, maar zou hij een gat in de lucht springen.'
'En ik heb een hoop munitie, nietwaar?'

Claudine lachte en stond op. 'Laten we nu maar een hapje eten, mijn vriend.' Ze liep met hem de keuken door naar een kleine eethoek bij het raam, dat uitzag over het erf. 'Ik heb een visstoofpot gemaakt. Ik wist nog hoe lekker je die altijd vond. Ik hoop dat je trek hebt.'

'Nu wel. Er is een last van mijn schouders gevallen, dankzij jou. Het is altijd fijn om een klankbord te hebben.'

'Een wat?' vroeg ze.

'Iemand tegen wie je kunt praten en die je goed advies kan geven. Een wijs iemand.'

39

Na het eten gaf Claudine Jack een rondleiding door het huis. Ze gingen de keuken uit, en via de kleine hal met een glimmende terracotta vloer liepen ze de woonkamer in. De laatste keer dat Jack hem had gezien was de kamer leeg geweest, op een enorme bank en een aantal fauteuils na, die allemaal bekleed waren met zachte, blauwgrijze stof. Hoewel de kamer zelf mooi ontworpen was, met een open haard en een serie ramen die een grandioos uitzicht op de stadjes beneden hadden, had hij die inrichting een beetje middelmatig gevonden. Maar vanavond zag de kamer er fantastisch uit.

Het waren de schilderijen die alles tot leven brachten, die er kleur en beweging aan toevoegden, terwijl zorgvuldig uitgekozen accessoires en grote tafellampen de finishing touch waren.

'Ik noem dit de Matisse-kamer,' legde Claudine uit en ze keek in de rondte. 'En je ziet wel waarom. Is hij niet uitzonderlijk?' Ze liet Jack haar blik volgen naar een groot schilderij, een stilleven boven de haard. 'Ik geniet zo van zijn kleurgebruik, jij niet?'

'Absoluut, en dit is een machtig mooi schilderij,' zei Jack en hij keek geboeid naar de Matisse.

'O ja, dat is ook een van mijn favorieten.' Claudine draaide zich om en zei: 'Die kleinere Matisse daar vind ik eigenlijk nog mooier, net als dat landschap van Braque daar aan de zijmuur. Ze passen goed samen in dezelfde kamer, die twee. Misschien weet je het niet, maar ze schilderden vaak naast elkaar in hun fauvistische periode. Laten we verdergaan met ons rondje door het huis.'

Jack volgde Claudine weer de hal door naar de eetkamer. Ook die wás eenvoudig gemeubileerd, met een antieke ronde tafel; acht houten stoelen met biezen zitting en een kleine kast met houtsnijwerk onder het zijraam.

'*Et voilà*!' riep Claudine uit en wees op de Modigliani boven de haard. 'Een echte Modigliani-vrouw. Ik ben altijd weg geweest van die uitgerekte mensen en die heldere kleuren. Hij was een groot figuratief schilder en Vincent verzamelde hem, net als Cézanne.'

Jack spitste zijn oren toen ze Cézanne noemde en hij vroeg: 'Heb je hier dan ook schilderijen van Cézanne hangen?'

'Jazeker. In de bibliotheek, kom maar mee, dan zul je het zien. Ik wist niet dat je je voor kunst interesseerde, Jack.'

'Bepaalde schilders, vooral impressionisten, vind ik erg fraai. Die begrijp ik tenminste. Maar van sommige schilderijen snap ik helemaal niets, zoals van die hedendaagse abstracte kunst.'

'Ah, oui. Daar kan ik inkomen.'

'Dus Vincent was een kunstverzamelaar?' vroeg Jack en keek haar van opzij aan.

'Vrijwel zijn hele leven. Alle schilderijen in dit huis waren van Vincent. Hij heeft ze me nagelaten, net als zijn villa in Villefranche.' Ze glimlachte naar Jack. 'Daar werkte Antoine voor me. Vincent had hem daar al jaren geleden als tuinman in dienst.'

Zodra ze de bibliotheek binnenliepen, ontdekte Jack de twee Cézannes. Ze onderscheidden zich van de rest door de diepe kleuren, vooral allerlei tinten donkergroen tussen somberder tinten. Hij vond ze mooi en liep naar voren om ze van dichtbij te bekijken. Toen viel zijn oog op een danseresje van Degas dat tegen een zijmuur hing en ging ernaartoe. Hij moest meteen denken aan die vervalsing van Degas die in Knowle Court was gevonden. Het leek er precies op. Maar dit was duidelijk de echte. Hij draaide zich naar Claudine om en zei: 'Ik heb pas geleden net zo'n schilderij gezien... Ik hou van Degas. Ik begrijp wat hij schilderde.'

340

'Ik ook. Dit was een van Vincents eerste aankopen toen hij serieus begon te verzamelen. Zullen we naar boven gaan? Er is een aantal schilderijen die ik je moet laten zien, een Vlaminck en nog een Braque.'

'Dat was genieten,' zei Jack toen ze weer in de keuken waren. 'Bedankt dat je me de kunstcollectie hebt laten zien.' Hij zat in een leunstoel in de zithoek van de keuken en nipte van zijn glas rode wijn.
Claudine ging in de andere stoel zitten en zei: 'Misschien wil je een ander drankje, Jack. Je zit nu al de hele avond met datzelfde glas wijn.'
'Nog een koffie graag. Ik moet de berg nog afrijden, zie je.'
Claudine zei: 'De koffie komt eraan en ik lust nog wel een Napoleon. Ik neem altijd een cognacje na het eten, een gewoonte die ik van Vincent heb overgenomen.'
Jack volgde haar met zijn blik toen ze opstond en naar het drankkastje liep. Het was een opvallende, bijzonder knappe vrouw en je zag haar leeftijd niet van haar af. Haar haar was nog steeds gitzwart en weelderig, en ze bewoog zich soepel en energiek. Hij bewonderde de levenslust die ze uitstraalde.
'Dus Vincent was een kunstverzamelaar. Dat heb je me nooit eerder verteld.'
'O nee? Misschien nam ik aan dat je het wist. Van Lucy.' Ze kwam terug naar het zithoekje, gaf hem een kop koffie en ging bij hem zitten.
'Ik had de schilderijen ergens opgeslagen, nadat ik Vincents villa in Villefranche had verkocht. Ik wilde immers hier op de boerderij gaan wonen om dicht bij Lucy en de meisjes te zijn. Die villa was veel te groot voor mij alleen. En zo kwam ik op het idee om dit kleine villaatje voor mezelf te laten bouwen. Het huis heeft een dubbel doel: ik ben dicht bij mijn familie en ik kan Vincents kunst tentoonstellen. Hij was er gek mee. Het gaf hem zoveel plezier.'
'Het is me nogal een collectie! Hij zal wel heel veel waard zijn,' zei Jack. 'Een fortuin.'
Claudine knikte alleen. Onverwacht zei ze: 'Vincent en ik konden niet trouwen. Hij was al getrouwd, zie je. We waren al veertig jaar minnaars toen zijn vrouw plotseling stierf. We besloten ons niet druk te maken, en het trouwen maar

over te slaan.' Ze giechelde. '"Waarom zouden we?" vroeg ik en hij was het met me eens. Hij had kind noch kraai, dus heeft hij mij alles nagelaten.'

'Zolang jullie maar gelukkig waren, dat is het enige wat telt,' zei Jack. 'En dat zeg ik ook steeds tegen mijn vriendin.'

Claudine zuchtte en keek hem met een zwak glimlachje aan. Ze nipte van haar cognac en voelde erg met Jack mee. *'Toujours l'amour...* altijd liefde. Altijd pijn.'

Jack boog zich naar haar toe en zei: 'Lieve Claudine, ik hoop wel dat je aan een alarminstallatie hebt gedacht. Ik kan me niet herinneren dat ik zoiets heb gezien toen ik binnenkwam, maar je moet echt iets doen om je te beschermen. Mijn god, al die kunst van onschatbare waarde! Je hebt hier vast voor honderden miljoenen euro aan je muren hangen.'

Claudine keek hem even aan en haar zwarte ogen glinsterden vrolijk. 'Toch heb ik een alarmsysteem, Jack.'

Ze kon haar lachen niet meer inhouden en toen ze gekalmeerd was zei ze, met zachte, ingehouden stem: 'Ik heb een geheimpje, Jack. Ik zal het je verklappen. Maar je moet zweren het niemand te vertellen. Dit mag absoluut niemand weten.'

Jack knikte, nieuwsgierig gemaakt. 'Dit lijkt op een avond vol vertrouwelijke verhalen, niet?' Hij glimlachte. 'Wat je me ook vertelt, ik zal het altijd geheimhouden. Ik zal je niet verraden.'

'De schilderijen zijn niet echt.'

Jacks mond viel open van verbazing. 'Vervalsingen?' Hij sloeg er steil van achterover en bleef haar verbijsterd aankijken. 'Dat geloof ik niet,' bracht hij toen uit.

'Dat dacht ik wel. Toen Vincent ze dertig jaar geleden kocht, dacht hij werkelijk dat ze echt waren. Maar de prijzen waren zo laag, dat hij de eigenaar van de galerie er toch eens over aansprak. Deze man was een oude vriend; ze hadden bij elkaar op school gezeten. Uiteindelijk gaf Pierre toe dat het vervalsingen waren. Hij smeekte Vincent het niemand te vertellen; hij bood zelfs aan de schilderijen voor een hogere prijs terug te kopen, vanwege hun vriendschap. Vincent weigerde. Hij was er gek op. Het amuseerde hem ook. Hij vond het prachtig dat hij vervalsingen had die als echt bewonderd werden door al zijn gasten. Wanneer ze hun bewondering over zijn collectie uitspraken, glimlachte hij stilletjes. En Pierre heeft hij nooit verraden.'

'Pierre was de eigenaar van de galerie?'

Claudine knikte, balanceerde haar cognacglas in de hand en nam weer een slokje.

'Zat die galerie in Nice of Monte Carlo?'

'Nee, in Parijs. De Pegasus Galerie.'

'Is die eigenaar ooit opgepakt?' vroeg Jack, die als journalist het naadje van de kous wilde weten. Maar tegelijkertijd dacht hij aan de vervalsingen die waren opgedoken op Knowle Court. Hij struikelde onderhand over de vervalsingen de laatste tijd.

'Nee, gelukkig niet. Zijn partners ook niet. Maar ik geloof dat ze wel wat nerveus werden, en die Engelsman ook. Dus sloot Pierre de galerie na een tijdje, en ging met pensioen.'

'Engelsman? Enig idee wie dat was?'

'Ik weet echt niet meer wat zijn achternaam was, Jack. Maar zijn voornaam was vrij uniek. *Marius*. Hij had een galerie in Londen. En hij had ook een opvallende vriend. Mon Dieu! Hoe heette die nou ook weer?' Claudine sloot haar ogen. 'Laat me denken... Ah, oui... De vriend van die Marius was journalist. Ook Engels. Beroemd. *Nigel*! Zo heette hij.'

Jack schoot recht overeind, zijn gezicht verstrakte. Haastig vroeg hij: 'Heette hij soms Clayton?'

'Dat weet ik niet meer. Maar hij was een *boulevardier*, ik hoorde dat hij van *les femmes* hield – de vrouwtjes.'

'Boulevardier... een flaneur,' zei Jack. 'Is dat alles wat je van hem weet?'

'Ja. Waarom ben je zo benieuwd naar hem, Jack? Dit gebeurde allemaal lang voor jij op het toneel verscheen.' Ze keek hem bevreemd aan, en trok een wenkbrauw op.

'Niet helemaal, ik was een peuter of zo.' Hij dwong zich te glimlachen. 'Dus niemand weet van je vervalsingen, Claudine?'

'Voor zover ik weet niet. En niemand mag het ook weten. In Frankrijk moeten vervalsingen direct vernietigd worden. Wettelijk verplicht.' Ze keek hem ernstig aan. 'Ik vertrouw je, Jack.'

'En Lucy?' vroeg hij en keek haar doordringend aan.

'Zij weet het. Ik moest het haar wel vertellen, want ze is mijn erfgename. Maar zij zal het niemand vertellen. Ze weet dat ze ze niet mag verkopen.'

'Hebben die schilderijen een document van herkomst?'

'Nee! Nee! *C'est pas possible*! Een herkomst is heel moeilijk na te maken.' Ze keek hem vragend aan. 'Wat vind je nu van mijn kunstverzameling? Is hij niet prachtig? Je bent bij de neus genomen, ik zag het.'

'Hij is geweldig, en ja, ik trapte erin, dat klopt. Zo, en nu zou ik nog wel één kop koffie lusten, Claudine, voor ik me schrap zet om die gevaarlijke berg weer af te dalen...'

Opgelucht reed Jack de garage van de Villa Saint-Honoré in. Hij liet zichzelf binnen, rende meteen de trap naar zijn werkkamer op en belde Annette op haar mobieltje. Ze nam niet op en hij liet de boodschap achter of ze hem wilde bellen. Toen zakte hij achterover in zijn stoel, de gedachten tolden door zijn hoofd.

Marius Remmington was een oplichter.

Hij was dertig jaar geleden betrokken geweest bij de verkoop van vervalsingen via een galerie in Parijs. Maar was Marius ook betrokken bij de vervalsingen die plotseling op Knowle Court gevonden waren? Jack had geen idee. Misschien was het gewoon toeval? En was de man die Claudine zich herinnerde als Marius' vriend, en die Nigel heette, zijn eigen vader? Speelden Nigel en Marius onder één hoedje? Had zijn vader ook vervalsingen verkocht via de Pegasus Galerie in Parijs?

Hij kon het nauwelijks geloven, maar was vastbesloten het te onderzoeken. Hij moest de waarheid weten. Hoe kon hij dat nu het best aanpakken? Zijn vader en moeder waren overleden, zijn stiefvader ook. Hij kon moeilijk op Marius Remmington afstappen en het hem vragen. Wie zou er verder iets van kunnen weten? *Natuurlijk, zijn tante!*

Tante Helen was net uit Canada teruggekomen. Hij moest onmiddellijk naar haar toe om vragen te stellen. Hij was tenslotte een vrij goed journalist, was ooit zelfs een onderzoeksjournalist geweest. Hij zou achter de feiten komen, kost wat kost. Tante Helen was de sleutel tot zijn verleden, want zij en haar zus, zijn moeder Eleanor, waren twee handen op één buik geweest. Onafscheidelijke vriendinnen die alles deelden en aan elkaar verknocht waren tot de dag dat zijn moeder stierf.

De hutkoffer van Louis Vuitton.

Jack haalde zich voor de geest wat hij erin had gezien. Al die schriften en dagboeken. Hij had er even doorheen gebladerd en er verder niet naar omgekeken. Er waren ook foto's bij. In die hutkoffer zou een schat aan informatie kunnen zitten. En geheimen? En antwoorden op geheimen? Hij hoopte het maar. Hij slaakte een diepe zucht. Hij had geen aandacht geschonken aan die kist vanwege Annette en zijn plotselinge obsessie voor haar.

En hij dacht weer aan Annette. Hij vroeg zich af of zij erbij betrokken was. Zou dat kunnen? Hij betwijfelde het, want hij kende haar inmiddels te goed. Ze was net zo eerlijk en integer als hijzelf.

Claudine zei dat het allemaal dertig jaar geleden was gebeurd, in 1977 dus. Annette zou dan net tien jaar oud zijn geweest. Nee, ze kon er onmogelijk iets mee te maken hebben gehad.

Twee schokken op één dag, dacht Jack en beide hadden te maken met Marius Remmington. Ongelooflijk toch? Hij was vastberaden het tot de bodem uit te zoeken, op welke manier dan ook. En hij zou Annette beslist vertellen over die vervalsingen hier in Frankrijk. Ze moest beloven dat ze het niet verder zou vertellen. En hij durfde zijn hand ervoor in het vuur te steken dat zij te vertrouwen was.

Annette moest weten waar Claudines kunstverzameling vandaan kwam, omdat ze moest weten dat haar man een oplichter was. En dat hij vreemdging.

Ondanks Claudines advies het stil te houden, moest Jack Annette wel vertellen waarvan hij getuige was geweest in La Réserve. Ze was volwassen. Ze moest het weten. En ze kon het aan.

Hij stond op en pakte het manuscript uit zijn bureau, deed de elastiekjes erom en pakte zijn weekendtas uit de slaapkamer. Hij deed het manuscript erin plus de andere kantoorzaken die hij had meegenomen en had uitgepakt. Hij stopte de laptop in de andere tas, met zijn tweede mobieltje.

Morgenvroeg zou hij weer naar Londen vliegen. Hij had geen keus. Hij moest een onderzoek starten om de waarheid boven tafel te krijgen. Over alles en iedereen.

40

Organisatorisch was Jack heel sterk en op donderdagochtend, net terug in zijn flat op Primrose Hill, haalde hij alles uit de hutkoffer van Louis Vuitton en legde het allemaal netjes op zijn schone, opgemaakte bed. Toen begon hij de foto's, de prulletjes, de schriften en de dagboeken bij elkaar te leggen op verschillende stapeltjes.

Het doorbladeren van de schriften en dagboeken kostte hem de meeste tijd. Ze bevestigden een heleboel. Tot zijn grote spijt ontdekte hij dat zijn vader inderdaad een goede vriend van Marius Remmington was geweest, en er stonden dingen in over reisjes naar Parijs, de Pegasus Galerie en schilderijen van Braque, Pissarro, Sisley, Cézanne en Matisse.

Maar er viel niets crimineels te ontdekken, noch bij zijn vader, noch bij Remmington. Geen melding van schilderijen die verkocht, gekocht of uitgewisseld waren. Niets over handel in de Pegasus Galerie, of schilderijen die aangekomen waren. En geen woord over vervalsers of vervalsingen. Nul komma nul.

En toch had de Pegasus Galerie duidelijk deel van zijn vaders leven uitgemaakt; blijkbaar wist hij toch aardig wat van kunst. Uit zijn aantekeningen bleek dat hij verzot was op schilderijen en kunstenaars, hij ging veel met ze om en voelde zich thuis in het wereldje van bohemiens.

Op een gegeven moment plofte Jack neer in een van zijn stoelen, sloot zijn ogen en dacht na. Natuurlijk stond er niets op papier waarvoor hij opgepakt kon worden. Daar was zijn vader ongetwijfeld veel te slim voor geweest.

Hoe zat die relatie van zijn vader en Remmington precies in elkaar? Waren het gewoon goeie vrienden? Twee kerels die met elkaar optrokken, hielden van feesten en achter de vrouwen aan gingen? Hij kwam er niet achter. Die schriften vertelden hem veel over zijn vader, maar er stond geen woord in dat zijn vader of Remmington in verband bracht met een misdaad.

Misschien had zijn vader er dan toch niets mee te maken.

Maar Remmington beslist wel. Jack kon de feiten niet ontkennen. Claudine had aangegeven dat Remmington een partner was van de eigenaar van de Pegasus Galerie. En die eigenaar had ermee willen ophouden, dus Marius ook, want hij had al uitgevonden dat de galerie in 1979 gesloten werd. Hij zat op een doodlopende weg.

Waarnaar was hij eigenlijk op zoek? Informatie die hij kon gebruiken om Marius ten val te brengen. Helaas, en tot Jacks grote ergernis, was er niets waarmee hij dat kon bewerkstelligen. En toch had hij sterk het gevoel dat de nepschilderijen van dertig jaar geleden iets te maken hadden met de vervalsingen die onlangs in Knowle Court gevonden waren. Als iemand hem zou vragen waarom dat zo was, had hij geen antwoord kunnen geven. Maar hij durfde te zweren dat Marius er op een of andere manier bij betrokken was.

Hij stond op uit zijn stoel, deed een paar push-ups en reken strekoefeningen, ging aan zijn bureau zitten en belde Annettes mobiele telefoon, maar die stond uit. Hij keek op zijn horloge en zag dat het pas tien uur was. Hij belde haar kantoor en was opgelucht dat Esther antwoordde.

'Goedemorgen, Esther, met Jack Chalmers.'

'O hallo, Jack,' zei Esther vriendelijk.

'Mag ik Annette even, alsjeblieft?'

'Ik ben bang dat ze niet op kantoor is. Ze komt ook niet meer vandaag. Is er iets dat ik voor je kan doen?'

'Eh, nee, niet echt. Ik wilde haar wat vragen, vanwege dat stuk voor de *New York Times*.'

'Waarom mail je ze niet naar me, dan zorg ik wel dat ze beantwoord worden,' stelde Esther voor.

'Ik doe het liever direct met haar.' Jack zweeg even en vroeg: 'Kan ik haar thuis bereiken, dat je weet?'

'Daar is ze ook niet. Ze is overal en nergens, zaken en zo. Maar ik zal je boodschap doorgeven als ik van haar hoor.'

'Bedankt, Esther. Kun je haar nog iets zeggen?'

'Tuurlijk, barst maar los.'

'Zou je haar willen vertellen dat ik haar moet spreken over de schilderijen die onlangs op Knowle Court zijn gevonden? Zeg maar dat het dringend is.'

'Doe ik, Jack. Doei.'

'Tot ziens, Esther,' mompelde Jack en hij hing op.

Jack staarde naar de telefoon. Sinds maandag had hij geen contact meer met Annette gehad. Hij had ontelbare sms'jes op haar mobiel achtergelaten en ingesproken op haar privélijn en op het antwoordapparaat op kantoor. Esther wist daar natuurlijk van, tenminste van de oproepjes op kantoor, maar ze had er niets over gezegd. Hij kon net zo goed toegeven dat er een muur was opgetrokken tussen hem en Annette, en zij was de metselaar. Omdat Marius een dezer dagen terugverwacht werd; misschien was hij al thuis. Ze was bang voor haar man, en Jack besefte dat ze daarom niet in staat was hun affaire voort te zetten. Ze was als de dood dat het uit zou komen.

Hij probeerde zich voor de geest te halen wat ze de laatste keer had gezegd. *We moeten ermee ophouden... we moeten uit elkaar gaan... ik kan er niet mee doorgaan...* Enzovoort, enzovoort. En als ze het echt te pakken had, voorspelde ze dat Marius hem in het verderf zou storten. En haar erbij.

Maar hoe? Door hem zwart te maken? Of hen? Of haar zaak te sluiten en de deals af te zeggen? Kende Marius een geheim van haar? Was er iets van chantage aan de gang?

Er was beslist niets waarmee Remmington hem kon afpersen, want hij had niets op zijn kerfstok. Kon Remmington misschien iets vreselijks over zijn vader bekendmaken? Maar al kon hij dat, wat zou dat nu nog uitmaken. Zijn vader was al jaren dood. Ja, hij was een beroemd journalist geweest, maar wie herinnerde zich hem nog?

Jack kon er geen touw meer aan vastknopen. Hoe hij het ook wendde of keerde, het spoor liep dood. Hij had dringend behoefte met iemand over Annette, Marius en de vervalsingen te praten, want hij kwam er niet meer uit. Maar wie kon hij vertrouwen? Bij wie kon hij zijn hart uitstorten? Wie kende de spelers in dit spel zodat hij met een juist oordeel kon komen? *Margaret Mellor.* Absoluut niet. Ze leek te vertrouwen, maar ze waren niet echt goede vrienden en bovendien, ze was een journalist met een eigen blad. Haar zou hij Annettes leven nooit toevertrouwen. *Laurie.* Zou kunnen. Maar hij zou heel voorzichtig moeten zijn. *Malcolm Stevens.* Misschien kon hij nog het beste met Malcolm praten. Hij zou hem bellen. En meteen een afspraak voor de lunch maken.

De twee mannen ontmoetten elkaar de volgende dag rond lunchtijd bij Wiltons in Jermyn Street. Malcolm had het restaurant voorgesteld en Jack vond het prima om daar te eten.

Het was een van zijn favoriete restaurants en hij werd altijd geprikkeld door de zin die onder de naam stond: BEFAAMD SINDS 1742 VANWEGE DE BESTE KWALITEIT OESTERS, VIS EN WILD.

Malcolm zat al in een rustig hoekje te wachten toen Jack binnenkwam, en terwijl hij ging zitten besefte hij weer hoe prettig hij met Malcolm gepraat had, die avond dat ze met elkaar hadden gedineerd in The Ivy. Die vent was oké.

Jack sloeg een glas wijn af en had liever wat mineraalwater. Hij legde het uit. 'Ik werk aan een stuk over Annette voor het *New York Times Magazine*. Dan ben ik tijdelijk geheelonthouder.'

'Ik begrijp het, en ik drink ook zelden bij de lunch. Hoe dan ook, wat een genoegen dat je me belde, Jack. Zo toevallig... ik zat net te denken dat ik jou ook weer eens moest uitnodigen voor een drankje of zo.'

'Grote geesten zitten op één lijn,' zei Jack en ging snel verder: 'Hoe is het met Laurie?'

'Uitstekend, en constant bezig met de trouwerij.' Marius glimlachte toegeeflijk. 'Ach, je weet hoe vrouwen zijn als het op "de mooiste dag van hun leven" aankomt.'

Jack knikte en sprong snel over. 'En hoe is het met Annette? Ik heb haar al een paar dagen niet gesproken.'

'Voor zover ik weet gaat het goed met haar, en ik dacht dat ze heel blij was met de reacties op je artikel van afgelopen zondag.'

'Daarover heeft ze me verteld en ook over al die toestanden rond *Het veertienjarige danseresje*.' Hij nipte van zijn water en ging verder: 'Jij kent haar al een hele tijd, hè?'

'Een jaar of vijftien, geloof ik. Ik kende haar al voor ik de Remmington Gallery kocht, en dat is nu ook alweer tien jaar geleden. Ik kan het eigenlijk nog steeds niet geloven. Mijn vader leende me het geld en hij dacht dat hij het nooit terug zou zien. Maar hij had het mis.'

'Ik heb gehoord dat je er meer succes mee hebt gehad dan toen Marius de galerie nog runde.'

Malcolm grijnsde. 'Dat klopt, maar zeg dat maar niet tegen hem: dan springt hij uit zijn vel. Aan de andere kant denk ik vaak dat hij blij is dat hij de zaak kwijt is. Hij heeft zijn vrijheid, en daardoor kan hij zoveel andere dingen doen.'

'Dat kan ik me goed voorstellen,' zei Jack met nadruk.

Malcolm keek hem nauwlettend aan en lachte. 'Je mag hem niet erg, of wel soms?'

'Ik ken hem niet zo goed,' was Jacks automatische antwoord. 'Hij blaast nogal hoog van de toren, een echte opschepper, dus hij is niet de populairste vent van de stad. Maar in zijn hart is hij oké.'

'Je bent een van zijn protegés, en een van de meest geliefde, is me verteld.'

'Jaren geleden was ik zijn protegé, en Annette zei altijd dat ik de favoriet was, maar ik weet niet of dat wel helemaal waar is. Eigenlijk weet niemand precies wat Marius van je vindt. Hij weet zijn gevoelens heel slim te verbergen, op het huichelachtige af.'

Jack keek ervan op dat Malcolm zo rechtdoorzee was, de openhartige manier waarop hij over Marius praatte, sprak hem aan. Hij vroeg zich af of Malcolm hem iets wilde vertellen.

Jack besloot een visje uit te werpen en terwijl hij het menu bekeek, vroeg hij: 'Er schijnen wat roddels te circuleren over Annette en mij, dat weet ik. Maar denk je dat Marius ervan gehoord heeft?'

'Ja, dat denk ik wel.'

Een beetje van zijn stuk gebracht vroeg Jack: 'En hoe kom je daar zo op? Heeft hij er met je over gepraat, het over ons gehad?'

'Nee, ik heb hem ook nog niet gezien. Hij zat in Barcelona en hij is dinsdag teruggekomen. We hebben ook nog niet gebeld.'

'Maar waarom denk je dan dat hij die geruchten kent?'

'Marius is altijd goed op de hoogte van roddels en dergelijke. Hij kent veel mensen die... nou ja, doorgeven wat er speelt en waarover gefluisterd wordt. En dan heb je nog die harde kern van jongemannen die voor hem hebben gewerkt, of nog werken, en zij hebben natuurlijk altijd roddel en achterklap. Ze willen een wit voetje bij hem halen.' Ook Malcolm keek nu op het menu en vroeg aan Jack: 'Weet je al wat je wilt?'

'Ik wel. Zullen we bestellen?'

Vrijwel onmiddellijk kwam er een ober bij hen staan en Jack bestelde Colchester-oesters, gegrilde tong en friet.

Malcolm lachte en zei: 'Ik ben niet zo'n avonturier qua eten, dus doe mij maar hetzelfde.'

Toen ze weer alleen waren, besloot Malcolm open kaart te spelen met Jack. 'Ik weet dat je je afvraagt of je mij kunt vertrouwen, en ik kan je verzekeren dat dat zo is. Ik ben loyaal aan Annette, Jack, en zo is het altijd geweest. Je kunt me zoveel vertellen als je wilt. Het is veilig bij mij. En ik heb het idee dat je veel op je hart hebt.'

'Dat kun je wel zeggen; hoe weet je dat?' vroeg Jack en hij keek Malcolm indringend aan.

'Tijdens dat diner, weet je nog, waren jullie allebei uitzonderlijk tactvol en voorzichtig, maar onder dat vernisje van beleefdheid voelde ik het zinderen. Laurie trouwens ook. En zij is zeer intelligent.'

'Daar was ik al bang voor. Maar je hebt gelijk, ik heb grote behoefte aan iemand tegen wie ik kan praten en het staat buiten kijf dat ik je vertrouw, Malcolm. Anders zou ik je ook niet gebeld hebben om eens samen te lunchen.'

'Ik ben blij dat je het hebt gedaan. Ik denk dat je wel een vriend kunt gebruiken...'

'Maar goed, je weet dus alles van ons, probeer je me dat te vertellen?'

'Nee, ik probeer het niet. Ik zeg het. En eerlijk gezegd ben ik er blij om. Het zou tijd worden dat ze ook eens een beetje blij en gelukkig wordt. God weet dat ze daar aan toe is...'

'En voor mij heeft ze nooit een ander gehad?'

'Niet dat ik weet.'

'Luister, er is iets wat ik je wil vertellen. Maar ik moet zeker weten dat je hier met geen mens over praat.'

'Ik dacht dat we aan het begin van ons gesprek al vooropgesteld hadden dat alles in vertrouwen verteld kan worden.'

'Dat klopt. Maar wat ik je zo ga vertellen zou iemand om wie ik geef, een ouder iemand, echt in de grootste problemen kunnen brengen.'

'Ik begrijp het. Vertel het nu maar, alsjeblieft.'

Op dat moment verscheen de ober met hun schaal met oesters en toen hij weer weg was, vervolgde Jack zijn verhaal. Met gedempte stem zei hij: 'Ik weet pertinent zeker, uit zeer betrouwbare en feilloze bron, dat onze vriend betrokken was bij een kunsthandel in Parijs, toen hij ook de galerie had die jij nu bezit. Die galerie heette Pegasus en de eigenaars handelden in vervalsingen. Fantastisch werk, zo briljant nageschilderd dat iedereen dacht dat het originelen waren.' Nog zachter voegde hij eraan toe: 'Marius schijnt een partner van die galerie te zijn geweest, tot ze op een dag nerveus werden en de zaak in 1979 dichtgooiden.'

Marius was zo verbijsterd dat hij geen woord kon uitbrengen. Hij schudde langzaam het hoofd. 'Het is nauwelijks te geloven dat hij ooit zoiets gedaan zou hebben. Het is pure misdaad. Ze hadden alle twee achter tralies kunnen belanden. Maar ik vertrouw op die bron van je. Als jij zegt dat die feilloos is, dan zal dat wel. De Franse wet is ongelooflijk streng wat namaak en vervalsing aangaat.'

'Ja, dat weet ik. Nu even wat anders. Denk jij dat hij ooit van Annette zal willen scheiden?'

'Nee.'

Jack knikte. Hij trok een mondhoek op. 'Hij heeft een minnares.'

'Verbaast me niets,' zei Malcolm en hij keek Jack scherp aan. 'Dat hebben zoveel mannen.'

'Annette zou van hem kunnen scheiden. Door die vrouw te dagvaarden.'

'Hoe zou ze er ooit achter kunnen komen wie dat is?' Malcolm trok vragend zijn wenkbrauw op.

'Door wat ik haar vertel. Want zie je, ik ben er puur toevallig achter gekomen wie ze is. Ik betrapte ze afgelopen dinsdag namelijk op heterdaad in La Réserve in Beaulieu. Nou ja, bijna op heterdaad dan.'

'Je meent het!' riep Malcolm uit met een stomverbaasde uitdrukking. 'Hoe ben je daar nu in verzeild geraakt?'

Jack vertelde het in geuren en kleuren en voegde eraan toe: 'Ik wil Annette zien, Malcolm, alleen om met haar te praten. Ik moet haar alles vertellen wat ik jou heb verteld. Het probleem is, ik kan haar niet bereiken. Ze belt me niet terug.'

Malcolm knikte. 'Volgens mij is ze bang. En dan bedoel ik bang voor hem. Soms lijkt ze me echt doodsbenauwd.'

'Vertel me niks. Dat heb ik vaak genoeg gemerkt. Ik moet nog een paar dingen uitzoeken, nog wat meer research doen, maar als ik klaar ben om Annette te spreken, kun jij dat dan voor me regelen?'

'Natuurlijk, geen probleem,' antwoordde Malcolm, en hij zweeg toen de tafel werd afgeruimd. Na enige tijd zei hij: 'Ik wil je nog ergens op wijzen, Jack. Marius is een machtig man, soms alleen sluw, maar soms wel degelijk gevaarlijk. Weet je zeker dat je het tegen hem op wilt nemen?'

'Daar kun je donder op zeggen!' riep Jack uit.

41

Annette wist dat ze bij Jack uit de buurt moest blijven om hem te beschermen. Zolang ze hem niet zag, of wat voor contact dan ook met hem had, was hij veilig. Hij zou gewoon verder kunnen leven zoals hij gewend was. Een stap in zijn richting en zijn leven zou verwoest worden. Daar zou Marius wel voor zorgen. Ze wist hoe wraakzuchtig haar man kon zijn.

Ze slaakte een diepe zucht en liep over Eaton Square in de richting van Chesham Place. Het was zaterdag en ze zou met Laurie uit lunchen gaan, zoals ze altijd deed aan het eind van de week en waar ze zich ook steeds op verheugde. Was ze meteen even uit het appartement.

Marius was eerder die week zwaar humeurig teruggekeerd. Hij was kortaangebonden, chagrijnig, had overal commentaar op en zat duidelijk niet lekker in zijn vel. Als ze niet beter wist, zou ze gedacht hebben dat hij ziek was. Maar hij was sterk als een os en in opvallend goede gezondheid. Vorige maand was hij nog naar de huisarts geweest voor een algemeen medisch onderzoek en hij doorstond de tests met vlag en wimpel.

Nee, het was niet iets lichamelijks dat hem dwarszat. Het kwam omdat hij weer thuis was. Vroeger kwam hij altijd in een stralend humeur thuis van een reis: hij maakte het haar naar de zin, was liefdevol en deed alles wat ze wilde. Maar deze week niet. Nog afgezien van zijn kwade kop en korzeligheid praatte hij onophoudelijk over hoe geweldig Barcelona wel niet was, en ze merkte dat hij ettelijke telefoontjes naar Spanje pleegde. In het Spaans. Waarom hij dat deed, wist ze niet. Zaken? Een andere vrouw? Ze nam niet de moeite het uit te zoeken. Het kon haar niet schelen.

Annette voelde de vermoeidheid even toeslaan terwijl ze naar de flat van haar zuster wandelde. De afgelopen dagen was ze doodop. Ze sliep slecht, lag soms bijna de hele nacht aan Jack te denken – ze maakte zich zorgen over hem, smachtte ernaar hem te zien, ze wilde niets liever dan bij hem zijn. Ze was verliefd op hem, maar ze was hem kwijt. Het brak haar hart als ze eraan dacht dat ze nooit samen zouden kunnen zijn. Toch zou ze met liefde de rest van haar leven zonder hem doorbrengen, als hij maar veilig was. Zoveel hield ze van hem. Hij kwam op de eerste plaats. Zij moest hem beschermen.

Ze haalde diep adem en probeerde haar vermoeidheid van zich af te zetten. Glimlachend ging ze Lauries appartementengebouw in. Bij haar deur aangekomen, belde ze aan in plaats van haar sleutel te gebruiken. Sinds Laurie verloofd was vond ze dat wel zo netjes, want ze wilde geen inbreuk maken op de privacy van Laurie en Malcolm, gesteld dat hij op bezoek was.

Lauries hulp, Angie, liet haar binnen en wenste haar opgewekt goedemorgen.

'Laurie is in haar studeerkamertje, Annette,' zei Angie en verdween weer naar de keuken.

Annette werd er vrolijk van toen ze zag hoe goed Laurie er vandaag uitzag, haar geluk was haast tastbaar.

'Ik ben zo blij dat je tijd hebt om te lunchen,' zei Laurie nadat ze elkaar omhelsd hadden. 'Ik weet wat een zware week dit voor je is geweest, met al dat geregel voor de nieuwe veiling en het beeld van Degas. Maar je voelt je er wel goed bij, hoop ik.'

'O ja,' zei Annette en ging tegenover Laurie zitten. 'Er valt nog veel werk te verzetten, maar het stimuleert me dat er zo naar uitgekeken wordt – heel opwindend eigenlijk.'

'Ik help je zoveel als ik kan,' verzekerde Laurie haar.

Annette glimlachte goedhartig. 'Alsof jij niet genoeg te doen hebt! Met de organisatie van de bruiloft en een baby op komst! Voel jij je nog steeds goed, trouwens?'

'Ja hoor, en ik ga elke week naar de arts voor controle. Het gaat prima met me. En met Malcolm. Hij is een man uit duizenden, Annette – zo lief en attent, ik ben een geluksvogel.'

'Reken maar. Hij is een lot uit de loterij en hij zal een fantastische man voor je zijn.'

'Weet ik. En over echtgenoten gesproken, hoe is het met Marius?'

'Niet zo best. Eerlijk gezegd is hij stierlijk vervelend, op het onbeschofte af.'

'Kan hij iets van die belachelijke roddels over Jack hebben gehoord?' vroeg Laurie met een bezorgde blik.

'Geen idee, en het kan me ook geen barst schelen.'

'Wat vond hij van het profiel dat Jack geschreven heeft?'

'Weet je, hij heeft er geen woord over gezegd. Hij heeft ook niet geïnformeerd naar de reacties van die twee stukken over me in de krant. Of de artikelen die daarna in andere kranten verschenen zijn. Het schijnt hem geen bal te interesseren. Niet dat het me uitmaakt, hoor. Ik vind het wel lekker dat hij zich voor de verandering eens niet met mijn zaken bemoeit.'

Laurie leunde achterover in haar rolstoel en er verscheen een bedachtzame blik in haar ogen. Na een korte stilte zei ze: 'Je bent het misschien niet met me eens, maar ik denk dat Marius jaloers is. En dan niet vanwege Jack, maar op je succes. Eerst was er die fantastische veiling van die Rembrandt, maar nu laait de opwinding al op voor je volgende veiling. Je hebt zowat elke dag in de krant gestaan en je krijgt de beste publiciteit die je je kunt wensen. Ik denk dat hij zich zit op te vreten van ergernis. Hij is niet meer nummer een, nu ben jij opeens de ster.'

Omdat ze dag en nacht gepiekerd had over Jack en hun verhouding, had Annette zich deze week nauwelijks met andere zaken beziggehouden. Ze deed haar werk op de automatische piloot, zo professioneel als ze kon, maar ze had beslist niet stilgestaan bij de onophoudelijke stroom van publiciteit. En nu had Laurie zomaar iets heel belangrijks blootgelegd... waarschijnlijk waar het allemaal om draaide.

'Je zou best eens gelijk kunnen hebben, Laurie,' zei Annette en ze vervolgde: 'Zo, en waar zullen we nu eens gaan lunchen? We moeten mijn prille roem wel gaan vieren! Al vind ik roem erg zinloos en bovendien zo vergankelijk. In elk geval absoluut onbelangrijk.'

355

'Ik heb Angie gevraagd om een lunch te verzinnen. Vind je het erg als we hier eten? Ze is naar Harrods geweest en heeft allerlei lekkere hapjes gehaald. Gerookte zalm, gebraden kippetje, oesters, chocolademousse, bietjessalade, aardbeienijs...' Annette staarde haar zus aan en barstte voor de eerste keer in dagen in lachen uit. 'Wat zullen we nu krijgen! Over een speciaal dieet voor zwangere vrouwen gesproken. Heb je soms last van bizarre eetkicks?'

'Nou, jij vindt vrijwel al die dingen lekker, Annette, of niet soms. Ik heb voor ons tweetjes besteld, niet alleen voor mezelf.'

'Ik plaag je maar, en natuurlijk blijven we lekker hier, graag zelfs.'

Tijdens de lunch kletsten de zusjes over de komende bruiloft in juli. Ze besloten dat de uitnodigingen zo snel mogelijk de deur uit moesten, voor iedereen andere afspraken zou hebben. En Laurie beloofde hetzelfde weekend met Malcolm een vaste datum te prikken.

Terwijl ze de locatie, het menu, de bloemen en de lijst van genodigden doornamen, zei Laurie plotseling: 'Ik wou dat we wisten waar Alison was. Ik zou haar er zo graag bij hebben.'

'Ik natuurlijk ook, lieverd, maar ik heb geen idee waar ze is gebleven. Ze heeft maar heel zelden een kaartje geschreven de laatste jaren. Helaas.'

'Die paar kaarten die we kregen kwamen uit Frankrijk, waar ze altijd heen wilde. Ze was een francofiel in hart en nieren, weet je nog?'

Annette knikte en glimlachte toen ze dacht aan haar lieve nicht. Het was Alison die hun de namen Marie Antoinette en Josephine had gegeven en liedjes voor hen had geschreven, liedjes voor de 'Koninginnen van de Regenboog'.

Alsof ze haar gedachten kon lezen, begon Laurie te zingen: 'Josephine is mijn naam, ik ben Frankrijks keizerin. Kom dans met mij, of heb je geen zin?' Ze zweeg en keek naar Annette. 'O, je huilt! Heb ik je van streek gemaakt? Heb ik nare herinneringen aan die afschuwelijke tijd opgewekt? Het spijt me zo, Annette.'

'Nee hoor, alleen goede herinneringen,' zei Annette en veegde de tranen met haar vingertoppen weg. 'Ik dacht aan Alison, en dat ik met heel mijn hart van haar hou, want ze heeft ons leven gered.' Annette hernam zich en lachte naar haar zus.

'Op verschillende manieren, vind je niet?' vroeg Laurie. 'Eerst redde ze jou van hem. En ze zorgde ervoor dat we geen trauma kregen door met ons te gaan spelen in de velden en weilanden, en nam ons mee uit theedrinken. En uiteindelijk haalde ze ons uit Craggs End weg en ging met ons naar Londen, naar onze moeder. Het was heel moedig van haar om dat tegen grootvaders zin te doen. Alsof het hem kon schelen of we met hem in Ilkley waren of niet; hij keek toch niet naar ons om.'

'Het kon hem niet echt schelen dat we er waren, maar in de loop der jaren is tot me doorgedrongen dat het gewoon een eenzame, verslagen oude man was, die nergens meer kracht voor had.'

'Hij had je best tegen Gregory kunnen beschermen als die uit school kwam,' zei Laurie met een frons.

'Ja, dat klopt, maar Alison deed het wel en heeft daar zwaar voor moeten boeten.'

Even bleef het stil, tot Laurie gedempt mompelde: 'Het beste wat je ooit hebt gedaan was naar dr. Stephanie Lomax gaan. Ze heeft je echt geholpen eroverheen te komen dat je als kind seksueel misbruikt en verkracht werd. Maakte je weer beter.'

'Ja, ook over het mishandeling die me later in moeders huis overkwam praatten we veel. Uiteindelijk leerde ik ermee omgaan, kreeg ik weer zelfvertrouwen. Maar dat heeft wel jaren gekost. Misbruik ontregelt lichaam en geest.'

Annette barstte in snikken uit, nam een zakdoek uit haar zak en hield hem tegen haar ogen. 'Het spijt me zo, Laurie. We zouden er niet meer over moeten praten, over het verleden. We moeten het over de toekomst hebben, over je bruiloft, de details op een rijtje zetten. Laten we dat maar eens doen, vind je niet? Laten we weer vrolijk worden.'

Laurie knikte alleen maar, nam nog een hapje gerookte zalm, en probeerde het verleden diep te begraven. Het duurde even, zoals gewoonlijk; ze wist dat ze nooit zou vergeten wat Annette doorstaan had om haar te beschermen toen ze nog klein

357

waren. En ze zou nooit Annettes gegil vergeten wanneer Timothy Findas haar weer eens afranselde. Hun moeder was niet in staat geweest haar te helpen. Die was altijd ladderzat.

Toen Annette later die middag terugkeerde naar haar appartement aan Eaton Square, vond ze een briefje van Marius. Hij was naar een klant in Gloucestershire en zou niet voor het avondeten terug zijn. Misschien bleef hij daar zelfs overnachten.

Dat nieuws was een grote opluchting voor haar. Ze kleedde zich uit, deed een peignoir aan en ging op bed liggen. De uitputting sloeg toe en ze probeerde in slaap te vallen, maar dat wilde niet lukken. De gedachten aan Jack krioelden door haar hoofd. Ze hield van hem, kon hem niet missen, verlangde naar hem – maar het was onmogelijk. De tranen waren niet tegen te houden. Haar hart was gebroken en ze huilde lang en hevig. Ze merkte dat haar dat enigszins opluchtte en uiteindelijk viel ze doodmoe in een diepe, droomloze slaap.

Aan de andere kant van Londen bracht Jack een bezoek aan zijn tante Helen, die in een comfortabele flat in Belsize Park woonde.

Helen North was dolblij haar neef weer eens te zien en terwijl ze thee inschonk zei ze: 'Wat ontzettend aardig dat je die spulletjes van je moeder hebt meegenomen, Jack. Ik zal ze koesteren, vooral de kaptafelset. Ze hield zo van haar borstels en de spiegel.'

'Nou, ik ben blij dat ik de juiste dingen heb gepakt, tante,' antwoordde Jack. 'Ik weet dat ze er veel waarde aan hechtte. En weet u, er ligt nog veel meer in het huis in Hampstead. Als u nu morgen met me meegaat, kunt u een kijkje nemen en aanwijzen wat u nog meer wilt hebben.'

'Dat is heel lief van je.' Helen keek hem eens aan en vroeg: 'Wil jij het tafelzilver of het porseleinen servies dan niet houden? Of Kyle?'

'We hoeven het echt niet te hebben. Dus kiest u maar uit wat u wilt, dan breng ik u ook weer thuis. Ik mag Kyles auto gebruiken zolang hij wegblijft, en al moeten we een paar keer heen en weer, dat is geen enkel probleem.'

'Je zult toch wel wat beters te doen hebben dan je oude tante op zondag heen en weer te rijden,' zei Helen.

'Geen enkele moeite, ik doe het graag. Het huis staat te koop en Kyle en ik willen het zo snel mogelijk leeg opleveren.'

'Oké dan, afgesproken.'

'Mooi. Ik haal u rond een uur of tien op, goed?'

'Prima.' Ze wees naar het bord vol kleine korstloze sandwiches en vroeg: 'Geen trek?'

'Nee, eigenlijk niet, dank u.' Hij nipte van zijn thee, zette het kopje neer en zei: 'Tante Helen, ik vraag me af of u me kunt helpen met iets uit het verleden.'

'Ik wil je best helpen als ik kan. Wat wilde je weten?'

'Een paar dingen over mijn vader. Mijn biologische vader bedoel ik, Nigel Clayton.'

Helen fronste haar voorhoofd. 'Goeie hemel, Jack, wat kan ik je nu over Nigel vertellen dat je niet al weet?' Ze keek verrast.

'Nogal wat, denk ik. U weet, ik heb hem nooit gekend, en mijn moeder had geen goed woord voor hem over. Die goeie Peter sprak nooit kwaad over wie dan ook, en praatte liever niet met mij over Nigel toen ik ouder was.'

'Maar wat wil je dan weten?' Ze keek hem nieuwsgierig aan. 'En waarom zo opeens?'

'Omdat ik een artikel schrijf over iets wat in de jaren zeventig gebeurd is. Ik heb het vermoeden dat hij een vriend was van een van de mannen die in het stuk voorkomt,' verzon hij.

'O, ik begrijp het. Brand maar los.'

'Het artikel speelt in de kunstwereld en ik hoorde ergens dat mijn vader bevriend was met een kunsthandelaar die Marius Remmington heet. Klopt dat?'

Helen zweeg een poosje en toen knikte ze. 'Ze waren meer dan gewoon vrienden, Jack, boezemvrienden waren het. Er was een tijd dat ze onafscheidelijk waren, herinner ik me. Dat zal dertig jaar geleden zijn, in 1977 waarschijnlijk. Al voor Marius de Remmington Gallery in Cork Street opende. Hij had toen een veel kleinere galerie, de Glade geloof ik.'

'Weet u of mijn vader ooit bij zakelijke transacties betrokken was? Of dat ze samenwerkten in de kunsthandel?'

'Dat weet ik niet… Maar ik denk van niet. Hoezo?'

'O, ik vroeg het me alleen af. En die Marius was zeker ook getrouwd in die tijd?'

'O, nee, hij was vrijgezel, en hij zette de bloemetjes behoorlijk buiten. Dat deed Nigel ook, maar in het klein... Nigel was gewoon een flirt, en wat hem betreft was het allemaal onschuldig. Maar ik weet nog wel dat je moeder altijd razend op hem was.' Helen schudde haar hoofd. 'Ze mocht die Marius gewoon niet; ze vond dat hij een slechte invloed op je vader had, en hem van het rechte pad af trok.'

'Het klinkt alsof u dat niet gelooft.' Jack keek zijn tante onderzoekend aan, hij stond te popelen om meer te horen over die tijd, lang geleden.

'Ik heb eerlijk gezegd nooit gedacht dat je vader je moeder bedroog, zeker niet in het begin. Ze trouwden toen ze allebei achtentwintig waren en ze waren erg verliefd. Toen kwam jij twee jaar later. Nigel was een goeie jongen, hoor.'

'En Marius? Kunt u iets over hem vertellen?'

'Het was een knappe vent. Karakteristieke kop en dat zilveren haar was uniek, zeker met dat jonge gezicht eronder. Hij had vaak een meisje, maar hij was wel degelijk vrijgezel in die tijd. Toen kreeg hij vaste verkering met een jonge kunstenares. Ik weet niet meer hoe ze heette, het was wel een vreemde naam, maar ze was beeldschoon en ze waren een tijdje het gesprek van de dag. Misschien dat de vriendschap met je vader in die tijd een beetje bekoelde.'

'Kregen ze ruzie? Bedoelt u dat?'

Helen staarde nadenkend voor zich uit en zei toen zacht: 'Nee, ik denk niet dat het een breuk was, dat niet. Maar Marius had een heftige relatie met dat meisje. Ze heeft zeker een paar jaar al zijn aandacht opgeëist. En ik denk dat je vader... wel, een beetje in de steek gelaten werd.'

'Ik snap het: het vijfde wiel aan de wagen. Maar goed, waren Marius en mijn vader nog bevriend toen mijn vader gedood werd?'

Helen schoot overeind en zette grote ogen op. 'Gedood? Wat bedoel je daarmee?'

'Nigel kwam toch om in de oorlog. Hij stapte op een landmijn in een of ander slagveld ergens in een uithoek van de wereld, volgens mijn moeder.'

'Heeft je moeder je dát verteld?' Helen kneep haar ogen half samen en ze schudde licht verontwaardigd haar hoofd.

'Mijn vader was toch oorlogscorrespondent?'

'Nee, dat was hij niet.'

'Maar hij was toch journalist?'

'Jawel, en toen hij voor in de twintig was heeft hij wel eens een blauwe maandag als oorlogscorrespondent gewerkt. Maar toen hij met je moeder trouwde, eiste Eleanor dat hij daarmee ophield. Ze was natuurlijk bang dat hij om zou komen. En daarna werd hij dus stadsverslaggever, hier in Londen. Hij maakte al snel naam dankzij een eigen column, die zo goed geschreven was dat hij er talloze prijzen mee in de wacht sleepte. Hij was beroemd.'

Jack keek zijn tante verbijsterd aan. Waarom was niets ooit wat het leek? dacht hij en hij slaakte een diepe zucht. Toen vroeg hij: 'Waarom zou mijn moeder mij dan op de mouw gespeld hebben dat hij de kick van de oorlog nodig had? Altijd op jacht naar avontuur en gevaar, tot hij opgeblazen werd op het slagveld? Ik snap er niets van.'

'Ik denk dat het niet te snappen is, Jack, en ik heb geen idee waarom ze jou zulke nonsens vertelde. En ik weet eigenlijk ook niet waarom ze hem zo zwartmaakte.' Ze zweeg even en ging door. 'Misschien voelde zij zich in de steek gelaten. Maar goed, ongeveer vijfentwintig jaar geleden ging het uit tussen Marius en die kunstenares, en hij en je vader werden weer dikke vrienden; ze waren altijd samen op stap. Volgens mij kreeg je moeder toen een beetje genoeg van je vader. Misschien dat ze hem na zijn dood, toen jij vragen begon te stellen, als een held wilde voorstellen, als oorlogscorrespondent die in het harnas stierf. Zoiets misschien.'

'Dat had ik nooit van haar verwacht. Dat ze tegen me loog. Elke keer weer. Waarom wilde ze dat ik hem zou haten? Omdat zij een hekel aan hem had?' zei Jack opgewonden, met een boze frons.

Helen schudde haar hoofd en was net zo verbaasd als haar neef. Ze stond op, ging naast hem op de bank zitten en nam zijn hand in de hare. 'Ik kan haar gedrag niet verklaren, Jack, en ik begrijp dat je van slag bent omdat ze tegen je heeft gelogen. Maar wat ik zeg is de waarheid.'

'O tante Helen, dat weet ik toch. Maar ik ben echt stomverbaasd en ik vind het heel erg. Maar... als dat verhaal dan niet waar is, hoe is mijn vader dan echt gestorven?'

'Hij is van de trap gevallen en kwam op zijn hoofd terecht. Het was een ongeluk.'

'Waar is dat gebeurd, tante Helen?'

'In zijn huis in Notting Hill. Dat weet je niet meer, maar daar ben je geboren.'

'Nee, ik kan me dat huis niet herinneren. Dus hij is gevallen en werd dood door iemand gevonden of zo?'

'Nou, je moeder en ik vonden hem, Jack.'

'O god! Wat vreselijk! Wat een schok zal dat voor jullie zijn geweest.' Hij keek haar vol medeleven aan en kneep even in haar hand.

'Dat was het zeker. Ik zal het uitleggen. Je moeder en vader leefden in die tijd al gescheiden. Hij was dol op dat huis, je moeder niet, dus was ze allang blij dat hij erin wilde blijven wonen. Zij verhuisde met jou naar een appartement vlak bij mij. Maar goed, op een avond wilde ze bij hem langsgaan, om nog wat spullen op te halen die van haar waren. Ze had de sleutel nog, dus we gingen naar binnen en vonden hem op de vloer in de hal in een rare houding. Zijn hoofd bloedde. Er lag een hele plas bloed, Jack.'

'O, god.' Hij huiverde. 'Dus jullie belden meteen de ambulance?'

'Ja, natuurlijk...' Helen pauzeerde even en beet op haar lip. 'Het was zo'n schok voor je moeder, en voor mij ook... om hem zo te vinden.'

'Wás hij wel dood toen jullie hem vonden? Of stierf hij in het ziekenhuis?'

'Nee, in de ambulance,' zei Helen met een zachte en droevige stem.

'Nou, dan weet ik nu tenminste hoe het echt is gebeurd,' stelde Jack rustig vast.

Helen leunde naar achteren op de bank, en die nacht stond haar opeens weer helder voor de geest. Het leek wel alsof het haar gisteren overkomen was. En nu herinnerde ze zich nog iets. Ze wilde Jack vertellen wat ze nog meer had gezien, maar ze stond in dubio of ze dat wel moest doen. Het was allemaal zo lang geleden...

Jack was, ondanks wat hij vanavond gehoord had, scherp

als altijd. 'Houdt u iets voor me achter, tante Helen? Is er iets wat u me niet verteld hebt? U weet toch dat u alles bij me kwijt kunt? We zijn tenslotte familie. Eigenlijk bent u, afgezien van Kyle, de enige echte familie dat ik nog heb.'

'Ik weet het... Maar ik zag die nacht opeens weer voor me. Zo levensecht dat ik er even van schrok, om je de waarheid te zeggen.' Ze keek hem diep in de ogen en zei langzaam, zo zacht dat het nauwelijks hoorbaar was: 'Ik zag iets vlak voor we het huis binnengingen...'

'Wat dan?' vroeg hij vol spanning, zijn blik vast op haar gevestigd.

'Ik zag *iemand*, Jack, en ik vermoed dat die gestalte net uit Nigels huis gekomen was...' Ze stopte en slaakte een diepe zucht; het was duidelijk dat ze niet verder wilde gaan. 'Ik herinner me dat ik dat dacht.'

'Maar wie was dat dan?' drong Jack aan, die nu alles wilde weten ook.

'Marius Remmington,' zei ze ten slotte. 'Een paar meter verderop in de straat, met één been in een taxi. Het was april en het was vollemaan, en ik herkende zijn profiel, en vooral dat zilveren haar.'

'En wat zei mijn moeder?'

'Zij zag hem niet. Ze zocht naar de sleutel in haar tas, deed de deur open en ging als eerste naar binnen. Ik stond achter haar op de stoep te wachten en keek toevallig de straat in. En ik zag hem. Ik hoorde je moeder gillen en ik ging snel het huis in. Ik vergat dat ik Marius gezien had. Maar veel later schoot dat beeld me weer te binnen en ik kreeg een ongerust gevoel.'

'Hoezo?'

'Omdat de dokter in het ziekenhuis vertelde dat hij er niet helemaal zeker van was of je vader door de val was gestorven. Hij was zo te zien ook geraakt door een stomp voorwerp. Iets in die geest.'

'Bedoelt u dat iemand Nigel op zijn hoofd had geslagen?'

'Misschien. Zeker weet ik het niet, en ik had het je misschien niet moeten vertellen. Ik wil niet dat je denkt dat ik Marius Remmington ergens van verdenk, want dat doe ik niet. Ik dénk dat het hem was, daar op straat, maar ik zou er geen eed op durven zweren.'

'Maar waarom zou Marius mijn vader hebben willen vermoorden?' vroeg Jack.

'Er is geen motief, het waren tenslotte boezemvrienden,' zei Helen, en ze wilde dat ze haar mond had gehouden.

'Misschien kwam Marius vlak vóór jullie binnen, trof Nigel daar zo aan, dacht dat hij dood was en vertrok weer,' opperde Jack.

'Maar niemand laat zijn beste vriend toch in zo'n toestand achter? Zou hij dan geen ambulance hebben gebeld? Zoals je moeder deed?'

'Ja, dat zou iedereen doen. Zo gevoelloos kan Marius toch niet zijn. Misschien is Nigel dus gevallen nadat Marius vertrok.'

'Zoveel twijfels... Heb ik het mis, Jack?'

'Nee, natuurlijk niet. Was er een gerechtelijk onderzoek?'

'Jawel. De uitslag was dood door een ongeval.'

'Dus die klap met dat stompe voorwerp kon niet worden bewezen.'

'Nee, daaraan bleef gerede twijfel bestaan.'

Jack stond op, liep naar het raam en keek naar buiten; gedachten schoten door zijn hoofd. Na een poos wendde hij zich weer tot zijn tante. 'U hebt me heel wat meer verteld dan ik eigenlijk verwachtte, tante Helen, maar ik ben heel blij dat u dat hebt gedaan. Het helpt om de waarheid te weten, in elk geval het grootste deel.'

Helen keek Jack doordringend aan. 'Ik hoop dat je niet dat stukje over Marius gebruikt, omdat ik het niet zeker weet of hij het was.'

'Natuurlijk gebruik ik het niet. Hij leeft nog en ik wil geen dagvaarding voor laster of smaad aan mijn broek hebben. Ik ben bang dat ik nu moet opstappen, maar u ziet me morgen om tien uur weer.'

'Dat zou fijn zijn, Jack,' zei Helen, en ze liep met hem naar de deur.

Na haar omhelsd te hebben ging hij met de lift naar beneden. De woorden schoten nog steeds door zijn hoofd. *Marius Remmington.* De man beheerste zijn gedachten meer dan ooit. Malcolm had gezegd dat hij gevaarlijk was. Was hij een moordenaar? Jack was vastbesloten dat uit te zoeken.

42

'Malcolm Stevens staat in de receptie, Annette,' zei Esther in de deuropening. 'Ik weet dat je op het punt staat om naar die vergadering bij Sotheby's te gaan, maar hij wil je per se spreken. Spoedgeval zegt-ie.'

'O, mijn god! Ik hoop niet dat er iets mis is met Laurie. Laat hem snel binnen, Esther.' Annette stond op en liep om haar bureau heen.

'Wat is er aan de hand, Malcolm?' vroeg Annette, toen hij even later haar kantoor betrad. Ze zag hoe bezorgd hij keek en wist meteen dat er iets ergs was gebeurd. Ze liep naar hem toe en hij omhelsde haar.

'Het heeft niets met Laurie te maken,' stelde Malcolm haar eerst gerust. 'Het gaat om Marius.'

'Marius?' Ze keek verbaasd. 'Wat is er met hem?'

'Hij ligt in het ziekenhuis, Annette. In het St. Thomas. We moeten onmiddellijk naar hem toe. Ik heb de auto met chauffeur vandaag.'

Annette griste haar handtas van het bureau, en terwijl ze zich langs Esthers kantoor haastten, zei ze snel waar ze heen gingen en voegde eraan toe: 'Zeg alsjeblieft al mijn afspraken voor vandaag af. Ik bel je nog.'

Toen ze eenmaal op straat stonden en Malcolm de auto opriep, zei ze: 'Wat is er gebeurd? Heeft Marius een ongeluk gehad? Wat is er met hem?'

'Ik weet het ook niet precies, maar we horen het wel zodra we in het ziekenhuis zijn. Twintig minuten geleden kreeg ik een telefoontje van ene Elizabeth Grayson. Ze zei dat ze een ontbijtvergadering met Marius had gepland. Over een schilderij dat ze te koop had. Ze wachtte op hem in de lobby van het Dorchester. Toen hij binnenkwam, zwaaide hij en liep op haar af, maar hij stortte midden in de lobby in elkaar. Ze rende op hem af, en ook mensen van het hotel. De ambulance werd gebeld, en terwijl ze daarop wachtten gaf Marius haar mijn nummer, en vroeg haar me te bellen.'

'Maar waarom stortte hij in elkaar? Wat is er dan met hem? Zei ze niets anders?'

'Nee. Alleen dat Marius wilde dat ze me belde. En dat de

broeders niet wilden dat ze meeging naar het ziekenhuis. Dat is alles wat ik weet.'

Op dat moment reed de auto voor. Malcolm hielp haar met instappen, liep om de auto heen en stapte naast haar in. 'Maak je nu maar geen zorgen. Het komt vast allemaal goed,' zei hij en hij kneep haar zachtjes in haar arm.

'Hij heeft pas nog een check-up gehad, Malcolm. De dokter zei dat hij zo fit als een jonge vent was.' Even later voegde Annette eraan toe: 'Elizabeth Grayson moet een nieuwe klant zijn. Ik heb nooit van haar gehoord, jij?'

'Nee, ik ook niet.'

'Ik vraag me af waarom Marius haar vroeg jou te bellen, en niet mij?'

Malcolm zweeg.

Annette keek naar hem en zei zacht: 'Ik weet eigenlijk niet precies waar hij was, afgelopen weekend. Hij zou naar Gloucestershire gaan, naar een klant.'

Malcolm draaide zich in haar richting en hij keek haar gefronst aan. 'Heeft hij je de afgelopen dagen dan niet gebeld?'

'Nee. Hij liet zaterdag een briefje achter. Ik vond het toen ik terugkwam van de lunch bij Laurie. Hij schreef dat hij daar misschien bleef slapen. Ik dacht er verder niet bij na. Zo is hij altijd geweest, een beetje vaag, hij zegt nooit precies waar hij heen gaat en is lastig te vinden. Niet dat ik dat ooit probeer. Hij werd woest toen ik hem ooit een keertje belde.'

'Hij is altijd al een beetje een loner geweest.'

'Ja.' Ze keek uit het raampje en vroeg zich af wat Marius scheelde. Ze dacht hardop: 'Zou hij een beroerte hebben gehad? Een hartaanval? Wat denk je?'

'Raden heeft nu weinig zin,' zei Malcolm. 'Laten we maar wachten tot de dokter ons meer vertelt.'

Malcolm vertelde de receptioniste in de entree van het ziekenhuis wie ze waren en voor wie ze kwamen en een paar minuten later kwam een lange, blonde man op hen af.

'Ik ben dokter Ellwood,' zei hij tegen Malcolm.

De mannen schudden elkaar de hand en Malcolm zei: 'Dit is Annette Remmington, dokter. Haar man zakte vanochtend in elkaar in de lobby van het Dorchester Hotel, hij is met de ambulance hier gebracht.'

De arts schudde Annettes hand en glimlachte vriendelijk. 'Ja, ik weet het. Uw man ligt op de afdeling Cardiologie, mevrouw Remmington. Kom maar mee.'

'Heeft mijn man een hartaanval gehad, dokter?' vroeg Annette terwijl ze met hem en Malcolm naar de lift liep.

'Niet helemaal. Ze zullen het u precies uitleggen op de afdeling.'

'Oké,' zei Annette, terwijl ze de lift in stapten. Na een paar seconden liepen ze al op de afdeling Cardiologie en dokter Ellwood stelde hen voor aan dokter Martin Chambers en ging toen verder. Marius was de patiënt van dokter Chambers.

'Wat is er met hem aan de hand?' vroeg Annette meteen. Ze was bleek en erg ongerust.

'Hij lijdt aan een aneurysma. Dit kan een levensbedreigende toestand zijn, mevrouw Remmington,' zei dokter Chambers, en hij vervolgde zijn uitleg. 'Het gaat om een bloeding in de wand van de aorta, de voornaamste slagader die het hart verlaat. Er ontstaat een zwelling waardoor er minder bloed circuleert en dat is uiteraard altijd ernstig.'

'Waar kan het door veroorzaakt zijn?' vroeg Annette.

'Er zijn allerlei oorzaken, maar zo'n aneurysma ontstaat door een scheur of zwakke plek in de wand van de aorta. Bij uw man is dat het geval in het deel van de aorta dat door de borstkas loopt, maar een slagadergezwel kan ook in de buikholte voorkomen,' legde dokter Chambers uit.

Annette knikte. 'Ik begrijp het, ik denk het tenminste. U zegt dus dat mijn man een scheur in de binnenwand van de aorta heeft, waardoor die gaat uitpuilen. Klopt dat?'

'Ja, precies. Daardoor ontstaat er levensgevaarlijke druk op de buitenwand, die kan openbarsten. Meneer Remmington heeft een scheur van ruim twintig centimeter, ik vrees dat dat een slechte zaak is.'

'Hoe kan dat worden verholpen?' vroeg Malcolm.

'Ten eerste moeten we complicaties vermijden, en daarom is hij ook meteen opgenomen. Voor een type-A aorta-aneurysma is een operatie nodig, waarbij de aorta gerepareerd wordt, maar type-B kan met medicijnen worden behandeld. Dat doen we momenteel, mevrouw, uw man krijgt medicijnen.'

'Dus het is type-B?' vroeg ze om er zeker van te zijn.

'Ja, dat klopt.'
'Wat kan dit veroorzaakt hebben?' kwam Malcolm tussenbeide.
'Hoge bloeddruk, in dit geval. Meneer Remmington vertelde me dat zijn huisarts hem een tijdje geleden pillen heeft voorgeschreven, maar dat hij ze vaak vergat in te nemen. In het afgelopen uur ging zijn bloeddruk als een jojo op en neer. We proberen dat onder controle te krijgen.'
'Heeft hij pijn?' vroeg Annette.
'Nu niet meer. Hij stortte neer door hevige steken in de borst, onder zijn schouderbladen en hoog in de rug. Maar hij krijgt nu sterke pijnstillers en zoals ik zei geven we hem medicijnen om zijn bloeddruk te verlagen. Hij heeft nu minder last.'
'Kunnen we hem zien?' Annette keek de dokter hoopvol aan.
'Hij ligt op de intensive care, maar u mag hem zo wel even zien. Loopt u maar met me mee.'
Annette en Malcolm volgden de cardioloog, en toen hij hen de ic liet binnengaan, schrok ze van Marius' onnatuurlijke bleekheid. Hij sliep, maar zag er doodziek uit en Annette wendde zich tot de arts. 'Gaat hij dood?' vroeg ze ongerust.
'Dat laten we niet gebeuren, mevrouw. We blijven hier altijd positief.'
'Wanneer kunnen we terugkomen?' zei Malcolm. 'In de namiddag, of vanavond?'
'Misschien kunt u rond een uur of zes komen. Hij moet vooral rusten en u kunt verder niets doen. We laten hem slapen, hij is hier in goede handen.'
'Reuze bedankt, dokter,' zei Annette en Malcolm sloot zich daarbij aan.

'Wat denk jij, Malcolm? Denk je dat hij beter wordt?'
'Ik denk het wel. Hij is altijd zo sterk als een os geweest, en verder is hij kerngezond. Wist jij dat hij hoge bloeddruk had?'
'Nee, dat heeft hij me nooit verteld, en als ik het geweten had, had ik erop gelet dat hij die pillen innam.'
'Dat is jou wel toevertrouwd, ja.'
Terwijl ze het ziekenhuis verlieten en in de auto met chauffeur stapten, zei Malcolm: 'Luister Annette, ik moet je iets vertellen. Kunnen we onderweg ergens even een kop koffie drinken?'

'Wat is er? Is er nog iets mis?'

'Ik zou kunnen zeggen dat er al een hele tijd iets mis is, maar dat moet je zelf maar bedenken als ik het je heb uitgelegd.'

'Dat klinkt nogal ernstig, Malcolm. Heeft het te maken met Laurie? Of met jou en Laurie? Of met je zaak?'

'Daar heeft het allemaal niets mee te maken.'

'Dus dan gaat het zeker over mij.' Ze keek hem even aan voor ze met gefronste wenkbrauwen haar blik op haar handen richtte.

'Het gaat niet echt over jou, nou ja, het gaat deels over jou, maar het gaat vooral over Marius.'

'Over zijn gezondheid?'

'Nee, ook al niet.'

'Gaat het dan om die Elizabeth Grayson?'

Malcolm keek tersluiks naar haar en het schoot door hem heen hoe schrander ze was. Net als hij had ze zich afgevraagd wat er waar was van het verhaal van de ontbijtvergadering over een schilderij.

'Nee, het gaat niet om haar. Tenminste, nu niet.'

'Dan weet ik het niet, maar je maakt me wel ontzettend nieuwsgierig. Kom op, leg het uit. Alsjeblieft.'

'Het gaat om een ingewikkelde kwestie waar Jack tegenop is gelopen, zo kan ik het het beste zeggen. Laat ik vooropstellen dat hij absoluut niet op zoek was naar informatie.'

'Maar hij heeft iets ontdekt dat Marius in een ongunstig daglicht stelt, is dat het?'

'Voor een deel.'

'Ik vertrouw Jack onvoorwaardelijk, Malcolm. Ik weet dat het een integer en goed mens is. En hij zou mij, of wie dan ook, nooit opzettelijk kwetsen. Dus waar kunnen we heen zodat ik het hele verhaal rustig kan horen? Duidelijk niet naar mijn appartement, want Elaine is thuis. Liever niet naar Laurie's, omdat zij daar is. En Esther zit in mijn kantoor en Maeve in het jouwe.' Ze vertrok haar gezicht. 'Ik vermoed dat je absolute privacy wilt hebben, zodat niemand het hoort behalve ik. En Jack. O, dat is je bedoeling hè? Dat ik met je meega naar Jacks appartement?'

'Als je akkoord gaat, graag. Het was mijn idee, niet het zijne, en we hadden zo'n beetje afgesproken om met je te praten, al voor Marius in elkaar zakte.' Hij gaf Jacks adres aan de chauffeur, en grinnikte in zichzelf. Wat een slimme meid was die Annette toch.

Ze knikte ten teken dat het goed was. Uit het raam starend dacht ze na. Dit zou geen vrolijk verhaal worden, dat voelde ze op haar klompen aan. Jack was bij toeval ergens op gestuit en wilde dat zij ervan wist. Ze vroeg zich af wat hij over haar verleden had gevonden.

Malcolm had Jack vanuit de auto gebeld en hij stond hen al op te wachten toen ze aankwamen bij de flat op Primrose Hill.

Hij begroette hen met zijn gebruikelijke hartelijkheid, maar Annette vond dat hij er doodmoe uitzag, met donkere kringen rond zijn ogen.

'Ik heb gehoord dat Marius in het ziekenhuis ligt, Annette,' zei Jack meteen. 'Wat is er met hem aan de hand?'

'Hij heeft een aneurysma, een zwelling in de aorta,' antwoordde ze. 'Er zit een scheur in de binnenwand van de slagader en het is heel ernstig, levensbedreigend zelfs als die knapt.'

'Mijn god!' riep Jack uit. 'Wat vreselijk!'

'Zeg dat wel,' zei ze en ze ging verder. 'Ik weet dat je iets over Marius hebt ontdekt, en het is blijkbaar van groot belang. Zou je het me alsjeblieft willen vertellen, Jack? Ik wil het echt weten. Alles.'

'Ik was niet op zoek naar dingen om hem zwart te maken,' zei Jack direct. 'Het was toeval. Dat moet je geloven.'

'Ik geloof je.' Ze liep verder en ging in een stoel zitten. Malcolm deed hetzelfde.

Jack bleef even staan en begon te vertellen. 'Toen ik vorige week in Frankrijk was, bracht ik een bezoek aan Claudine Villiers, de tante van mijn ex-vriendin Lucy. Haar nieuwe woning op het terrein van Lucy's boerderij in de heuvels bij Beaulieu was klaar. Ze had een kunstcollectie die ik nooit had gezien, omdat die was opgeslagen terwijl haar villa in aanbouw was. De schilderijen had ze geërfd van haar partner met wie ze veertig jaar een relatie had. Maar deze schitterende verzameling, waaronder twee Cézannes, een Degas, een Vlaminck en twee Braques, bleken allemaal vals.'

Hij ging zitten en vertelde het hele verhaal, zonder iets weg te laten. Toen hij klaar was, knikte Annette, en leunde achterover met een intriest gezicht.

Malcolm vroeg: 'Was Marius mede-eigenaar van die Pegasus Galerie, of weet je dat niet, Annette?'

'Ik denk het wel, ik heb die naam heel af en toe voorbij horen komen.'

'Jack heeft nog iets anders ontdekt, Annette, maar hij heeft niet zoveel zin om het je te vertellen. Ik vind echter dat je de waarheid moet weten. Alleen als je van alles op de hoogte bent, zul je in staat zijn om je leven op orde te brengen en verder te gaan.'

'Ik begrijp het en ben het met je eens. Gaat het over mij, Jack? Of over Marius?'

'Niet over jou, welnee. Afgelopen dinsdagochtend ging ik naar La Réserve om er te ontbijten. Ik liep door de bar naar het terras en hoorde onophoudelijk een mobieltje rinkelen. Ik keek de tuin in waar het geluid vandaan kwam. Daar zag ik Marius in innige omhelzing met een roodharige dame.' Hij zweeg en keek haar aan, ongerust hoe ze op dit nieuws zou reageren.

Ze begreep dit zonder dat hij een woord zei en prevelde: 'Ga maar door Jack. Het is oké. Ik ben niet overstuur.'

'Dat is het eigenlijk. Ik ben snel de bar uit gelopen. Maar ik kwam erachter dat die vrouw Elizabeth Lang heette; en dat ze die ochtend hadden uitgecheckt.'

'Juist. Ik ken die naam Lang ergens van. Ik heb laatst wat op laten zoeken over Clarissa Normandy, haar meisjesnaam bleek Lang te zijn. En ze kwam uit Gloucestershire. Wat een vreemd toeval, vinden jullie niet?'

Jack riep uit: 'De portier van La Réserve zei dat Elizabeth Lang schilderde. Wacht eens even.' Jack sprong op en liep naar de telefoon. Hij belde zijn tante en toen ze opnam, zei hij: 'Hallo, tante Helen. Luister, er schiet me iets te binnen. Die kunstenares, die een tijd Marius' vriendinnetje was, en waarover u zaterdag vertelde, heette die toevallig Clarissa Normandy?'

'O ja, Jack, zo heette ze!' antwoordde zijn tante. 'Hoe ben je daar in hemelsnaam achter gekomen?' Zijn tante klonk blij dat haar neef haar belde om haar dit te vragen.

'O, er viel iets op zijn plaats in mijn hoofd. U weet zeker niet of ze ook een zus had?'

'Ik dacht het wel. Ik herinner me dat Marius soms klaagde dat ze weer met haar zus zaten opgescheept in het weekend. Ze was een stuk jonger dan Clarissa, en hij had er een hekel aan om babysitter te spelen. Hij was ook kwaad op de tante van die meisjes, Glenda Joules. Dat vertelde hij tijdens een dinertje dat je moeder eens gaf. Je hebt heel wat opgerakeld, Jack! Nu schiet me ook te binnen dat die meiden allebei een bos felrood haar hadden. Hemel Jack, je brengt mijn hele jeugd weer boven.'

'Ontzettend bedankt, tante Helen. Ik moet hangen, maar ik spreek u later nog.'

Toen hij opgehangen had, vertelde hij wat Helen hem allemaal had verteld en voegde eraan toe: 'Zoals ik zei, die Elizabeth had prachtig rood haar. En nu begint de cirkel zich te sluiten, nietwaar? Stel je eens voor, Glenda Joules is hun tante! Mevrouw Joules van Knowle Court! Daar durf ik mijn hand voor in het vuur te steken.'

'Ik ook,' zei Annette. 'Ik vond altijd al dat die huishoudster iets verdachts had. Ze weet veel meer dan ze loslaat.'

Jack ging weer zitten. 'Als Marius dus vervalsingen in de jaren zeventig verkocht, verkoopt hij ze misschien nog steeds. Kijk, waarschijnlijk werkte die Clarissa toen voor hem, en misschien ging ze ermee door toen ze een relatie met sir Alec kreeg. Misschien levert Elizabeth Lang nu vervalsingen die Marius afneemt.'

Malcolm zei: 'Dat zou best kunnen, maar denk je heus dat hij ze tegenwoordig nog verkoopt? Ik bedoel, waarom zou hij? Hij is schatrijk.'

'Als hij in vervalsingen heeft gehandeld, of het nu jaren geleden is of vorige week, kan hij de gevangenis ingaan. Het is oplichterij en strafbaar,' zei Annette somber.

'Maar alleen als iemand de politie erover inlicht, en wie zou dat nu doen?' vroeg Jack en hij keek ze allebei aan.

'Wij niet,' zei Malcolm.

'Er is trouwens nog iets wat ik je wil vertellen, Annette. Toen Claudine me over de Parijse praktijken van Marius vertelde, bleek dat mijn vader een boezemvriend van hem was geweest. In de jaren zeventig was hij een bekende journalist. Ik bedoel natuurlijk mijn biologische vader: Nigel Clayton...'

'O mijn god!' riep Annette direct uit. Ze keek of ze het in

Keulen hoorde donderen en ze staarde Jack vol afschuw aan. 'Was *Nigel Clayton* jouw váder?' zei ze doodsbenauwd. 'Ja, hoezo?' vroeg hij dringend, zo schrok hij van haar schrille stem, en toen zag hij pas dat ze lijkbleek was geworden. Ze begon ook zo hevig te trillen dat ze zich vast moest grijpen aan de leuningen van haar stoel.

'Annette, lieverd, wat is er met je? Wat is er aan de hand? Waarom reageer je zo heftig? Zeg het me dan...' Jack stond op en kwam direct bij haar staan. 'Je bent helemaal van de kook, wat ís er dan toch?'

'Je vader... hij was degene die me naar La Réserve meenam, met hem beleefde ik mijn romantische intermezzo...' Jack knielde langzaam bij haar neer en staarde haar ongelovig aan. Hij was met stomheid geslagen.

Annette sloot haar ogen, want ze durfde hem niet aan te kijken. *Jack was Nigel Claytons zoon.* De enige andere man op wie ze ooit verliefd was geweest. Of op wie ze dacht verliefd te zijn, lang geleden... toen ze achttien jaar was. O god! En ze werd het verleden in gezogen...

De verschrikking van die ijselijke nacht hield haar in zijn greep. Daar was ze, in de slaapkamer van het huis in Notting Hill met Nigel, schreeuwend, tegenstribbelend terwijl hij haar op het bed probeerde te drukken.

'Nigel, laat me los, ik wil niet! Ik wil niet blijven slapen!' riep ze en ze worstelde heftig om los te komen. Zijn greep werd nog krachtiger, zijn handen zaten als bankschroeven om haar armen. En toen ze hem aankeek, sloeg de angst haar om het hart. Zijn ogen schoten vuur en zijn mond was vertrokken. Ze wist dat hij gedronken had voor ze die avond aanbelde, en drank riep wreed, soms gewelddadig gedrag in hem op.

Ze greep de arm van een stoel en met een ruk trok ze zich naar voren en toen hij haar nog steviger vasthield, trapte ze tegen zijn enkel. Brullend van pijn liet hij haar los.

Ze vluchtte de slaapkamer uit, rende de gang op en ze bereikte net de overloop toen hij haar weer te pakken kreeg. Terwijl hij schreeuwde dat ze een ondankbaar kreng was, sloeg hij haar met vlakke hand hard in haar gezicht. Huilend van pijn en trillend van angst, bonkte ze met haar

vuisten op zijn arm, maar hij ontweek de slagen moeiteloos.
Door panische schrik bevangen riep ze elk greintje kracht
naar boven en ze worstelde, schopte, krabde en beet tot ze
zich opeens bevrijd had.
Terwijl ze naar de trap bewoog dook hij boven op haar, maar
ze week uit naar opzij zodat hij zijn evenwicht verloor en
van de trap naar beneden viel. Hij landde met een klap in
het midden van de marmeren vloer van de hal.
Haar gil echode door het stille huis.
Ze rende de trap af naar de hal waar hij bewegingloos lag.
Vlak bij zijn hoofd zag ze een plasje bloed, het plakte in zijn
lichtbruine haar. Ze knielde neer en nam zijn pols, die ge-
lukkig nog klopte. Uitzonderlijk zwak, dat wel, het was nau-
welijks voelbaar. En hij lag wel heel erg stil.
Een paar minuten bleef ze daar geknield met betraande ogen
zitten, ervan overtuigd dat het leven in een paar minuten uit
hem zou zijn weggevloeid. Toen ze opstond had ze geen idee
wat ze moest doen. Met een schok van angst besefte ze dat
zij de schuld zou krijgen van zijn dood. Ze wist zeker dat
dat zou gebeuren. Ze begon onbeheerst te trillen en onbe-
daarlijk te snikken...

Ze deed haar ogen open en staarde Jack aan.
Malcolm ging naar het drankkastje in de keuken en schonk
een glas cognac in, dat hij haar aanreikte. Ze beefde nog
steeds en zag eruit alsof ze elk moment flauw kon vallen.
Maar ze wilde het glas niet aannemen en prevelde: 'O god,
o god.'
Annette bleef Jack aanstaren, terwijl de tranen over haar
wangen biggelden. 'Ik heb hem vermoord,' zei ze. 'Het was
niet mijn bedoeling hem te vermoorden. We vochten en hij
viel van de trap. Het was een ongeluk! O Jack...'
Zonder een woord te zeggen sprong Jack overeind, nam haar
in zijn armen en trok haar omhoog. Hij sloeg zijn armen om
haar heen en drukte haar tegen zich aan. 'Nee, je hebt hem
niet vermoord, Annette! Dat is niet waar! Ik denk dat ik weet
wat er gebeurde, lieverd. Maar het kwam niet door jou. Geloof me nou, schatje, het kwam niet door jou. Jij hebt mijn
vader niet gedood.'
Ze begon weer te snikken en hij hield haar tegen zich aan

tot ze langzaam kalmeerde. Met een arm om haar schouders bracht hij haar naar de bank en ging naast haar zitten, in de hoop haar tot bedaren te brengen.

Malcolm zei: 'Ik weet niet hoe het met jou gesteld is, Jack, maar ik kan wel een kop koffie gebruiken.' Hij stond op, liep naar de keuken en schonk een mok in, want het duizelde hem zo langzamerhand.

Toen hij de keuken uit kwam, snikte Annette niet meer, en hij zei zacht tegen haar: 'En toen heb je het tegen Marius verteld, is het niet? Daarmee hield hij jou al die jaren in zijn macht. Jij dacht dat je Nigel had gedood, en dat zei je tegen hem, omdat je nergens anders heen kon. Hij was de enige die je kon beschermen en dat heeft hij ook gedaan, eerlijk is eerlijk. Maar hij gebruikte het om jou te chanteren, Annette, dat moet je goed begrijpen.'

'We hadden ruzie, en Nigel sloeg me, en ik raakte buiten mezelf van woede. Omdat ik mijn hele jeugd al door mannen misbruikt en mishandeld werd. Ik vocht met alles wat ik in me had en hij struikelde, en viel de trap af.'

'En wat gebeurde er toen?' vroeg Jack zachtjes, met haar hand in de zijne.

'Ik rende naar beneden. Hij had een heel zwakke pols. Ik was gek van angst. Ik wilde een ambulance bellen, maar ik belde eerst Marius. Hij zei dat ik het huis meteen moest verlaten en dat hij de ambulance wel zou bellen. En dus rende ik naar buiten.'

'En de volgende dag zei hij dat Nigel was overleden, zeker?' zei Jack.

Annette knikte. 'Ja. Precies.'

'Dan moet ik je toch even iets vertellen wat ik dit weekend heb gehoord. Mijn tante vertelde dat zij en mijn moeder naar het huis in Notting Hill gingen om wat spullen op te halen. Zij vonden Nigel daar voor dood op de vloer en zíj belden de ambulance. Maar mijn tante vertelde me nog wat. Luister. Terwijl zij wachtte tot mijn moeder de sleutels uit haar tas had opgediept en de deur opendeed, keek ze even opzij, de straat in. Ze zag nog net dat Marius een taxi in stapte. Ze herkende zijn zilveren haar, zijn profiel, en wist dat hij het was.'

'Wat bedoel je, Jack?' vroeg Annette, die net weer gekalmeerd was, gespannen.

'Dat toen jij wegging, Marius aankwam. Maar hij belde geen ambulance. Hoogstwaarschijnlijk sloeg hij mijn vader op zijn hoofd zodat hij niet meer bij zou komen. Mijn tante hoorde dat een van de doktoren zei dat er ook sporen van een stomp voorwerp op zijn hoofd gevonden waren, en dat dat de waarschijnlijke doodsoorzaak was.'
'Is er geen gerechtelijk onderzoek geweest?' vroeg Malcolm.
'Naar het schijnt heeft de jury geoordeeld dat hij gestorven is door een ongeluk.'
Annette leek zwaar geschokt door wat hij vertelde. 'Maar Marius liet me al die tijd geloven dat ík Nigel had gedood.' Ze zakte weg in de bank en sloot vermoeid haar ogen, haar gezicht zo wit als krijt.
'Mijn tante kan dit allemaal bevestigen, lieveling,' zei Jack zacht en hij pakte haar hand weer vast.
'Wat moet we nu in godsnaam doen?' vroeg Malcolm bezorgd, en hij keek Jack vragend aan.
'Ik hoop niets,' antwoordde Jack. 'Marius ligt in het ziekenhuis met een levensbedreigende ziekte en we weten niet of hij het haalt. Dus wat kunnen we anders doen dan wachten?'

Zo bleven ze een tijdje zitten, alle drie met een mok koffie. Annette en Malcolm probeerden te verwerken dat Marius zomaar was neergestort en vroegen zich af hoe het met hem zou aflopen, en Annette probeerde bovendien te wennen aan het idee dat Nigel Jacks vader was.
Jack deed zijn best het beeld dat zijn moeder van het verleden had gegeven te vervangen door wat zijn tante allemaal had verteld. Nu lagen bijna alle puzzelstukjes op hun plaats, op eentje na.
Hij keek tersluiks naar Annette en toen hij zag dat ze zich echt weer in de hand had, vroeg hij: 'Heb jij in de tijd dat dit speelde van een meisje gehoord dat Hilda Crump heette?'
Annette zweeg een poosje en knikte toen traag. Ze schraapte haar keel en zei: 'Ik ben Hilda Crump, Jack. Dat is mijn echte naam.'

Jack staarde Annette met open mond aan, net als Malcolm.

De twee mannen wisselden verbijsterde blikken uit, maar geen van beiden kon een woord uitbrengen. Malcolm nipte verbouwereerd van zijn koffie en Jack stond op, liep de kamer door, bleef even uit het raam staren terwijl hij probeerde te verwerken wat ze had gezegd.

Het was moeilijk te geloven dat deze superelegante en bloedmooie vrouw die achter hem op de bank zat Hilda Crump was, die door zijn moeder de ene keer beschreven was als een opgedirkte slettenbak, de andere keer als een magere armoedzaaier. Maar hij hoefde eigenlijk geen geloof meer te hechten aan de verhalen van zijn moeder. Zijn tante had bewezen dat ze loog dat het gedrukt stond.

'Nu begrijp ik het,' zei Jack en hij draaide zich om.

'Wat bedoel je?' fluisterde Annette vermoeid.

'Mijn moeder gaf Hilda er de schuld van dat haar huwelijk op de klippen was gelopen. Klopt dat?'

Ze zweeg even en scheen het zich allemaal weer te herinneren, met een strak, gepijnigd gezicht. Ze besloot haar verhaal met: 'Die avond dat hij stierf had hij flink gedronken, en hij was gemeen en gewelddadig... Maar ik vocht terug. Je weet hoe het afliep.'

'Nu wel.' Jack staarde weer in de verte, alsof hij iets zag wat niemand kon zien, alleen hij. En dat klopte eigenlijk wel. Hij stelde zich voor hoe Annette naar Marius was gerend omdat hij haar kon beschermen, Marius die waarschijnlijk net als Nigel verliefd op haar was geworden en groen van jaloezie was... Misschien greep hij gewoon zijn kans om zich te ontdoen van zijn rivaal. Heel even dacht Jack dat hij overdreef, dat zijn fantasie een loopje met hem nam, maar toen veranderde hij van gedachten. Mensen deden vreselijke dingen uit naam van de liefde – tot moord aan toe.

Malcolm, die tot nu toe alleen maar geluisterd had, vroeg zacht aan Annette: 'Waarom heb je je naam veranderd?'

'Omdat ik er een hekel aan had. Ik wilde altijd al Marie Antoinette genoemd worden, maar Marius zei dat dat zo'n mondvol was. Dus zo koos ik Annette... Watson. Laurie en ik namen de meisjesnaam van onze moeder over.' Ze haalde even haar schouders op. 'Dat is alles. Zo ingewikkeld is het niet.'

Ze bleven nog een tijdje praten, overdachten alles wat er gebeurd was, want ze konden toch niet veel anders doen dan wachten tot Marius hersteld was. Uiteindelijk stond Annette op en zei dat ze thuis nog even wilde gaan liggen voor het tijd was om naar het ziekenhuis te gaan.

Jack wilde haar thuisbrengen, maar ze schudde haar hoofd. 'Malcolm heeft de auto vandaag. Ik rijd wel met hem mee. Maar dank je wel, Jack.'

Toen ze thuiskwam vertelde ze de huishoudster wat er was gebeurd, en ze trok zich terug in haar slaapkamer. Nadat ze ook Esther had gebeld over Marius' toestand, kleedde ze zich uit om een douche te nemen. Terwijl het water over haar heen stroomde, leunde ze tegen de betegelde muur en snikte het uit. Ze huilde tot er geen tranen meer over waren, waarna ze zich in een dikke badjas hulde en op bed liet vallen.

Weer welden de tranen in haar op, zowel van verdriet als van woede. Ze vroeg zichzelf keer op keer af hoe Marius het in zijn hoofd had kunnen halen om haar tientallen jaren lang te laten geloven dat zij Nigel Clayton had vermoord! Wat een vuile, gewetenloze streek was dat geweest.

Ze was er altijd van uitgegaan dat hij haar had gered, en dat zijn bescherming een vorm van liefde was. Misschien zag hij het zo, maar ze was ondertussen wel zijn gevangene geweest en hij had haar leven bestierd. Alleen door haar eigen wilskracht en doelbewustheid had ze haar vrijheid weer teruggekregen. Tot op zekere hoogte. En opeens drong het tot haar door dat ze voor de eerste keer in tweeëntwintig jaar echt, compleet vrij was. Omdat ze nu de waarheid kende. Marius had geen macht meer over haar.

Later die dag ging Annette met Malcolm en Laurie naar het ziekenhuis St. Thomas. Ze namen meteen de lift naar de afdeling Cardiologie, waar dokter Chambers op hen af kwam lopen.

Annette zag direct aan het gezicht van de arts dat er iets niet in de haak was, maar ze vroeg toch: 'Gaat het iets beter met mijn man?'

'Een heel klein beetje, maar niet zoveel als ik verwacht had, mevrouw.' Hij zweeg even voor hij vervolgde: 'Zijn bloed-

druk gaat de hele dag al ernstig omhoog, om dan weer dramatisch te zakken. Maar nu lijkt hij eindelijk stabiel te zijn.'
'Mogen we hem zien?'
'Ja. Hij is nogal verward, gedesoriënteerd, maar dat is een normaal bijverschijnsel van een aneurysma.'
De dokter deed de deur wijd open voor Laurie in haar rolstoel, maar ze bleef bij de deurpost staan terwijl Annette en Malcolm naar binnen gingen. Hij lag doodstil en hij was krijtwit. Hij sloeg zijn ogen op, maar toen hij hen zag was er geen glimp van herkenning, en hij zei niets.
Annette boog zich over hem heen, zei zacht iets tegen hem, maar hij bleef zwijgen en reageerde op geen enkele manier. Malcolm probeerde het ook even, maar ook hij kreeg geen reactie. Het was net alsof ze onzichtbaar waren.
Na een paar minuten verlieten ze de ic en dokter Chambers vertelde dat hij zich op dezelfde manier bij de verpleegkundigen gedroeg, al had hij af en toe geprobeerd te antwoorden op een vraag.
Toen ze het ziekenhuis verlieten, begreep Annette dat de prognose niet best was, en Malcolm en Laurie zagen dat ook wel in. Dat hoefde geen arts hun te vertellen.
Een paar uur later stierf Marius Remmington. Het was de eerste dag van mei.

43

Die nacht, en nog vele nachten daarna, logeerde Annette bij Laurie in haar appartement op Chesham Place. Ze wilde eenvoudigweg niet alleen zijn in haar eigen huis op Eaton Square. Er waren daar te veel herinneringen en ze voelde onophoudelijk Marius' aanwezigheid, al was hij dan overleden.
Een paar weken na de begrafenis hadden Annette en Laurie een lang gesprek dat tot in de nacht duurde, over alles wat hen was overkomen door de jaren heen. Ze analyseerden alles, zoals ze gewend waren te doen. Op een bepaald moment had Annette uitgeroepen: 'Ik kan maar niet begrijpen hoe hij zo gemeen kon doen. Om mij te laten geloven dat ik Nigel

had vermoord was zo laaghartig, zo onvergeeflijk.' Ze klonk boos.

'Ja, zeg dat wel. Ik ben het eens met alles wat je zegt. Maar je kunt er niet mee blijven rondlopen, Annette. Je moet het verleden nu echt loslaten... Je moet in het heden leven, de scherven oprapen en een nieuw leven beginnen. En vooruitkijken.'

Annette keek haar zuster lang aan. 'Ik denk niet dat ik het verleden kan laten rusten... Er zit nog zoveel verdriet en gekwetstheid en woede in me; zoveel emoties en gevoelens. Ik ben behoorlijk beschadigd door alles.'

'Je kunt het best achter je laten, en dat gaat ook gebeuren,' hield Laurie vol. 'Je bent een overlever, Annette, en als iemand dat kan weten ben ik het wel. Vergeet niet, ik weet precies wat je als kind hebt doorgemaakt.'

Plotseling schoot Annette rechtop in haar stoel, met een blik van begrip in haar ogen. Haar stem klonk krachtiger en niet meer zo negatief toen ze zei: 'Als ik kindermisbruik en verkrachting, armoede en ontbering en zoveel verlies heb kunnen overleven, ja dan kan ik hier ook overheen komen, en het verleden laten rusten. Ik kan alle nare gedachten aan Marius laten gaan! Ik kan mijn woede loslaten. Ik hoef me alleen maar open te stellen.'

Voor de eerste keer sinds weken kon ze weer naar Laurie lachen. 'Ik kan mijn leven weer opnieuw beginnen. Omdat ik een overlever ben... dat heb ik al zo vaak bewezen. Als ik over mijn verschrikkelijke jeugd heen kan komen, dan kom ik hier ook wel overheen.'

'Natuurlijk kun je dat!' knikte Laurie instemmend, opgelucht dat de vechtersgeest van haar zus weer helemaal terug was.

'Ik zal herboren worden,' zei Annette. 'Ik begin gewoon opnieuw.'

En dat deed ze.

De maanden erna waren niet makkelijk voor Annette, maar ze zette door. Het lukte haar haar zaak te runnen en om te gaan met haar onstuimige emoties. Steeds weer werd ze overvallen door gevoelens van woede, wanhoop, pijn en angst, en soms kon ze ze niet de baas. Maar uiteindelijk was ze in staat de zware tijden achter zich te laten, en kon ze – weliswaar met wat innerlijke blauwe plekken – de wereld weer vol zelfvertrouwen en met rechte rug aan.

Ze besefte terdege dat er een paar mensen in haar leven waren die ze beslist niet zou kunnen missen, en ze was dankbaar voor haar zusje en haar vrienden die niet alleen loyaal waren, maar haar ook steunden, en dag en nacht voor haar klaarstonden wanneer ze hen nodig had. Laurie, Malcolm en Jack waren haar rotsen in de branding, haar liefhebbende ondersteuningsteam, en Esther droeg ook haar steentje bij. Dan waren er Carlton en Marguerite Fraser, Jacks tante Helen, en zijn broer Kyle. Zij vormden nu haar familie... de familie die zij en Laurie nooit hadden gehad. En ze hield van hen allemaal en vertrouwde op hen.

Malcolm en Jack hielpen haar om de waarheid omtrent Marius' zaken te onthullen. Agnes Dunne, de assistente die vijfendertig jaar Marius' rechterhand was geweest, was hun enige informatiebron. Maar ze wilde hen hoe dan ook graag helpen om alles uit te zoeken, omdat ze bang was dat ze anders niet aan haar kant zouden staan. Annette begreep dat ze zoveel over Marius' zaken wist dat ze het risico liep beschuldigd te worden van medeplichtigheid aan Marius' louche zaakjes. Dat hij vervalste schilderijen had verkocht stond nu wel vast, al was dat merendeels in het verleden gebeurd. De afgelopen jaren waren er niet zoveel meer op de markt gebracht. Zijn leveranciers, een aantal getalenteerde kunstschilders, waren niet meer beschikbaar.

Agnes wees hun de weg naar een echtpaar in Gloucestershire, dat in twee enorme schuren in de buurt van Cirencester woonde. Madeleine Tellier, de eigenares van de grond en bebouwing, was getrouwd met een begaafd kunstenaar, Raymond Tellier, die oorspronkelijk uit Grasse, Zuid-Frankrijk, kwam. Hij had Marius talloze jaren voorzien van vervalsingen, net als Clarissa Normandy en voor enige tijd ook haar zuster, Elizabeth Lang.

Volgens Madeleine Tellier hadden zowel musea als gefortuneerde verzamelaars schilderijen van de hand van haar man aangeschaft, en was niemand er ooit achter gekomen dat ze vervalsingen hadden gekocht. Hij was ook zo goed, vertelde ze hun. Madeleine legde uit dat Clarissa gespecialiseerd was in Cézanne en Manet, en Elizabeth had meesterlijke schilderijen in de stijl van Matisse, Braque en Modigliani vervaardigd. Maar Elizabeth deed het nu niet meer, en Clarissa, zoals zij allen wisten, was overleden.

Toen ze op een dag tegen het einde van mei in Cirencester waren, vroeg Annette aan Madeleine of ze Raymond Tellier kon spreken. Zijn vrouw nam hen mee naar de aangepaste en verbouwde schuur waarin ze woonden en ze stelde hen voor aan haar echtgenoot. Ze zagen meteen dat hij nooit meer een penseel zou kunnen vasthouden. Hij was acht jaar geleden geveld door een beroerte en kon vrijwel geen beweging meer maken. Hij bracht zijn leven in een rolstoel door. Annette vroeg of ze de vervalsingen mocht zien die ze nog hadden, maar volgens Madeleine was er niets meer van over. Ze waren allemaal verkocht, vertelde ze, en daar bleef ze bij. Aangezien Agnes Dunne dat verhaal bevestigde, moesten Annette, Malcolm en Jack het wel geloven. Zij drieën hoopten dan maar dat niemand die ooit een Cézanne, Manet of Picasso van Marius had gekocht zou ontdekken dat ze miljoenen hadden betaald voor een vervalsing.

Wat Christopher Delaware betrof, dwong Annette hem de vervalsingen die deel uitmaakten van de Delaware-collectie te vernietigen. Uiteindelijk ging hij ermee akkoord, omdat ze dreigde anders op te stappen als vertegenwoordiger van zijn collectie. Jim Pollard had hem overgehaald ermee in te stemmen, dat wist ze wel zeker. Dat ze de vernietiging zelf moest uitvoeren was geen probleem. Ze ging met Malcolm naar Knowle Court en sneed de doeken met een stanleymes aan flarden.

Nu ze er toch was, wilde Annette ook enige vragen aan mevrouw Joules stellen. Zij bevestigde de tante van de meisjes Lang te zijn, maar ontkende dat ze ook maar iets wist van oplichting. Annette geloofde haar eigenlijk niet en vertelde haar dat haar bloedeigen nichtjes de vervalsingen voor Marius hadden geschilderd.

Eerst protesteerde Glenda Joules, maar ze krabbelde al snel terug door alle druk die op haar werd uitgeoefend.

'Kom op, mevrouw Joules, een kind kan zien dat u liegt,' riep Annette streng uit. 'Als u me niet alles vertelt wat u weet, ga ik meteen naar Elizabeth. Ik weet waar ze woont in Barcelona, en ik weet alles van haar dankzij de uitstekende particuliere inlichtingendienst die ik heb ingeschakeld. Ik weet in elk geval dat ze al jarenlang de minnares van mijn man was, net als Clarissa dat voor haar was geweest, voordat Marius en ik trouwden.'

Glenda Joules besefte dat verder liegen weinig zin had, en zei dat het waar was, dat ze een aantal van zijn vervalsingen geschilderd hadden. 'Maar het is al jaren geleden, en ik heb er helemaal niets mee te maken. Ik had geen enkele invloed meer op hen. Ik was woedend dat ze daaraan meewerkten.'

'Vertel eens wat meer over Clarissa Normandy.'

'Ze was een ontzettend mooi meisje, en had talent als schilderes. Ik was kwaad dat ze haar talent en tijd verspilde aan het schilderen van vervalsingen voor Marius. Maar ze deed net alsof ze me niet hoorde. Ze was smoorverliefd op hem en deed alles wat hij zei.'

'Met wie was ze getrouwd?' vroeg Annette.

'Ze was helemaal niet getrouwd.'

'Maar waar komt die naam "Normandy" dan vandaan?'

'Vond ze mooi. Zo noemde ze zich. In plaats van Lang.'

'Heeft zij die Cézanne geschilderd waar al dat roet overheen is gekomen? Die ik zojuist heb vernield?' vroeg Annette.

'Ja. En toen sir Alec ontdekte dat het een vervalsing was, besmeurde hij hem met roet. Hij wilde hem beschadigen zodat het werk nooit meer verkocht kon worden. Hun relatie had echter een flinke deuk opgelopen en toen het alleen maar bergafwaarts ging, verbrak hij zijn verloving met haar.' Glenda Joules schudde haar hoofd en met een trieste blik zei ze: 'En daarom heeft Clarissa zichzelf van het leven beroofd, tenminste dat stel ik me zo voor. Omdat sir Alec haar dumpte, net als Marius een paar jaar daarvoor.'

Annette zuchtte en ze vroeg: 'Heeft ze nog andere Cézannes voor Marius geschilderd, die hij dan doorverkocht aan sir Alec?'

'Ja. Ze was een slim meisje.'

'Waarom deed sir Alec niets tegen die vervalsingpraktijken? Waarom heeft hij Marius nooit aangegeven? Of schadevergoeding geëist?'

'Ik heb geen idee, maar sir Alec was altijd al een excentrieke heer, op allerlei gebieden. Hij was al teruggetrokken toen hij nog met Clarissa verloofd was. Maar ik weet zeker dat

hij dacht dat die Cézannes echt waren. Marius kon zeer overtuigend zijn, weet u.'
'En wist u iets van dat priesterhok?' Annette keek haar strak aan. 'Natuurlijk wist u dat, u heeft hier jaren gewerkt.'
'Ik zweer u, ik wist er niets van, mevrouw Remmington. Maar ik merkte wel dat sir Alec een paar schilderijen van de muur haalde en ze ergens opborg. Maar waar, daar kwam ik niet achter.'
'U zegt dat sir Alec al vreemde trekjes had voor Clarissa stierf. Maar werd het echt erger of heeft Christopher dat verzonnen?'
'Nee, dat klopt wel. Hij gedroeg zich als een zonderling, kwam nooit uit zijn kamer, deed heel raar, alsof hij aan het dementeren was. Ik dacht dat die zelfmoord van Clarissa hem echt kierewiet had gemaakt. Ik zorgde voor hem, zo goed als ik kon.'
Annette knikte, want ze hoorde dat Glenda Joules de waarheid sprak. 'Ik denk dat we dit gesprekje onder ons moeten houden, mevrouw Joules,' zei Annette zacht. 'Ik zal niets tegen Christopher zeggen over Marius Remmington en de vervalsingen. Het lijkt me beter dat hij er niet van weet. En dat uw nichtjes vervalsingen maakten zal ik ook maar geheimhouden. Vindt u ook niet?'
De opluchting was van haar gezicht te lezen en ze zei: 'Dank u wel, mevrouw Remmington! Dat is bijzonder vriendelijk van u. Ik zou Knowle Court niet graag verlaten. Ik heb hier vrijwel mijn hele leven gewoond en ik mag de jonge meneer Delaware graag. Maar wat zegt u dan over de Cézanne met dat roet erop? En zal hij niet vragen waarover we het hebben gehad?'
'Over die Cézanne zal ik de waarheid vertellen, dus dat Clarissa hem aan sir Alec heeft verkocht. En toen hij later ontdekte dat hij niet echt was, heeft hij hem zelf onverkoopbaar gemaakt. Maar over de andere vervalsingen houd ik mijn mond. Wat maakt het nog uit? Sir Alec is dood, net als Clarissa. En zoals u ongetwijfeld weet is mijn man onlangs in het ziekenhuis overleden. Verder is er geen hard bewijs dat hij de schilderijen aan sir Alec verkocht, er zijn geen papieren. Wat mij betreft is het allemaal voorbij. En denk eraan, mevrouw Joules, zolang u niet in details treedt,

blijft u buiten schot en treft u geen blaam. Niet dat u iets gedaan hebt, maar praat er maar niet over met meneer Delaware.'

'Dat lijkt me inderdaad het beste, mevrouw Remmington. Nogmaals bedankt. Dit gesprek blijft privé. Ik zal er met niemand over spreken.'

Annette knikte en verliet de keuken. Ze liep terug naar de bibliotheek, waar Christopher, Jim en Malcolm al op haar zaten te wachten. Ze herhaalde wat mevrouw Joules haar had verteld over de valse Cézanne, die sir Alec besmeurd had zodat hij zeker wist dat het doek nooit verkocht zou worden. Ze legde uit dat sir Alec zo kwaad op Clarissa was geweest dat ze hem een vervalsing had gegeven, dat hij de verloving verbrak. Kapot van verdriet pleegde ze zelfmoord. Ze vertelde niet dat Clarissa het doek zelf geschilderd had, en dat ze de nicht van mevrouw Joules was.

Ze knikten ter bevestiging van haar verhaal en opvallend genoeg had Christopher geen enkel commentaar.

Terwijl ze terugreden naar Londen riep Annette plotseling uit: 'Ik kan nog steeds niet geloven dat juist Marius in vervalste schilderijen handelde. Iemand met zo'n diepe eerbied voor kunst en zo'n ontzag voor schilders... ik kan er niet bij. Wat een vreselijke hypocriet was het!'

Malcolm, die aan het stuur zat, was even stil en zei toen: 'Ik dacht dat ik Marius kende, maar nu pas dringt het tot me door dat ik helemaal niet wist wie hij was. Hij is het grootste mysterie in de kunstwereld voor me geworden. Hij heeft me zoveel over kunst geleerd, en jou ook, Annette, en hij was briljant, toegewijd en had echt een neus voor kunst. Maar hij was tegelijk een oplichter, niet?'

'Ik ben bang van wel,' antwoordde Annette. 'Onder andere.'

Toen ze die avond alleen in haar appartement aan Eaton Square zat, kreeg ze Marius en zijn criminele activiteiten maar moeilijk uit haar gedachten. Zijn gedrag was onbegrijpelijk voor haar en hoe intelligent ze ook was, ze kon er geen touw aan vastknopen.

Hij had zo van kunst gehouden, net zoveel als zij, en toch verlaagde hij zichzelf en alle schilders die hij zo bewonderde erbij, door anderen vervalsingen van hun werk te laten schilderen. Waarom?

Zou het voor het geld zijn geweest? Dat was de enige reden die ze kon bedenken; veel geld zou hem in staat stellen er een maîtresse op na te houden. Of meerdere... Elizabeth Lang was vast niet de enige geweest. Er moesten andere voor haar zijn geweest.

Het schoot door Annette heen dat Marius zichzelf en alles wat hij voorstelde verraden had, en haar erbij, door haar eerst begrip en het belang van kunst en de grote meesters bij te brengen, om vervolgens stiekem vervalsingen te verkopen. Zo iemand was niet integer, hield er geen morele normen op na, en was zo hypocriet geweest als het maar kon, zoals ze Malcolm had gezegd. *Hij was een ordinaire dief geweest.* Hij had het talent van de grote meesters gejat, hij had ze met minachting behandeld.

Die gedachte deed haar huiveren en ze begreep opeens waarom ze niet in staat was geweest rouw te voelen toen hij gestorven was – ze had haar respect voor hem al verloren, en ook haar laatste beetje liefde voor hem was in rook opgegaan. De gruwelijke waarheid over hem had het beeld dat ze van hem had, en wie ze dacht dat hij was, aan diggelen geslagen.

Ze voelde nu alleen nog maar verachting voor hem, en ze wist dat dat nooit meer over zou gaan.

De weken daarop hadden Annette en Malcolm hun handen vol aan het uitzoeken van Marius' kunstzaken en het opheffen van zijn hele onderneming. Gelukkig had Marius veel legitieme zaken gedaan, en Annette was blij te merken dat hij niet rood stond. Niet dat er veel geld op de bankrekening van Remmington Art Ltd. stond. Papieren van vervalste schilderijen waren echter niet te vinden. Dat had ze ook niet verwacht – Marius was te slim om belastend materiaal te laten slingeren.

Agnes Dunne was zo behulpzaam als ze kon en Annette begreep langzamerhand dat deze vrouw, die meer dan dertig jaar voor Marius had gewerkt, eigenlijk nooit precies had doorgehad wat zich in het bedrijf afspeelde. Onbetrouwbaar als Marius was had hij haar meestal onwetend gelaten van wat hij deed, en liet hij haar alleen dingen afhandelen die relatief onbetekenend waren. Agnes scheen er dan wel van op de hoogte te zijn dat er lang geleden een paar vervalsingen waren verkocht, maar ze had geen idee van de schaal van die handel. En over de Pegasus Galerie in Parijs wist ze niets.

Zowel Annette als Malcolm was opgelucht dat Agnes niet precies wist wat er aan de hand was, want ze waren als de dood dat er iets zou uitlekken. Slechts een paar mensen, die zeker hun mond zouden houden, wisten over de vervalsingen die Marius had verkocht... inclusief zijzelf, Laurie en Jack. Zelfs Carlton Fraser, die een goede vriend en collega was, was niet op de hoogte van de situatie en van Marius' hoofdrol hierin.

'Het is het beste om alles buiten de publiciteit te houden,' zei Malcolm tegen haar, toen ze elkaar een paar dagen later op Annettes kantoor spraken. 'Stel je voor dat er iemand langsgaat bij de Kunst- en Antiekbrigade van Scotland Yard en zijn mond voorbijpraat over Marius Remmington en zijn vervalsingen. Trouwens, we weten alleen iets van dat handjevol dat Christopher Delaware in zijn bezit had. De andere vervalsingen zijn overal en nergens, volgens Madeleine Tellier, en als ze al wat weet, zal ze het nooit zeggen, omdat haar man ze gemaakt heeft. En verder is iedereen dood. Einde verhaal.'

'Ja, godzijdank wel,' zei Annette, en wat zachter vervolgde ze: 'Ik heb overigens nog steeds geen manuscript van het Picasso-boek gevonden, zelfs Agnes niet. Als het niet thuis in zijn werkkamer ligt, en niet op kantoor, waar zou het dan kunnen uithangen?'

'Joost mag het weten – misschien is er helemaal geen boek. Misschien was het een verzinsel van hem, een dekmantel om de hele wereld over te kunnen vliegen, met als thuisbasis Barcelona en de Provence, die allebei iets met Picasso te maken hadden. Roepen dat hij met het ultieme boek over Picasso's leven bezig was, was een prima façade, vind je niet? Misschien bestudeerde hij alleen het leven van die Elizabeth Lang, weten wij veel.'

'Of hij had afspraakjes met zijn geheime Spaanse partner, Rafael Lopez. Ik heb net informatie over hem gekregen via die particuliere inlichtingendienst die ik erop heb gezet. Kroll Associates zijn fantastisch in dat werk. Marius en Rafael deden al jaren zaken met elkaar, maar ik wist er niets van, en die Rafael heb ik ook nooit ontmoet. Hij doet meestal zaken vanuit zijn galerie in Madrid, maar ik ben te weten gekomen dat hij ook een kantoor in Barcelona heeft.'

'Ben je van plan hem op te zoeken?'

Annette schudde haar hoofd. 'Nee, ik wil niet meer te weten komen dan ik nu al weet. Wie weet wat die twee van plan waren? Het schijnt dat ze elkaar al heel lang kennen; ze waren al jaren zakenpartners. Ik wil niet weten wat voor zaken dat waren.'

Malcolm was het met haar eens en de naam Lopez kwam nooit meer over haar lippen.

Half juni had Annette eindelijk alles wat Marius' kunstzaken betrof onder controle. Ze zuchtte van opluchting. En voor ze het wist, brak de dag van het huwelijk aan, de gelukkigste gebeurtenis van het jaar voor hen allemaal.

Laurie en Malcolm trouwden in het huis waar Malcolm was opgegroeid en waar zijn ouders, Andrew en Alicia Stevens, als de gastheer en gastvrouw fungeerden. Laverly Court was een heerlijk achttiende-eeuws landhuis in Suffolk met prachtige tuinen en een decoratief meer. De plaatselijke dominee droeg de huwelijksmis op in het oude landhuis, dat vol stond met het fraaiste antiek en waar een verzameling superieure kunst de muren sierde.

Op deze zaterdag in juli stond het hele huis vol vazen met rozen en andere snijbloemen, waarvan de verschillende geuren de kamers vulden met hun mengeling van parfums.

Toen Annette later terugdacht aan dat huwelijk op die prachtige zomerdag, glimlachte ze met diepe blijdschap voor haar zusje en Malcolm, want ze wist dat ze een perfect stel vormden.

Lauries gezicht straalde en ze had er nog nooit zo lieflijk uitgezien. Ze droeg een roomkleurige satijnen trouwjurk met een tiara van oranjebloesem in haar roodgouden haar; Malcolm was haar knappe bruidegom in zijn jacquet met een grijszijden das en een witte roos op zijn revers.

Malcolm had Jack gevraagd zijn getuige te zijn, en Annette

gaf haar zuster weg. Lopend naast de bruid in haar rolstoel, begeleidde Annette haar door de grote zitkamer, waar alle gasten zaten, in de richting van de schouw. Daar stond dominee Sturges met de bruidegom en de getuige. Annette voelde een brok in haar keel toen ze opzij stapte voor Malcolm, die naar Lauries hand reikte en haar stevig vasthield, met een liefdevolle glimlach op zijn gezicht.

Al hun wederzijdse vrienden waren uitgenodigd voor de bruiloft. Lauries verzorgster Angie en haar hulp mevrouw Groome; Annettes assistente Esther; Carlton en Marguerite, en Ted Underwood, de andere beroemde restaurateur; Jacks tante Helen en zijn broer Kyle met zijn assistente Carole, die zich net verloofd hadden, waren ook aanwezig. En dan nog Margaret Mellor van het kunsttijdschrift *art*, Christopher Delaware, Jim Pollard en nog vele anderen uit de kunstwereld.

Op die dag ging Annettes jeugddroom in vervulling. Haar kleine zusje was veilig bij deze eerbare en toegewijde man, en zou dat altijd blijven.

Na hun huwelijksreis door Italië trok het gelukkige stel in Malcolms schitterende appartement op Cadogan Square, om daar de geboorte van de baby af te wachten. Ze wisten al dat het een meisje zou worden en iedereen zag vol spanning naar deze gebeurtenis uit.

Annette en Malcolm zaten op hete kolen tot vroeg in november eindelijk de bevalling plaatsvond. Het kindje kwam met de keizersnede ter wereld, en ze was eenvoudigweg perfect. Laurie voelde zich niet alleen kerngezond, ze was in de zevende hemel.

'We noemen haar Josephine,' vertelde Laurie Annette een paar dagen na de bevalling glimlachend. 'Maar eigenlijk Josephine Annette Alicia Stevens. Alicia naar Malcolms moeder natuurlijk.'

Annette, die overvloeide van dankbaarheid en geluk, verslikte zich prompt en kon geen woord uitbrengen toen ze haar zuster omhelsde.

Maar ze maakte dit allemaal goed op de dag dat de baby werd gedoopt, eind november. De receptie erna werd in het Dorchester Hotel in Mayfair gehouden. Ze vroeg aan Laurie en Malcolm of zij Josephine even mocht vasthouden, en

ze wandelde door de Orchid Room terwijl ze haar prutte-
lende nichtje trots aan iedereen liet zien. Ze was zo trots op
het kind alsof het van haarzelf was.

'Moet je zien, dat rode toefje haar,' zei ze tegen Carlton
en Marguerite. 'En haar ogen hebben precies dezelfde kleur
als die van Laurie,' vertelde ze Kyle. 'Maar ze heeft Malcolms voorhoofd en mond, vindt u niet?' zei ze zacht tegen
Malcolms moeder en iedereen was het helemaal met haar
eens.

Jack, die haar glimlachend vanaf de andere kant van de kamer in het oog hield, was blij dat Annette zich zo intens ver-
maakte op deze stralende dag en eindelijk weer zichzelf
scheen te zijn. Het leek alsof ze er eindelijk in was geslaagd
om die moeilijke maanden achter zich te laten. Haar ridder-
spoorblauwe pakje stond haar uitzonderlijk goed, en de
streng van grote parels uit de Stille Zuidzee glansde tegen
haar romige huid.

Hij slenterde naar haar toe en sloeg zijn arm om haar heen.
'Iedereen is blij dat je er zo gelukkig uitziet vandaag. Vooral ik natuurlijk.'

'Ik ben ook gelukkig, Jack,' antwoordde ze, terwijl ze langzaam naar Laurie en Malcolm liepen die verderop zaten.

Zodra ze de baby weer in de armen van de trotse vader had
gelegd, nam Jack Annette mee naar een rustig hoekje. Hij
nam twee flûtes Dom Perignon van het blad van een passerende ober en gaf haar er een. Ze proostten en hij zei: 'De
pijn trekt langzaam weg, is het niet?'

'Jawel,' zei ze en ze nipte van haar champagne. 'Maar soms,
krijg ik toch heel onverwacht een steek als ik denk aan al die
jaren die ik met hem doorbracht. Ik weet niet waarom hij zo
wreed was en me met zo'n gemene leugen aan hem vastke-
tende.'

'Dat is het verleden, en het verleden ligt achter je,' zei Jack.
'Het is voorbij.' Hij keek in haar adembenemend blauwe
ogen, waarin de tranen opwelden en hij schudde zijn hoofd.
'Hé,' fluisterde hij liefdevol. 'Geen tranen vandaag.' Hij nam
haar bij de arm en draaide haar een beetje om.

'Kijk daar eens, naar je kleine nichtje. Ze is een heel nieuw
mensje op deze aarde. Ze heeft geen verleden, alleen maar
toekomst.'

Annette knikte. 'En ze heeft haar hele leven nog voor zich.'
'En dat geldt ook voor jou, Annette,' antwoordde Jack. 'Een schitterend leven, een leven waarvan je nooit had gedacht dat het werkelijkheid zou worden...'

EPILOOG

Londen
December 2007

Annette Remmington stond met een kritische blik voor de grote spiegel in haar kleedkamer, omdat ze niet zeker wist of de jurk haar wel stond.

Het was een kort, recht model met een v-hals en lange mouwen, gemaakt van zwart fluweel. Nogal streng, vond ze, misschien een beetje te somber. Nee, besloot ze toen, hij is heel geschikt voor vanavond. Simpel maar chic. Ze reikte naar de pareloorstekers met een kleine diamanten druppel en deed ze in. Direct zag ze dat ze precies goed waren.

Verder droeg ze geen sieraden, op een antiek Cartier-horloge na. Geen ring aan haar vingers. Haar trouwring had ze al een tijd geleden weggegooid; in een moment van woede en walging had ze hem eenvoudig in een afvoerput in Bond Street laten vallen. Ze deed een stap terug, bekeek zichzelf van top tot teen, met een goedkeurende blik op de ultradunne, bijna zwarte kousen en de hooggehakte zwartzijden pumps.

Goed genoeg, mompelde ze en ze liep naar de woonkamer. Ze woonde nog altijd in hetzelfde appartement in Eaton Square, al zag dat er nu heel anders uit. Ze had alles veranderd en alle sporen van Marius weggevaagd. Het huis was nu van haar en weerspiegelde haar smaak qua kleuren en kunst aan de muren.

Ze keek om zich heen en genoot van de rust die de kamer uitstraalde, met zijn mengeling van crème en witte tinten, met hier en daar een toets van dieproze en groen in het roomwit-zwarte vloerkleed van Savonnerie en de kussens op de bank. De schilderijen kwamen uitzonderlijk goed uit tegen het crèmekleurige zijdebehang; de porseleinen lampen hadden roze zijden kappen en het vuur dat brandde in de open haard legde een fraaie rozerode gloed over alles heen.

Staand voor de open haard verwonderde ze zich er voor de zoveelste keer over dat de dag nu eindelijk aangebroken was. In mei had ze Sotheby's gevraagd om haar veiling van de impressionisten en *Het veertienjarige danseresje* uit de Delaware-verzameling uit te stellen. Het veilinghuis toonde begrip voor haar vele problemen en ze waren bereid geweest hem naar december te verschuiven. Het was nu vier december en nog even, dan zou de veiling beginnen. De verwachtingen waren hooggespannen.

Vanavond zou ze zich aan de wereld tonen, aan de kunstwereld in elk geval. De publiciteit rond de veiling was uitzonderlijk geweest, en ze hoopte dat alles goed zou verlopen. Ze kon het zich niet veroorloven te falen.

De deurbel klonk en ze besefte dat het bijna tijd was om te vertrekken. Ze liep snel naar de deur met een glimlach op haar gezicht.

Daar stond Jack, ongelooflijk knap, met een brede lach op zijn gezicht. 'Wat zie jij er weer geweldig uit!' zei hij en hij gaf haar een kus op de wang.

Ze liepen naar de woonkamer en hij keek rond, merkte de roze rozen op tafel op en knikte. Dat zag ze en ze zei: 'Dank je wel, Jack, de bloemen zijn prachtig.'

'Om je succes te wensen,' zei hij. 'Al heb je dat natuurlijk niet nodig.'

'Zeg dat nu niet, ik ben bijgelovig!'

Hij glimlachte zwijgend en ging naar het dranktafeltje waar een geopende fles rode wijn stond. 'Is dit voor mij?'

'Helemaal. Ik drink geen druppel voor de veiling,' zei ze.

'Een slokje dan,' zei hij. 'Ik wil een toost op je uitbrengen.'

'O, oké dan.'

Jack en zij klonken. 'Dat dit de grootste veiling ooit mag worden.' Hij grijnsde. 'Tot de volgende dan.'

Annette zette haar glas neer en liep naar het bureautje, nam een oud leren doosje uit een lade, en liep ermee naar de haard waar Jack tegen de schoorsteenmantel leunde. Ze liet hem het doosje zien en haalde het deksel eraf. 'Ik ben er eindelijk klaar voor hem om te doen, Jack. Als je dat nog steeds wilt natuurlijk.'

Hij nam het doosje uit haar handen, bekeek de diamanten verlovingsring en schudde zijn hoofd. 'Nee, eigenlijk niet.'

Geschrokken keek ze hem aan. 'O...' was alles wat ze uitbracht en haar glimlach verdween.

Jack zette het oude doosje op de koffietafel, stak zijn hand in de zak van zijn colbert en haalde een gloednieuw roodleren doosje tevoorschijn. Hij klikte het open en nam er een ring uit. 'Ik wil veel liever dat je deze draagt, Annette,' zei hij zacht. 'Het huwelijk van mijn moeder hield geen stand en misschien brengt die ring ongeluk. Voor ons. Vanwege de hele geschiedenis. Draag alsjeblieft de mijne. En wil je dan ook de mijne worden?'

Annette knikte en slikte haar tranen in. Ze kon even geen woord uitbrengen en ze stak toen maar snel haar linkerhand naar hem uit. Jack pakte hem vast, liet de ring om haar ringvinger glijden en zei: 'Dit is jouw kleur, lieveling. Ik hoop dat je hem mooi vindt.'

Ze keek naar haar hand en zag een glinsterende verlovingsring met een vierkant geslepen aquamarijn, omringd door kleine diamantjes. 'O! Ja, hij is schitterend! Dank je, dank je wel!'

'Het is precies de kleur van je ogen,' zei hij en hij drukte nogmaals een kus op haar wang. 'En stop nu die andere ring maar weg, en bewaar hem voor een ander meisje, een klein meisje dat misschien op een dag langskomt, en dat opgroeit om ooit haar grootmoeders ring te koesteren. Wie weet.'

'O Jack, schat van me,' was alles wat ze kon uitbrengen, aangedaan door zijn woorden.

Hij sloeg een arm om haar schouders en liep met haar de kamer door. Toen ze bij de deur waren liet hij haar los, nam een fluwelen sjaal van een stoel, legde hem om haar schouders en gaf haar het zwarte handtasje. 'Het is jouw avond, liefste,' zei hij. 'Ben je er klaar voor?'

'Ja, helemaal.'

'Opgewonden?'

'Ja.'

'Bang?'

'Nee, helemaal niet, Jack.'

Hij glimlachte naar haar. 'Mijn meisje,' zei hij trots

Ze keek naar hem en dacht: ja, dat ben ik. *Zijn meisje.* En dat zal ik altijd blijven.

Opmerking van de schrijfster

De lang verdwenen Rembrandt, een vrouwenportret, die een rol speelt in deze roman bestaat niet echt. Met dichterlijke vrijheid verzon ik hem om dramatische redenen voor het verhaal. In de roman draagt Annette hem in opdracht van de eigenaar over aan veilinghuis Sotheby's in Londen. Het schilderij wordt verkocht voor 33,2 miljoen dollar.

Dit is beslist geen overdreven prijs. Hij is gebaseerd op mijn research naar de opbrengsten van meesterwerken tussen 2000 en 2010. Hier ziet u enige van de recentste prijzen die voor grote meesterwerken zijn betaald.

In december 2009 bijvoorbeeld werd een soortgelijk schilderij van Rembrandt voor 33,2 miljoen dollar verkocht op een veiling bij Christie's in Londen. In februari 2010 veilde Sotheby's in Londen het beeld *L'Homme qui marche* van Giacometti voor 104,3 miljoen dollar, volgens Sotheby's een recordbedrag voor een kunstwerk op een veiling. Dit record werd een paar maanden later gebroken door Christie's in New York, waar Picasso's *Nu au Plateau de Sculpteur* 106,5 miljoen dollar (zo'n 78 miljoen euro) opbracht – waardoor het een van de kostbaarste werken werd dat op een openbare veiling werd verkocht. Niet lang daarna werd door Sotheby's in Londen een Manet afgeslagen op 33 miljoen dollar.

De meeste kunstexperts denken dat kunst van een van de meesters uit de zeventiende, achttiende, negentiende en twintigste eeuw de waardevolste activa zijn, zelfs tijdens grote economische verschuivingen of crises. Maar deze kunstwerken moeten dan natuurlijk wel van de allergrootste meesters zijn willen zij zulke enorme bedragen kunnen opbrengen.

Bibliografie

Dillian Gordon, *100 Great paintings: Duccio to Picasso*
(National Gallery, Londen)
Robert Gordon en Andrew Forge, *Monet* (Harry
N. Abrams)
Arianna Stassinopoulos Huffington, *Picasso: vernieuwer en
vernietiger* (Het Spectrum)
Clifford Irving, *Fake! Elmyr de Hory: The greatest Art
Forger of our time* (McGraw-Hill)
Lorraine Lévy (vert. door Barbara Beaumont), *Picasso*
(Grange Books)
John O'Neill (ed.), *Degas. Catalogue of the Degas
Retrospective* (The Metropolitan Museum of Art,
New York)
Walter Pach, *Renoir* (Thames & Hudson)
John Rewald, *The history of impressionism* (Museum of
Modern Art, New York)
John Rewald, *Cézanne* (Harry N. Abrams)
John Richardson, *A Life of Picasso* (Random House)
Laney Salisbury en Aly Sujo, *Provenance: How a con man
and a forger rewrote the history of Modern Art*
(The Penguin Press)
Barbara Ehrlich White, *Impressionists side by side; their
friendships, rivalries and artistic exchanges* (Alfred
A. Knopf)
Barbara Ehrlich White, *Impressionism in perspective*
(Prentice Hall)
Barbara Ehrlich White, *Renoir: his life, art & letters*
(Abradale Press)